經學研究論叢

◆第十六輯◆

林慶彰主編

馮曉庭
張穩蘋 編輯

臺灣 學生書局 印行

經學研究論叢編輯委員會

編者序

本輯論文有需要特別說明者如下：

中央研究院中國文哲研究所經學文獻組的同仁和國內經學界的朋友，為執行「晚清經學計畫」第五年子計畫「四川地區經學研究」，於 2006 年 7 月 27 日至 8 月 3 日到四川成都作為期一週的四川經學家遺跡考察。四川大學古籍所舒大剛所長除安排座談會外，又陪我們參觀石室中學。後蜀刻石經，也稱為「石室十三經」，可見十三經之名，在後蜀時代就已經有。筆者覺得這唯有在蜀地工作的學者比較能了解始末，乃向舒所長邀稿。不久，舒所長就寄來〈從蜀石經的鐫刻看《十三經》的結集〉大文。

劉文淇祖孫三代作《春秋左氏傳舊注疏證》，未完成。今人吳靜安作《春秋左氏傳舊注疏證續》，完成劉氏未竟之業。吳氏的續作能否賡續劉氏之書，有待行家來鑑定。臺灣大學中文博士曾聖益教授專研劉文淇之學術，乃敦請曾教授撰寫〈讀吳靜安《春秋左氏傳舊注疏證續》後記〉一文。

南京師範大學錢玄先生研究禮學的成就甚高，他完整的傳記資料卻不易見到。多年前見到南京師範大學的趙生群先生，拜託他找錢先生的弟子寫一篇介紹錢玄先生的文章，去年方向東先生寄來〈道德文章、山高水長──記錢玄先生〉大文，內容雖略為簡短，對了解錢先生仍大有助益。

民國時期的經學家有完整的傳記資料的並不多，從大陸來臺的學者，國內文教界為其作傳記的確有不少，但仍有遺珠之憾。如臺大中文系裴溥言（普賢）教授，唯一可知其學術梗概的是筆者請李光昀學棣採訪的〈將詩經通俗化的裴普賢教授〉，（《國文天地》第 5 卷 4 期，1989 年 9 月）這和現代年輕作家已有多本研究他們的學位論文，可說有天壤之別。為了保存現代學者的傳記資料，本《論叢》創刊時，每輯都有「經學人物」專欄，介紹當代經學人物，本輯介紹錢玄和楊晉龍

先生，楊先生的介紹稿由蕭開元先生執筆，已完成多年，現在才刊出，希望文稿和他現在的想法不要相差太多。

除上述幾位先生應感謝外，姜龍翔、楊新勛、陳水福、蕭雅俐、鄭憲仁、陳蘇鎮、丁亞傑等先生慷慨賜稿，以及不辭辛勞，為「出版資訊」撰稿的多位學弟妹，也一併致謝。

2009 年 4 月 **林慶彰** 誌於

中央研究院中國文哲所 501 研究室

經學研究論叢　第十六輯

目　次

【周易】

經 學 研 究 論 叢
第 十 六 輯　　頁1〜16
臺灣學生書局　2009 年 5 月

從「蜀石經」的鐫刻看
《十三經》的結集

舒大剛*

　　《十三經》是儒家最為重要的十三部經典，它們是儒家學說的基礎，也是中華文化的重要源頭。從早期儒家誦法「六藝」，至後期儒家言必稱「十三經」，儒家經典經歷了一個逐漸擴大，並逐漸固定化的過程。儒家經典，從孔子時代的「六經」（《詩》、《書》、《禮》、《樂》、《易》、《春秋》）到西漢的「五經」（「六經」無《樂》），又從「五經」發展到「七經」（「五經」加《論語》、《孝經》），再發展到「九經」（《易》、《詩》、《書》、《三禮》、《春秋三傳》）❶、「十二經」（「九經」加《論語》、《孝經》、《爾雅》）和「十三經」（「十二經」加《孟子》）。這個過程從表面上看只是儒家經典數量的增加，儒家從事思想創造時文獻取材範圍的擴大而已。但是實際上，反映出的是不同時期儒家思想不同的價值取向。儒家「十三經」實際是「經」、「傳」、「子」的匯

---

* 舒大剛，四川大學古籍整理研究所教授兼所長。

❶ 關於「七經」和「九經」所指，古來解釋各異，如「七經」，有「六經」加《論語》說；有「五經」加《論語》、《孝經》說（全祖望《經史問答》、杭士駿《經解》）；有「五經」加《周禮》、《儀禮》說（劉藻《經解》）。但據西漢末形成的「七經緯」而言，證明「五經」加《論語》、《孝經》說可信。「九經」一以為《易》、《書》、《詩》、《春秋》、《三禮》加《論語》、《孝經》（劉藻《經解》）；一以為《三禮》、《三傳》合《易》、《書》、《詩》而成（顧炎武《日知錄》）。驗之唐「九經正義」，而後說可信。

合，原始「六經」（或「五經」）代表的是三代舊制和故典，歷史性、客觀性是其主要特點；而《春秋》之《三傳》、釋禮之《禮記》，是關於《春秋》經和《儀禮》經的解釋和說教，主觀性、現實性的色彩逐漸增濃；至於《論語》、《孟子》原本就是子書，是闡發以孔子、孟子為主的早期儒家的思想資料，個性化色彩自然比「傳」或「記」都大得多。由此可見，儒家經典擴大化的過程，已經呈現出「由經而傳」，再由「由傳而子」的轉換，也反映出儒家學說的話語資料從重視客觀的「經」（或「史」），進而兼重（甚至「獨重」）「子」書的歷史變遷。從學術史的角度講，每一次經典文獻的擴展，基本上都或隱或顯地預示著儒學發展新階段的來臨甚至開始，儒家經典的擴大史也是儒學發展史的重要內容。因此，研究和揭示儒家經典的形成過程，對揭示儒家知識視域的不斷擴大，展示儒家思想和價值觀的不斷轉換，對完整地認識儒學發展史，都具有不容忽略的意義。可是，由於目前尚無對「十三經」形成過程的專項研究，因此人們在敘述這一過程時，難免辭浮其事，甚至錯謬百出比如何人在何時何地早將儒家這十三部經書會聚在一起？「十三經」的稱名以何時何地何書最早？目前都還歧說紛呈，矛盾互異。

　　本文通過考察發現，將「十三經」合刻一處以始於五代、成於北宋的「蜀石經」最早，「十三經」的稱名也以「蜀石經」最先。因此，「蜀石經」應該是儒家「十三經」結集的最早嘗試，它是一部以石頭為質地的名副其實的「儒學《十三經》」！

一、有關「十三經」結集諸說回顧

　　「十三經」作為儒家最基本的典籍，其形成和結集過程歷來都是講學家和研究者所關心的問題。因此各類經學著作，無論是《群經概論》，還是《十三經概論》，或《經學歷史》，或《經學概論》等，都照例要在首章列出「從六經至十三經」之類的章節來加以敘述。只可惜目前還沒有取得統一的認識，有的敘述甚至矛盾重重，錯誤百端。下面讓我先回顧一下近世以來各類書籍關於「十三經」形成時代的說法吧：

　　一是形成於清代說。蔣伯潛《十三經概論》在「經與十三經」章說：

彼時（漢代）所謂「經」者，僅指《詩》、《書》、《禮》、《樂》、《易》、《春秋》六經。六經無《樂》，實際上僅有五經。但經之外，又有釋經之「傳」焉，……又有附經之「記」焉，……於是《易》、《書》、《詩》之外，《禮》則《周禮》、《禮記》，並《儀禮》而為三。《春秋》則隨三傳而分為三。加以《論語》、《孝經》、《爾雅》，凡十有二矣。……五代時，蜀主孟昶刻《石刻十一經》，去《孝經》、《爾雅》，而入《孟子》，此《孟子》入經部之始。……清高宗乾隆時，既刻《十三經》經文於石，立之太學，而阮元又合刻《十三經注疏》，且附以《校勘記》。此《十三經》完成之經過也。❷

　　蔣先生還在《經學纂要》書中重申：「（唐）文宗所刻的《開成石經》，則《易》、《書》、《詩》、《三禮》、《春秋三傳》、《論語》、《孝經》之外，又加了一部《爾雅》，已成為《十二經》了。……但五代時蜀土孟昶《石刻十一經》，不列《孝經》、《爾雅》，而加入《孟子》。《孟子》已列於經的地位了。及清高宗刻《十三經》於太學，於是《十三經》這部叢書，乃成定本。」❸

　　蔣先生認為唐「開成石經」有十二經，孟蜀「石刻十一經」（且不論「十一經」之稱是對是錯）「不列《孝經》、《爾雅》」而將《孟子》刻入石經，《孟子》雖然已經取得「經」的地位，但「十三經」的正式確立要到清高宗乾隆時期才宣告完成。時間顯然太過偏晚。

　　二是形成於明代說。顧炎武：「自漢以來，儒者相傳，但言『五經』。而唐時立之學官，則云『九經』者，《三禮》、《三傳》分而習之，故為九也。其刻石國子學，則云『九經』並《孝經》、《論語》、《爾雅》。宋時程、朱諸大儒出，始取《禮記》中之《大學》、《中庸》，及進《孟子》以配《論語》，謂之《四書》。本朝因之，而『十三經』之名始立。」❹

---

❷　蔣伯潛：《十三經概論》（上海市：上海古籍出版社，1983 年 4 月初版），頁 7–8。

❸　蔣伯潛：《經學纂要》（長沙市：岳麓書社，1990 年版），與朱劍芒《經學提要》合刊。

❹　顧炎武：《日知錄》卷 18。《諸子集成續編》第 18 冊（成都市：四川人民出版社，1997 年

　　乾隆十二年《御制重刻十三經序》：「漢代以來，儒者傳授，或言『五經』，或言『七經』。暨唐，分《三禮》、《三傳》，則稱『九經』。已又益《孝經》、《論語》、《爾雅》，刻石國子學。宋儒復進《孟子》，前明因之，而『十三經』之名始立。」

　　杭士駿《經解》一方面以「陸德明撰《經典序錄》，只稱『九經』，而亦為《孝經》、《論語》、《孟子》、《爾雅》撰音，是『十三經』已萌芽於此」。但又因「其末附以《老》《莊》二子，則經之名反隱」。又說：「開成刻石，長興鏤板，亦只有『九經』。斯時《孝經》以石臺別行，《爾雅》為書學專習，故不兼及耳。孟蜀廣政，毋昭裔等漸次刊布，逮宋淳化始得畢功。然《孟子》尚闕，宣和間席旦（當作「貢」）刻於成都學宮而後備。……明嘉靖、萬曆間，南北兩雍，前後並刻，而《十三經》之名遂遍海宇矣。此諸經分合之大略也。」❺

　　劉藻《經解》：「『五經』之內，分《周禮》、《儀禮》為『七經』。……『七經』之外，益以《孝經》、《論語》為『九經』，唐所校以刻於太學者是也。『九經』之內，去《春秋》入《三傳》中，成三經，合之為『十一經』。又益以《爾雅》、《孟子》為《十三經》。蓋始於唐，衍於宋，而終於明之世云。」❻

　　今世《辭源》（修訂本）亦從此說：「漢把《易》、《詩》、《書》、《禮》、《春秋》立於學官，名『五經』。唐合《周禮》、《儀禮》、《公羊》、《穀梁》為『九經』。開成間刻石國子學，又加《孝經》、《論語》、《爾雅》稱『十二經』。到宋代復增《孟子》，至明合稱『十三經』。」❼

　　三是形成於宋代說。朱劍芒《經學提要》總論：「唐開成間，立石國子學，於《九經》之外加入《孝經》、《論語》、《爾雅》，亦嘗稱之為《十二經》。自宋列《孟子》於經部，《十三經》之名，亦因以成立。」❽今之《辭海》（修訂本）從之：「漢代開始，把《詩》、《書》、《易》、《禮》、《春秋》稱為『五

　　影印本）。

❺　杭士駿：《經解》，載《皇清文穎》卷 12，文淵閣四庫全書本。

❻　劉藻：《經解》，載《皇清文穎》卷 13，文淵閣四庫全書本。

❼　《辭源》（修訂本），第 1 冊（香港：商務印書館，1980 年），頁 402。

❽　朱劍芒：《經學提要》，與蔣伯潛《經學纂要》合刊本（長沙市：岳麓書社，1990 年）。

經』。唐代把《周禮》、《禮記》、《儀禮》、《公羊傳》、《穀梁傳》、《左傳》與《詩》、《書》、《易》稱為『九經』。唐文宗刻石經，將《孝經》、《論語》、《爾雅》列入經部。宋代又將《孟子》列入，因有『十三經』之稱。」❾

　　夏傳才《十三經概論》第一章也承此說：「到宋代，原來『十二經』再加上《孟子》，便成為流傳至今的《十三經》。……明代將經書合刊，仍是刊行宋版十三經，直傳至今。」

　　宋代又有北宋、南宋之分，關於「十三經」在宋代形成的具體時間，有的學者又明確指定在南宋。楊柏峻《經書淺談序》：「唐太和中，復刻『十二經，立石國學』。……到宋代，理學家又把《孟子》地位提高，朱熹取《禮記》中的《中庸》、《大學》兩篇，和《論語》、《孟子》相配，稱為《四書》，自己集注，由此《孟子》也進入『經』的行列，就成了《十三經》。這是《十三經》成立的大致過程。」❿根據楊先生茲說，「十三經」的結集在朱熹表彰《孟子》並撰成《四書集注》之後，其時間則在南宋後期了。

　　四是形成於孟蜀說。明任濬：「唐……明經取士之『九經』，則《禮記》、《春秋左傳》為大經，《詩》、《周禮》、《儀禮》為中經，《易》、《尚書》、《春秋》公、穀為小經。宋合《三傳》，捨《儀禮》，而以《易》、《詩》、《書》、《周禮》、《禮記》、《春秋》為『六經』。又以《孟子》、《論語》、《孝經》為三小經，則宋所稱『九經』也。若夫《石室十三經》，始自孟蜀。」⓫

　　閻若璩：「唐文宗開成二年，國子監『九經石壁』成，……孟蜀廣政十四年，鐫《周易》、至宋仁宗皇祐元年《公羊傳》工畢，是為《石室十三經》。」⓬（按，《公羊傳》刻成時，並未形成「十三經」。詳下）

　　沈廷芳《經解》：「經之名數各殊，『五經』始漢武帝，『七經』始漢文翁，『九經』始唐鄭覃，『十一經』始唐劉孝孫，『十三經』始蜀母昭裔、孫逢吉諸

❾　《辭海》（合訂本）（上海市：上海辭書出版社，1980 年），頁 114。

❿　楊柏峻：《經書淺談》（北京市：中華書局，1997 年 10 月）。

⓫　任濬：〈十三經注疏序〉，收錄於《山東通志》，卷 35 之 6，頁 98－99，文淵閣四庫全書本。

⓬　閻若璩：《潛丘札記》卷 5，文淵閣四庫全書本。

人，至宋淳化而始定。」❸淳化是宋太宗年號，時當公元九九〇至九九四年。但據宋人記載（詳下），「蜀石經」的完成並不在淳化時期，其十二經的最後兩部《公羊》、《穀梁》刻成是在皇祐初（1049），而《孟子》入刻更遲至宣和五年（1123）。因此李時著、崔曙鳳整理的《國學五百問》訂正說：「宋宣和中，席旦知成都府，於後蜀所刻石經外，加刻《孟子》，是為《十三經》。」

　　綜上所列，有關「十三經」結集時間的說法可謂多矣！有五代孟蜀說，有宋代說，有南宋說，有明代說，有清朝說。自孟蜀廣政十四年（952），迄清乾隆時期（1736 年後），前後長達七百八十餘年，都被學人認為是「十三經」的形成過程，何其綿延之長而久無定準也！「十三經」到底結集於何時？必有真偽於其間，是當深入考察者也。而且諸人在談「十三經」形成時，都沒有具體的標誌和事件，說明對「十三經」彙刻的具體活動，至今還缺乏清楚的認識，這也是不得不認真加以清理和研究的。

二、「蜀石經」的形成與著錄

　　以上四說之中，誰者為真，誰者為假呢？從時代上講，當然以五代孟蜀為早，讓我們先從「蜀石經」考察起，如果「蜀石經」之說可以成立，其它諸說就不必辭費詳論了。「蜀石經」是歷代石經中校刻精審，特色鮮明，質量很高的一種，在當時即受重視，研究經學的人常常引以為善本（如朱熹）。「蜀石經」也是歷代石經中唯一附有注文的一種，也是規模最大的一種，刻成之時，其碑千餘，左廊右廡，蔚然大觀。可惜「蜀石經」在宋代末年就已開始散佚，其形制之詳不可得而知了。關於「蜀石經」的問題，學界雖然已經有一些研究❹，已經對「蜀石經」鐫刻的經過、特點、存佚、殘片及其校勘價值等問題有過明確的探討。但是，對「蜀石經」與中國儒學史的關係，特別是「蜀石經」對儒家經典結集的促進作用卻還注意不

---

❸　沈庭芳：《經解》，《皇清文穎》卷 12，文淵閣四庫全書本。

❹　徐森玉：〈蜀石經和北宋二體石經〉，《文物》1963 年第 1 期；周蕚生：〈近代出土的蜀石經殘石〉，《文物》1963 年第 7 期，頁 46－50。李志嘉、樊一：〈蜀石經述略〉，《文獻》第 2 期（1989 年），頁 209－221；袁曙光：〈蜀石經殘石〉，《文物天地》1989 年第 5 期。

夠。這裏願意結合儒家「十三經」結集過程的考察，談一點自己對「蜀石經」的認識。

蜀石經，或稱「孟蜀石經」，又有「石壁九經」、「石本九經」、「蜀刻十經」、「蜀刻十一經」、「蜀刻十二經」和「石室十三經」等稱呼。這些稱法，實際表達了人們對「蜀石經」所刻經數的不同理解，也反映出學術界對「蜀石經」還存在模糊的認識。

㈠宋代趙抃《成都記》：「偽蜀相毋昭裔捐俸金，取《九經》琢石於學宮。」❶⑮

張俞《華陽縣學館記》：「惟孟氏踵有蜀漢，以文為事，凡草創制度，僭襲唐軌，既而紹漢廟學，遂勒『石書九經』。」❶⑯

席益《成都府學石經堂圖籍記》說：「蜀儒文章冠天下，其學校之盛，漢稱石室、禮殿，近世則『石壁九經』，今皆存焉。」❶⑰

呂陶《經史閣記》：「蜀學之盛冠天下而垂無窮者，其具有三：一曰文翁之石室，二曰高公之禮殿，三曰石壁之九經。……及五代之亂，疆宇割裂，孟氏苟有劍

---

⑮ 趙抃《成都記》，疑即趙抃《成都古今記》，原 30 卷，見《宋史·藝文志》著錄，原書今佚，《說郛》僅存其書一卷。此引見范成大《石經始末記》引，載《全蜀藝文志》卷 36（線裝書局，2005 年）。又按，〔明〕曹學佺：《蜀中廣記》（臺北市：臺灣商務印書館影印《文淵閣四庫全書》，1986 年 3 月），卷 1，頁 11－12：「《成都記》云：偽蜀孟昶有國，其相毋昭裔刻《孝經》、《論語》、《爾雅》、《周易》、《尚書》、《周禮》、《毛詩》、《禮記》、《儀禮》、《左傳》凡十經於石，其書丹則張德釗、楊鈞、張紹文、孫逢吉、朋吉、周德貞也。石凡千數，盡依大和舊本，歷八年乃成。《公》、《穀》則有宋田元均時刻。《古文尚書》則晁公武所補也。胡元質宗愈作堂以貯之，名『石經堂』，在府學。」顧炎武《石經考》、倪濤《六藝之一錄》卷 91 均從之；乾隆《欽定佩文齋書畫譜》卷 88 亦引此文，注：「趙抃《成都記》。」俱誤。趙抃（1008－1084）於嘉祐三年（1058）至五年（1060）帥益州。田況皇祐初（1049）年刻完《公》《穀》二傳，趙抃尚可得見。至於胡宗愈建「石經堂」，約在元祐六年（1091）年以後；晁公武刻《古文尚書》則更遲至紹興十七年前後，其時趙抃久作古人，何得記其事入《成都記》中？此蓋誤引范石湖《記》文，不可取。

⑯ 張俞：〈華陽縣學館記〉，收錄於《成都文類》，卷 31，頁 13，文淵閣四庫全書本。

⑰ 席益：〈成都府學石經堂圖籍記〉，收錄於《萬氏石經考》，卷下，頁 27，文淵閣四庫全書本。

南，百度草創，猶能取《易》、《詩》、《書》、《春秋》、《周禮》、《禮記》刻於石，以資學者。吾朝皇祐中，樞密直學士京兆田公加意文治，附以《儀禮》、《公羊》、《穀梁傳》，所謂『九經』者備焉。」❶洪邁《容齋隨筆》卷四亦稱「蜀石本九經」，「皆孟昶時所刻」。

吳任臣《十國春秋・毋昭裔傳》亦曰：「毋昭裔，……性好藏書，酷嗜古文，精經術。嘗按雍都舊本九經，命張德昭等書之，刻石於成都學宮。」

「九經」一詞多是泛稱，相當於「群經」的意思，如趙抃、張俞、席益等文均是。但呂陶之文備列經書名稱，似乎又是實指，即：《易》、《詩》、《書》、《春秋左傳》、《周禮》、《禮記》、《儀禮》、《公羊》、《穀梁傳》九種。曹學佺《蜀中廣記》卷九一《著作記》亦立「石本九經」一目以著錄之。

㈡除「九經」說外，又有「十經」說。晁公武《石經考異序》：「按趙清獻（抃）《成都記》：『偽蜀相毋昭裔捐奉金，取《九經》琢石於學宮……。《孝經》、《論語》、《爾雅》，廣政甲辰歲張德釗書；《周易》，辛亥歲陽鈞孫逢吉書；《尚書》，周德正書；《周禮》，孫朋吉書；《毛詩》、《禮記》、《儀禮》，張紹文書；《左氏傳》不志何人書，而『詳』字闕其畫，亦必為蜀人所書。然則蜀之立石蓋十經。』❶

從晁序可知，所謂「十經」者僅僅指孟蜀時期八年之中所刻，沒有包括後續至北宋所刻的數種，因此此十經不是「蜀石經」的全部。後來有人說：「後蜀廣政年間，宰相毋昭裔以楷體寫十部經書，立於成都石經堂。」如果只是就五代孟蜀時所刻而言則並不錯，如果說「蜀石經」就只有十部那就不太準確了。

㈢此外又有「十一經」之說。明顧起元稱：「蜀（永）（廣政）年之《十一經》……皆宗唐注疏而已。」❷前舉蔣伯潛說：「五代時蜀主孟昶《石刻十一經》，不列《孝經》、《爾雅》，而加入《孟子》。」今人又說：「五代時，後蜀

❶ 呂陶：〈經史閣記〉，收錄於《成都文類》，卷 30，頁 2－3，文淵閣四庫全書本。
❷ 晁公武：《石經考異序》，范成大《石經始末記》引，載《全蜀藝文志》卷 36（北京市：線裝書局，2005 年）。
❸ 顧起元：《說略》卷 12，文淵閣四庫全書本。

皇帝孟昶命宰相毋昭裔楷書《易》、《詩》、《書》、三《禮》、三《傳》、《論》、《孟》等十一經，刻石列於成都學宮。」以為蜀刻只有十一部，而且《三傳》、《孟子》都是孟蜀時期所刻，且將《孝經》和《爾雅》從中抽出，更是非常混亂的說法。

㈣有的史料對「蜀石經」又只列七種經書。如吳任臣《十國春秋・後蜀主本紀》：「廣政十四年，詔勒諸經於石。秘書郎張紹文寫《毛詩》、《儀禮》、《禮記》，秘書省校書郎孫明古寫《周禮》，國子博士孫逢吉寫《周易》，校書郎周德政寫《尚書》，簡州平泉令張德昭寫《爾雅》。

凡此種種，歧說紛呈，莫衷一是。「蜀石經」到底是九經，或是十經，抑或是十一經，或是十二經？「蜀石經」中到底有哪些經典，其中有沒有《孝經》、《爾雅》等等問題，如果不搞清楚，自然不利於「蜀石經」的研究，也不利於儒家「十三經」結集過程的探討，更不好為「十三經」形成的時代作出準確定位。

通過對各類宋代文獻的考察，我們發現以上種種記載，有的顯然失考（如「十一經」說），有的則出於誤記（如「九經」、「七經」說），有的則是將孟蜀之石經與北宋補刻之石經區別對待（如「十經」說）。「蜀石經」一名應包含兩重含義，一是五代孟蜀時所刻的石經；二是始於五代而成於北宋在蜀地所刻的石經。前一個「蜀」代表時代；後一個「蜀」代表地域。前後二者都是在同地發生的，是延續進行的一個工程，不應區別對待。我們這裏要考察的「蜀石經」不僅僅有孟蜀的石經，而且也包括了延續至北宋所刻於成都同一個地方的石經。「蜀石經」一共入刻了十三部，考慮到同時期或在此以前其它地方尚未將十三部經典刻在一起（西安碑林的石經《孟子》係清代補刻），因此我們認為「蜀石經」是儒家「十三經」最早結集的典範。其詳情如下：

㈠「蜀石經」的鐫刻過程。晁公武《石經考異序》：「按趙清獻公（抃）《成都記》：『偽蜀相毋昭裔捐俸金，取《九經》琢石於學宮。』而或又云：「毋立齋依太和舊本，令張德釗書。國朝皇祐中田元均補刻公羊高、穀梁赤二《傳》，然後《十二經》始全。至宣和間，席升獻（貢）又刻孟軻書參焉。今考之，偽相實毋昭裔也。……其書者不獨德釗。而能盡用太和本，固已可嘉。凡歷八年，其石千數，

昭裔獨辦之，尤偉然也。」❷晁公武曾出守成都，親見其刻，所言的的可觀。

曾宏父《石刻鋪敍》對「蜀石經」也有詳盡描述：

> 益群石經，肇于孟蜀廣政，悉選士大夫善書者，模丹入石。七年甲辰，《孝經》、《論語》、《爾雅》先成，時晉出帝改元開運。至十四年辛亥，《周易》繼之，實周太祖廣順元年。《詩》、《書》、《三禮》不書歲月。逮《春秋三傳》，則皇祐元年九月訖工。時我宋有天下已九十九年矣，通蜀廣政元年肇始之日，凡一百一十二禩，成之若是其艱。又七十五年，宣和五年癸卯，益帥席貢始湊鐫《孟子》，運判彭愷繼其成。乾道六年庚寅，晁公武又鐫《古文尚書》暨諸經《考異》。❷

據曾氏所言，完整的「蜀石經」從孟蜀廣政初（938）刻，到皇祐元年（1049年）刻成《公》、《穀》二傳，前後經歷了一百一十二年。刻《孟子》入石，又在七十五年之後的宣和五年（1123）。如果要算晁公武刻《考異》和《古文尚書》的時間，則要遲至公元一一七〇年了。中間斷斷續續，前後跨度實達二百三十餘年！

孫承澤《硯山齋雜記》卷二：「今世所傳石經乃偽蜀相毋昭裔捐俸令張德釗依唐太和本寫宋元祐中白元均補公羊穀梁二傳宣和間席升獻又刻孟軻書范成大又云孝經論語爾雅廣政甲辰張德釗書周易辛夘歲楊鈞孫逢吉書尚書周德正書周禮孫朋吉書毛詩禮記儀禮張紹文書左氏傳不知何人書皆蜀士筆也今人見其楷法類虞褚疑為唐人未之考耳」

㈡「蜀石經」的流傳情況。蜀刻十三經，拓本在南宋廣為流傳，曾宏父《石刻鋪敍》還將每經的文字都作了詳盡記錄。晁公武還用通行「監本」與之對校，撰成《石經考異》，發現「《周易》經文不同者五科，《尚書》十科，《毛詩》四十七科，《周禮》四十二科，《儀禮》一十一科，《禮記》三十二科，《春秋左氏傳》

---

❷ 晁公武：《石經考異序》，見范成大《石經始末紀》引，載《全蜀藝文志》卷 36（北京市：線裝書局，2005 年）。

❷ 〔宋〕曾宏父：《石刻鋪敍》，卷上，頁 4—5，文淵閣四庫全書本。

四十六科，《公羊傳》二十一科，《穀梁傳》一十三科，《孝經》四科，《論語》八科，《爾雅》五科，《孟子》二十七科。其傳注不同者尤多，不可勝紀。獨計經文，猶三百二科。」❷³

「蜀石經」校勘精審，書法秀美，由宋及明，書家奉為法書寶帖。明《文淵閣書目》「法帖類」即著錄：「《石刻周易》一部三冊，《石刻尚書》一部三冊，《石刻毛詩》一部八冊，《石刻周禮》一部八冊，《石刻儀禮》一部十冊，《石刻禮記》一部十四冊，《石刻左氏傳》一部三十冊，《石刻公羊傳》一部七冊，《石刻穀梁傳》一部七冊，《石刻論語》一部三冊，《石刻孝經》一部一冊，《石刻孟子》一部三冊，《石刻爾雅》一部三冊，《石刻異考》一部一冊。」❷⁴這裏雖然只著「石刻」而不題「蜀石經」字樣，但據王國維推測：「此諸經……有《孟子》及《石經考異》，而無《五經文字》、《九經字樣》，其為蜀刻而非唐刻明矣。」❷⁵

稍後張萱等編《內閣圖書目錄》，也有與《文淵閣書目》相同的著錄。萱還在《疑耀》中記載了校閱秘閣書時發現這批石經的經過，直接稱之為「成都石經」（或「蜀本石經」），還特別告語：諸拓本皆「完好如故」，「獨《左氏春秋》，未知為何人書，其紙墨之精，拓法之妙，當是宋物，真希世寶也！」❷⁶

這批「蜀石經」拓本，入清之後才逐漸消失，光緒時重編內閣大庫存書檔冊時，已經不見「蜀石經」拓本矣。晚清藏家陸續收集到一些零星的殘卷和殘頁，蓋從內閣大庫逸出者。「蜀石經」殘石，近世也陸續有所發現，累計拓片和殘石，已有《周易》、《古文尚書》（晁公武補刻，不在「蜀刻十三經」之數）、《尚書》、《毛詩》、《周禮》、《儀禮》、《春秋左傳》、《公羊傳》、《穀梁傳》八種。❷⁷千餘石碑不會泯滅如此乾淨，地不愛寶，他日當會有所發現。

---

❷³ 晁公武：《石經考異自序》，范成大《石經始末記》引，載《全蜀藝文志》卷36。

❷⁴ 楊士奇：《文淵閣書目》，卷3，「辰字號第一廚書目」，頁15－16，文淵閣四庫全書本。

❷⁵ 王國維：〈蜀石經殘拓本跋〉，《觀堂集林》第4冊（北京市：中華書局，1991年重印本），頁976。

❷⁶ 張萱：《疑耀》，卷1，頁31，文淵閣四庫全書本。

❷⁷ 詳參前舉徐森玉、周萼生、李志嘉、樊一及袁曙光等先生文章。

三、「蜀刻石經」的意義和影響

從上考可知，「蜀石經」不是九部，也不是十部，或十一部、十二部，而是十三部。其中不僅有《孟子》，而且也有《孝經》、《爾雅》。這十三部石經一直儲藏於文翁石室之中，故又號稱「石室十三經」。它是儒家「十三經」的首次結集，對儒學十三經的正式定型起到了積極作用。

首先，「蜀石經」是最早的「儒學十三經」。儒家經典的結集和傳播，在大型儒學叢書產生之前，主要是靠石經的刊刻來實現的。在歷代石經中，以「蜀石經」最早形成「十三經」規模。「熹平石經」只有《周易》、《尚書》、《春秋》、《公羊傳》、《儀禮》、《禮記》、《論語》七經[28]「正始石經」只有《古文尚書》、《春秋左傳》二種；唐「開成石經」有十二種而無《孟子》；北宋熙寧「二體石經」雖有《孟子》卻只有九經；南宋高宗「紹興石經」，乃趙構所書《易》、《書》、《詩》、《左氏傳》、《論語》、《孟子》及《禮記》五篇，也是不完整的。唯獨「蜀石經」刻成了包含《孟子》在內的儒家十三部經典。承此風者，有清朝乾隆時所刻之《清十三經》。

其次，「蜀石經」曾以拓印本的形式影響學界。「蜀石經」不是簡單地刻石儲藏而已，而且還廣泛拓印，形成了印本「十三經」，是較早的儒家紙質「十三經」叢書。南宋趙希弁《郡齋讀書附志》和曾宏父《石刻鋪敘》都有詳盡著錄：

> 《石經周易》，右《周易》十卷，經、注六萬六千八百四十四字，將仕郎守國子助教、臣楊鈞、朝議郎守國子《毛詩》博士柱國、臣孫達吉書。
> 《石經尚書》，右《尚書》十三卷，經、注並序八萬一千九百四十四字，將仕郎、試秘書省校書郎、臣周德貞書，鐫土冊官陳德超鐫。
> 《石經毛詩》，右《毛詩》二十卷，經、注一十四萬六千七百四十字，將仕郎、試秘書省校書郎張紹文書。
> 《石經周禮》，右《周禮》十二卷，經、注一十六萬三千一百單三字，將仕

---

[28] 凌義渠《十三經注疏序》：「自蔡中部書石於太學門外，已有『十三經』之名，相繼殘訛，不可深考。」（《凌忠介集》卷6）以為蔡邕書刻古經時即有「十三經」之名，未知所據。

郎、試秘書省校書郎孫明吉書。

《石經儀禮》，右《儀禮》十七卷，經、注一十六萬五百七十三字，將仕郎、試秘書省校書郎張紹文書。

《石經禮記》，右《禮記》二十卷，經、注十九萬六千七百五十一字，卷首題曰「御刪定禮記月令第一集，賢院學士、尚書左仆射兼右相吏部尚書修國史、上柱國、晉國公、臣林甫奉勅注」，《曲禮》為第二，蓋唐明皇刪定之本也，將仕郎、試秘書省校書郎張紹文書。

《石經春秋》，右《春秋經傳集解》二十卷，經、注並序三十四萬五千一百四十四字，不題所書人姓氏。

《石經公羊》，右《公羊》十二卷，經、注一十三萬一千五百一十四字，不題所書人姓氏。

《石經穀梁》，右《穀梁》十二卷，經、注八萬一千六百二十字，不題所書人姓氏。

《石經論語》，右《論語》十卷，經、注並序三萬五千三百六十八字，將仕郎、前守簡州平泉縣令、兼殿中侍御史、賜緋魚袋張德釗書，潁川郡陳德謙鐫字。

《石經孝經》，右《孝經》一卷，經、注並序四千九百八十五字，不題所書人姓氏，但題「潁川郡陳德謙鐫字」。

《石經孟子》，右《孟子》十四卷，不題經注字數若干，亦不題所書人姓氏。

《石經爾雅》，右《爾雅》三卷，將仕郎、前守簡州平泉縣令、賜緋魚袋張德釗書，武令升鐫。不題經注字數若干。㉙

其三，「蜀石經」具有「石室十三經」的總名。趙希弁在諸經著錄之後，有一段〈後記〉說：「以上《石室十三經》，蓋孟昶時所鐫，故《周易》後書『廣政十四年歲次辛亥五月二十日』，唯《三傳》至皇祐初方畢，故《公羊傳》後書：『大

㉙　〔南宋〕趙希弁：《郡齋讀書志‧附志》，卷5上，頁1－4，文淵閣四庫全書本。

宋皇祐元年歲次己丑九月辛卯朔十五日乙巳工畢』」❸云云。

　　趙氏不把諸書分別隸屬於各經目錄之下，說明諸本原本匯儲一處；趙氏總稱之為「石室十三經」，說明這十三部拓本已經有一個總名，已經初具「叢書」的性質。因此，尤袤《遂初堂書目》於「總類」經部開卷之首即著錄《成都石刻九經》；王應麟《玉海》卷四三也逕稱之為《石室十三經》。清閻若璩《古文尚書疏正》卷二：「孟蜀廣政十四年，鐫《周易》，至宋仁宗皇祐元年，《公羊傳》工畢，是為《石室十三經》。」也還繼承了這一習慣性稱呼。

　　其四，「蜀石經」將《孟子》刻入石經，是儒家「尊經」、「崇傳」向「重子」過程轉變的標誌。隨著「蜀石經」影響的日益擴大，《孟子》在經部的地位也日益鞏固和穩定。漢代雖然曾設《孟子》博士，但是後來被取消了，《漢志》仍將其列在「諸子略」，漢人心目中《孟子》並不是經，只是諸子百家之一。熹平、正始、開成諸石經皆不立《孟子》。列《孟子》於石經自「蜀石經」❸和「嘉祐二體石經」始。❸據學人考訂，「《孟子》正式被官方列為經書，並做為科舉考試的內

---

❸　《郡齋讀書志‧附志》，卷5上，頁4，文淵閣四庫全書本。

❸　臧庸《拜經日記》說：「書宋高宗御刻石經有《孟子》，可補唐『開成石經』之闕。」其實宣和五年席旦在刻《孟子》入「蜀石經」時已說：「偽蜀時刻『六經』於石，而獨無《孟子》，經為未備。」遂補刻之。是蜀石經已有《孟子》，開成不闕已補，何待宋高宗！

❸　關於「嘉祐石經」的經數，閻若璩《古文尚書疏正》卷二：「仁宗慶曆初，命刻篆、隸二體石經，後僅《孝經》、《尚書》、《論語》畢工，是為《嘉祐石經》。」這只是至和二年王洙上書時的情景。據李燾《通鑑長編》嘉祐六年「國子監石經成」等，知在王洙上書之後又有續刻。王應麟《玉海》卷四三：「嘉祐石經：仁宗命國子取《易》、《詩》、《書》、《周禮》、《禮記》、《春秋》、《孝經》為篆、隸二體，刻石兩楹。」所舉只有七部。但周密：《癸辛雜識‧別集》，卷上，頁1：「羅壽可丙申再遊汴梁，書所見……『九經』石板，堆積如山，一行篆字，一行真字。」（文淵閣四庫全書本）可證有九部。其中原有《孟子》。李師聖〈汴梁泮宮修復石經記〉，收錄於《汴京遺蹟志》，卷15，頁13：「惟汴梁舊有《六經》、《論語》、《孝經》石本，乃近代辟雍之所樹者。陵谷變遷，修而復毀，其殘缺漫剝，不啻十之五六，前政巨像之賢而有文者，亦不遑郵。將七十餘年於此矣，今參政公額森特穆爾，一見而病之，慨然以完復為己任，義聲所激，附和者眾，不數月而復還舊觀。奈何《孟子》七篇，猶闕遺焉。」（文淵閣四庫全書本）（《汴京遺蹟志》卷15引）可知其書原有《孟子》。清人丁晏所藏「二體石經」拓片，尚有《周易》、《尚書》、《毛詩》、《春秋》、《禮記》、《周禮》、《論語》、《孟子》、《孝經》九種，詳見徐森玉〈蜀石

容之一，是始於熙寧四年。」❸但是，對《孟子》的尊崇和推重，似乎還要早些。仁宗嘉祐時，已經將《孟子》刻入「二體石經」了，遠在熙寧之前。宣和時，席貢再次將《孟子》刻入「經」時，曾有序說：「偽蜀時刻《六經》于石，而獨無《孟子》，經為未備。」❹說明在席氏心裏，早有孟子是經的概念。《孟子》在經部的地位得以鞏固，高宗書石直接將《孟子》寫入。

其五，「蜀石經」的「十三經」之名決定了後來中國儒學經典體系的基本格局。自從「蜀石經」被稱為「石室十三經」後，「十三經」之名遂固定下來，成為儒家原典的權威稱號。儒生通群經，從前謂之「身通六藝」，現在謂之「博通十三經」；從前群經通論謂之「六藝論」、「五經說」，現在謂之「十三經」云云。以「十三經」命名的各類著述日益增多，《明史》卷九六「陳深《十三經解詁》六十卷」，卷一九一「（豐坊）別為《十三經訓詁》」。《東林列傳》卷一五載「（郭正域）乘小舟往來東林，以《十三經補注》商於顧憲成昆季」；卷二三說「（許士柔）父伯彥課授《十三經》、《孫》、《吳》、《握奇經》諸書，諷誦皆上口。」《池北偶談》卷一一載李因篤「博學強記，《十三經注疏》尤極貫穿」等等。至於《江南通志》卷一九〇之著錄顧夢麟之《十三經通考》二十卷，田有年之《十三經纂注》，史銓之《十三經類聚》，陸元輔之《十三經注疏類抄》。《皇清文穎》卷五之載湯斌《十三經注疏論》，《續通志》卷一六一著錄羅萬藻《十三經類語》十四卷。凡此之類，更是前所未有的現象。明、清時期，「十三經」已經取代「六經」或「五經」之稱，與「二十一史」（或「二十四史」）共同成為傳統文獻中經部和史部的總代表。而這一變化的實現，「蜀石經」似乎起到了開風氣之先或推波助瀾的作用。

經和北宋二體石經〉（《文物》1963 年第 1 期）。

❸ 董洪利：《孟子研究》（南京市：江蘇古籍出版社，1997 年），頁 210。

❹ 按，席氏之語，見萬斯同：《萬氏石經考》，卷下，頁 37 所載晁公武《讀書志》所引，文淵閣四庫全書本。又席氏，諸本轉引公武語所指不同，一作席貢，一作席旦（曹學佺《蜀中廣記》卷 91、萬斯同《萬氏石經考》卷下），一作益（朱彝尊《經義考》卷 291、桂馥《歷代石經略》卷下，清光緒九年刻本）。今據曾宏父《石刻鋪敘》卷上，頁 3-4：「孟子十二卷，宣和五年九月帥席貢暨運判彭慥方入石，踰年乃成，計四冊。」則以席貢為得。

結　語

綜上所述，「蜀石經」始刻於孟蜀廣政初（938），其主體工程卒刻於北宋皇祐元年（1049），前後延續一百一十二年。至徽宗宣和五年（1123），席貢補刻《孟子》入石，從而形成「十三經」規模。「蜀石經」長期收藏於文翁石室之中，故至少從南宋起就有「石室十三經」的稱號。這是最早彙刻於一處的十三部儒家經典，也最早獲得「十三經」的稱號。前人和時賢以為《十三經》形成於南宋，甚至說形成於明代或清朝，都是錯誤的，至少是不準確的。「十三經」這一稱呼及其匯刻形式，對後世儒家經典格局的奠定具有重要的推動作用。《孟子》入刻石經，既標誌著儒學《十三經》的正式確立，也標誌著中國儒學從尊經、崇傳，到重子書時代的轉移，也標誌著中國儒學正式從「經學時代」進入了「理學時代」。這其中的關節和消息，也許有輕有重、有明有暗，但其象徵意義卻是明顯的，「蜀石經」在這場轉換過程中扮演了推動角色，是不應該被忽略的。

經 學 研 究 論 叢
第 十 六 輯　　頁17～32
臺灣學生書局　2009 年 5 月

試探史徵《周易口訣義》之儒理思想

姜龍翔*

一、前　言

　　《周易》為儒家六經之首，這部古老的典籍，最初成書目的在於占筮用途，是用來推測人事吉凶和命運的方術。然而除占術之外，《周易》含有某種邏輯推演和理智分析的因素，加上孔子晚年喜《易》，使得儒家開始重視這部經典，逐步發展其中的哲學觀點，將《周易》轉換成指導人們生活行事的指南。然而由於《周易》本身具形上理論的特點，在經傳的發展過程中，原本是儒學依據的經典，在經過王弼老莊思想的注解改造後，一度使這部經書成為玄學理論根據。《四庫全書總目》曾就《易》學發展歷史提出「兩派六宗」之說：

> 《左傳》所記諸占，蓋猶太卜之遺法，漢儒言象數，去古未遠也；一變而為京焦，入於機祥；再變而為陳邵，務窮造化，易遂不切於民用；王弼盡黜象數，說以老莊；一變而胡瑗、程子，始闡明儒理；再變而李光、楊萬里，又參證史事。❶

＊　姜龍翔，高雄師範大學經學研究所碩士。
❶　〔清〕紀昀：《欽定四庫全書總目》（臺北縣：藝文印書館，1989 年 1 月 6 版，影印《文淵閣四庫全書》本，第 1 冊），卷 1，頁 62－63。

依四庫館臣說法，自先秦至南宋，《易》學共歷六次變化，其角色亦依違於儒、道二家。這六次的變化，可以說多由於時代新課題、新價值、新方法的出現，也就是舊典範價值、舊學術氛圍的鬆動，進而使一種新興的學術典範出現。例如王弼所處的時代，面對朝不保夕的政治動盪局面，繁瑣的象數之學無法提供解決當前問題的方法，形成了已入死胡同的典範危機，於是王弼以老莊為架構的思想，配合人事解《易》的新學術走向，使得舊典範價值崩潰，因而也開創全新的局面，形成新的典範價值。❷王弼注《易》，便成為後代學者說《易》的主要依據，其功勞不可謂不大。然而，《易經》向來被視為儒家重要典籍，王弼以老莊玄學觀點解釋，究竟無法符合儒者的期待。於是，到了北宋，典範危機❸再度產生，著名儒者胡瑗著《周易口義》、程頤著《周易程氏傳》，以儒學觀點解釋《易經》，擺落王弼玄學思想，再度開啟以儒理解《易》的新發展。胡瑗、程頤乃宋代著名大儒者，選擇以儒理觀點解釋《易經》自屬當然，然而學術發展總是前有所承，後有所啟。今觀唐代解《易》諸書，孔穎達《周易正義》雖據王注疏解，卻已參雜儒理，至史徵《周易口訣義》，雖仍有儒道合一傾向，但儒學義理已提升至主要地位，王弼的玄老思想反而不甚突出。本文的主要目的便是在於探索史徵《周易口訣義》以儒家義理解釋的趨勢，以明宋儒以儒理解《易》之淵源。

二、唐代以前《易》學與儒學的關係概述

《易》學與儒學的關係建立，當始自孔子，縱觀《論語》全文，孔子雖僅在兩

---

❷ 此處所言之典範，乃指孔恩（Thoman S. Kuhn）於《科學革命的結構》（臺北市：遠流出版事業公司，2003 年）一書中所提出用以指常態科學的一個概念，其內涵係由「理論、方法、價值規範」所構成，借用到學術思想發展上，乃指同時代人們對於共同的時代課題，所凝聚出的一種共識，最後演變成為時代思想型態所特有的模式。

❸ 學術典範的建立，有其迫切需解決的問題，但當時代歷史條件轉變，學術走完自身發展的盛衰期，進入一再因循故局，模擬前人的死胡同時，就是典範危機。危機的產生，代表新典範理論的即將掘起，正如孔恩所說：「新理論的出現意味著要打破舊的科學研究傳統，引介新的研究傳統，這個傳統依據一套不同的規則，在不同的思考架構中思辨。因此一定要在大家均感覺到舊傳統已步入歧途、山窮水盡之後，這個過程才有可能發生。」（同前註，頁138。）

處提到《易》：一是〈子路〉篇引〈恆〉卦九三爻辭立論，「子曰：南人有言曰：人而無恆，不可以作巫醫。善夫！不恆其德，或承之羞。子曰：不占而已矣。」一是對自己學《易》太遲的追悔，〈述而〉篇云：「假我數年，五十以學《易》，可以無大過矣。」加上子貢自言未得聞孔子言天道，於是孔子究竟是否重視《周易》這部用於占筮的經書，便成了疑問。然而參照《史記》「孔子晚而喜易」的記載及馬王堆帛書《易傳》的出土，大致上可以確立孔子與《周易》之間的密切關係。《帛書易傳‧要》言：「夫子老而好易，居則在席，行則在囊。」〈要〉篇除記載孔子好《易》的情形，但也記錄孔子早年曾教導弟子：「德行亡者，神靈之趨；知謀遠者，卜筮之繁」，似否定《周易》的占筮性質，大概孔子年輕時曾如此看待《周易》。這樣的思維在孔子晚年有了變化，開始致力研究《周易》，以致韋編三絕。但對於弟子後學而言，恐怕早已形成了強固的觀念，對《周易》迷信的色彩揮之不去，於是《易》和《詩》、《書》、《禮》、《樂》性質產生差異，《周易》要真正被納入儒學，進而充實、發展，有著較為漫長的過程，大概需要到戰國晚期《易傳》出現方始完成。《易傳》的形成，標誌著儒學和《易》學產生融合，儒學藉《易》學立論，《易》學因儒學充實，從而使得《易經》成為儒家重要典籍。

　　這段變化時期，儒學對《易》學態度的轉變，大致從單純的占卜吉凶決斷到事理分析的預言，進而成為具有普遍意義的理論指導，占卜決斷及事理分析的傾向可在《左傳》觀察到，最著名的例子便是《左傳‧襄公九年》穆姜的解卦，將元亨利貞解釋為總括仁義禮智、嘉善貞和諸德的觀念，由此可以看出，《周易》從具體卦爻的破解到理論化的前進。

　　《易》的全面理論化還是在《易傳》產生之後，無論是在天道觀、人道觀、歷史觀、方法論、義理發展等，均具有濃厚儒家色彩。《史記》雖將《易傳》的著作權判給孔子，但學者一般認為孔子未作《易傳》，應是後儒發揮假託孔子之名。《易傳》的出現流傳，將《易》的層次再度向上提高，成為統括儒學一切理論的根源，並成為當時學者言論的根據。如董仲舒在對策中便引用大量的《繫辭》文字作為論證，他的「罷黜百家，獨尊儒術」提議，也曾直接引《易》立論。《漢書‧藝文志》在對諸家評論時，也引《易傳》作為評論。如在《書》九家之後引《易傳》總結：

《易》曰：「河出圖，洛出書，聖人則之」。故《書》之所起遠矣。❹

於《禮》十三家後引《易傳》總結：

> 《易》曰：「有夫婦父子君臣上下，禮義有所錯。」而帝王質文，世有損
> 益，至周曲為之防，事為之制，故曰：「禮經三百，威儀三千。」❺

可以看出，《易傳》在漢代是有著和經典一樣的地位，也是儒者喜歡引用的文獻之
一。但是受到陰陽五行及讖諱迷信學說的影響，《易》學的發展逐漸偏向以象數為
主流的學術潮流，於是原本簡大弘正的儒理《易》趨勢逐漸消失，直到王弼出現，
力掃象數《易》學，獨標老莊玄理，於是象數《易》又再度衰微，而以玄學為主的
義理《易》日益勃興。魏晉南北朝三百多年間，王弼「掃象闡理」的《易》說，幾
乎籠罩整個學術界，就連鄭玄也無法與之抗衡，而落到亡佚的地步。

　　王弼以義理解《易》，確實為《易》學添入了新的活力，但畢竟以老莊思想為
指導，使得佔學術主流的儒學思想，隨時欲取而代之。唐代雖選擇以王弼注作為
《正義》標準本，但孔穎達卻未能完全遵守王弼的玄老觀點，在《周易正義序》中
便指出：

> 今既奉勅刪定，考察其事，必以仲尼為宗，義理可詮，先以輔嗣為本，去其
> 華而取其實，欲使信而有微，其文簡，其理約，寡而治眾，變而能通。

「以仲尼為宗」，正是有意識要去除王弼注的玄學思想。而史徵的《周易口訣義》
更是在這樣的基礎上，拓廣了儒理解《易》的學風，也由於唐代學者的前響，使得
胡瑗、程頤儒理《易》學的出現成為後續的潮流。

---

❹ 〔漢〕班固：《漢書》（臺北市：臺灣商務印書館，1996 年《百衲本二十四史》影印《宋景
　　祐刊本》，第三冊），頁 437。

❺ 同前註，頁 438。

三、《周易口訣義》義理承襲及開創

　　《周易口訣義》六卷，唐代史徵所撰，內容只針對〈卦辭〉、〈爻辭〉及〈大象〉立論。關於史徵，史書無傳，《經義考》載：

> 史氏（證）《周易口訣義》（宋史作史文徵）《崇文總目》：「河南史證撰，不詳何代人。其書直鈔孔氏《疏》以便講習，故曰口訣。」晁公武曰：「史證抄《注疏》，以便講習。田氏乃以為魏鄭公撰，誤也。」陳振孫曰：「三朝史志有其書，非唐則五代人也。避諱作證字。」❻

諸說皆語焉不詳，足見史徵來歷實是難考。而《四庫全書總目》則謂：

> 《宋史·藝文志》又作史文徵，蓋以徵、徵二字相近而譌，別本作史之徵，則又以之、文二字相近而譌耳。今定為史徵，從《永樂大典》；定為唐人，從朱彝尊《經義考》也。❼

至四庫館臣如此議定，唐人史徵作《周易口訣義》遂成定論。

　　《周易口訣義》今存版本有《四庫全書》本，自《永樂大典》中錄出，雖經四庫館臣校勘，但錯誤仍多。另有《古經解彙函本》，乃重刻孫星衍《岱南閣叢書本》，孫星衍據文淵閣祕書校勘，既精且善，為《周易口訣義》之善本。本文所據之本即為《古經解彙函重刻孫本》，並參考《四庫全書》本，此二本皆收錄於新文豐出版之《大易類聚初集》。❽

　　觀《周易口訣義》內容，主要據《周易注疏》發揮。唐代《五經正義》為科舉讀本，學者受限於此，講習授業自難脫離此範圍，故《周易口訣義》幾乎是以王弼

---

❻　〔清〕朱彝尊撰：《經義考》（北京市：中華書局，1998 年據中華書局 1936 年版《四部備要》縮印），頁 96。

❼　同註❶，頁 69。

❽　《大易類聚初集》（臺北市：新文豐出版公司，1983 年 10 月初版），冊 1，頁 101－250。

及孔穎達為宗，尤其偏重孔穎達的疏解。然除此之外，尚有許多未見於《注疏》及李鼎祚《周易集解》的引用，和李書互有詳略，並且並不墨守《注疏》解釋，與一般專為揣摩場屋，應付科舉之作不同。

　　《周易口訣義》多取資於王注孔疏，其中亦有《注疏》未載，廣取自諸家之言論，且多以先儒稱之，計有子夏傳、馬融、鄭眾、荀爽、宋衷、虞翻、陸績、王廙、荀九家、何妥、侯果、周弘正、褚仲都、莊氏、李氏、張氏、伏曼容、干寶、鄭玄、不知名者及其師之說❾等。因此，《周易口訣義》乃前有所承，後有所發，今茲就其在義理思想上之轉變做一分析：

㈠ 玄老思想之殘留

　　《周易口訣義》由於本於《注疏》，部份思想仍殘留玄老觀點，如論〈乾卦〉時言「天體凝寂」；論〈咸卦‧象辭〉時言：「夫欲感人之心，懷來萬邦者，必需空虛其心，受納諸物」；論〈恆卦‧上六〉時言：「處夫動極，即合安靜，無為無事而已，反以躁動求為，即有凶危及也」；論〈明夷‧象辭〉時言：「故君子當是時以臨于眾，內懷明德，外彰晦暗，无為无事，清淨不欺，閉智塞耀，故老子曰：『我无為而人自化是也。』」論《艮卦‧六四》時言：「全乃謂之身，履得其位，而全其身，不陷非妄，所以无咎也」等。

　　史徵對玄老思想的承襲大約集中在「靜」、「虛」、「全身」等觀念，並多次引用老子言論作為論證，可見玄老思想的影響。但這方面觀點在整部書中並不佔突顯地位，且有所承襲，亦有所破除，如雖言「天體凝寂，非人所法」，但又言「聖人欲使人法天之用，不法天之體」，由體到用，已有從「靜」義到「動」義的發展。雖言「空虛其心，受納諸物，無所遺棄」，但又引何妥言：「虛心受人，不閒不拒，即物來歸己，君子之志也」，亦可看出，此空虛之用，非老莊所謂以無為用之意。

㈡ 儒家義理之再創

　　《周易口訣義》全書引用儒家典籍作為論證者共十餘處，計有《尚書》、《詩經》、《論語》、《周禮》、《孝經》、《子夏傳》等，較引《老子》之言為多，可見受儒學思想影響的比重，尤其引《尚書》之言，居引經之冠，當與全書偏向以

---

❾　史徵論〈歸妹卦〉時曾取師說為義，但並未明言其師承為何。

政治比喻有關。

除引用儒學典籍之加重外，史徵亦有引用史事配合《易》理解說之趨勢，全書引史證《易》之處亦約有十餘例，且偏向於與儒家有關的典故，如論〈乾卦‧九二〉，舉「夫子教于洙泗，人虛往實歸，見者皆利，故稱大人」；論〈乾卦‧上九〉，舉「故堯舜一日萬幾，文王日昃不暇食，仲尼終夜不寢，顏子欲罷不能自己」；論〈蒙卦‧六五〉，舉「成王委用周公之義」；論〈需卦‧九五〉，舉「紂作靡靡之樂，天下為之離叛」。總之，史徵所舉用之歷史，多為儒者樂道典故或孔門之間的流傳事跡。

《周易口訣義》常以人事譬比《易》理，此種譬喻方式濫殤自王弼，但史徵的比況集中在於表現君臣夫婦尊卑之義及君子小人義理之分。如論〈坤卦‧卦辭〉：「以人事明之，猶人臣離其黨，入君之朝；女子舍其家，入夫之室是也」；論〈坤卦‧六二〉：「施之於人為臣忠，為子孝，與朋友信故也」；論〈夬卦‧卦辭〉：「以人事喻，猶小人乘陵君子，而為不順，眾共決之」。這種傾向是延續儒家以《周易》作為人生指導原則的觀點，而在古代君主制度的限制下，史徵所論多偏於政治倫理的規範，符合儒家的要求。

老莊玄學及儒家義理兩種思想互相交織在《周易口訣義》中，此乃承襲自晉漢以前學術思想的潮流，但隨著六朝動亂時代的逐步安定，老莊玄理亦漸式微，而儒學義理則是日益蓬勃，為宋明理學的大盛奠定基礎。

四、《周易口訣義》儒理思想發揮之特色與價值

《周易口訣義》在義理思想上有承襲也有創新，但所謂創新，其實是指受儒家思想的改造，多採儒理解說，亦是承襲舊有思想，是在王弼玄老典範思想危機之下所採取的另一種詮釋方式。而《周易口訣義》所表現的儒理內涵約可分為以下四點：

㈠ 強尊卑貴賤之分

貫穿《周易口訣義》最主要的觀念，是以天尊地卑的自然現象類比貴貴賤賤的社會現實。尊卑有分的觀念見於《論語‧顏淵》，齊景公問政於孔子，孔子以「君君、臣臣、父父、子子」回答，便含有尊卑貴賤各守其分的道理。其後《繫辭》又

提出：「天尊地卑，乾坤定矣；卑高以陳，貴賤位矣。」將天地賦予尊卑之義，實則是以人事附會自然，於是由此又引申出「君貴臣賤」、「男貴女賤」、「父貴子賤」、「右貴左賤」等二元分立思想。史徵特別強調君臣尊卑之理，應是和君主專制體制有關，但尊卑之分向為儒家重視，史徵這類思想自然也是受傳統儒學之影響，《周易口訣義》特別突出以陽貴陰賤譬比君臣之分。陽代表君，陰代表臣，陰陽的定位是陰以陽為首，表現在人事上即君臣之份，正如臣處君朝，需以君為首。

> 夫陰之為道，不可首倡居先，若在陽氣之先，則不能發生滋育，必待陽而為首，所以後得主利也。猶如臣子處君之朝，順事主終，在家為迷，得主為利也。（〈坤・卦辭〉）

史徵論易之爻位，採王弼之說，以二四為陰位，三五為陽位，陽居陽位，陰居陰位為當位，反之，則不當位。如：

> 即是陰位，不可顯發，亦猶不遇其時，閉而不用也。（〈坤・六四〉）

> 居位不正，又下據三陰，即擅君之權，禍咎將至，必須立大功以補其過。（〈萃・九四〉）

史徵又以二、三、四爻為臣，五爻為君，並且相當強調其間的尊卑差異，如：

> 九四欲捨九五而從九三，捨君事臣，違于常理，若能棄二旁而歸于五，即得无咎也。（〈大有・九四〉）

> 三、四是臣，而五是君，以臣拒君。力不可敵。（〈同人・九五〉）

> 其君即五也，應在九二，以震適兌，以長從幼，即是降尊就卑，不如以卑就尊，合於常道。（〈歸妹・六五〉）

可以看出，史徵特別強調作為臣下的本份。孔子的正名思想表現為「君君、臣臣」，以君需守君之本份，臣需守臣之本份，基本上是將兩者等同而言。但史徵不敢直言君的份責，專就臣說，倡導君尊臣卑。臣下需以卑就尊，對於君主的威勢不可抗衡，更不可擅君之權，將君臣之間的尊卑關係建立起絕對關係。然而在史徵的理想中，君臣之分，雖屬常道，但君臣的關係是建立在君有德，臣輔之的情況下。

> 今九四既是權臣，為君委任，固宜與君商量裁制，介隔邪佞之人，內掌樞機，以匡王室。（〈兌・九四〉）

> 得臣子而輔君為政，使天下通而為一。（〈損・上九〉）

> 凡為君長以臨于下，當須教化思念，无有窮已，又須含容保愛民人，人即歸德，邊境不計遠邇也。（〈臨・象辭〉）

> 王者有德，懷來萬邦，人皆歸己。（〈萃・卦辭〉）

臣下的本分是輔佐君主，君主則致力於推行教化，兩者之間的相互輔佐配合，可以使天下獲吉，懷來萬邦，人皆歸之。但史徵未論及若君上昏庸，則臣下該如何應對，或許是專制時代的限制，然而在他的理想中，將政治上的君臣關係美化成聖君賢臣相輔，這亦正是儒家所追求的理想。

㈡ 區別君子、小人之義

　　春秋時代，君子是對貴族階級的稱呼，小人則泛指廣大的下層人民。然而從孔子開始，君子與小人被賦予新的含義，成為兩種有著不同特性與內在本質的群體。孔子在《論語》中對君子賦予「德性」的定義，是理想人格的化身，也是實現政治理想的依靠，君子具有豐富完善的人格內涵，是世人仿效的道德典範。而與之相反的，社會上存有一批在思想境界、道德修養、為人處世各方面都未能達到孔子要求的境界，稱之為小人，但在孔子的認知中，小人與亂臣賊子是有差距的，事實上，孔子所認定的君子小人，雖含有德行區分的意涵，但乃未完全褪去階級之分。戰國

出現的《易傳》，則突出君子之德的重要性，《大象》幾乎著眼於人事，只從修身、齊家、治國、平天下而言，滿口君子，如「君子以自強不息」、「君子以厚德載物」、「君子以經綸」等，充滿品德思想。《繫辭》中的君子、小人則不按照名位階層畫分，而是依據德行高低和見識深淺區別。如《繫辭下》云：「小人不恥不仁，不畏不義，不見利不勸，不威不懲。」此處的小人並不是指下階層的普羅大眾，而是道德低下，無恥卑賤的模樣。從孔子到《易傳》的發展過程，君子的高道德境界與道德卑賤的小人嘴臉，成為儒家亟欲分別的人格形象。

　　史徵在《周易口訣義》中所表現的君子及小人觀，亦全由德行層次的高低來畫分。君子除代表著德行高尚，能守節外，更有積極入世，類似聖人王者的風範，與政治有著高度的關連。君子會直接對政治、社會產生決定性的影響，所謂「君子之德，風；小人之德，草，草上之風必偃。」這是從孔子至《易傳》所認定的君子特質，下至史徵，亦不例外。但史徵所認定的小人，並非下層階級的代稱，此處的小人是指有著不好品行的一種群體，代表著渝濫邪諂、乘陵君子、偏曲貪濁、僭過驕慢等低劣的品德。例舉如下：

　1. **君子的形象：**

　　　君子當須匿人之過惡，稱揚人之德善，又須順天之道，休美萬物之性命，是好生惡殺之義也。（〈大有·大象〉）

　　　君子行禮潔信，立誠端敬，顯然若鬼神在，則下觀其德，民順其化。（〈觀·卦辭〉）

　　　君子守道而處，雖遭困阨之世，而不渝濫以諂世俗，假使致命喪身，固當守節不移，以遂高尚之志。（〈困·大象〉）

　2. **小人的形象：**

　　　小人遭困，則窮斯濫矣，君子處之，貞節不改。（〈困·卦辭〉）

小人處之，但能變其顏面，順上而已。（〈革・上六〉）

若以賢良處之，即得亨于天子，助化之道也。若以小人處之，禍害立至。
〈大有・九三〉

　　君子是教化的推行者，人民但觀君子之行，便能生發效法之心，從而使風俗淳
樸，萬物休美。由於君子一言一行都是百姓的榜樣，因此君子本身更需注重自己的
德行，這便包含儒家原來就強調的禮、信、誠、敬等美德。除此之外，君子並非文
弱之臣的代表，是必需文武兼備的，「君子以修戎器，戒慎防備不虞，文聚武備是
也。」（〈萃卦・卦辭〉）而君子在遭逢世道困厄之時，是不能隨波逐流，甚至要
為了守節而犧牲生命。至於小人則是君子推行教化的阻礙者，是專事阿諛奉上的諂
媚者，對於君子本身、乃至於國家社會都是莫大的禍害，當去之而後快。

　　　　以剛決柔，以君子除小人，以剛正之德去邪諂。（〈夬・卦辭〉）

但去除小人之法，並非施行殺戮，而是以君子本身德性，去正化小人，在君子剛正
之德的引領下，小人邪諂盡皆消退，則小人將不再起何敗壞作用。

㈢ 提倡中庸、剛中之德

　　中庸是儒學的所秉持的一種方法原則，其核心在於一個「中」字，能夠中於
禮，中於道，或中於內在的道德法則，不偏執，不走極端。孔子言：「中庸之為
德」，本質上便是一種關乎心性修養和道德完善的概念，要求行為適當恰中，無過
也無不及，所以評子張與子夏「過猶不及」。而孟子亦承襲孔子中庸觀念，要求人
們避免極端而堅持中道，《孟子・離婁下》曰：「可以與，可以無與，與傷惠，可
以死，可以無死，死傷勇。」可以不給卻給之，惠人太過，乃矯情行為，可以不死
而死，為勇太過，是輕生，不是真勇，都是不屬於符合中道的行為。
　　中庸的觀念拓展到《易》，便展現為中位之爻的概念，這是從王弼開始便有的
解釋，王弼以二、五爻為一卦之中位，〈明象〉說：「故六爻相，可舉一以明也。
剛柔相乘，可立主以定也。是故雜物撰德，辨是與非，則非其中爻，莫之備矣。」

史徵雖受王弼中位觀念影響，但並不限定於二、五兩爻，以為各爻都有能執守中道的機會，如：論〈益卦・六三〉時云：「有信實而得中行，此中行之道。」論〈革卦・初九〉時云：「其志堅固，守中和之道，不肯造次從變，如似牛皮之堅靭，不從改變之命也。」初九、六三均非二、五之中位，其位雖非中，但能持守中和之道，不造次改變，雖不當位，但待時而發，終有行得中道，當中位之時，這便是中行之道。

　　因此，《周易口訣義》的中庸概念表現為需執守中道，而中道是當理，不一定要當位，無過與不及，一旦失中道，則將招致災厄。

> 為節之道，必須當理，若過於刻薄，傷於物情，物所不堪，非為節道。（〈節・卦辭〉）

> 夫行決斷之道，必威恩並行，若威而不恩，即過在苛暴，若恩而不威，即失於制斷。（〈夬・大象〉）

依循這種思路，即使其位居中，若不合於中行之道，亦將招致凶災。如〈節卦・九二〉便云：「失時之中，乃乖於理，失時之極，所以致凶。」

　　然而執中的概念又非固守不通，有時欲救其弊，不得不以稍過的方式調和，孔子在《論語》中也曾提出這樣的觀念，「禮，與其奢也，寧儉；喪，與其易也，寧戚。」當若面對無法取得中道的情況時，仍必須以符合道德人心的選擇，做為補中救弊的方式，史徵也注意到這樣的觀念：

> 小過之世，戒其所過，小人居之則慢易奢僭，故君子為過矯之行，過乎恭敬，喪孝之禮，過乎哀戚，費用之宜，過於儉約之謂也。（〈小過・大象〉）

　　孔子雖提倡中庸概念，但對於剛柔兩方面的調合，似乎更注重剛的德行。《論語・公冶長》記載一段對話：「子曰：吾未見剛者。或對曰：申棖。子曰：棖也

欲，焉得剛。」但是孔子並未說明剛德的表現應是如何，《周易口訣義》對於剛德的特徵則有大致提到，可以想見孔子理想的剛中特質：

> 處中，即德行不邪，无應，即心无私黨，有此眾美，即物皆歸己，不勝飽飫。（〈困・九二〉）

> 剛即无所滯溺，中即心无偏曲。（〈訟・九五〉）

> 剛而處尊，而用中直，即可享祭而獲福慶。（〈困・九五〉）

剛德的表現是剛毅果敢，如孔子所盛讚的殷之三仁，便具有這樣的剛德。而表現在《周易》，就是剛中的概念，也就是處中無私的態度。

四　重視德行修養

　　《周易口訣義》對於德的描述相當多，特別突出「德」的重要性。儒、道兩家都重視德，但其內涵不同。老子的德是一種要求回復到無為自然的本性，與儒家所提倡日益精進的品格教育不同。而史徵所認同的德是屬於儒家標準的，他認為唯有修德一途，方可稱為君子，且是獲吉的最佳方式，而修德到達一定程度之後，便足以擔任救世濟民，教化百姓的聖人事業。

> 若能于是時著械沒其趾足，而因懲戒爾後改行修德，故終身无咎。（〈噬嗑・初九〉）

> 當養賢之初，不能修德待用，而貪羨它人，躁欲求之，如舍己明德，貪竊躁求，所以凶也。（〈頤・初九〉）

> 君子即可敦厚為德，制伏下人，各令安其居也。（〈剝・大象〉）

> 德大之人，挺身救難，維持叔世，往必亨通。（〈大過・卦辭〉）

這種從己身修養出發，達到化濟天下的思想，是與《大學》修身、齊家、治國、平天下的思想一脈相承的。《大學》雖在南宋才被朱熹特別突出其地位，但原本就是《禮記》中關於儒學思想的重要篇章，自然對史徵也有相當影響，故《周易口訣義》中也非常重視從修身到平天下的一貫推展。

> 克己修身，而不暫息施于正，即利莫大焉。（〈升‧上六〉）

> 刑于寡妻，義彰于外，信被天下。（〈家人‧上九〉）

因此，德行正大之人，能夠由己身推廣到天下，而這種人若能使其居於應有之位，更有助於教化的推展，相反，若使才德卑劣之人居於大位，則凶厄必至。

> 喻人德薄居位，才德劣小，不能拔濟危難，必須任之于賢，委之于德，則有可濟之理。（〈未濟‧卦辭〉）

品格低下，才德卑劣之人，是無法擔當大責的，若予以重任，必無法濟難，史徵這種重視德性，不重視才能的說法是符合儒家的理想的。史徵要求的是德位相符的大德之人，這與前述執守中道的品格是相承接的觀念，由不居位時的守中道，逐漸精進德行修養，當德行充滿而又當位時，天時、地利、人合皆在掌握之中，必能濟度各種困境。

　　然而，德行修養具體內容是什麼？史徵並未明確論及，但在《周易口訣義》中則表現出許多儒家原本便重視的德行條目，包括誠、信、忠、謙等品德，這些應該就是德的具體內容。

> 必須有信，然後大吉……既立誠信，而獲大吉。（〈損‧卦辭〉）

> 處暗不邪，但懷忠信，不為暗疾所累，而能啟發其志，故獲吉矣。（〈豐‧六二〉）

處旅行謙，不為剛猛。（〈旅・六二〉）

立誠信，懷忠信，行為謙順，這些都是獲吉的因素，也是德行修養的細則。

　　除了上述的美德之外，《周易口訣義》對於外在的「禮」亦有論及。史徵分兩方面而言，一是君臣尊卑之禮，一是男女婚約之禮。在論〈履〉卦時，便言「君臣有禮，正定人民志意，使尊卑有別也。」孔穎達於此只言下須以禮承上，史徵則強調君臣雙方皆需以禮相奉，民敬上以禮，上使民更須以禮，如此方能「天尊澤卑，各得其序」。除了君臣相待以禮外，史徵更多部分言及男女婚姻須待禮以行。

　　以艮兌俱是少，相配交感，感而又正，備禮乃行，即是婚取之善也。（〈咸・卦辭〉）

　　女子之嫁，備禮乃行……漸進禮全，嫁取之正。（〈漸・卦辭〉）

　　夫女之為道，固合婉娩貞順，處于幽室，待禮而行。（〈姤・卦辭〉）

上古禮儀內容繁雜，有「禮儀三百，威儀三千」之說，史徵不談瑣屑細節，特別重視男女婚姻之合，乃禮之根本。然而這種觀念也是淵源自儒家。孔子便曾向魯哀公說明婚姻之禮的重要性，《禮記・哀公問》云：

　　公曰：「寡人願有言。然冕而親迎，不已重乎？」孔子愀然作色而對曰：
　　「合二姓之好，以繼先聖之後，以為天地宗廟社稷之主，君何謂已重乎？」
　　公曰：「寡人固！不固，焉得聞此言也。寡人欲問，不得其辭，請少進！」
　　孔子曰：「天地不合，萬物不生。大昏，萬世之嗣也，君何謂已重焉！」

婚姻乃是合和不同血統的二姓而成的美好之事，是延續萬世之嗣最重要的根本，由此可見孔子多麼看重婚姻之禮。史徵於禮取婚姻而言，應是對孔子的言論有所體悟。

五、結　語

　　《易經》向來被認為是幽贊神明之德，極為深奧的一門學問，在漢代數術《易》、機祥《易》產生之後，更為《易》學覆蓋上神祕的面紗，繁瑣化的結果，自然引起學者的反彈，於是王弼乃藉老莊思想，乘勢而出，盡掃象數。降至唐宋，社會安定，儒學又擔負起穩定社會的重要角色，於是胡瑗、程頤以儒理說易成為學術潮流，但這股趨勢應早在唐代的孔穎達及史徵即已蘊釀，尤其是史徵的《周易口訣義》，明顯已將儒學思想提升至首要地位，其中對於孔孟思想、儒家哲理均有深刻體現，藉由儒理的闡述解釋《易經》，為《易》學再次邁入新的階段做好準備。而所謂以儒理解《易》，其義理是非常淺近易曉的，史徵雖受有王老玄學的殘留影響，但他對儒家思想仍發揮出高度的闡揚，為宋代儒學的復興埋下引線。今日學者卻多只注意到胡瑗、程頤、朱熹的振興之功，忽略唐代學者的貢獻，實在不得不令人重新省思唐代學者的歷史地位。

參考文獻

〔唐〕史微撰：《周易口訣義》，《大易類聚初集‧古彙函本》，臺北市：新文豐出版社，1983年。

〔唐〕史微撰：《周易口訣義》，《大易類聚初集‧影印文淵閣四庫全書》，臺北市：新文豐出版社，1983年。

〔魏〕王弼，韓康伯注：《周易正義》，《十三經注疏》，臺北縣：藝文印書館，1985年。

徐芹庭撰：《周易口訣義疏證》，臺北市：成文出版社，1977年。

朱伯崑撰：《易學哲學史》，臺北市：藍燈文化事業，1991年。

任俊華撰：《易學與儒學》，上海市：中國書店，2001年。

王立新撰：〈易學與儒學完整關係的新探索〉，《福建論壇人文社會科學版》2002年第5期。

經 學 研 究 論 叢
第 十 六 輯　　頁33～46
臺灣學生書局　2009 年 5 月

論朱熹懷疑經籍的思想與方法
——以朱熹對《尚書》的懷疑爲中心

楊新勛*

　　經學在宋代獲得了突出發展，形成了「宋學」。「宋學」中一個鮮明而特殊的
現象是「疑經」，參與人數多，涉及範圍廣，對於「宋學」理論的完成和特色的形
成都有重要意義，也深刻影響了宋代的史學、文學、文獻學等領域。

　　宋學的集大成者是朱熹，在朱熹的學術研究中也有豐富的疑經言論，見存於
《晦庵集》、《朱子語類》、《詩集傳》、《詩序辨說》、《儀禮經傳通解》、
《四書集注》等著作中，白壽彝輯有《朱熹辨偽書語》。朱熹懷疑的主要有《詩
經》、《尚書》、《周禮》、《禮記》、《左傳》、《公羊傳》、《穀梁傳》、
《孝經》等。這些言論是朱熹經學的重要組成部分，也是宋代疑經和經學發展的一
個重要組成部分和突出標誌，因此研究朱熹的疑經具有十分重要的意義。

　　朱熹疑經的一個突出表現是懷疑《尚書》，這在宋代很有代表性，他考證全
面，見解深刻，提出了許多觀點，不僅為蔡沈、王柏、王應麟等治《尚書》奠定了
基礎，而且也深刻影響了明清的梅鷟、焦竑、閻若璩等人。本文試以朱熹懷疑《尚
書》為中心來管窺一下朱熹疑經的思想和方法。

　　朱熹把注釋《尚書》的任務交給學生蔡沈，表明他並不專治《尚書》，但仍時
有研究，《遂初堂書目》和《文獻通考》都載有朱熹《尚書古經》五卷，《直齋書

---

*　楊新勛，南京師範大學文學院副教授。

錄解題》著錄黃士毅記錄朱熹解《書》之語為《晦庵書說》七卷，均佚。朱熹疑
《尚書》的言論主要存于《朱子語類》卷七十一至八十，卷一百二十五以及《晦庵
集》中，劉起釪統計這些言論有四十餘處。❶清閻若璩之子詠曾輯成《朱子書疑》
一書，基本上保存了朱熹疑《書》的言論。朱熹懷疑的主要是《書序》和疑續出古
文《尚書》。

一、朱熹對《書序》的懷疑

類似《詩經》有《詩序》，《尚書》也有《書序》，其中在《尚書》前面的總
說明為《大序》，在每篇前面簡短說明該篇創作緣起的為《小序》。《大序》明言
為孔安國作，《漢書‧藝文志》有《小序》孔子作之說。清代以來學者認為續出
《古文尚書》為魏晉人偽作，應稱為「偽《古文尚書》」，並認為「孔安國傳」和
《書序》亦偽，《大序》是魏晉人偽作，《小序》情況比較複雜。

對於《小序》，今人的研究以兩家為代表：一是陳夢家先生，認為孟子以來引
《書》者復述作《書》原由為《書序》濫觴，《書序》為「秦、漢之際解經人所
作」❷，西漢今文《尚書》已有《序》，東漢馬融、鄭玄的古文《書序》也淵源有
自，東晉《孔傳書序》與馬、鄭《書序》相異的並不很多。二是劉起釪先生，認為
《小序》是西漢張霸偽造「百兩篇」本古文《尚書》時，抄錄《史記》和《左傳》
等書有關《尚書》篇章的資料編造而成，稱為「百篇《書序》」，至東漢合為五十
八篇，為偽《古文尚書》襲用；劉起釪也注意到「漢石經」中今文《尚書》有
《序》，認為是受百篇《書序》影響而采入。筆者傾向于陳夢家的觀點，一是就經
學史來說，《書小序》淵源有自的說法更近情理，劉起釪認為「漢石經」《書序》
為受百篇《書序》影響采入的說法未免有些牽強❸；二是《書序》可能與《詩序》

---

❶ 劉起釪：《尚書學史》（北京市：中華書局，1989 年），頁 281。楊按：劉起釪對朱熹懷疑
　　《尚書》曾有研究；但囿於辨偽學的視角，不能從經學上全面揭示朱熹的懷疑《尚書》的性
　　質。

❷ 陳夢家：《尚書通論》（北京市：中華書局，1985 年），頁 102。

❸ 楊按：今、古文經學各有師承，又有家法，雖時有影響，但不至於泯滅界限，襲用反映對方
　　宗旨的序文，這在四家《詩》和《春秋》三傳的學派傳承中均可見出。

相似，都是秦漢之際解經之作，今人徐復觀亦持這種觀點；三是二十世紀以來的考古發掘也有一些側面證據。❹

　　有關《書序》的作者南宋之前很少有人爭論，如陸德明、孔穎達、歐陽脩等均認為《大序》為孔安國作；只是蘇軾曾疑過〈泰誓〉、〈金縢〉、〈堯典〉等的《小序》。《直齋書錄解題》載吳棫有《書稗傳》十三卷，有《書序》篇，亡佚。對於吳棫疑《尚書》，朱熹《朱子語類》、蔡沈《書集傳》、梅鷟《尚書考異》曾徵引。朱熹云：「吳才老說〈胤征〉、〈康誥〉、〈梓材〉等篇，辨證極好，但已看破《小序》之失而不敢勇決，複為《序》文所牽，亦殊覺費力耳」❺，說明吳棫已疑《書序》，可能涉及範圍較小，也未明言，多數情況仍沿用《書序》。無疑，正如劉起釪所說❻，吳棫啟發了朱熹對《書序》的懷疑。

　　朱熹云：「《書序》恐不是孔安國做，漢文粗枝大葉，今《書序》細膩，只似六朝時文字，《小序》斷不是孔子做」，此處《書序》指《大序》，朱熹疑非孔安國作，也認為《小序》非孔子作。「漢人文字也不喚做好，卻是粗枝大葉；《書序》細弱，只是魏晉人文字，陳同父亦如此說」，類似言論又見於《朱子語類》卷七十八、七十九，共十餘條。朱熹主要從語言和行文風格的角度來否定《書大序》孔安國作、《小序》孔子作，言語中流露出對《書序》的貶抑。

　　那麼，《書序》誰作的？朱熹一則說《大序》「只是魏晉間文字」，再則說「只似六朝時文字」，又說「孔安國《尚書序》只是唐人文字。前漢文字甚次第，司馬遷亦不曾從安國受《尚書》，不應有一文字軟郎當地……今《大序》格致極輕，疑是晉宋間文章」，從魏晉到唐，跨度數百年，朱熹也不能確定，但不難看出他對《大序》的貶抑更嚴厲了。對於《小序》，他認為「《小序》斷不是孔子做」，「《書小序》亦非孔子作，與《詩小序》同」，「某看得《書小序》不是孔子自作，只是周秦間低手人作」，「《書序》（楊按：指《小序》）恐只是經師所

❹　如 1977 年在安徽阜陽雙古堆出土的漢墓竹書中有《詩》，與四家《詩》不同，也有《序》。又如上博竹書有《孔子詩論》，證明古人有關經籍性質、作用和由來的探討古已有之。

❺　〔南宋〕朱熹：《晦庵集》（臺北市：臺灣商務印書館，1986 年 3 月，影印《文淵閣四庫全書》本，第 1143 冊），卷 34。

❻　劉起釪：《尚書學史》，第七章第五節。

作，然亦無證可考，但決非夫子之言耳」，認為可能是戰國與秦之間的經師所作，而一「低手人作」則將《小序》的價值作了較低的評估。❼

　　此外，朱熹也從內容和語義上疑《書序》，「嘗疑今《孔傳》並《序》，皆不類西京文字氣象，未必真安國所作，只與《孔叢子》同是一手偽書。蓋其言多相表裏，而訓詁亦多出《小爾雅》也」❽，認為《大序》與《孔傳》相表裏，語義近《小爾雅》，是偽書。「諸《序》之文，或頗與經不合」❾，「今按此百篇之《序》出孔氏壁中，《漢書·藝文志》以為孔子纂《書》而為之《序》，言其作意。然以今考之，其於見存之篇雖頗依文立義，而亦無所發明，其間如〈康誥〉〈酒誥〉〈梓材〉之屬則與經文又有自相戾者，其於已亡之篇則依阿簡略，尤無所補，其非孔子所作明甚」，用經、《序》不合來疑《序》，朱熹已突破了事實考證的界域，明顯雜有價值判斷，有尊經崇聖的主觀思想。❿對於《小序》與〈康誥〉不合，朱熹曾說：「且如〈康誥〉第述文王，不曾說及武王，只有『乃寡兄』是說武王，又是自稱之詞，然則〈康誥〉是武王誥康叔明矣；但緣其中有錯說周公初基處，遂使《序》者以為成王時事，此豈可信？」⓫承胡宏⓬、吳棫，朱熹也把〈康誥〉、〈酒誥〉、〈梓材〉三篇解為武王作。對此，顧頡剛先生的認識是深刻的，確實反映了宋人為彌合君臣倫理思想，為否定周公踐阼而作的曲解。⓭

---

❼　楊按：朱熹行文和《朱子語類》中的結構助詞用「底」（相當於今天的「的」或「得」），與「低」不同。

❽　〔南宋〕朱熹：〈記尚書三義〉，《晦庵集》，卷71。

❾　同前註，卷65。

❿　楊按：經、《序》合否與作者是否孔子的關係十分複雜，孔子所言的環境和所指如《論語》和《孔子詩論》中孔子談《詩經》的言論就很值得研究；後人在處理這個問題時往往用自己的眼光和思想來加以理解和判斷，所以反映出的更多是後人的思想。

⓫　《朱子語類》，卷78。

⓬　見胡宏：《五峰集》卷4，〈文王受命〉、〈多方文失次〉、〈載書之敘〉等文。

⓭　朱熹云：「胡氏《皇王大紀》考究得〈康誥〉非周公成王時，乃武王時，蓋有『孟侯，朕其弟，小子封』之語，若成王則康叔為叔父矣」，可知朱熹此解亦與胡宏有關。楊按：從文意看〈康誥〉、〈酒誥〉、〈梓材〉三篇之「王」作周公解自然合理；但是，隨著宋代尊王思想禾忠君觀念的突出發展，作為儒家典範的周文王、周公、孔子等形象逐漸變得高大聖潔，有關文王稱王、周公踐阼的說法至此被拋棄，宋人以此來懷疑經傳並翻新解釋。至於今人楊

受社會發展和人們思想觀念、思維方式轉變的影響，宋代經學與以神學目的論為特質的漢代經學和受佛老濡染的魏晉儒學有了明顯不同，為了突破漢代經學的束縛、肅清魏晉玄學的影響，北宋以來尊經貶傳、疑經疑傳的思潮逐漸興起。在儒學復興和復古的旗幟下，宋人以較自由靈活的方式治經糅合進自己的思想，通過經學思想的新變為儒學注入新鮮血液，重塑儒學的形象，張大了儒學勢力。朱熹疑《書序》也有這種特點。

朱熹又說：「《書序》恐只是經師所作，然亦無證可考，但決非夫子之言耳。成湯太甲年次尤不可考，不必妄為之說。讀書且求義理，以為反身自修之具，此等殊非所急也」⓯，正可看出朱熹治經的目的不在文獻學，而在經學。

二、朱熹對《尚書》篇章的懷疑

朱熹懷疑的主要是續出《古文尚書》。他說：「孔壁所出《尚書》，如〈禹謨〉、〈五子之歌〉、〈胤征〉、〈泰誓〉、〈武成〉、〈冏命〉、〈微子之命〉、〈蔡仲之命〉、〈君牙〉等篇皆平易，伏生所傳皆難讀，如何伏生偏記得難底，至於易底全記不得？此不可曉。」⓰就今、古文閱讀的難易和人們記誦常理質疑古文，類似之語又有多處。對於今文難讀，歷來有「伏生是濟南人，晁錯卻潁川人，止得於其女口授，有不曉其言，以意屬讀」之說。對此，朱熹提出了強有力的反駁──「然而傳記所引卻與《尚書》所載又無不同」。說明朱熹已通過搜集資料，從文獻上看到了今文《尚書》的真實性，將今文真實與難讀相聯繫，認為難讀是今文真實的一個顯著特徵。他又說「古文乃壁中之書，〈禹謨〉、〈說命〉、〈高宗肜日〉、〈西伯戡黎〉、〈泰誓〉等篇，凡易讀者皆古文，況又是科斗書，以伏生《書》字文考之方讀得，豈有數百年壁中之物安得不訛損一字？又卻是伏生記得者難讀，此尤可疑。今人作全書解，必不是」，就其產生與完善情況來置疑古

向奎、馬承源、夏含夷等以此「王」為「成王」，則是在據新材料基礎上做的解釋，與宋人見解不可同日而語，即使與後來的蔡沈言論相似，也有本質的差別。

⓯　〔南宋〕朱熹：〈答董叔重〉，《晦庵集》，卷51。

⓰　《朱子語類》，卷78。

文。陳夢家和劉起釪又看到朱熹「某嘗疑孔安國《書》是假書，……況孔書至東晉方出，前此諸儒皆不曾見，可疑之甚」之語，因古文晚出而疑。❶不難看出，朱熹既有對閱讀難易和記誦常理的考慮，又有對《古文尚書》產生和流傳的全面考查，認識深刻，考證較程頤、蘇軾、晁以道、吳棫等完善。這使其對《古文尚書》的懷疑具有了文獻學意義上的辨偽色彩。❶

　　但是，朱熹疑《尚書》仍受經學思想的制約，一個重要表現是：他一方面揭露《古文尚書》之偽，另一方面又有意回護《古文尚書》，試圖給「不可曉」找一個「合理解釋」。

　　應該說，朱熹和其他宋人有關今古文真偽的考證均屬《尚書》學的流；因此，要改變窘境，如果不能動搖上述證據，必須由流上溯，從源頭上作出解釋，證明今、古文《尚書》原本就不同，朱熹的《尚書》研究由此走向深入。

　　朱熹在此提出了兩種假設：一是文體不同說：「《書》有兩體，有極分曉者，有極難曉者，某恐如〈盤庚〉、〈周誥〉、〈多方〉、〈多士〉之類是當時召之來而面命之、面教告之，自是當時一類說話；至於〈旅獒〉、〈畢命〉、〈微子之命〉、〈君陳〉、〈君牙〉、〈冏命〉之屬則是當時修其辭命，所以當時百姓都曉得者，有今時老師宿儒之所不曉，今人之所不曉者，未必不當時之人卻識其詞義也」❶，「或者以為記錄之實語難工，而潤色之雅詞易好，故訓誥、誓命有難易之不同，此為近之」，認為今文是面諭、記錄之辭，古文是修辭、潤色之作，在語言色彩方面不同，因此有難易之不同。這樣，人們不僅要問，「當時一類說話」與「當時百姓都曉得者」、「當時之人卻識其詞義」有什麼不同？既然它們都是「當時」人所作，就應在語言難易上相同，至於是記錄還是潤飾，只有修辭藝術之不同，並無理解難易之反差。如朱熹說的「《尚書》諸命皆分曉，蓋如今制誥，是朝

---

❶　楊按：研究表明，漢代出現的古文《尚書》是真的，後來七佚了；漢代古文《尚書》與東晉梅賾獻本《古文尚書》（即今《十三經註疏》本《尚書》、《偽古文尚書》）並不同。朱熹本已看到漢代孔安國有古文《尚書》，但又認為《古文尚書》魏晉始出，未免自相矛盾；當然，朱熹還不可能考訂出漢代古文《尚書》與《偽古文尚書》之異。

❶　對此，劉起釪、孫欽善、鄭良樹均有論述，不贅。

❶　《朱子全書》，卷 33，《尚書》。

廷做底文字；諸誥皆難曉，蓋是時與民下說話，後來追錄而成之」就偏離了上述話題。❶尤其不能如朱熹所願的是，此說並不能解釋今古文的怪現象：「然伏生背文暗誦，乃偏得其所難，而安國考定於科鬥古書錯亂磨滅之餘，反專得其所易，則又有不可曉者」，「或者以為記錄之實語難工，而潤色之雅詞易好──則暗誦者不應偏得其所難，而考文者反專得其所易」❷，問題依然存在，實際上已否定了此說的意義。

　　二是語體不同說：「然有一說可論難易：古人文字有一般如今人書簡說話雜以方言一時記錄者，有一般是做出告戒之命者。疑盤、誥之類是一時告語百姓，盤庚勸諭百姓遷都之類是出於記錄；至於〈蔡仲之命〉、〈微子之命〉、〈冏命〉之屬或出當時做成底詔誥文字，如後世朝廷詞臣所為者」，「典謨之書，恐是曾經史官潤色來；如周誥等篇，恐只似如今榜文曉諭俗人者，方言俚語隨地隨時各自不同」，從源頭上用方言來說明今文難讀。此說頗有新意，決非前人的冗錯「以意屬讀」說可比，基本上消除了文體不同說將修辭藝術混同於語言難易的不足❸，也消除了因今文真實難讀帶給古文的衝擊。此說比上說在經學進展方面更深入，也更有說服力；但同樣不能解決今古文的怪問題：為什麼難的偏為今文，易的偏為古文？人們照樣可以反駁他：古代因雜有方言而難讀的今文應亡佚，為什麼卻被伏生記誦下來？為什麼後出古文偏偏是用易讀通語寫成的詔誥？朱熹于此仍沒有根本解決問題，疑問照樣存在。

　　可見，由於文獻學水平的提高，朱熹在流上證明語言難易不同于《古文尚書》的今文真實後，即使在源上能夠說明今、古文《尚書》本來就不同，也仍然無法解釋存本今、古文難易的問題，這已成了朱熹治經無法下咽的一個苦果。朱熹云：「《書》中可疑諸篇，若一齊不信，恐倒了六經。……若說道都是古人元文，如何出於孔氏者，多分明易曉，出於伏生者，都難理會？」正可看出他在無法彌縫《古文尚書》的努力之後的乏力。

---

❶　楊按：今、古文都有誥、命。

❷　〔南宋〕朱熹：〈書臨漳所刊四經後〉，《晦庵集》，卷82。

❸　楊按：於此，我們有理由認為朱熹實已看到記錄與潤飾之作說的不足。

　　怎麼認識朱熹的這種尷尬呢？應該說，朱熹文獻學水平的提高既有時代學術發展的因素，又是朱熹個人努力的結果。❷這不但加深了他對典籍的認識，懷疑《古文尚書》偽；而且還提高了他的思想認識，和時代思想結合形成了博大深宏的理學思想，使之成為宋代經學的集大成者。這樣朱熹治經不但注重文獻考證，而且還重視來自理學領域的義理審核：「熹竊謂生於今世而讀古人之書，所以能別其真偽者，一則以其義理之所當否而知之，二則以其左驗之異同而質之。未有舍此兩途而能直以臆度懸斷之者也。」❸義理上正如劉起釪先生指出的那樣，程朱的理學托生地在偽《大禹謨》，所以必須維持它的經典地位不墮，為此，他們還必須反對疑《古文尚書》。這使朱熹努力提出假說。但是經學與文獻學屬兩個學科❹，由於朱熹看重文獻考證，又找不到反駁懷疑古文《尚書》的證據，所以即使經學假說很美妙仍然無濟於事。可見，宋學已到了一些局部研究不能再跨經學和文獻學兩個領域的地步，必須作出選擇。《古文尚書》的問題❺經過蔡沈之手最終在王柏那裏得到了經學的解決。❻

　　朱熹又疑今文，「如〈金縢〉亦有非人情者，『雨，反風，禾盡起』，也是差異。成王如何又恰跟去啟金縢之書？然當周公納策於匱中，豈但二公知之？〈盤庚〉更沒道理，從古相傳來，如經傳所引用，皆此書之文，但不知何故說得都無頭？且如今告諭民間一二事，做得幾句如此，他曉得曉不得，只說道要遷，更不說道自家如何要遷，如何不可以不遷，萬民因甚不要遷，要得人遷也，須說出利害，今更不說。〈呂刑〉一篇如何穆王說得散漫，直從苗民蚩尤為始作亂說起」，朱熹疑的〈金縢〉、〈盤庚〉、〈呂刑〉都屬今文，其中明顯糅合進了宋代理性主義和

---

❷ 如朱熹曾辨《孔叢子》、《孔子家語》、《尚書》孔安國傳為偽。

❸ 〔南宋〕朱熹：〈答袁機仲〉，《晦庵集》，卷38。

❹ 經學與文獻學雖然有交叉，尤其是由於研究客體的大量重合長期相互影響，但是也有明顯不同。

❺ 楊按：這裏提到的經學解決不同於今天所說的通過研究得出今古文《尚書》的事實真相，而是在宋代經學背景下作出理論圓融的解釋。事實上，清人突破宋學理論正是從文獻學角度懷疑《古文尚書》入手的。

❻ 王柏認為漢初《尚書》「三變」，主要疑今文《尚書》，選擇了走向經學。雖然文獻學上看這個結論往往非是，但卻是沿朱熹經學思想的邏輯完成。

人文主義思想。他又承蘇軾疑〈康誥〉，承吳棫疑〈梓材〉、〈酒誥〉有錯簡，承程頤等疑〈武成〉有錯簡，不少地方摻入了倫理思想和理學思想。

三、朱熹疑經的思想

首先，應說明朱熹疑經只是懷疑部分的經籍和經籍的部分，他的疑經絕不是懷疑一切經籍，更不是否定經籍，他對經籍的懷疑、對經學的調整是有限的，這是他的時代、環境等因素決定的結果。這說明他疑經不會偏離傳統經學太遠，他的疑經是在傳統經學的基礎上的發展，這在他對《尚書》的今古文懷疑中就能看出這一點。而且，由於朱熹把經籍當作經來認識，他具體的疑經見解不會偏離經學思想，這削弱了他文獻考據的力度，也影響了他對知識理性的運用，使他在有些方面表現得比較保守或單薄，其成就也無法和他對子書的辨偽相比，他懷疑《古文尚書》很不徹底，他的疑經還不是文獻學意義上的辨偽。

其次，朱熹疑經又有尊經崇聖的一面。他認為孔孟為聖賢，生而知之，自誠明，進而認為聖經應該地位崇高、完美無缺。由此，他一方面維護經的神聖地位，推崇「古經」，另一方面又懷疑有問題的是現存經籍文本和後起經籍，認為這些經籍是後人所改、所作，失去了聖賢原貌、原意，為了維護經、尊崇經，他疑經。這樣，他疑經又有正本清源、追求經書真貌的用意。他既懷疑又回護《古文尚書》就明確表現了這一點。

雖然，朱熹尊經崇聖，追求復古，並在治經中努力實踐；但是，時代畢竟不同於上古，他的認識水平和思想水平也不同於上古之人。新的時代、社會，朱熹的個人識見和努力都會帶來對經書的新認識。從詮釋學的理論來看，處在不同的歷史座標中進入同一經典本身就會得出不同的結論，這個結論表現得更多的是讀者獨立主體的解讀。因此，朱熹疑經也表現了他自己的思想。朱熹是宋代理學的集大成者，他不但繼承了二程的理學思想，建構了理氣結合、理一分殊和格物致知的理學思想體系，而且也發展了張載、二程以來「理學疑經」的思路，在疑經方面作出了突出成就。

這主要表現在三個方面：⑴朱熹形成了理一分殊、格物致知的理學認識論思

想。這使他首先看重人類實踐的各個領域和這些領域的智識成果㉗，在一定意義上肯定人類知識的合理性、獨立性，認為「看書不可將自己見硬參入去，須是除了自己所見，看他冊子上古人意思如何」㉘，反對主觀隨意性的過分滲入㉙，這使他對《尚書》的認識走向深入，從知識理性上懷疑《古文尚書》。(2)朱熹的理學是建構在經學基礎上的，二者相互協調，關係密切，這影響朱熹的疑經。朱熹曾說：「要之，經之於理亦猶傳之於經：傳所以解經也，既通其經，則傳亦可無；經所以明理也，若曉得理，則經雖無亦可」㉚，又說「理得，則無俟乎經」㉛，這樣必然使經的地位有所下降，在一定程度上把經看作格致的「物」，推重「理」，形成了抽象性較高的理學思想，治經的過程也是格致的過程，是體認理學思想的過程，因此必然會以「理」審視經，這使朱熹治經不可能做到真正客觀，甚至以「折之以理之是非」的方式來治經，促使朱熹在疑經中重視對某些經籍的調整和利用，他由此回護《古文尚書》。(3)理學注重大義的思維方式也影響到他的疑經，朱熹在對待《古文尚書》時最終就採取了這種方法。這也可以通過朱熹其他治經表現來證明，如對於《詩經・召南・野有死麕》，歐陽脩以「誘汙」解「吉士誘之」的「誘」㉜，宋人多有信從者，但朱熹於《詩集傳》卻基本仍從《毛詩正義》，只于後文用「或曰」羅列了歐陽脩說。而當學生問他此詩的確解時，他卻發出「讀書之法，須識得大義，得他滋味，沒要緊處，縱理會得也無益。大凡讀書，多在諷誦中見義理，況《詩》又全在諷誦之功」㉝的一段不關痛癢之論，以至於最守朱熹學說的後學輔廣

㉗　可參閱艾周思〈朱熹與卜筮〉和余英時〈朱熹哲學體系中的道德與知識〉，《宋代思想史論》，田浩編，楊立華、吳豔紅等譯，社會科學文獻出版社 2003 年版。

㉘　《朱子語類》，卷 11。

㉙　如朱熹反對程頤解《易》「若伊川要立議論教人，可向別處說，不可硬配在《易》上說」（《朱子語類》，卷 69），於《春秋》云「《春秋》只是直載當時之事，要見當時治亂興衰，非是於一字上定褒貶」（《朱子語類》，卷 83）。

㉚　《朱子語類》，卷 103。

㉛　《朱子語類》，卷 11。

㉜　《詩本義》，卷 2。對此，毛傳「誘，道也」，鄭箋作「吉士使媒人道成之，疾時無禮而言然」，正義作「故有貞女……又欲令此吉士先使媒人導成之，不欲無媒妁而自行也」。

㉝　《朱子語類》，卷 104，「器之問〈野有死麕〉」條，此處與朱熹本反對器之草率要他讀書

說：「先生不解者，但輕看過去耳，所謂不以文害辭也。」這和他前文「《書》中可疑諸篇，若一齊不信，恐倒了六經」的回護言論何其相似乃耳。

　　這三方面一致地表現了朱熹的理學思想。當然，這三方面既有矛盾，又相互依存，朱熹對三者關係的處理反映了他的思想動機，為彌合三者提出新說則表現了朱熹的深刻見解，表現了經學的發展。

四、朱熹疑經的方法

　　在〈答袁機仲〉中，朱熹曾對自己的疑經方法做過說明：

> 熹竊謂生於今世而讀古人之書，所以能別其真偽者，一則以其義理之所當否而知之，二則以其左驗之異同而質之。未有舍此兩途而能直以臆度懸斷之者也。

雖然，朱熹這裡用了書之「真偽」的概念；但主要表現了他對疑經方法的認識，而與他子書辨偽不同。

　　朱熹認為疑經的第一個方法是「以其義理之所當否」，即看它的「義理」是否正確，也是「折之以理之是非」的意思。這裡需要說明的有兩點：(1)雖然朱熹治經有重視經書文本的一面，但其「義理」並非完全是經書本身的原初含義，與今天我們說的文章的思想內容還不等同。今天看來，雖然古人的思想、認識是發展的；但古人往往並不明確這一點，他們重復古，推尊古人，並在一定程度上把自己的思想當作古人的思想來認識經典、處理現實。事實上，朱熹的思想與古人有了相當距離，他說的「義理」並非通過全面分析文本得出的，往往並不客觀存在於文本中，而是他從理學思想出發得出的。❸❹從此出發，他研治《古文尚書》，看重其中「義

「沈潛」不侔。

❸❹ 楊按：朱熹讀書已看到字面意思、作者本意和讀者己見的不同，並且認為讀者不應用己見干預作者本意，這幾乎與近現代的解釋學家提到的尊重文本自主性相近，對此余英時先生認為朱熹對智識進程有個相對獨立和客觀的認定，與道德精神進程並行，這和程頤、張栻有別（余英時〈朱熹哲學體系中的道德與知識〉），這種認識很有啟發性；但我仍然認為朱熹的

理」，其得出的「義理」就並非今天人們所說的作品的思想內容，這是朱熹或尊經或疑經的一個重要原因。(2)他說的具體經書義理的「當否」，不同於文獻學上的思想內容與文本「合否」，不是指是否符合原書的真實的、最初的含義，而是「正確與否」，即「是非」，是以「道」、「天理」來審核文本「義理」的正確與否，是一種價值判斷，這樣其得出的經籍「真偽」並非文獻學意義上的「真偽」；而且這個「正確與否」的標準也是具有時代性的，會因時代的不同而不同，朱熹正是以此來回護《古文尚書》的。可見，這是一種思想價值判斷方法，尤其應指出的是，其判斷的標準和依據源於朱熹的理學思想，這是他疑經表現為調整經學的一個特色。

朱熹疑經的第二個方法是「以其左驗之異同」，即參考同時或歷時的文獻來驗證。這本是一個文獻學方法，似乎沒有什麼多餘的話說。但仍需明確三點：(1)朱熹這裏說的文獻方法不完善，不含考查古書的成書、流傳，只是找材料來驗證。雖然，朱熹在疑《古文尚書》時不自覺地運用了考查古書成書、流傳的方法，但並沒有上升到方法論的層面。(2)由「義理」、「知」書的「真偽」，由「左驗」、「質」之，義理審核具有決定作用，文獻考查具有參考作用，義理審核居於優先地位，文獻考查明顯處於從屬地位。可見，義理審核與文獻考查並不處在同一語境和層面上，二者決不可並列，這暗示出朱熹疑經的性質。這恐怕是他對《古文尚書》懷疑時又能夠作出回護的主要原因。(3)在具體運用時，朱熹往往忽視此法，甚至反駁由此法得出的結論，他更傾向於用義理來取捨，這使其疑經更多表現了經學、理學的因素，而與文獻學較為疏遠。如上述引文的真實用意是，朱熹反對袁樞因為證據不足而懷疑黑白點子的〈河圖〉、〈洛書〉，認為只要看重〈河圖〉、〈洛書〉

智識進程還並非獨立於道德精神進程之外而客觀，朱熹的話雖然如上所說，但他決不可能完全做到，余英時先生的概括未免失之單一。朱熹仍然是將智識進程與精神進程融合為一的，其「道問學」即在「尊德性」之中，只是他並不認同程頤、張栻的簡單之舉，認為這不符合「格物致知」。所以，我們還不能認為朱熹的「道問學」是客觀的知識學習，否則，其眾多談「義理」、「天理」、「意思」的話將被誤解，而朱熹本人也正反對這種裂為兩橛的做法。至於朱熹治經中表現出的眾多矛盾和困窘，我們正可看出他在遠離程頤、張栻的相對簡單之舉後，可能因在一定程度上發現文本或作者之意與「義理」差距後必須作出決定的困難，這正是他疑經的表現。

的「義理」，「真偽將不辨而自明矣」。這和他對疑《古文尚書》的回護有著十分相似之處，可以說出於同一機杼。這時，我們再來看朱熹的這句話：「若論為學，則考證已是末流，況此（指考草木）又考證之末流，恐自此不須更留意，卻且收拾身心，向裏做些工夫」❸，其治學的宗旨和傾向不言自明。由此也可印證朱熹疑經中使用文獻學方法是有局限的，其疑經不同於辨偽。

　　這裏還應該指出的是朱熹的方法論是有矛盾的：文獻學上的考據與義理本來不存在矛盾，那是由於都是從文獻學領域來談的，而朱熹的做法呢？很明顯，朱熹的「義理之所當否」在很大程度上是從理學出發的；而其「左驗之異同」卻是從文獻本身得出的，二者實屬於不同的領域、層面，在具體疑經中二者出現衝突也就很自然了，他既從文獻上懷疑《古文尚書》，又從理學上肯定《古文尚書》，就說明了這一點。二者的矛盾顯示了疑經與文獻學的不同。後來，蔡沈、王柏繼承朱熹的方法論，進一步從經學方面入手，注重文本「義理」分析，降低了文獻佐證的使用，才在一定程度上緩解了這個矛盾。

　　總之，朱熹疑《尚書》反映了他文獻辨偽上的實績，表現了文獻學的突出發展；但是，他又把《尚書》看作經書，從經學義理上認識《尚書》，尤其是從理學上看重《古文尚書》，不能做到完整意義上的辨偽，而是有相當程度的保留，並有意回護，流露出很大的不徹底性。而恰恰在他的懷疑與回護中提出有關今古文《尚書》產生的新說，表現了他治經的深化，體現了經學的發展。儘管朱熹於此尚有不足，但無疑對於宋學的建立有一定意義，也給後來蔡沈、王柏提出新說做下了鋪墊。

---

❸　〔南宋〕朱熹：〈答吳鬥南〉，《晦庵集》，卷 59。

經 學 研 究 論 叢
第 十 六 輯　　頁47～88
臺灣學生書局　2009 年 5 月

馬克思主義對《詩經》研究的影響

陳水福*

一、前　言

　　近代以後，中國社會所面對的世界局勢和自身的社會變遷是空前的複雜與尖銳的。中國在長久的閉關之後，面對西方「船堅炮利」的直接轟擊，中國所表現出來的是驚慌失措與無能為力，也暴露了國人對於西方的認識不足。於是中國傳統文化的優越性受到嚴重的挑戰，使中國在文化上失去了主動性，並經過一場前所未有的大變化。

　　十九世紀以來的西方文化中明顯帶有侵略的特徵，這對其他民族及文化的衝擊是巨大的。在社會達爾文主義意識形態支配下，西方文化視一切其他民族文化為「落後」與「劣等」之列，因為「優勝劣汰」是自然的法則，所以，一切「落後」的文化應當被同化並納入按西方人意志劃定的世界「統一」與「進步」的行列中去。這是以社會達爾文主義為意識形態的帝國主義對全世界進行擴張行為的理由。

　　對於中國先進知識分子來說，中國文化的落伍與中國舊制度的陳腐是同一的，因此又必須打開國門，向西方學習，尋求中國文化的再生之路。因為如此，各種西方的主義與學說在這樣的需求下被大量地輸入中國。其中對中國影響最為深遠的主義學說，莫過於「馬克思主義」了。

　　在清末民初的動盪時代中，馬克思主義也如同其他的主義與學說一般傳入中

---

*　陳水福，臺北市立教育大學中國語文學系碩士。

國。然而馬克思主義卻以其強烈的社會性與革命性，受到眾多中國知識分子的青睞，其學說中的「階級鬥爭」與「剩餘價值」等觀念，在苦難的時代中特別吸引人們。於是，馬克思主義為當時的知識分子所接受，並開始在中國傳播馬克思主義。他們經過一段時間的努力，使得馬克思主義在中國大陸大為風行，許多人們將它視為解救中國苦難的靈藥。至民國三十八年以後，中華人民共和國成立，馬克思主義更是成為中國大陸唯一的指導，所有的一切都要遵照馬克思主義而行，學術研究當然也不能例外。

　　馬克思主義雖然在近現代的文化學術有如此重要的地位，然而以馬克思主義為主題，討論其對中國經典研究影響的文章卻付之闕如，不免令人感到遺憾。筆者自身雖然學識淺陋，仍然提起勇氣，試圖為馬克思主義的影響提出一些看法。因為經學的範圍過於廣大，本文僅討論馬克思主義對《詩經》研究所造成的影響。以馬克思主義研究《詩經》的代表學者，分別是第一位以馬克思主義研究《詩經》的郭沫若、以馬克思主義為《詩經》全書註解的高亨以及中國《詩經》學會會長夏傳才等等，討論他們《詩經》研究成果的得失，期望藉此呈現馬克思主義對《詩經》研究所造成影響。

二、馬克思主義在中國的流傳與發展

㈠ 馬克思主義傳入中國

　　十九世紀末的《萬國公報》是中國最早認識馬克思的窗口。透過《萬國公報》，中國人開始知道馬克思其人其名及其學說。1899 年 2 月至 5 月，該報連載了李提摩太節譯、蔡爾康撰述的《大同學》。它稱馬克思為「百工領袖」：「其以百工領袖著名者，英人（應為德人）馬克思也。」❶

　　在十九世紀 70 年代，社會主義學說傳入日本。1898 年成立社會主義研究會，1990 年改為社會主義協會。1901 年，片山潛、幸德秋水等人創建了日本社會民主黨。隨之而來的是，日本思想界出現了大量的社會主義翻譯著作，證明日本對馬克

---

❶ 張武、張艷國、喻承久：《社會主義思潮史話》（北京市：社會科學文獻出版社，2000 年 9 月），頁 72。

思社會主義的理解位於亞洲世界的前列。日本與中國僅有一水之隔，其思想界的動向，一直為中國近代的知識分子所關注。隨著日本的中國留學生的日益增加❷，與翻譯日文社會主義著作的盛行❸，為馬克思主義在中國流傳創造了條件。

到了 1902 年，梁啟超在《新民叢報》上所發表的〈進化論革命者頡德之學說〉，使他成為第一個介紹馬克思的中國人。他說：麥喀士（馬克思），日爾曼人，社會主義的泰斗。馬克思講述資本主義社會的弊端，在於少數人強制多數人，少數人是強者，而多數人則是弱者。❹

與孫中山先生友好的革命家朱執信，在馬克思主義的譯介中有突出的表現，有著重要的地位，毛澤東肯定他是：馬克思主義在中國的傳播的拓荒者。當然，他對馬克思主義的宣傳，並不是要在中國實行馬克思社會主義，而是為了配合闡釋孫中山先生的三民主義，宣傳中國的社會革命。1906 年，朱執信發表了〈德意志社會革命家小傳〉介紹馬克思和拉薩爾的生平及其學說。其中介紹了《共產黨宣言》的主要內容、剩餘價值學說的要點。他明確表示，只要馬克思的學說流行，普遍傳播於中國人的心中，那麼，它對中國的革命就「猶有所資」。❺

在民國初年的馬克思主義宣傳中，王緇塵顯得特別重要，影響也大。1911 年他赴上海參加江亢虎的中國社會黨，創辦和編輯該黨紹興支部的機關刊物《新世界》半月刊。王氏所主持的《新世界》是這時期介紹馬克思主義的主要陣地之一。該刊發表了一些譯介馬克思主義經典著述的文章。如分五次連載了施仁榮翻譯恩格斯寫的《社會主義從空想到科學的發展》，從而使得這部被馬克思稱譽為「科學社

---

❷ 日本的中國留學生人數，在 1901 年為 280 人，到了 1904 年已激增為 1300 人。張武、張艷國、喻承久：《社會主義思潮史話》，頁 73。

❸ 1901 年至 1905 年間，有著研習與翻譯日本社會主義著作的熱潮。主要有幸德秋水的《二十世紀之怪物帝國主義》、《廣長舌》、《社會主義神髓》，烏井滿都夫的《社會改良論》，福井准造的《近世社會主義》，恃地六三郎的《東亞將來大勢論》，村井知至的《社會主義》，太原祥一的《社會問題》，西川光次郎的《社會黨》，島田三郎的《社會主義概評》，久松義典的《近世社會主義評論》和英人克喀伯的《俄羅斯大風潮》等多種著作。其中以幸德秋水、福井准造、村井知至等人的著作影響較大。同前註，頁 74。

❹ 張武、張艷國、喻承久：《社會主義思潮史話》，頁 83。

❺ 張武、張艷國、喻承久：《社會主義思潮史話》，頁 90－92。

會主義的入門」的書籍在中國得到了最初傳播。在 1912 年 6 月第 2 期的雜誌上，
發表了他本人根據朱執信的〈德意志社會革命家小傳〉，重新整理擴充的文章〈社
會主義大家馬爾克之學說〉，使人們更加深切地瞭解馬克思的經歷及其思想。在該
文的緒論中，王氏讚揚了馬克思的功績和《共產黨宣言》的歷史意義，剖白自己對
馬克思學說的景仰。他對馬克思學說的理解在當時是十分深刻的，在思想界具有承
先啟後的意義，初步揭開了五四時期社會主義論戰的序幕。❻

　　到了五四時期，馬克思主義受到陳獨秀、李大釗等人的大力宣揚，而俄國的十
月革命也促使了中國知識分子向馬克思主義學習的想法。從此之後，馬克思主義在
中國這塊土地上蓬勃發展，影響遍及各個層面，其中也包括了經學研究。而第一位
以馬克思主義研究經學的學者，就是民初的吳承仕。

㈡ 首位使用馬克思主義研究經學的學者——吳承仕

　　吳承仕，字檢齋，號展成，又號濟安，安徽歙縣人，生於 1884 年，卒於 1939
年。吳承仕曾受業於章太炎門下，研究文字、音韻、訓詁之學及經學，與黃侃、錢
玄同並稱章門三大弟子。❼

　　他用辯證唯物主義的歷史哲學來指導經學的研究，並把「小學」作為研究中國
歷史的工具，正如他自己所說：

> 我是浸淫於所謂「正統派經學小學」的很小範圍中費時甚多而心得較少的一
> 人，……企圖著將舊來研究所得的材料，用一元論的歷史哲學，從事於中國
> 社會發展史中之某一部分工作，以實踐來證明理論，這當然是我們責無旁貸
> 的「歷史任務」。❽

---

❻ 張武、張艷國、喻承久：《社會主義思潮史話》，頁 103－105。

❼ 本節參考自陸宗達：〈從舊經學到馬列主義歷史哲學的躍進——回憶吳承仕先生的學術成
　就〉，《陸宗達語言學論文集》（北京市：北京師範大學出版社，1996 年 3 月），頁 647－
　651。

❽ 吳承仕：〈竹帛上的周代的封建制與井田制〉，《文史》第 1 卷第 3 期（1934 年 12 月），
　頁 1。

除了小學之外，吳承仕對於經學亦有研究。他是以研究「三禮」著稱的。在《三禮名物》一書中，他對《儀禮》、《周禮》、《大戴禮記》與《小戴禮記》的相互關係，剖析至為精細，並提出了「禮之事類有四：曰禮意、曰禮制、曰禮器、曰禮節」的見解。他以為「考述舊事者，應以名物為本」，他遵循古文經學家「實事求是」的精神，從文字訓詁上來考訂名物，又通過名物來說明古代制度；在方法上重證據、重發展，是近代禮學的傑出學者。

吳承仕接受了前人「六經皆史」的觀點。這個說法始見於《後漢書・班彪傳》，清人章學誠作了發揮。吳承仕和很多馬克思主義的歷史學家一樣，不只是消極地保留歷史資料，而且想要通過這些資料來研究中國歷史的發展，來證實馬克思主義的社會發展史，藉以說明馬克思社會主義終將實現的必然結果。

他準備先將《三禮名物》的材料整理出來，考訂真偽，作成有系統的敘述，名之為「文獻檢討篇」；再比較異同，確定中國歷史某時期的經濟型態相當於哪一社會發展階段，名之為「史實審定篇」。他說過，前一部分中的一小部分，是他的素養與興趣所允許他完成的，其餘的工作則要「讓之有此能力之權威者」。看來，他研究禮學，就是納入這一計畫的。

為什麼吳承仕要從「三禮」入手來探討中國某一時代的歷史發展呢？因為他認為，在古代典籍中，「禮」是直接表現上層封建社會的意識型態的，因而也就最足以反映某時代某種經濟基礎。從這點出發，他認為研究「三禮」應自〈喪服〉開始。因為〈喪服〉的整個表現，無疑的是某時代某種經濟社會的一個意識型態，換言之，〈喪服〉中諸條理，是宗法封建社會中一種表現人倫分際的尺度，同時即是後來研究古代親屬倫理的一個最適用的鑰匙。」❾這無疑是一個馬克思主義的觀點，也是吳承仕以馬克思主義研究經學的一個明證。❿

---

❾ 吳承仕：〈中國古代社會研究者對於喪服應認識的幾個基本觀念〉，《文史》第 1 卷第 1 期（1934 年 4 月），頁 2。

❿ 吳承仕的三禮研究可參考陸宗達：〈談吳承仕先生的「三禮」研究〉，《陸宗達語言學論文集》（北京市：北京師範大學出版社，1996 年 3 月），頁 652－655。莊華峰：〈由舊經學向馬克思主義歷史哲學的轉變——吳承仕學術成就初探〉，《史學理論研究》第 3 期（2000 年 3 月），頁 47－53。

三、第一位以馬克思主義研究詩經的學者
——郭沫若

郭沫若（1892－1978）原名郭開貞，四川省樂山人，祖籍福建省汀州府寧化縣。1892 年 11 月 16 日，郭沫若誕生於四川嘉定府樂山縣（今樂山市）。1919 年，他首次發表新詩時，自署筆名「沫若」。他自署筆名「沫若」，是有原因的，因為在郭沫若的家鄉有兩條河，一條叫「沫水」，另一條叫「若水」。「沫水」與「若水」合起來就是「沫若」。他以「沫若」為號，意在不忘故土。

㈠ 生平與治學

郭沫若於 1914 年赴日本留學，1918 年入九州帝國大學醫科學醫。後棄醫從文。1921 年，他與成仿吾、郁達夫等發起建立文學團體創造社，同時還出版了他第一部詩集《女神》。1923 年從日本回國。1926 年後，任廣州中山大學文學院院長，同年參加北伐戰爭，任國民革命軍總政治部副主任。1927 年在蔣介石清黨後，寫了討蔣檄文〈請看今日之蔣介石〉；同年，參加中國共產黨領導的南昌起事，並加入中國共產黨。1928 年，因國民黨政府通緝，逃往日本。他在流亡日本的生活中，從事中國古代史和古文字學的研究，先後寫出《中國古代社會研究》、《甲骨文字研究》、《卜辭通纂》等重要學術著作。1930 年，參加左聯。1937 年，抗日戰爭爆發後回國，在周恩來直接領導下，組織和團結國民黨統治區的激進左派人士，從事抗日救亡運動，曾任《救亡日報》社社長、中華全國文藝界抗敵協會理事、國民黨政府軍事委員會政治部第三廳廳長、文化工作委員會主任。1941 年皖南事變後，他寫了歷史劇《屈原》、《虎符》、《孔雀膽》等，借古諷今，起了顯著的政治作用。1944 年，他發表〈甲申三百年祭〉，總結了李自成領導的明末農民起事失敗的歷史經驗。期間還考證了先秦社會歷史和評價各派哲學人物，撰寫了《青銅時代》和《十批判書》，頗多創見。中華人民共和國建立後，他歷任中國文聯主席、中央人民政府委員、政務院副總理兼文化教育委員會主任、中國科學院院長兼社會科學部主任等職務。

郭沫若生平著述甚為豐富，包括文學、藝術、詩歌、戲劇、哲學、史學、考古學、古文字學等，現有《沫若文集》和《郭沫若全集》行世。其中，《郭沫若全

集》收集整理他生前出版過的文學、歷史和考古三個方面的著作，編為《文學編》、《歷史編》、《考古編》，共三十八卷。**⓫**

(二) 郭沫若詩經研究的概況

郭沫若著作繁富，所匯編的《郭沫若全集》共計三十八卷。其中與《詩經》有關的計有下列四種：

1.《卷耳集》：作於 1922 年，是挑選了四十首〈國風〉的詩，以〈卷耳〉為首，重新將之譯為白話詩。

2.《中國古代社會研究》，作於 1930 年，為郭沫若於日本完成的著作，也是郭沫若第一本論文集。書中所收錄的各篇文章，其寫作時間並不一致。例如其中與經學密切相關的第一篇、第二篇關於《易》、《書》、《詩》的研究論文，是在1928 年到 1929 年之間，以杜撰的筆名在《東方雜誌》陸續發表出來的。

其中〈詩書時代的社會變革與其思想上之反映〉一文，是中國用馬克思主義研究《詩經》的第一篇論文。

3.《青銅時代》和《十批判書》中「《詩經》研究」：兩書都於 1945 年出版。郭沫若將他在這十年之中所寫作，與先秦社會文化、學術思想等方面相關的研究論文，收集成兩本書籍而成。其中對於中國古代社會的研究，郭氏將奴隸制度的下限定在秦漢之際。並將「《詩經》中的農事詩」當作一個專題加以研究，完成《青銅時代》中〈由周代農事詩論到周代社會〉一文，其結論是：詩中的農夫都是奴隸。

4.《奴隸制時代》：1952 年出版，以馬克思主義完成了中國古代史分期的學說。他斷定商朝為奴隸制社會，周代亦是奴隸制社會。奴隸制社會與封建制社會的交替在於春秋、戰國之際，並且明確地指出西元前 475 年，是為封建制社會開始的第一年。

以上郭沫若的著作，除了《卷耳集》是屬於白話翻譯之外，其他皆是研究中國古代史的論著。從這裏我們可以發現到的是，郭沫若是將《詩經》當成研究古代史的材料，從《詩經》中去尋找線索，希望藉以還原古代社會的概況。而郭沫若對待

⓫　郭沫若：《郭沫若全集》（北京市：人民出版社，1982 年 9 月）。

其他經典的態度也是如此，例如《易經》與《尚書》，在《中國古代社會研究》中便和《詩經》一併處理，寫成〈《周易》時代的社會生活〉和〈詩書時代的社會變革與其思想上之反映〉兩篇論文。

㈢　《中國古代社會研究》以唯物史觀解釋《詩經》的討論

　　馬克思將生產方式分為五種，此即：原始公社制、奴隸制、封建制、資本主義制、社會主義制。原始公社制的生產工具是公有的。奴隸制的生產工具是奴隸主所有，包括奴隸在內。封建制的生產工具屬於封建主擁有一部份，他的屬下也有部分生產工具。資本主義是資本家擁有資金與器材，但不包括人員，工人與資本家的關係是金錢交易的雇佣關係。在以上的生產方式中，無產階級都是受到剝削的，一定要等到社會主義制完成，生產工具由無產階級所有，階級鬥爭才能真正結束。而這樣的唯物歷史觀，正是郭沫若寫作《中國古代社會研究》的基本觀念。

　　1. 《中國古代社會研究》一書的主要論點

　　《中國古代社會研究》一書作於 1930 年，為當時以「馬克思主義」研究中國古代史的代表著作。郭沫若第一次用「馬克思主義」的觀點分析《易》、《書》、《詩》等歷史文獻，和甲骨文、金文等出土資料，來論證中國古代的社會情況。郭氏認為中國的歷史發展完全符合「馬克思主義」所揭示的社會發展普遍規律，為「馬克思主義」在中國的傳播與發展，奠定了學術方面的基礎。郭沫若在文中的主要論點有以下數點：

　　⑴《詩經》書中的內容不但表現出中國社會從原始公社制轉變為奴隸制的現象，也有由奴隸制向封建制轉變的線索。⓬此種說法之後成為中國古代社會階級鬥爭的論據之一。

　　⑵《詩經》之中有表現出奴隸制早期「小農生活的詩」，如〈小雅・大田〉。⓭

⓬　郭沫若《中國古代社會研究》：「《易經》是由原始公社制變為奴隸制時的產物，《易傳》是由奴隸制變成封建制時的產物。……這兩個變革的痕跡在《詩經》和《書經》中表現得更加鮮明。」見郭沫若：《中國古代社會研究》，收入《郭沫若全集》（北京市：人民出版社，1982 年 9 月），頁 90。

⓭　郭沫若《中國古代社會研究》：「這首詩的性質稍稍不同，這是一首小農生活的詩。」同前註，頁 117。

⑶郭沫若認為從〈大雅‧既醉〉的詩句中，可以得出中國古代奴隸制世襲的結論。❶

⑷郭沫若將周代定位為奴隸制社會，認為《詩經》中有奴隸制向封建制轉變的痕跡，所以有破落的貴族（奴隸主），也有新興的有產者（封建主）。在〈由奴隸制向封建制的推移〉一章中，把《詩經》中詩篇分門別類，屬於奴隸主怨天的詩有：〈邶風‧北門〉、〈王風‧黍離〉、〈唐風‧鴇羽〉、〈秦風‧黃鳥〉、〈小雅‧節南山〉、〈小雅‧正月〉、〈小雅‧小旻〉、〈大雅‧板〉、〈大雅‧桑柔〉等等。屬於奴隸主罵天的詩有：〈小雅‧節南山〉、〈小雅‧正月〉、〈小雅‧雨無正〉、〈小雅‧小弁〉、〈小雅‧巧言〉、〈大雅‧蕩〉等等。奴隸主之所以怨天，是怨恨「順應天命」的新興封建地主。其他還有奴隸主厭世、奴隸主對宗教崇拜的懷疑等不同主題的詩歌。而屬於沒落奴隸主悲歎自身生活困頓和回憶昔日榮華的詩，有〈邶風‧北門〉、〈王風‧兔爰〉、〈魏風‧園有桃〉、〈秦風‧權輿〉、〈陳風‧衡門〉、〈檜風‧隰有萇楚〉、〈王風‧黍離〉等等。屬於諷刺新興封建主的詩有：〈曹風‧候人〉、〈小雅‧節南山〉、〈小雅‧正月〉、〈小雅‧十月之交〉、〈小雅‧巧言〉、〈小雅‧大東〉、〈小雅‧角弓〉等等。

⑸《詩經》的愛情詩中，由於工商業的發達，已出現了形容當時風化業者（摩登女兒）的詩句。如〈鄭風‧出其東門〉、〈陳風‧東門之枌〉。❶

⑹《詩經》中對新的科學技術發明採取「賤視」的態度。如〈大雅‧板〉。❶

2.對《中國古代社會研究》書中論點的討論

郭沫若的這些論點，存在著許多的問題。對上述各項論點的探討，茲討論如下：

---

❶ 郭沫若《中國古代社會研究》：「奴隸是世襲的。〈大雅〉的〈既醉〉篇很明白地告訴了我們。」見郭沫若：《中國古代社會研究》，頁120。

❶ 郭沫若《中國古代社會研究》：「這些女兒大約也就如現代的『摩登女兒』一樣罷？假使產業不發達，這種現象是無從說明的。」同前註，頁175－176。

❶ 郭沫若《中國古代社會研究》：「這正暗暗地把握著人民隨著自然的進化，漸漸的聰明了起來。這詩人所嗟歎的『民之多辟』，大約也就是作奇技奇器的該殺的勾當了。」同註❶，頁179。

　　⑴郭沫若認為從社會發展史上來看,上自原始公社制社會轉變為奴隸制,下自奴隸制社會轉變為封建制,都能夠在《詩經》中找到其轉變的線索與過程。但是《詩經》中有「原始公社制社會轉變為奴隸制的痕跡」的論點卻相當令人質疑。因為《詩經》的寫作年代始於西周,郭氏就必須認定西周以前的商朝還是原始公社制的社會。可是在《奴隸制時代》一書中,郭氏卻斷定商朝已經是奴隸社會,前後自相矛盾,郭沫若卻不自覺。

　　⑵郭沫若說〈小雅‧大田〉是敘述「小農生活的詩」,還說:「有他的私田」⓱,但是依照郭沫若解釋〈七月〉的說法,詩中所說的「田畯」就是「奴隸主」,〈七月〉中的農夫即是「奴隸」。而〈大田〉一詩中同樣有「田畯」一詞,同樣有農夫,卻說詩中的農夫不是「奴隸」,而是「小農」。不知道郭氏根據什麼樣的理由,而能夠有兩種完全不同的解釋?

　　⑶郭沫若主張奴隸制社會的奴隸是世襲的,並舉出〈大雅‧既醉〉加以證明。⓲茲錄〈既醉〉於下:

　　　　既醉以酒,既飽以德。君子萬年,介爾景福。

　　　　既醉以酒,爾殽既將。君子萬年,介爾昭明。

　　　　昭明有融,高朗令終。令終有俶,公尸嘉告。

　　　　其告維何?籩豆靜嘉。朋友攸攝,攝以威儀。

　　　　威儀孔時,君子有孝子。孝子不匱,永錫爾類。

　　　　其類維何?室家之壼。君子萬年,永錫祚胤。

　　　　其胤維何?天被爾祿。君子萬年,景命有僕。

　　　　其僕維何?釐爾女士。釐爾女士,從以孫子。⓳

最早的《詩序》解釋:

⓱　郭沫若:《中國古代社會研究》,頁117。

⓲　同前註,頁120。

⓳　〔漢〕鄭玄:《毛詩鄭箋》(臺北市:學海出版社,2001年9月再版),卷17,頁129-130。

〈既醉〉，大平也。醉酒飽德，人有士君子之行焉。❷⓿

朱熹的《詩集傳》說：

此父兄所以答〈行葦〉之詩。❷①

筆者以為，依照詩文本身來看，這是一首受人招待、表示感謝的詩。如「君子萬年，介爾景福」、「孝子不匱，永錫爾類」、「釐爾女士，從以孫子」等等，都是向主人祝福的用語。客人的身分我們不可得知。或許郭沫若是從詩中出現的兩個「僕」字來提出他的看法。可是此「僕」字之義，《毛傳》：「僕，附也。」❷②《朱傳》於「景命有僕」下說：「言天命之所附屬。」❷③由此看來，在「景命」之下的「僕」字，是不能解釋為「奴隸」的。既然如此，則郭沫若「奴隸世襲」的說法就不能成立了。

　⑷依照郭沫若的論點，西周至春秋時代都是奴隸制社會。所以如果詩中有所怨恨、悲歡與諷刺等等方面的思想，也應該是奴隸在面對奴隸主的迫害時，所反應出的悲呼與控訴，怎麼會是奴隸主針對新興的封建主而發的呢？郭沫若還為奴隸主的怨憤詩分門別類，似乎周代的奴隸主比奴隸還要來得痛苦。照這樣看來，還能將這段時期稱之為「奴隸制時代」？而郭沫若認為是奴隸主所作的詩篇，都存在著或多或少的問題。茲舉三例為證：
　甲、〈邶風‧北門〉篇說：

出自北門，憂心殷殷。終窶且貧，莫知我艱。
已焉哉！天實為之，謂之何哉！

---

❷⓿ 〔漢〕鄭玄：《毛詩鄭箋》（臺北市：學海出版社，2001 年 9 月再版），卷 17，頁 129。

❷① 〔宋〕朱熹：《詩集傳》（臺北市：中華書局，1982 年 5 月臺十一版），卷 17，頁 193。

❷② 〔漢〕鄭玄：《毛詩鄭箋》，卷 17，頁 130。

❷③ 〔宋〕朱熹：《詩集傳》，卷 17，頁 194。

王事適我，政事一埤益我。我入自外，室人交徧讁我。

已焉哉！天實為之，謂之何哉！

王事敦我，政事一埤遺我。我入自外，室人交徧摧我。

已焉哉！天實為之，謂之何哉！❷❹

《詩序》說：

〈北門〉，刺仕不得志也。❷❺

朱熹《詩集傳》說：

衛之賢者處亂世、事暗君，不得其志。故因出北門而賦以自比，又歎其貧窶，人莫知之而歸之於天也。❷❻

筆者以為，從本詩的文意看來，本詩所描寫的當是一位小官吏工作繁重，生活窮困，自外返家又受家人的指責。如果依照郭氏所說，詩中所描寫的是一位奴隸主，則奴隸主是特權階級，享受奴隸的服務與奉獻，應該不會成天忙於公務，回家之後又遭到家人指責。

　　乙、〈唐風‧鴇羽〉首章說：

肅肅鴇羽，集于苞栩。王事靡盬，不能蓺稷黍。父母何怙？悠悠蒼天，曷其有所！❷❼

---

❷❹　〔漢〕鄭玄：《毛詩鄭箋》（臺北市：學海出版社，2001 年 9 月再版），卷 2，頁 17－18。

❷❺　同前註，卷 2，頁 17。

❷❻　〔宋〕朱熹：《詩集傳》（臺北市：中華書局，1982 年 5 月臺十一版），卷 2，頁 25。

❷❼　〔漢〕鄭玄：《毛詩鄭箋》，卷 6，頁 49。

朱熹《詩集傳》說：

> 民從征役而不得養其父母，故作此詩。❷⑧

這是人民受征役之苦，想及田園不能種植，父母無人奉養，無可告訴，訴之於天。雖沒有關於身分的敘述，但可推知必為平民。郭沫若將此詩歸納為奴隸主「怨天」之作。❷⑨奴隸主之所以成為奴隸主，是因為他擁有許多奴隸，生產勞役的事以及父母生活的照顧，一概可以命令奴隸去做，根本不會有「不能藝稷黍，父母何怙」的憂慮。如果將這首詩改說為奴隸之作，或許合乎人情。但是從詩文中無法看出作者的身份，又沒有典籍資料能夠證明，郭氏就將此詩的作者安上一個「奴隸主」的身份，這是不能讓人信服的。

　　丙、〈秦風‧黃鳥〉首章說：

> 交交黃鳥，止于棘。誰從穆公？子車奄息。維此奄息，百夫之特。臨其穴，惴惴其慄。彼蒼者天，殲我良人。如可贖兮，人百其身。❸⓪

《詩序》說：

> 黃鳥，哀三良也。國人刺穆公以人從死，而作是詩也。❸①

此事在《左傳‧文公六年》、《史記‧秦本紀》均有記載，當是秦人哀三良殉葬的詩。郭沫若將它編在「奴隸主怨天的詩」❸②中，這與詩文的意義完全不符。如果依照郭氏的說法，此詩是奴隸主所作，當時秦國的奴隸主即是秦穆公，或是穆公之子

---

❷⑧　〔宋〕朱熹：《詩集傳》（臺北市：中華書局，1982 年 5 月臺十一版），卷 6，頁 71。

❷⑨　郭沫若：《中國古代社會研究》，頁 144。

❸⓪　〔漢〕鄭玄：《毛詩鄭箋》（臺北市：學海出版社，2001 年 9 月再版），卷 6，頁 52。

❸①　同前註，卷 6，頁 52。

❸②　郭沫若：《中國古代社會研究》，頁 144。

秦康公，子車氏三人即是穆公的奴隸。那麼就成了穆公，或是康公，一邊命令三良
殉葬，一邊卻又作詩替三良「怨天」，說：「彼蒼者天，殲我良人！如可贖兮，人
百其身。」郭沫若為詩文作這樣的新解釋，實在太過牽強，令人無法認同他的說
法。

　　郭沫若在文中所列出，屬於奴隸主所作的詩篇，只要稍加以分析，即會發現其
中問題重重，以下就不再多加贅述了。

　　⑸郭沫若認為〈鄭風・出其東門〉中的女子是一「摩登女兒」（風化業者）。
但是我們從詩文本身來看，該詩首章說：

　　　出其東門，有女如雲。雖則如雲，匪我思存。縞衣綦巾，聊樂我員。㉝

詩中所說的「縞衣綦巾」即是白色之衣，蒼艾色之巾。《朱傳》：「女服之貧陋
者。」㉞可見〈出其東門〉的作者所喜愛的是一位服飾樸素的貧寒女子，絕無郭氏
所謂的「摩登」裝扮，不知道郭沫若以什麼樣的證據來說明詩中描寫的女子是一位
風化業者？

　　⑹郭沫若主張《詩經》對於新技術、新發明是採取「賤視」的態度，並舉出
〈大雅・板〉篇為證。他說：

　　　這正暗暗地把握著人民隨著自然的進化，漸漸的聰明了起來。這詩人所嗟歎
　　　的「民之多辟」，大約也就是作奇技奇器的該殺的勾當了。㉟

關於〈大雅・板〉篇中「民之多辟，無自立辟」一句，「多辟」一詞，鄭玄所做的
《箋》㊱與朱熹的《詩集傳》㊲都解釋為「既多邪僻」。說人民既多邪僻了，主政

㉝　〔漢〕鄭玄：《毛詩鄭箋》（臺北市：學海出版社，2001年9月再版），卷4，頁39。
㉞　〔宋〕朱熹：《詩集傳》（臺北市：中華書局，1982年5月臺十一版），卷4，頁55。
㉟　郭沫若：《中國古代社會研究》，頁179。
㊱　〔漢〕鄭玄：《毛詩鄭箋》，卷17，頁135。
㊲　〔宋〕朱熹：《詩集傳》，卷17，頁201。

者豈可又自立邪僻導之呢？這裏的「邪僻」，顯然是指道德、行為方面來說的，和郭沫若所指出的「奇技奇器」並不相同。拿「民之多辟」一句話來判斷《詩經》有「賤視新的科學技術發明」的思想，是對《詩經》的一種誤解。

最後我們針對郭沫若研究詩經的成果，再作一些討論：

郭沫若信從「馬克思學說」，將馬克思的歷史演進五階段說引用到中國，認為中國亦必然有同樣的歷史演變。於是主張將商代以前定為原始公社制時代，商、周兩代定為奴隸制時代，春秋以後（或秦朝以後）定為封建時代，並配合階級鬥爭的理論，以為《詩經》中充滿了階級對立與抗爭的氣息。於是將《詩經》中的農夫都說成是奴隸。有奴隸作的詩，也有奴隸主作的詩。這一基本觀念，對中國學者影響甚大，後來成為中共劃分中國古代史分期的依據。

每個朝代的社會制度，都有其歷史文獻可考。我們從周代的社會制度來看：周代自武王滅商，周公東征，先後兩次分封宗親功臣，可見得「封建」二字是有實質的涵義，與當時的政治組織有著密切的關係。這是一個典型的封建王朝，這在歷史上已經清楚地記載著。

然而郭沫若不談「封建」本義，主張周代為奴隸制社會，並說封建始於春秋戰國之際，正確的時間在西元前 475 年，另外又說始於秦漢之間，卻始終不尸郭沫若提出有力的史料記載來加以證明。兩者相差二百五、六十年，足見郭沫若對於上古社會的分期，觀念尚在模糊階段。況且，這兩個時期的戰事頻繁，政局動盪，如前一說的西元前 475 年，正是勾踐反攻吳國的那一年，天下已無共主，說這一年諸侯各國同時宣佈廢除奴隸制度，推行封建制度，不知郭氏有何史籍為證？又是誰有能力促使各國同時改制？另一說是秦漢之際。這個時期大秦王朝已經瓦解，群雄割據，劉、項爭霸，又有誰能號令天下進行全面變革的工作？像這一些關係上古史的制度問題，如從馬克思的「唯物史觀」來說，要推翻傳統說法，必須從「物」上提出充分的證據來，才能令人相信，可是郭沫若所提出的證據，顯然是不足的。

又井田制度與奴隸制度是不能並存的，因為井田制度下的「私田」歸農夫所有，農夫有他的自主性，自然不是奴隸。《漢書・食貨志》說：「及秦孝公用商君，壞井田，開阡陌，急耕戰之賞，雖非古道，猶以務本之故，傾鄰國而雄諸

侯。」❸井田制度到了秦孝公才遭到破壞，那在秦孝公之前的周代所實行的，自然
是井田制度了。郭沫若也承認有井田制度❸，卻說井田制度下的「私田」都已被
「田畯」所佔有，所以農夫們都成了「田畯」的奴隸，因此社會上行的仍然是奴隸
制度。❹於是問題的關鍵便落到「田畯」身上。《詩經》裏僅〈七月〉、〈甫
田〉、〈大田〉三首詩，出現過「饁彼南畝，田畯至喜」同樣的兩句詩。田畯是農
官，負農業輔導之責，「至喜」是「至而喜」，表示田畯是以親切的態度對待農夫
的。❹郭沫若說他是佔有田地的人，我們不得不問：「證據何在？」可是郭氏的說
法既與歷代的訓詁不同，也提不出明確的證據，從研究方法上來看，自然是站不住
腳的。

　　中國的歷史實況與馬克思的歷史唯物論並不契合，中國不曾將奴隸制當成主要
經濟來源，而近代中國還不曾進入資本主義制就先進入社會主義制了，馬克思的唯
物歷史觀運用在中國歷史上必定有所隔閡。

　　而郭沫若的說法是針對馬克思的五種生產模式的說法而提出的，其用意在證明

---

❸　〔漢〕班固撰，〔唐〕顏師古注：《新校漢書集注》（臺北市：世界書局，1974 年 5 月三
　　版），第二冊，卷 24 上，頁 1126。

❸　郭沫若《青銅時代》：「井田制，我在前有一個時期否認過它。……我這個判斷其實是錯
　　了，孟子所說的那八家共井的所謂井田制雖然無法證實，而規整劃分的公田制卻是應該存在
　　過的。」見郭沫若《青銅時代》，收入《郭沫若全集》（北京市：人民出版社，1982 年 9
　　月），歷史編，第一卷，頁 426－427。

❹　郭沫若《奴隸制時代》：「〈小雅・大田〉篇也是王朝田官們做的詩，而不是農夫們做的
　　（凡是大、小〈雅〉裏的詩都是采自貴族階層的）。所以，那詩中的『我』字都是田官自
　　指，而不是指農民。詩中的『雨我公田，遂及我私』，是做詩的這位田官有了私田，並不是
　　說農民有了私田。」見郭沫若《奴隸制時代》，收入《郭沫若全集》（北京市：人民出版
　　社，1982 年 9 月），頁 106。〈大田〉裏的農官即是「田畯」。可見郭氏認為「田畯」擁有
　　私田，井田制裏的農人都是「田畯」的奴隸。

❹　〔漢〕毛亨《毛傳》：「田畯，田大夫也。」〔漢〕鄭玄《毛詩箋》：「耕者之婦子，俱以
　　饟來至於南畝之中，其見田大夫，又為設酒食焉，言勸其事，又愛其吏也。」二者俱見
　　〔漢〕鄭玄：《毛詩鄭箋》，卷 8，頁 61。又〔宋〕朱熹《詩集傳》：「田畯，田大夫，勸
　　農之官也。周公以成王未知稼穡之艱難，故陳后稷公劉風化之所由使瞽矇朝夕諷誦以教
　　之。……治田早而用力齊，是以田畯至而喜之也。」見〔宋〕朱熹：《詩集傳》，卷 8，頁
　　91。

馬克思主義的正確性以及提倡共產社會的美好。但這樣的說法實在牽強。這只能說是針對文獻做出不同的解讀而已，並不算是研究，因為除了馬克思、恩格思著作之外，並不能提出其他直接的證明。由此可知，郭沫若所編列的奴隸或奴隸主作的詩，每一篇都值得懷疑。因為《詩經》的時代背景是封建時代，不是奴隸時代。所以詩文裏沒有奴隸或奴隸主的事實。《詩經》中的詩篇當然不是奴隸或奴隸主作的了。我們只要對郭沫若的新論稍加檢視一下，便不難發現他的理論架構是極其脆弱的。

四、以馬克思主義註解詩經全書的學者——高亨

高亨（1900－1986），字晉生，吉林雙陽縣人，是我國研究先秦學術和文字學、訓詁學的著名學者。早年在清華國學研究院師從王國維、梁啟超兩位大師，一生篤志於弘揚我國傳統學術，成就斐然，成為上一世紀先秦學術文化研究的一座重鎮。

㈠ 生平與治學

1926 年，任教於吉林省立法政專門學校，1929 年成為東北大學教育學院國文專修科的教授。以後又歷任河南大學、武漢大學、齊魯大學、西北大學、相輝學院等校教授。中華人民共和國成立後，曾任西南師範學院教授，1953 年調任山東大學教授。1967 年至北京，專門從事古代學術思想研究。

高亨自稱其治學宗清乾嘉學派的高郵二王父子（王念孫、王引之）之家法，但實際上他對歷代諸家所說均有取捨，博採眾長而不拘守一派，於古籍考辨和訓詁方面有相當貢獻，而尤精於《周易》、《尚書》和《詩經》的研究。他曾力求運用唯物史觀的立場和方法考釋及論述《周易》古經及《周易大傳》，富於說理，頗多創見。認為孔子「是復古主義者，其政治主張是復西周王朝所制之禮」。

高亨的著作頗多，主要有：《周易古經今注》、《周易古經通說》、《周易大傳今注》、《周易雜論》、《老子正詁》、《詩經今注》、《諸子新箋》等。

高亨的《詩經》研究集中在五十年代以後，有《詩經引論》、《詩經選注》、《詩經今注》、〈詩經邶風新解〉（上、下篇）、〈鄘風新解〉、〈詩經續考〉等多種論著。直到高亨逝世時，還在計畫寫的《詩經新解》，只留下少量手稿。其中

最能代表高亨《詩經》研究的成果，就是《詩經今注》一書，所以接下來筆者就以
此書為主，進行討論。

㈡　**《詩經今注》的成書與體例**

　　《詩經今注》是大陸近五十年研究《詩經》最早的全注本。㊷趙沛霖《詩經研
究反思》中提到：

> 五四以後，出現過幾個《詩經》全本注釋，但多舊說翻版，冬烘氣重；建國
> 後雖有精心之作，但多選本、譯本，對《詩經》全本以一家之言進行全面系
> 統注釋的則寥寥無幾，而高氏此書則是其中最為突出的一個。㊸

可見得此書在當時及後世都是研究《詩經》的重要參考書籍。

　　此書的開頭有〈前言〉，說明著作旨趣。書前另有一篇〈詩經簡述〉，介紹了
三百篇的採集編選、流傳分類以及產生的地域和時代等基本情況。並對《詩經》研
究中一些具爭議性的問題，如孔子有否刪詩、二〈南〉是否該從〈國風〉中獨立出
來、以及「風」、「雅」、「頌」的概念含意等等問題，提出自己的看法。

　　《詩經今注》的內文部分，按照傳統的編排次序，對三百零五篇作了簡明扼要
的題旨說明和字、詞的訓示。此書為每一首詩所做的今注，基本上由題旨、經文以
及注文三部分組成。就題旨的部分而言，高亨於每篇題下利用簡要的文字，闡明每
篇的題旨或詩義。就經文的部分而言，每篇經文均分章排列，並將經文頂格，除經
文外，題旨及注文皆作小字。就注文的部分而言，注文是排列於經文之後，主要為
文字訓釋，偶爾亦顧及串解並說明相關背景等等。如果注文對字訓句義有所發明，
高亨便作按語，若是引用前人的觀點，高亨的按語則列在最後。原則上若引文是
《毛傳》的說法，高亨會特別標示「亨按」字樣，以示區別。除了釋義之外，高亨
對於《詩經》中一些生僻的字，其下會標出同音字，對於初學者瞭解《詩經》的讀

㊷　左洪濤：〈論高亨《詩經今注》的幾點不足〉，《中國文化月刊》第 245 期（2000 年 8
　　月），頁 74。

㊸　趙沛霖：《詩經研究反思》（天津市：天津教育出版社，1989 年 6 月），頁 396。

音上有相當程度的助益。

　　另外，《詩經今注》的注文通常只作必要的疏解，如果有需要再進一步詳細說明的問題，如引證史實、前人之說、器物制度說明等等，高亨則在每篇注文後另列附錄詳加說明。如〈齊風‧東方未明〉：「不能辰夜」注文曰：「辰，看伺。辰夜，看伺夜裏的時間。」並且在附錄中說到：

　　　　辰，與晨古通用，《左傳‧僖公五年》：「丙之辰。」《漢書‧律曆志》引辰作晨，就是明證。《論語‧憲問》：「子路宿於石門。晨門曰……。」《集解》：「晨門者閽人也。」晨門是說看伺門戶的人。《淮南子‧說山》：「見卵而求晨夜。」晨夜指伺夜的雞。以上采自馬瑞辰《毛詩傳箋通釋》。㊹

　　這裏引用前人馬瑞辰的說法，藉以補充注文的不足。由上敘述可知《詩經今注》的體例可說是相當完備的。

⊜　《詩經今注》以階級觀念研究《詩經》的討論

　　《詩經今注》一書在分析〈魏風‧碩鼠〉時，曾提到高亨對歷史分期的觀念：「周王東遷以後，奴隸制與農奴制都逐漸破壞，出現了新興地主，他們把土地租給佃農耕種，而收實物地租，對佃農的剝削也很殘酷。這首詩正是佃農對地主殘酷剝削的控訴。」㊺據此，高氏認為西周時期是奴隸制與農奴制，春秋時期則發展為封建制。關於大陸學者以馬克思主義對中國上古史的分期觀念，我們已經在郭沫若一節有所討論，這裏不再贅述。所以這一節中，想特別強調高亨以馬克思主義詮釋詩篇的問題。

　　「封建制度」是馬克思歷史唯物論中，宣稱人類生產方式的一個進程，是在「奴隸制度」之後出現的社會制度。但是馬克思並不特別討論封建制，因為馬克思關心的是資本主義制度下的社會問題。同時，中共面對當時中國以農業為主，根本

㊹　高亨：《詩經今注》（上海市：上海古籍出版社，1984 年 8 月），頁 133。
㊺　同前註，頁 148。

還沒進到資本主義社會，這與馬克思主義的中心並不相契合，為了解決這個理論與現實的差異，只好強調封建制，將統治者、地主劃上資本家的等號，而指明一般百姓與農民是被地主剝削的無產階級。在這樣的學術背景下，找出歷史中的封建階級，並且對其作為加以詮釋便成了學術研究上的重要目標。

1.《詩經今注》以階級分析觀念解釋詩篇問題探討

由於受到馬克思主義的影響，高亨經常使用階級觀點來詮釋詩旨，並且強調作者的階級和作品的階級性，這樣的解釋詩篇方法對大陸學界的影響極大，直至於今，但是如果我們對其解說內容進行深入的探討，即會發現他的作法是有待商榷的。

高亨對於《詩經》一書的基本態度為：

> 在階級社會裏，在階級制度下，沒有超階級的人物，沒有超階級的作家。沒有超階級的作品，沒有一篇作品不打上階級烙印，不過烙印有的明顯，有的隱晦而已。❹

基於這樣的觀點，他認為研究《詩經》必須要考察「作者的階級和作品的階級性」，而作者的階級是決定作品階級性的主要條件。因此高亨在詮釋《詩經》中的詩篇時，會刻意地分析作者的階級。雖然高亨曾說他考察作者階級的主要根據是來自於詩篇的內容，但是這種作法仍然是不太可靠的，茲舉例說明如下：

⑴〈周南‧葛覃〉篇說：

> 葛之覃兮，施于中谷，維葉萋萋。黃鳥于飛，集于灌木，其鳴喈喈。
> 葛之覃兮，施于中谷，維葉莫莫。是刈是濩，為絺為綌，服之無斁。
> 言告師氏，言告言歸。薄汙我私，薄澣我衣。害澣害否？歸寧父母。❹

---

❹ 高亨：〈詩經引論〉，《詩經學論叢》（臺北市：崧高書社，1985 年 6 月），頁 10。

❹ 〔漢〕鄭玄：《毛詩鄭箋》（臺北市：學海出版社，2001 年 9 月再版），卷 1，頁 2。

《詩序》說:

> 〈葛覃〉,后妃之本也。后妃在父母家,則志在於女功之事,躬儉節用,服
> 澣濯之衣,尊敬師傅,則可以歸安父母,化天下以婦道也。❹

《詩序》的作者認為〈葛覃〉一詩所說的,是后妃的基本修養。在家能夠躬儉節
用,尊敬師傅,出嫁以後自然容易使父母安心,使天下大化。

　　朱熹在《詩集傳》中提到:

> 〈葛覃〉,后妃所自作。故無贊美之詞。然於此可以見其已貴而能勤,已富
> 而能儉,已長而敬不弛於師傅,已嫁而孝不衰於父母,是皆德之厚,而人所
> 難也。〈小序〉以為后妃之本,庶幾近之!❹

朱熹的說法與《詩序》差異不大,兩者的差別僅在於朱熹認為〈葛覃〉一詩應是后
妃自作,因此並沒有讚美的意思。

　　自宋以來,反對此種說法的學者為數眾多,他們認為不但從詩中看不出后妃之
義的存在,而且后妃不可能親自從事割葛、織布、洗衣等等的工作。❺高亨當然也
不例外,而且為了要弭平這個矛盾,高亨提出了這樣的看法:

> 這首詩反映了貴族家中的女奴們給貴族割葛、煮葛、織布及告假洗衣回家等

---

❹　〔漢〕鄭玄:《毛詩鄭箋》,卷 1,頁 2。

❹　〔宋〕朱熹:《詩集傳》,卷 1,頁 3。

❺　如〔清〕方玉潤《詩經原始》:「〈葛覃〉三章,章六句,〈小序〉以為『后妃之本』,
　《集傳》遂以為『后妃所自作』,不知何所證據?以致駁之者云:『后處深宮,安得見葛之
　延於谷中,以及此原野之間,鳥鳴叢木景象乎?』愚謂:后縱勤勞,豈必親手『是刈是
　濩』,后即節儉,亦不至歸寧尚服澣衣。縱或有之,亦屬矯強,非情之正。豈得為一國母儀
　乎?」見《詩經原始》(北京市:中華書局,1986 年 12 月),第 1 冊,卷 1,頁 76。

一段生活情況。(51)

高亨根據詩篇的內容加以分析之後，認為此篇應該是屬於勞動階級的作品，是描寫貴族家中的女奴替貴族割葛、煮葛、織布的勞動過程，以及告假洗衣回家的一段生活情況。(52)

然而筆者以為，高亨只是根據詩中的某些詩句，推測此篇的作者是何種階級，這種作法是有待斟酌的。拿此篇來說，高亨只單憑詩中「是刈是濩」這一句話，就認定此篇的作者是「貴族家中的女奴」，證據似乎是稍顯不足。《詩經》在流傳的過程中，經過多次的修改，所以它是民眾集體的創作，作者已無從考察。我們研讀《詩經》是為了瞭解詩篇的內容，至於作者的階級為何，應該不是一個非解決不可的問題，而且也不一定能夠解決的問題。高亨在解釋〈葛覃〉的詩旨時，把重心集中在探討作者的階級身分，單憑幾句詩就斷定作者的階級，這結論是難以令人信服的。

(2)〈召南・采蘋〉篇說：

于以采蘋？南澗之濱。于以采藻？于彼行潦。
于以盛之？維筐及筥。于以湘之？維錡及釜。
于以奠之？宗室牖下。誰其尸之？有齊季女。(53)

《詩序》：

〈采蘋〉，大夫妻能循法度也。能循法度，則可以承先祖，共祭祀矣。(54)

---

(51) 高亨：《詩經今注》，頁3。
(52) 高亨：〈詩經引論〉，頁11。
(53) 〔漢〕鄭玄：《毛詩鄭箋》，卷1，頁6。
(54) 〔漢〕鄭玄：《毛詩鄭箋》，卷1，頁6。

《詩序》的作者認為〈采蘋〉是歌詠南國大夫之妻能遵循法度來準備祭祀的事宜，所以能主持祭祀的流程，帶領大家一同完成祭祖的儀式。

朱熹的《詩集傳》持同樣看法：

> 南國被文王之化，大夫妻能奉祭祀，而其家人敘其事以美之也。**⑤**

認為南國受到「文王之化」的影響，大夫之妻能主持祭典，所以家人敘述采蘋採藻以祭祀的經過來讚美她。

然而高亨卻不這麼認為：

> 這首詩是貴族家裏的女奴所作。古代貴族的女兒臨出嫁前，要祭祀她家的宗廟，由女奴們給她辦置菜蔬類的祭品。這首詩正是敘寫女奴們辦置祭品的勞動。**⑤**

高亨認為此篇同是屬於勞動階級的作品，是描寫貴族家中的女奴替貴族采蘋、采藻等等辦置祭品的勞動過程。

但筆者認為：就詩文本身來看，這確實是一首描述祭祀準備工作的詩歌，然而詩中並沒有足以證明〈采蘋〉是「女奴」所作的證據。高亨僅就詩中的「采蘋」、「采藻」等詞語，便判斷此篇的作者是「貴族家裏的女奴」，這樣作法實在太過武斷。高亨在解釋〈采蘋〉的詩旨時，如同之前分析〈葛覃〉一般，將重心擺在論斷作者的階級身分，可見這樣的作法在《詩經今注》中是多麼的普遍。如此一來，不但降低了《詩經今注》一書的學術價值，連高亨的研究成果也令人質疑。

(3)〈唐風‧采苓〉篇說：

> 采苓采苓，首陽之巔。人之為言，苟亦無信。

---

⑤　〔宋〕朱熹：《詩集傳》，卷1，頁9。
⑤　高亨：《詩經今注》，頁19。

　　　舍旃舍旃，苟亦無然。人之為言，胡得焉！

　　　采苦采苦，首陽之下。人之為言，苟亦無與。

　　　舍旃舍旃。苟亦無然。人之為言，胡得焉！

　　　采葑采葑，首陽之東。人之為言，苟亦無從。

　　　舍旃舍旃，苟亦無然。人之為言，胡得焉！❺❼

《詩序》說：

　　　〈采苓〉，刺晉獻公也。獻公好聽讒焉。❺❽

《詩序》認為〈采苓〉是一諷刺晉獻公喜好聽信讒言的詩篇。

　　朱熹《詩集傳》提到：

　　　此刺聽讒之詩。言子欲采苓於首陽之巔乎，然人之為是言以告子者，未可遽
　　　以為信也。姑舍置之，而無遽以為然，徐察而審聽之，則造言者無所得而讒
　　　止矣。❺❾

朱熹並不認同《詩序》「刺獻公」的說法，以為它只是一首單純諷刺聽讒的詩篇。

　　至於高亨則是認為：

　　　這是勞動人民的作品，勸告伙伴不要聽信別人的謊話，走錯了路。❻⓿

高亨把〈采苓〉解釋為勸人勿信讒言的詩。然而高亨與前輩學者最大的差異點是，

---

❺❼　〔漢〕鄭玄：《毛詩鄭箋》，卷6，頁50。

❺❽　同前註。

❺❾　〔宋〕朱熹：《詩集傳》，卷6，頁73。

❻⓿　高亨：《詩經今注》，頁161。

他點明此篇是屬於勞動人民的作品。筆者認為，從詩文的內容來看，它是一首勸人莫要聽信讒言的詩，應是無庸置疑的，但硬要說它是勞動人民的作品，從詩文中卻也無法獲得充分的證據。或許高亨是因為詩文中有「采」字，於是斷定〈采苓〉為勞動人民的作品，然而這樣的作法實在有失謹慎。

《詩經》產生於階級社會，以馬克思主義研究者自居的學者們，自然會在這方面大做文章，打上階級的烙印。但實際的情況是不是這樣呢？高亨並無足夠的證據，只是根據詩中的隻字片語就對作者的階級身分下判斷，這樣的作法實在不太可靠，高氏在〈詩經引論〉中說：

> 一般地說，作者的階級是決定作品階級性的主要條件，但是有些作者不被他的階級所侷限，甚至背叛他的階級，因而作者的階級不一定決定作品的階級，我們不能抱唯階級論的觀點，機械式地加以論斷。**⑥**

然而高亨本人在《詩經今注》一書中卻未能實踐此一主張，這是令人感到相當遺憾的。

2.《詩經今注》以階級鬥爭觀念解釋詩篇問題探討

馬克思主義中，階級鬥爭是相當重要的觀念。階級鬥爭是指社會生產方式發展到一定程度，必定會形成控制生產工具的階級與缺乏生產工具的階級。在奴隸制生產中，奴隸主控制了生產工具，相同的封建主、資本主義制的資本家都控制了生產工具並以此壓榨無產階級，因此產生兩階級之間的鬥爭，鬥爭之後必會產生新的生產方式，而歷史就在這不斷鬥爭的過程中進化。

因此高亨在解釋詩篇時，認為許多詩篇都是勞動階級控訴自己如何地被剝削、被壓榨，他動輒就以階級鬥爭與階級矛盾去詮釋作品，因此出現不少牽強的地方，茲舉例如下：

⑴〈周南‧螽斯〉篇說：

---

⑥　高亨：〈詩經引論〉，頁 11。

　　　　蟲斯羽，詵詵兮。宜爾子孫振振兮。

　　　　蟲斯羽，薨薨兮。宜爾子孫繩繩兮。

　　　　蟲斯羽，揖揖兮。宜爾子孫蟄蟄兮。

《詩序》說：

　　　〈蟲斯〉，后妃子孫眾多也。言若蟲斯不妒忌，則子孫眾多也。⓺

從《詩序》上來看，〈蟲斯〉所敘述的是后妃因為不妒忌，所以能夠子孫眾多。鄭玄的《毛詩箋》說：「忌，有所諱惡於人。」⓺孔穎達的《毛詩正義》說：

　　　忌者，人有勝己，己則諱其不如，惡其勝己，故曰有所諱惡於人，德是也，此唯釋忌，於義未盡，故〈小星・箋〉云：「以色曰妬，以行曰忌。」⓺

《鄭箋》與《孔疏》的看法都是與《詩序》同一立場，並且為《詩序》的說法作進一步的闡釋。

　　朱熹的《詩集傳》對於〈蟲斯〉篇大抵承襲《詩序》的說法，他說：

　　　后妃不妒忌而子孫眾多，故眾妾以蟲斯之羣處和集而子孫眾多比之，言其有是德而宜其有是福也。⓺

這樣的說法可說是為《詩序》作了極佳的箋釋。

　　然而高亨並不認同這樣的看法，他在《詩經今注》裏，對〈蟲斯〉篇表達了他

⓺　〔漢〕鄭玄：《毛詩鄭箋》，卷1，頁3。

⓺　同前註。

⓺　〔唐〕孔穎達：《毛詩正義》（北京市：北京大學出版社，1999年12月），上冊，卷1，頁43。

⓺　〔宋〕朱熹：《詩集傳》，卷1，頁4。

與眾不同的見解：

> 這是勞動人民諷刺剝削者的短歌。詩以蝗蟲紛紛飛翔，吃盡莊稼，比喻剝削
> 者子孫眾多，奪盡勞動人民的糧穀，反映了階級社會的階級實質，表達了勞
> 動人民的階級仇恨。⑯

高亨認為蝗蟲靠農民所種的莊稼而生存，這和專事剝削的貴族必須依賴農民生產的
糧食而生存，在本質極度相似，因此這首詩是勞動人民用以諷刺剝削者的短歌。此
樣的說法似乎比起前人有著較為深刻的思想性，作為一家之言未嘗不可⑰，但是這
樣的詮釋方式卻相當令人質疑，造成《詩經今注》與前人說法的差異關鍵在於對
「宜爾子孫振振兮」中「爾」的解釋，如朱熹《詩集傳》說：「爾，指螽斯也。」
⑱因此發展為「后妃不妒忌而子孫眾多，故眾妾以螽斯之群處和集而子孫眾多比
之」這樣的句義，高亨卻認為：

> 爾，你，指剝削者。振振，多而成羣貌。此句言你的子孫似蝗蟲一般，吃盡
> 勞動人民的糧穀，養肥自己，當然是多而成羣了。⑲

高亨的這項注解可說是題解的再次申明，也是高亨在詮釋《詩經》「表達了勞動人
民的階級仇恨」這個部分的具體表現。

　　但是筆者以為，〈螽斯〉中的「爾」究竟所指的是誰？在這首詩中並沒有明確
表達它的特殊屬性，只能說是對一般人的通稱，並不存在專指某一個階級或階層的
問題。⑳高亨刻意將〈螽斯〉從一首祝禱之詞，變成了勞動人民諷刺剝削者的短

---

⑯　高亨：《詩經今注》，頁7。
⑰　劉繼才：〈《詩・周南・螽斯》別解〉，《遼寧大學學報》1986年第3期（1986年5月），
　　頁50。
⑱　〔宋〕朱熹：《詩集傳》，卷1，頁4。
⑲　高亨：《詩經今注》，頁8。
⑳　劉燕及：〈螽斯何來階級仇恨──《詩經・周南・螽斯》議〉，《天津師範大學學報》（社

歌，而我們實際從詩文的內容來看，卻看不出有階級仇恨的潛在意涵，因此這只能算是高亨自己的理解，自己的聯想，這種說法固然也有參考的價值，但硬要把祝頌之詞讀成諷刺的短歌，高亨的作法未免太過武斷。

　　(2)〈召南‧騶虞〉篇說：

　　　　彼茁者葭，壹發五豝。于嗟乎，騶虞！
　　　　彼茁者蓬，壹發五豵。于嗟乎，騶虞！

《詩序》說：

　　　　〈騶虞〉，〈鵲巢〉之應也。〈鵲巢〉之化行，人倫既正，朝廷既治，天下
　　　　純被文王之化，則庶類蕃殖。蒐田以時，仁如騶虞，則王道成也。**❼**

《詩序》認為〈騶虞〉和〈鵲巢〉都是驗證「文王之化」風行的作品。所謂「仁如騶虞」的「騶虞」，《毛傳》說：「騶虞，義獸也。白虎黑文，不食生物。」**❼**據此，《毛傳》將「騶虞」解釋為一種「白虎黑文，不食生物」的義獸。

　　朱熹《詩集傳》說：

　　　　南國諸侯，承文王之化，修身齊家，以治其國，而其仁民之餘恩，又有以及
　　　　於庶類，故其春田之際，草木之茂，禽獸之多，至於如此，而詩人述其事以
　　　　美之，且歎之曰：此其仁心自然，不由勉強，是即真所謂騶虞矣。**❼**

朱熹承襲了《詩序》、《毛傳》的說法，認同「騶虞」是一種義獸，也認為這是一

　　會科學版）1992年第2期（1992年4月），頁64。
❼　〔漢〕鄭玄：《毛詩鄭箋》，卷1，頁9。
❼　同前註。
❼　〔宋〕朱熹：《詩集傳》，卷1，頁14。

首頌贊文王教化的詩。

反對《詩序》的學者，有人認為〈騶虞〉是「怨生不逢時」❼❹；有人以為這是「美虞官仁心仁澤」❼❺；有的人則認定它是「讚美騶虞稱職。」❼❻，他們的說法雖然有所差異，但是幾乎都將「騶虞」解釋為替天子諸侯看管山林苑囿、陪侍狩獵的官員。

至於高亨雖然也把「騶虞」解釋為官名，不過他對於詩的理解與前人截然不同，他說：

> 貴族強迫奴隸中的兒童給他牧猪，並派小官監視牧童的勞動，對牧童常常打罵。牧童唱出這首歌。❼❼

高亨認為這是因為牧童怨恨監視官，所以寫下〈騶虞〉這首詩來抒發內心不滿的情緒。不過詩文的內容中既沒有牧童這個人物，也沒有出現打罵的跡象，高亨所揭示的詩旨，從詩歌的描述中實在是無法體會，這顯然是以「階級鬥爭」等等先入為主的觀念代替對詩歌形象的具體分析❼❽，這種沒有根據的說法是站不住腳的。

⑶〈衛風・有狐〉篇說：

> 有狐綏綏，在彼淇梁。心之憂矣，之子無裳。

---

❼❹ 〔漢〕蔡邕《琴操》：「〈騶虞〉操者，邵國之女所作也。古者聖王在上，君子在位，役不踰時，不失嘉會，內無怨女，外無曠夫。及周道衰微，禮義廢弛，強凌弱……男怨於外，女傷其內，內外無主，內迫性情，外逼禮義，欲傷所讒而不逢時，於是援琴而歌。」見《琴操》（上海市：上海古籍出版社，1995 年 3 月）卷上，頁 3。

❼❺ 〔明〕季本《詩說解頤》：「此詩美虞官之仁，以見文王之化能及禽獸也。」詳見《詩說解頤》（北京市：商務印書館，2005 年），卷 2，頁 47。

❼❻ 〔清〕姚際恆《詩經通論》：「此為詩人美騶虞之官克稱其職也。」見《詩經通論》（上海市：上海古籍出版社，1995 年 3 月），卷 2，頁 22。

❼❼ 高亨：《詩經今注》，頁 33。

❼❽ 左洪濤：〈《詩經今注》異議〉，·《電子科技大學學報》（社會科學版）2002 年第 1 期，頁 21。

> 有狐綏綏，在彼淇厲。心之憂矣，之子無帶。
>
> 有狐綏綏，在彼淇側。心之憂矣，之子無服。

對於〈有狐〉這首詩，《詩序》如此解題：

> 〈有狐〉，刺時也。衛之男女失時；喪其妃耦焉。古者國有凶荒，則殺禮而
> 多昏，會男女之無夫家者，所以育人民也。㊵

依照《詩序》的說法，這是一首描寫曠男怨女相親相愛詩，在「國有凶荒」之際，
超過適婚年齡或喪失配偶的男女，不用嚴格的禮教來規範他們，使他們有自由戀愛
的機會，主要的用意是為了「所以育人民也」。

朱熹《詩集傳》中說：

> 國亂民散，喪其妃耦，有寡婦見鰥夫而欲嫁之，故託言有狐獨行，而憂其無
> 裳也。㊶

朱熹認為這是一首女求男之作，不過他將女方指為寡婦，未免有失偏頗。

崔述《讀風偶識》說：

> 天下有詞明意顯，無待於解，而說者患其易知，必欲紆曲牽合，以為別有意
> 在。此釋經者之通病也，而於說詩尤甚。〈有狐〉、〈木瓜〉二詩豈非顯明
> 易解者乎！狐在淇梁，寒將至矣；衣裳未具，何以禦冬？其為丈夫行役，婦
> 人憂念之詩顯然。㊷

㊵　〔漢〕鄭玄：《毛詩鄭箋》，卷3，頁28。

㊶　〔宋〕朱熹：《詩集傳》，卷3，頁40－41。

㊷　〔清〕崔述：《讀風偶識》，收入《續修四庫全書》（上海市：上海古籍出版社，1995 年 3
　　月，《續修四庫全書》本），卷2，頁36 下。

崔述不認同《詩序》以迄朱熹所持的看法，他認為〈有狐〉是婦人憂念丈夫久役無衣之作。

　　而方玉潤《詩經原始》也說：

> 〈小序〉謂「刺時」，〈大序〉以為「衛之男女失時，喪其妃耦焉」，已非詩意。《集傳》竟以為「有寡婦見鰥夫而欲嫁之」，不知何以見其為寡婦，何以見其為鰥夫，更何以見其為「而欲嫁之」？夫曰「之子」，則明明指其夫矣。曰「無裳」、「無帶」、「無服」，則明明憂其夫之「無裳」、「無帶」、「無服」矣。……此必其夫久役在外，淹滯不歸，或有所戀而忘返，故婦人憂之。[82]

方玉潤同意崔述的看法，他也認為〈有狐〉是丈夫遠行在外，婦人在家為他擔憂的作品。

　　至於高亨對於此篇，有著與前人截然不同的見解，他提到：

> 貧苦的婦人看到剝削者穿著華貴衣裳，在水邊逍遙散步，而自己的丈夫光著身子在田野勞動，滿懷憂憤，因作此詩。[83]

接著他又補充說：

> 狐，周代人認為狐是妖淫的獸，作者用狐比喻蹂躪自己的奴隸主。……此詩的作者及其丈夫，都是奴隸，奴隸主對於奴隸的妻子，是可以任意蹂躪的。[84]

高亨認為「狐」在這裏是象徵奴隸主，這是描寫一名婦人看見剝削者穿著華麗衣裳

---

[82]　〔清〕方玉潤：《詩經原始》，卷4，頁187。

[83]　高亨：《詩經今注》，頁92。

[84]　高亨：《詩經今注》，頁93－94。

在水邊散步，而身為奴隸的丈夫卻光著身子在田野耕作，因此在滿懷憂憤的心情下
寫出這首詩，來表達內心的不滿。

　　然而高亨的說法是有待商榷的。高亨為了表現出〈有狐〉的階級性，於是毫不
考慮《詩經》中的比興關係，硬是將「狐」比喻為奴隸主，將作者比喻為奴隸。其
實〈有狐〉此篇是以「有狐」一句起興，進而引起婦人對「之子無裳（帶、服）」
的憂思❽，這樣的說法顯然比高亨的解釋要合理許多。再者，我們分析詩意，從
「有狐綏綏」一句看不到有表示剝削者身穿華貴衣裳的意思，從「之子無裳」一
句，也看不出是奴隸光著身子在田野間勞動的形象，因此高亨這種任意使用「階級
鬥爭」觀點來解詩的詮釋，是無法令人信服的。

　　高亨在解釋詩旨時每每替《詩經》作品貼上無謂的階級標籤，大陸學者左洪濤
先生曾作過一番統計，他提出僅僅在〈國風〉的部分就有三十五篇，是屬於本來沒
有階級性或階級性不強的作品，卻被高亨貼上了階級標籤，附上政治內容❽，這樣
的比例是相當可觀的。高亨在解釋詩篇時，雖然摒棄了《詩序》的穿鑿附會，不過
在許多地方，卻又代之以自己的穿鑿附會，濫用階級分析的方法去解讀詩篇，對詩
篇進行新的隨意曲解，這是《詩經今注》一項嚴重的缺失。

五、中國詩經學會會長──夏傳才

　　夏傳才，1924 年生於安徽亳縣，1945 年畢業於北京師範大學中文系。歷任晉
察冀邊區民政處、軍區民運部幹事，北京師範大學教師，天津師範學院講師，河北
師範學院學報主編，河北師範學院教授、研究生導師，中國《詩經》學會會長，全
球漢詩總會名譽理事。1998 年加入中國作家協會。主要學術著作有《詩經研究史
概要》、《詩經語言藝術》、《思無邪齋詩經論稿》、《二十世紀詩經學》、《十
三經概論》、《論語趣談》、《詩詞入門：格律、作法、鑑賞》、《思無邪齋文
鈔》、《中國古代文學理論名篇今譯》（上、下篇）、《曹操集注》、《曹丕集校

---

❽　李湘：《詩經名物意象探析》（臺北市：萬卷樓圖書出版公司，1999 年 7 月），頁 354。
❽　詳見左洪濤：〈論高亨《詩經今注》的幾點不足〉，《中國文化月刊》第 245 期（2000 年 8
　　月），頁 80。

注》等等，並主編多種教材及叢書。

㈠ 《詩經研究史概要》簡介

如果說郭沫若將《詩經》當作古史研究的材料，高亨著重的是《詩經》經文的研究和注釋，那身為中國《詩經》學會會長的夏傳才，其學術最為突出的特點，就在於《詩經》學史的研究。其代表作就是《詩經研究史概要》一書。這本書名為「概要」，是將夏傳才的十四篇討論《詩經》研究史的文章按照時代先後排列，書中可以看見《詩經》研究發展的大概輪廓，並且評述了各時期中的主要著作和一些重要問題。

夏傳才依照經學發展的幾個階段，把《詩經》研究史分為五個時期：

1.先秦時期。春秋時三百篇的流傳、應用與編定，以及孔、孟、荀三家奠定了後世《詩經》研究的理論基礎。

2.漢學時期。（漢至唐）漢初，《詩》成為經。有齊、魯、韓、毛四家傳詩。之後鄭玄兼采三家的《毛詩傳箋》促使漢代今、古文學派合流。唐初孔穎達的《毛詩正義》更完成了漢學各派的統一。

3.宋學時期。（宋至明）宋人對漢學提出批判，興起新學派──宋學。朱熹的《詩集傳》是宋學的集大成著作，他以理學為思想基礎，集中宋人訓詁、考據的研究成果，又初步地注意到《詩經》的文學特點。元、明則是宋學的繼續。

4.新漢學時期。（清代）清人提倡復興漢學，要求脫離宋明理學的桎梏。學者們對《詩經》的文字、音韻、訓詁、名物進行了嚴謹的考證，到了乾嘉時代達到最高峰。道咸以後的社會危機，產生的今文學派，他們搜輯研究三家詩遺說，通過發揮微言大義，宣傳政治改革的理念。

5.「五四」及以後的時期。民初，各種西方主義進入中國。胡適、魯迅、郭沫若、聞一多等學者使用西方的學說與研究方法來研究《詩經》，成為現代《詩經》學的濫觴，其影響一直至今。

《詩經研究史概要》即以上述的時代觀念，對《詩經》研究史進行一次整體性的論述。任何的學術研究想要有所突破，能否充分運用前人的研究成果是十分重要的。而透過本書，可對於漫長的《詩經》研究史的演變與傳承有全面性的認識。

然而夏傳才在〈序言〉中說：

對《詩經》研究史進行研究，是非常重要的。清理它的發展過程，用馬列主
義、毛澤東思想的觀點和方法，……批判地繼承一切有益的養料，吸取其精
華，剔除其糟粕，是建立當代新《詩經》學的必要條件。⑧

可見得他是以馬克思主義的觀點寫作此書。在〈序言〉中又提到：

隨著社會階級鬥爭的發展，經學經過幾次重大的變革，各個時代的學術思潮
有所變化。在各個學派的鬥爭中，新起的學派為了駁倒舊的學派，最初也以
一定的求實精神，對《詩經》的某些方面，做出一些符合實際或接近實際的
解釋，積累了一些不無可取的訓詁、考證等材料。⑧

所以此書在「不無可取的訓詁、考證等材料」的論述上仍算適當之外，在分析《詩
經》學史上的重要課題及學術思潮時，均使用馬克思主義來加以論述，也就造成了
此書最為人所詬病的部分。接下來即針對此部分加以討論。

㈡ 《詩經研究史概要》以馬克思主義說詩問題探討

　　《詩經研究史概要》的寫作出版雖然已經晚至 1982 年，但夏傳才既然使用馬
克思主義為研究方法從事寫作，那前人研究曾有過的問題，不可避免的也出現在
《詩經研究史概要》。茲舉例說明如下：

　　1.歷史觀念的不正確。夏傳才認為西周時期是奴隸制，春秋時期則是奴隸制向
封建制的過渡，到了戰國時期才完全發展為封建制。如：

〈周頌〉是西周王室的廟堂祭祀樂歌，主要產生在西周初期奴隸社會的興盛
時期。……商、周之世奴隸主的戰爭中，戰勝的奴隸主對戰敗覆滅的奴隸主
仍保存其祭祀，可見上古時代對祭祀的重要。⑧

---

⑧　夏傳才：《詩經研究史概要》（鄭州市：中州書畫社，1982 年 9 月），頁 2。
⑧　夏傳才：《詩經研究史概要》，頁 2。
⑧　夏傳才：《詩經研究史概要》，頁 11。

夏傳才認為商朝與西周均為奴隸社會，而「商」與「周」分別代表兩大奴隸主勢力，而兩者的戰爭最後由「周」勝出。夏傳才認為〈周頌〉足以作為周代是奴隸社會的證據：

> 〈周頌〉的製作，⋯⋯但是它們保存了周初奴隸社會興盛時期的階級狀況、政治史實、經濟發展、典章制度、社會意識型態的一部份確鑿史料，因而具有極重要的歷史學價值，是研究我國奴隸社會的可靠的詩史。**⑨⓪**

而春秋是奴隸制瓦解的時期：

> 孔子生活的春秋時代，奴隸制度瓦解，王室衰微，諸侯兼併，禮壞樂崩，社會動亂。**⑨①**

整個社會型態一直到戰國時期才轉變成封建制度：

> 在戰國年間，由奴隸制向封建制的過渡已經完成，適應社會階級關係的大變動，儒家分化為不同的學派。**⑨②**

關於周代是否為奴隸制的問題，在文章的前面已經討論過了，西周行的是封建制度，這在歷史上已經清楚的記載，就不再多加贅述了。夏傳才之所以如此認為，正是要將中國古代歷史配合馬克思主義的歷史演進，自然是說不通的。

　　2.濫用階級鬥爭觀念。馬克思主義在中國流傳之後，便淪為政治的工具，也是打倒政敵的利器。《詩經研究史概要》書中充滿了階級鬥爭的觀念與字眼，正是馬克思主義對學術研究最明顯的影響。如：

---

⑨⓪　夏傳才：《詩經研究史概要》，頁 12。
⑨①　夏傳才：《詩經研究史概要》，頁 40。
⑨②　夏傳才：《詩經研究史概要》，頁 50。

東漢後期階級鬥爭激烈，後來發展成全國規模的農民大起義。極端唯心主義
是讖緯神學的基礎，專制統治者可以任意編造利用……如王莽利用它篡漢，
劉秀利用它建立東漢……把陰陽五行和讖緯神學否定，就等於抽掉了今文經
學的脊樑。三家詩力圖保持本身的地位，與日益興盛起來的毛詩進行鬥爭。❽

對東漢末年的政治與今古文之爭，夏傳才作了這樣的評述，自然很不恰當。就政治
上而言，當時為外戚與宦官互相爭權，如果以馬克思主義而言，則二者皆是上層封
建階級，何來「階級鬥爭」？學術上而言，其學風轉變的原因，更與階級鬥爭的觀
念相差甚遠。同樣的例子還有：

北宋對於經學上的革新，貫穿著政治上革新派和保守派的鬥爭，學術思想上
思辨學派和漢學系的鬥爭。❾

如同之前所說，學風的轉變是有著複雜的原因，夏傳才並將政治與學術同樣以「階
級鬥爭」的觀念連接在一起討論，筆者認為是不恰當的。而夏傳才的《二十世紀詩
經學》說：

學術與政治有關聯，但它畢竟不是政治，而有它的特質、範疇和發展規律。❿

又說：

強調學術必須為政治服務；而政治又被解釋為「階級鬥爭」，講政治，就是
用「階級和階級鬥爭」的觀點觀察問題、分析問題。可是，在《詩經》中尋

---

❽　夏傳才：《詩經研究史概要》，頁 70。

❾　夏傳才：《詩經研究史概要》，頁 132。

❿　夏傳才：《二十世紀詩經學》（北京市：學苑出版社，2005 年 7 月），頁 183。

找「為階級鬥爭服務」的東西，的確是太少了。**⑨⑥**

這兩段論述，正好指出《詩經研究史概要》濫用階級鬥爭觀念和過份比附政治而造成的缺失。

　　3.歪曲儒家學者與學說。夏傳才在討論經學者與其學說時，所敘述的內容有與實際不合的情形。如：

> 大序的作者又進一步發展了儒家的詩論，闡述了詩歌發生社會作用的兩種形式……「上以風化下」，是統治者通過詩歌對臣民實行教化，把詩歌作為宣傳統治階級思想的工具。**⑨⑦**

〈詩序〉是作者以儒家的教化觀解釋經文而作，然而若照夏傳才的解釋，則〈詩序〉純粹為政治服務而作，十分不妥。又如介紹顧炎武、黃宗羲和王夫之三位學者時說：

> 三先生是十七世紀中國後期封建社會的先進思想家。他們在社會動盪、階級矛盾和民族矛盾複雜尖銳的「天崩地解」時代，敢於面對現實，……他們對當時資本主義萌芽這一新的經濟因素有了一定的認識，在某種程度上反映了新興市民階層的社會改革要求。但他們是地主階級改良派，根本立場還是要維護封建剝削關係，緩和階級矛盾，以鞏固地主階級的統治。**⑨⑧**

夏傳才不但又以「階級鬥爭」加以詮釋，還為他們扣上了「維護封建剝削關係，緩和階級矛盾，以鞏固地主階級的的統治」的帽子，是有歪曲三人學說之處。像夏傳才論述王夫之時說：

---

⑨⑥ 夏傳才：《二十世紀詩經學》，頁184。
⑨⑦ 夏傳才：《詩經研究史概要》，頁82。
⑨⑧ 夏傳才：《詩經研究史概要》，頁163。

> 王夫之的這類詩說，是以解釋儒經的形式，發揮當時改革派要求以某些社會
> 改良來緩和階級矛盾的政治思想，雖然這些思想帶著明顯的地主階級烙
> 印。㊾

其論述的不當之處十分清楚，仍是馬克思主義的「階級鬥爭」觀念強加在傳統經學
家身上，就不再多討論了。

　　夏傳才的《詩經研究史概要》以馬克思主義為研究方法，以致有許多不妥當的
論述。正如日本學者大里圭介所說：「馬克思主義覆蓋其中」⑩縱使其中有許多真
知灼見，也容易被部分錯誤的論點和不當的敘述所掩蓋，降低了本書的價值，這不
能不說是《詩經研究史概要》的嚴重缺陷。

六、結　論

　　本文分別以郭沫若、高亨、夏傳才三人《詩經》研究的代表作──《中國古代
社會研究》、《詩經今注》、《詩經研究史概要》等進行討論，不難發現書中均有
著嚴重的問題。而我們可以發現這三本著名的《詩經》學術著作，其問題的主因在
於皆使用馬克思主義作為研究方法，所以全都有「詮釋失真、缺乏證據」的問題。

　　馬克思主義在社會經濟學上的確有著深刻的眼光，也因此在共產黨專政的國家
都失敗之後，西方仍然有許多學者以馬克思主義者自居，甚至發展出西方馬克思學
派、青年馬克思學派等不同的應用。但是馬克思思想的本身有著許多錯誤。例如以
歷史觀念而言，唯物辯證雖然點明在歷史進化中，物質因素佔了一個相當大的比
例，這一點扭轉了過去的一般看法。但是完全訴諸物質也一樣落入偏執，產生許多
無法解釋的謬誤，並不是每一個民族、國家都依照著由原始公社制到社會主義制的
進程。

　　然而更糟糕的是，共產國家為了自身的政治利益，以教條性質來宣揚馬克思主

㊾　夏傳才：《詩經研究史概要》，頁 167。

⑩　大里圭介著，李寅生譯：〈評夏傳才《詩經研究史概要》〉，《唐山高等專科學校學報》第
　　12 卷第 1 期（1999 年 3 月），頁 75－79。

義,《詩經》研究就是在這種特殊的意識型態下,僵化地以馬克思主義解釋經學,導致固定的、千篇一律的說詞,更有將中國傳統學術加以削足適履地硬冠上馬克思主義中的說法。只能單一從馬克思的史觀來看《詩經》,實在過於狹隘。夏傳才也說:

> 中國社會的實際面貌不一定要比附西方的社會發展階段,即使馬克思本人,他也注意到東方和西方的不同而提出所謂「亞細亞生產方式」;這個「亞細亞生產方式」是什麼型態,他也語焉未詳。社會發展的五個階段及其生產工具決定論,並不是「絕對真理」,先有了某一個概念,再從周代的文獻記載材料去比附那些概念,難免會各取所需,各作強解;這樣做的本身就不是科學的態度。[101]

郭沫若、高亨、夏傳才三人以馬克思主義研究《詩經》所產生的種種謬誤,都可以歸因於「各取所需,各作強解」這八個字。

平心而論,郭沫若、高亨與夏傳才運用新的方法從事《詩經》研究,他們所獲得的成就、所做的探索和努力,儘管有些偏頗的部分,但那是在時代的影響下所造成的,其研究仍然有繼往開來的意義,我們應該對他們的研究成果給予一定的肯定。

在現代的學術之中,已經沒有人願意相信〈詩序〉對《詩經》的解說,原因在於〈詩序〉的說解與實際情況相差太大,有些部分可說是穿鑿附會,日子一久,自然失去了可信度。而馬克思主義對《詩經》的研究成果,也如夏傳才所說:

> 它們實際上是以新的謬誤代替舊的謬誤,以新經學代替舊經學。[102]

相信在不久之後,以馬克思主義對《詩經》研究所造成的「附會」成分,也會隨著

---

[101]　夏傳才:《二十世紀詩經學》,頁180。
[102]　夏傳才:《二十世紀詩經學》,頁185。

時間而日漸消失，為人們所淡忘。

參考書目

一、專書

〔漢〕班固撰，〔唐〕顏師古注：《新校漢書集注》，臺北市：世界書局，1974 年 5 月三版。

〔漢〕蔡邕：《琴操》，上海市：上海古籍出版社，1995 年 3 月。

〔漢〕鄭玄：《毛詩鄭箋》，臺北市：學海出版社，2001 年 9 月再版。

〔唐〕孔穎達編：《毛詩正義》，臺北市：臺灣古籍出版社，2001 年 10 月。

〔宋〕朱熹：《詩集傳》，臺北市：臺灣中華書局，1982 年 5 月臺十一版。

〔明〕季本：《詩說解頤》，北京市：商務印書館，2005 年。

〔清〕姚際恆：《詩經通論》，上海市：上海古籍出版社，1995 年 3 月。

〔清〕方玉潤：《詩經原始》，北京市：中華書局，1986 年 12 月。

郭沫若：《中國古代社會研究》，《郭沫若全集》，北京市：人民出版社，1982 年 9 月。

郭沫若：《青銅時代》，《郭沫若全集》，北京市：人民出版社，1982 年 9 月。

郭沫若：《十批判書》，《郭沫若全集》，北京市：人民出版社，1982 年 9 月。

郭沫若：《奴隸制時代》，《郭沫若全集》，北京市：人民出版社，1982 年 9 月。

高亨：《詩經今注》，上海市：上海古籍出版社，1984 年 8 月。

夏傳才：《詩經研究史概要》，鄭州市：中州書畫社，1982 年 9 月。

趙沛霖：《詩經研究反思》，天津市：天津教育出版社，1989 年。

陸宗達：《陸宗達語言學論文集》，北京市：北京師範大學出版社，1996 年 3 月。

李湘：《詩經名物意象探析》，臺北市：萬卷樓圖書出版公司，1999 年 7 月。

夏傳才：《思無邪齋詩經論稿》，北京市：學苑出版社，2000 年 9 月。

張武、張艷國、喻承久：《社會主義思潮史話》，北京市：社會科學文獻出版社，2000 年 9 月。

楊奎松：《馬克思主義中國化史話》，北京市：社會科學文獻出版社，2000 年。

夏傳才：《二十世紀詩經學》，北京市：學苑出版社，2005 年 7 月。

二、期刊論文

大里圭介著、李寅生譯：〈評夏傳才《詩經研究史概要》〉，《唐山高等專科學校學報》第 12 卷第 1 期，1999 年 3 月。

王洲明：〈從學術史角度評論高亨的《詩經》研究〉，《山東大學學報》（人文社會科學版），2002 年 1 月。

左洪濤：〈論高亨《詩經今注》的幾點不足〉，《中國文化月刊》第 245 期，2000 年 8 月。

左洪濤：〈《詩經今注》異議〉，《電子科技大學學報社會科學版》2002 年第 1 期。

吳承仕：〈中國古代社會研究者對於喪服應認識的幾個基本觀念〉，《文史》第 1 卷第 1 期，

1934 年 4 月。

吳承仕：〈竹帛上的周代的封建制與井田制〉，《文史》第 1 卷第 3 期，1934 年 12 月。

呂小霞：〈高亨先生的《詩經》研究〉，《河西學院學報》第 1 期，2002 年 2 月。

李泉：〈力創新義求真諦──評高亨的「詩經今注」〉，《蘇州大學學報》第 2 期，1982 年。

林祥征：〈夏傳才先生《詩經》研究述評〉，《河北學刊》1999 年 1 月。

高亨：〈詩經引論〉，《詩經學論叢》，臺北市：嵩高書社，1985 年 6 月。

莊華峰：〈由舊經學向馬克思主義歷史哲學的轉變──吳承仕學術成就初探〉，《史學理論研究》第 3 期，2000 年 3 月。

許樹棣：〈評夏傳才《詩經研究史概要》〉，《思無邪齋詩經論稿》，北京市：學苑出版社，2000 年 9 月。

陳文采：〈夏傳才對現代《詩經》學的思考與貢獻〉，《國文天地》第 22 卷第 2 期，2006 年 7 月。

趙沛霖：〈郭沫若《中國古代社會研究》在《詩經》學史上的意義〉，《齊魯學刊》第 4 期，2004 年 4 月。

趙制陽：〈郭沫若詩經論文評介〉，《孔孟學報》第 70 期，1995 年 9 月。

劉燕及：〈螽斯何來階級仇恨──《詩經‧周南‧螽斯》論〉，《天津師範大學學報》第 2 期，1992 年 4 月。

劉繼才：〈《詩‧周南‧螽斯》別解〉，《遼寧大學學報》第 3 期，1986 年 5 月。

蔡敏琳：〈高亨《詩經今注》的缺失探討〉，《板中學報》第 5 期，2006 年 5 月。

盧甲文：〈高亨《詩經今注》訂誤〉，《湖北大學學報》（哲學社會科學版）第 1 期，1995 年 1 月。

經 學 研 究 論 叢
第 十 六 輯　　頁89〜122
臺灣學生書局　　2009 年 5 月

毛奇齡《檀弓訂誤》評議

蕭雅俐*

前　言

　　毛奇齡（1633－1716）浙江蕭山人。字大可、齊于，學者稱為西河先生。其為清初經學大家，研經考禮，相關著作五十餘種，多收錄於《毛西河全集》、《四庫全書》、《皇清經解》、《皇清經解續編》、《學海類編》中。毛奇齡有許多關於《禮》之著作，如《昏禮辨正》、《廟制折衷》、《儀禮疑義》、《周禮問》等諸篇，頗見其考辨禮制之功夫，因此本文則針對毛氏「禮」之部分，以其《檀弓訂誤》為對象，探討《檀弓訂誤》之內容考證及其價值成果。毛奇齡著作多有成果，對於後世考據之學亦影響甚深，而後世評價卻不高，雖時人王源、顏元對他多有好評，然後人因清全祖望〈蕭山毛檢討別傳〉及民國梁啟超《中國近三百年來學術史》、錢穆《中國近三百年來學術史》之批評影響，故其文之研究乏人問津。有鑑於此，筆者特以毛奇齡之《檀弓訂誤》作為對象，探討其內容與訂誤價值。關於《檀弓訂誤》之版本收錄，尚存於《學海類編》、《遜敏堂叢書》、《昭代叢書》和《叢書集成新編》等叢書中，本文則採用《學海類編》版本。

　　《檀弓訂誤》除毛奇齡對〈檀弓〉之訂誤外，最後尚有針對〈曾子問〉二則加以訂誤。其體例可分為三部分，第一為標題，乃毛氏針對所訂誤之內容作一明確定義；第二為原文摘要，乃毛氏針對欲訂誤原文之摘抄；第三為考訂內容，乃毛氏考

---

* 　蕭雅俐，淡江大學中國文學系碩士。

訂結果與看法；而〈曾子問訂誤〉體例與《檀弓訂誤》稍異，〈曾子問訂誤〉之體例，具體論之共分三部分，為「原文節錄」、「毛氏訂誤」與「小註」，節錄的部分與先前同，乃毛氏針對要辨誤部分作重點節錄，訂誤方式雷同，小註則較先前多，有輔助毛氏論點之效。《檀弓訂誤》（包含〈曾子問〉）共訂誤十四則，其內容包含：「《春秋》無公儀氏」；「乘邱之敗必是乾時之敗之誤」；「郲婁戰升陘不敗」；「齊王姬制服誤解」；「公叔木不得有同母異父昆弟」；「公叔文子無衛衛難事，亦不諡貞」；「冉有無使楚事」；「陳無太宰嚭」；「魯襄請襲拂柩之誤」；「季武子死，無曾點倚門事」；「宋襄不得葬夫人，又葬時不得有曾子」；「子思無嫂」；「釐公無適魯事，且季桓子為喪主」；「魯昭公無少喪其母」與〈曾子問訂誤〉二篇。其內容共分三部分：「《檀弓訂誤》考「人」之誤」、「《檀弓訂誤》考「事」之誤」（其中〈曾子問〉訂誤二則亦分考人與考事之誤，分散於本文第一、第二部分中），最後再將其內容說法與重要《禮記》大家比較，以期能得出毛氏於《檀弓訂誤》之考訂價值與特殊見解。

一、《檀弓訂誤》考「人」之誤

　　毛奇齡針對《禮記·檀弓》中之記人部分，做了若干考訂，包括諸侯、諸侯夫人、大臣、孔門弟子及孔子後人。就毛奇齡《檀弓訂誤》之文章說明，可見西河「以經證經」之方法運用，及其文章推理之脈絡鋪陳功力。筆者就毛奇齡《檀弓訂誤》之內容標題，分述以下內容說明之：

㈠ **《春秋》無公儀氏**

　　「《春秋》無公儀氏」一則乃毛奇齡針對《禮記·檀弓》「公儀仲子之喪」而來。按《禮記·檀弓》曰：

　　　　公儀仲子之喪，檀弓免焉。仲子舍其孫而立其子……子游問諸孔子，孔子曰：「否！立孫。」❶

---

❶　〔東漢〕鄭玄注，〔唐〕孔穎達疏：《禮記正義》，《十三經注疏》第 5 冊（臺北市：藝文印書館，1977 年 8 月），頁 109。

〈檀弓〉記錄公儀仲子死後不立長孫，反立庶子乃不合禮法的行為，然於公儀仲子之行為舉止，毛奇齡認為「公儀仲子」此人有諸多疑點，故云：

> 按《春秋》無公儀氏，惟魯繆公時有公儀休為魯相。孟子所云：「魯繆公之時，公儀子為政者。」是時始有公儀之族見于史傳，然其距孔子卒時已七十餘年矣！此必相傳有誤文耳！❷

毛奇齡以《春秋》之歷史紀錄，考訂於孔子時代並無「公儀」一氏，故《春秋》必無「公儀」一氏，此為「以經制經」之方法運用。毛氏以為《孟子》中所記載「魯繆公之時，公儀子為政，子柳、子思為臣，魯之削也滋甚。」❸一句，足以證明經史上有公儀一氏之記載，乃始於魯繆公時。於此筆者查考鄭康成與孔穎達註解，發現兩人皆無針對「公儀」氏作辨正，僅說明為「疑魯同姓」❹；故筆者又按《漢書‧藝文志》所云：「子思名伋，孔子孫，為魯繆公師」❺作考證，子思既為孔子之孫，又為魯繆公時人，則毛氏所云「距孔子卒時已七十餘年」則相當合理，故筆者以為，按毛氏所引諸經證據，春秋時當無檀弓所記公儀仲子此人。

㈡「齊王姬制服」誤解

「齊王姬制服」一則乃毛奇齡針對《禮記‧檀弓》所云而來：

> 齊穀王姬之喪，魯莊公為之大功。或曰：「由魯嫁，故為之服姊妹之服。」或曰：「外祖母也，故為之服。」❻

而毛氏即針對「由魯嫁，故為之服姊妹之服」及「外祖母也，故為之服」兩句話提

---

❷ 〔清〕毛奇齡：《檀弓訂誤》，《學海類編》24 冊（臺北市：藝文印書館，1967 年），頁 1。
❸ 〔漢〕趙岐注，〔宋〕孫奭疏：《孟子正義》，《十三經注疏》第 8 冊（臺北市：藝文印書館，1977 年 8 月），頁 213。
❹ 《禮記正義》，同註❶，頁 109。
❺ 〔漢〕班固著，〔唐〕顏師古注：《漢書》（臺北市：洪氏出版社，1975 年 9 月），卷 30。
❻ 《禮記正義》，同註❶，頁 166。

出辯駁。時齊僖公夫人過世，魯莊公為王姬服大功之禮。〈檀弓〉所云有二：一因王姬自魯嫁於齊，此大功之服乃姊妹之服；二因王姬為魯莊公之外祖母，故制大功之服。然毛奇齡曰兩者皆否，故云：

> 按《春秋》莊元年，王姬歸于齊，二年，齊王姬卒，其所以見書于經者，以王姬下降必同姓諸侯為之主婚。是時莊公以主婚之，故王姬自魯歸齊，而周制主婚之，姬卒則以魯女禮為之制服。故兩竝書之乃曰：為外祖母服，固已誤矣！況此竝非外祖母，按王姬為齊襄公夫人，而莊公母文姜為齊襄女弟，是齊襄為莊母舅，而王姬者，莊之母舅母，非外祖母也，則又誤也。❼

對於此則經典之注疏，鄭康成認為王姬由魯嫁且非魯莊之外祖母，而孔氏則曰王姬非為外祖母，且為姊妹服（由魯嫁）。毛奇齡參考二說，一方面接收王姬非魯莊之外祖母，一方面亦發展出魯莊為王姬制大功之服，乃因「莊公以主婚之」，非由魯嫁（姊妹服）。經筆者考證《公羊傳·莊公元年》記載：「天子嫁女乎諸侯，必使諸侯同姓者主之。」❽、「王姬歸於齊。何以書？我主之也。」❾以及莊公二年「齊王姬卒。（經）……。我主之也。（傳）」。故見《公羊傳》之說法，可見當時王姬為周女，嫁於齊時乃魯莊公主婚者也，故以「魯女」為其制大功服。毛奇齡以《公羊傳》之記載，考證魯莊公為王姬服大功之禮，乃因「莊公主婚」，而非「由魯嫁」，「以經制經」的功夫可說超越前人。而魯莊公之母文姜，乃齊襄公之妹也。王姬應為魯莊公之「舅母」，而非外祖母，此則毛氏援用舊說。故筆者以為，毛奇齡據經書所載，駁斥〈檀弓〉之說法與鄭、孔之註解，其理可信也。

（三）　公叔木不得有同母異父昆弟

針對《禮記·檀弓》云：

---

❼　毛奇齡：《檀弓訂誤》，同註❷，頁2。

❽　〔漢〕公羊壽傳，〔漢〕何休解詁，〔唐〕徐彥疏：《春秋公羊傳注疏》，《十三經注疏》第7冊（臺北市：藝文印書館，1977年8月），頁73。

❾　同前註。

公叔木有同母異父之昆弟死，問於子游。❿

一語，毛奇齡認為「公叔木不得有同母異父昆弟」，原因亦如其云：

> 按公叔木，公叔文子之子也。據《世本》：衛獻公生成子當，當生文子拔（小
> 註：《論語》朱語註誤作公孫枝，世莫能正。按《左傳》：公孫枝，秦大夫
> 名），拔生朱，朱一作木，一作戌，戌者，音近木者、形近也。《春秋》定
> 公十四年，公叔戌來奔，故得與子游為問答，則是公叔木者，公叔文子之子，
> 其母即公叔文子之妻也，豈有公叔文子之妻而改嫁異父者乎？⓫

毛奇齡引《世本》的說法，先將公叔木此人做考證，以說明「公叔戌」與公叔木為
同一人。在考證的過程中毛奇齡曾參考鄭注與孔疏，孔疏亦引《世本》說法：「案
《世本》：『衛獻公生成子當，當生文子拔，拔生朱。』故知『木當為朱也』。言
『《春秋》作戌』者，定十四年『衛公叔戌來奔是也』。」⓬讓毛奇齡之論點有所
依歸。據《左傳》：「十有四年，春，衛公叔戌來奔。衛趙陽出奔宋。」⓭說法，
毛奇齡認為在魯定公十四年公叔戌奔至魯國，才可以與子游為問，而此公叔戌即公
叔木，仍姓「公叔」，他母親也仍是公叔文子之妻，並無改嫁，因此公叔木不可能
有同母異父之昆弟。此則之考證，除《世本》、《左傳》之經說外，毛奇齡即以「自
我推理」證之，故筆者以為毛氏此則推理尚有不足之處，需再以其他證據補足⓮，
方可證明公叔木確無同母異父之昆弟。

㈣ 公叔文子無衛衛難事，亦不謚貞

　　此則即毛奇齡針對公叔文子是否謚「貞惠文子」之問題，展開論辯。《禮記·

---

❿　《禮記正義》，同註❶，頁146。

⓫　毛奇齡：《檀弓訂誤》，同註❷，頁3。

⓬　《禮記正義》，同註❶，頁146。

⓭　〔周〕左丘明傳，〔晉〕杜預注，〔唐〕孔穎達疏：《春秋左傳正義》，《十三經注疏》第6
　　冊（臺北市：藝文印書館，1977年8月），頁982。

⓮　見本文第四部分。

檀弓》云：

> 公叔文子卒，其子戍請諡於君……。君曰：「昔者衛國凶饑，夫子為粥與國
> 之餓者，是不亦惠乎？昔者衛國有難，夫子以其死衛寡人，不亦貞乎？……
> 故謂夫子『貞惠文子』。」**❺**

檀弓記載衛靈公諡公叔文子為「貞惠文子」，因從前衛國遭遇凶年飢荒，是公叔文
子做粥救濟衛國人民，故為「惠」，乃其一也；又從前衛國有了叛亂，是公叔文子
以死護衛靈公，故為「貞」，乃其二也；因此公叔文子諡號為「貞惠文子」。然毛
奇齡不以為然，認為公叔文子既不「貞」也不「惠」，故云：

> 按公叔文子，即衛獻公之孫公孫拔也，其死諡文子，竝無貞惠之稱。賑粥事
> 不可考，若衛難事則見《春秋》昭公二十年，盜殺衛侯兄縶，《傳》是時衛
> 侯即衛靈公也。兄縶即衛靈公之兄公孟縶也。衛大夫齊豹、北宮喜、褚師圃
> 及公子朝作亂，殺公孟縶而靈公出奔，其時以死衛衛君者，慶比、公子南楚、
> 華寅、褚師子申諸人。過齊氏，使華寅肉袒執，蓋以蔽公而當其闕，齊氏射
> 公，中公子南楚之背，華寅先避郭門，而又逾城以從公，公始得奔于死鳥（齊
> 地名）。既而齊氏之宰召北宮喜，喜之宰殺齊氏，而反攻齊氏滅之。公還國，
> 與北宮喜盟于彭水之上，衛侯德北宮喜之反正，滅齊氏也。于其死諡曰「貞
> 子」，且奪齊氏之墓田，而子之是以死衛衛君者，華寅、公子南楚也。（《論
> 語》子謂衛公子荊，即此人南楚荊字也。）諡「貞子」者，北宮喜也，竝未
> 有公孫拔從亡以死衛衛君者，且得諡「貞子」者，是戰國後儒不見《春秋》，
> 而但聞是役有從亡且有諡「貞子」者，而遽以「文子」當之，而不知其誤也。
> 按《諡法》：外內用情曰貞。**❻**

---

❺　《禮記正義》，同註❶，頁 186。
❻　毛奇齡：《檀弓訂誤》，同註❷，頁 3。

此則毛奇齡開頭即明謂「公叔拔其死諡文子」，並無「貞惠」之說（否則《記》應稱「公叔惠貞文子」才對），並針對〈檀弓〉所記「貞惠文子」乃公叔文子之二點原因提出論點考證：

1.針對「夫子為粥與國之餓者」一句，毛奇齡於文中說明「賑粥事不可考」。凡此事於經文中無歷史記載。

2.針對「衛難事」，毛奇齡舉證《春秋》所載史事。據筆者考證《左傳》昭公二十年**⑰**，真有衛大夫齊豹、北宮喜、褚師圃及公子朝等於衛國作亂，並殺靈公之兄縶，靈公匆忙逃走。於當時乃為華寅（以肉袒敝公）和公子南楚（以背擋劍護公）以死護君，而非公叔文子。後來靈公逃至死鳥，賴北宮喜以滅齊豹，後來諡北宮喜為「貞子」，並將齊豹的墓園田產賞賜於他。故於此則歷史事件中，唯北宮喜諡為「貞子」，並無他人諡為「惠子」，因此「貞惠」一詞之由來更為可疑。

毛奇齡認為，之所以會有「公叔文子」為「貞惠文子」之誤，乃因後儒不見《春秋》之故，所以將「貞子」誤為「文子」也。在此孔穎達於其疏中亦曾云及此戰役，蓋使毛氏有所遵循，而進一步考證出公叔文子無衛難事，亦不諡貞。本則毛奇齡以孔氏說法為底，並考證經典所云，史實歷歷在目，故筆者以為其說可信也。

㈤ **陳無太宰嚭**

據《禮記‧檀弓》所載：

> 吳侵陳，師還出竟，陳大宰嚭使于師。夫差謂行人儀曰：「是夫也多言，盍嘗問焉。」**⑱**

文之「陳大宰嚭使于師」一詞，可知大宰嚭乃陳人也。在本文注疏方面，鄭、孔二人皆無此說。然經毛奇齡考據，認為其有所誤，故云：

> 按吳有太宰嚭見《左傳》本。楚伯州犁之孫，仕吳及吳亡而赴仕越者。此必

---

⑰　《春秋左傳正義》，同註**⑬**，卷49，頁582。

⑱　《禮記正義》，同註**❶**，頁190。

誤聞，吳夫差時有太宰嚭共事，而假侵陳事而妄屬之，不然未有同時、同官、同名而同與夫差相周旋如此巧值者，況太宰周官名，陳有虞氏後焉得有此？**⑲**

蓋筆者查《左傳》所云：「伯州犁之孫嚭為吳大宰以謀楚」**⑳**、「吳王夫差敗越于夫椒……使大夫種因吳大宰嚭以行成。」**㉑**二言，可證毛氏所云，於吳夫差時卻有大宰嚭其人。本則重點有二：

　　1.毛氏以為陳有大宰嚭之人，必為誤聞，因不能同時又同官（大宰）、又同名者（嚭），而恰巧都與吳王夫差有關係。

　　2.毛氏更認為太宰為「周」官名，而陳國為有虞氏（舜）之後人，不可能有太宰這個官名。

　　毛氏以「不能同時、同官、同名」又與吳王夫差相周旋此等巧合之事，作為陳無太宰嚭之論點，其理可解，然於後又言「有虞氏後焉得有此」一說，以證陳無太宰嚭。但其史料證據乏善可陳，故於論點方面仍顯不足，需引用他說以證之。**㉒**

（六）**季武子死，無曾點倚門事**

　　此則乃毛氏根據「曾點」其人，與季武子死時之關係考證。據《禮記·檀弓》所載：「季武子寢疾……及其喪也，曾點倚其門而歌。」**㉓**之言，顯示季武子去世時，曾點曾倚其門而歌。在注疏方面，鄭、孔二人皆無對此提出看法。然毛奇齡認為〈檀弓〉非也，他認為季武子去世時，世上尚無曾點此人，故云：

> 按春秋昭七年季孫宿卒，《史·孔子世家》：是年值孔子一十七歲，方為季
> 氏吏郎，《孟子》所云：為「委吏」者**㉔**，是孔子此時官卑職微，尚不能身

---

⑲ 毛奇齡：《檀弓訂誤》，同註**❷**，頁5。

⑳ 《春秋左傳正義》，同註**⓭**，頁950。

㉑ 《春秋左傳正義》，同註**⓭**，頁990。

㉒ 見本文第四部分。

㉓ 《禮記正義》，同註**❶**，頁164。

㉔ 查《孟子》：「孔子嘗為委吏矣」。見《孟子正義》，同註**❸**，頁185。

交武子，未聞孔門弟子有先與之為友者，況〈弟子列傳〉子路少孔子九歲，而《論語》子路、曾晳、冉有、公西華侍坐，舊註謂侍坐之次，以齒不以德，則曾點少孔子當在八歲以下。童雖狂，未能倚歌也。王草堂作《四書正誤》辨此甚具。茲不備載。❷⑤

筆者按《左傳》魯昭公七年云：「十一月季武子卒」❷⑥，而魯昭公七年為西元前 535 年，時距孔子生時（西元前 551 年）正為十七年也。又查《史記・孔子世家》所云：「孔子年十七，……是歲，季武子卒，平子代立。孔子貧且賤。及長，嘗為季氏史。」❷⑦故可證毛奇齡所言非假。以此推論，時孔子年紀尚輕，正如《史記》所云是「官卑職微」，故毛氏所云「尚不能身交武子」為是也。而毛奇齡又未聞孔門弟子曾有與季武交往者，故曾點不可能倚門而歌。再者，《史記・仲尼弟子列傳》中記載子路少孔子九歲，當時應為八歲，而孔子侍坐者以年幼者為主，故曾點年紀定在八歲以下；因此毛奇齡認為當時年紀尚輕的曾點更不能倚季武門而歌。此則毛氏其說亦曾參考王草堂之《四書正誤》，蓋其推論引經據典又言之有理，故筆者以為其言可信。

㈦ **宋襄不得葬夫人，又葬時不得有曾子**

此則之《禮記・檀弓》原文云：

> 宋襄公葬其夫人，醯醢百甕。曾子曰：「既曰明器矣，而又實之。」❷⑧

經典說明宋襄公葬其夫人時，陪葬了百甕酸醋醬漬。曾子卻對宋襄公的做法不以為然。注疏方面孔穎達對此認為宋襄公所葬之夫人，為「初娶夫人」，故歷史上記載襄公早死於夫人二十六年之夫人，乃為後娶夫人。然毛氏既考曾子於宋襄時尚未出

---

❷⑤　毛奇齡：《檀弓訂誤》，同註❷，頁 6。
❷⑥　《春秋左傳正義》，同註⓭，頁 766。
❷⑦　〔西漢〕司馬遷著：《史記》（臺北市：啟明書局，1961 年）。
❷⑧　《禮記正義》，同註❶，頁 148。

世，又宋襄王死於夫人之前，不可能葬其夫人之語，顯然沒有將孔語納為參考，而
自有一番說詞。故針對〈檀弓〉之說法，毛奇齡云：

> 按宋襄之卒，在魯僖二十三年，此時孔子尚未生，其必無曾子，不待言也。
> 且宋襄安得葬夫人也？文十六年《傳》云，宋昭公將田孟諸，未至，宋襄夫
> 人者，周襄王之姊也。使甸師攻昭公而殺之。是宋襄夫人在宋襄死後二十六
> 年，猶能通公子鮑以殺其孫，老未死也。宋襄焉得而葬之荒唐哉！❷⁹

筆者按《左傳》僖公二十三年：「宋襄公卒」❸⁰與文公十六年「夫人王姬使帥甸攻
而殺之」❸¹所言，得知宋襄公卒時為西元前 637 年，而魯文公十六年正是西元前 611
年，前後相距二十六年，時王姬仍在，尚能通公子鮑以殺其孫宋成公。故毛曰：「是
宋襄夫人在宋襄死後二十六年，猶能通公子鮑以殺其孫，荒唐哉！」說明宋襄公早
卒於夫人，不可能葬之，是合理的。又毛氏考證魯僖公二十三年（西元前 611 年）
孔子尚未出生（西元前 551 年），故無曾子之說可信矣。然針對「宋襄不得葬夫人」
之說，筆者認為尚有疑者，宋襄或有亡妻之可能性，就如同孔氏所云之「初娶夫人」，
而毛氏卻一意認為此《檀弓》所記之宋襄夫人必為王姬，其言論尚不足矣！

㈧ **子思無嫂**

　　此則乃毛奇齡針對子思生平考其無嫂。《禮記·檀弓》云：「子思之哭嫂也為
位。」❸²記載子思於其位哭嫂之喪，在經書注疏方面，鄭玄無注，而孔穎達《正義》
認為子思乃「其兄早死，故得有嫂」❸³；然毛奇齡有不同看法，故云：

> 按《史·孔子世家》，孔子生鯉字伯魚，伯魚生伋字子思，子思生白字子上，
> 皆單傳者。子思無兄焉得有嫂？此與漢人謂「直不疑盜嫂，而不疑無兄」正

❷⁹　毛奇齡：《檀弓訂誤》，同註❷，頁 7。
❸⁰　《春秋左傳正義》，同註❸，頁 250。
❸¹　《春秋左傳正義》，同註❸，頁 348。
❸²　《禮記正義》，同註❶，頁 127。
❸³　《禮記正義》，同註❶，頁 127。

同。自子上至孔鮒又五傳，而始有鮒弟子襄為漢惠博士，遷長沙太守。孔疏引孔氏《連叢》云：「一子相承，以至九世。」是也。乃註者亦如其謬，是以皇氏疑此子思或是原憲之字，然原憲在當時但稱原思，否則稱憲，如《論語》「原思為之宰」、「憲問恥」並無稱子思者，即〈檀弓〉稱原思亦但稱憲，如云「仲憲言於曾子」。而凡稱子思皆是孔伋，如此下文「申祥之哭言思也亦然」，苟非孔伋便加以姓，其顯然分別可驗也。然則此不謂之謬不得矣！㉞

對於毛氏的考定，筆者可分為二部分論之：

1.毛氏認為子思無嫂：按毛氏據《史記‧孔子世家》所記載，說明孔子至子上四代，皆為單傳，故子思不可能有嫂。其言引經據典且推論合理，故可信之。

2.毛氏辨此「子思」非「原憲」：按毛氏自子上至孔鮒五代之說，又引《連叢》「一子相承，以至九世」所云，既可證孔子下九代為單傳，更可知毛氏相信子思為孔子後代。故下文反駁皇侃認為子思乃孔子弟子「原憲」之論，以原憲或稱「原思」與「憲」之說法，考證《論語》所云：「原思為之宰」㉟、「憲問恥」㊱乃指「原憲」，可是卻不見「子思」一名；又舉〈檀弓〉「仲憲言於曾子」之言，證明原憲非子思也。所以〈檀弓〉中所記載之子思，皆謂孔伋，而非原憲。

在此則中毛氏所論皆引經據典，又論之有理，故筆者以為其論可信，但其論仍有不足處，對於孔氏所論「其兄早死」並無回應，仍需以他說輔證以立其論。㊲

㈨ 〈曾子問訂誤〉魯昭公無少喪其母

〈曾子問訂誤〉與〈檀弓訂誤〉最大的不同，在於毛奇齡無針對自己所辨正之內容訂標題，其原因不詳；故筆者針對毛奇齡之內容考訂，模仿毛奇齡訂題目，訂為「魯昭公無少喪其母」一則。此則乃毛奇齡針對「魯昭公喪其母之年齡」、「人」

㉞ 毛奇齡：《檀弓訂誤》，同註❷，頁7。

㉟ 〔魏〕何晏注，〔宋〕邢昺疏：《論語正義》，《十三經注疏》第8冊（臺北市：藝文印書館，1977年8月），頁51。

㊱ 同前註，頁123。

㊲ 見本文第四部分。

之問題作考證。《禮記‧曾子問》云：

> 昔者，魯昭公少喪其母，有慈母良，及其死也，公弗忍也。……公弗忍也，
> 遂練冠以喪慈母。喪慈母，自魯昭公始也。❸

此則於《禮記正義》，鄭玄也發覺魯昭公無少喪其母，但又不辨正，指稱「不知何公」❸；而孔穎達則根據《家語》指稱昭公無少喪其母，但也未指出少喪其母者為何公。毛奇齡根據前人之注疏加以考訂，故曰：

> 按《春秋》襄三十一年魯襄卒，立齊歸之子稠為君，是為昭公。時昭公一十九歲，《左傳》稱一十九年而有童心者，即《史記世家》亦然。及立十一年而其母齊歸之薨，始見於經所云：「夫人歸氏薨」，又云：「葬我小君齊歸」皆是也，是昭公喪母時已三十歲，而謂少喪其母可乎。（小註：《家語》載此事稱魯孝公，此亦正《禮記》之誤。而故易人以《記》之者，要皆不足據也。）❹

毛奇齡按《左傳》襄公三十一年：「孟孝伯卒。立敬歸之娣齊歸之子公子稠。……於是昭公十九年矣，猶有童心」❹之記載加以辨正；又《史記》亦云：「昭公年十九，猶有童心」等兩者記載，皆說明昭公登基時方一十九歲；而《左傳》昭公十一年：「葬我小君齊歸」❹的記載，更說明齊歸於昭公登基後十一年卒，同於毛氏說法「是昭公喪母時已三十歲」，已非「少」也。最後毛氏之小註乃補充鄭玄所注：「未知何公也」❹，以《家語》稱魯孝公來補充此少喪其母者乃「魯孝公」。對於

---

❸　《禮記正義》，同註❶，頁 368。
❸　《禮記正義》，同註❶，頁 368。
❹　毛奇齡：《檀弓訂誤》，同註❷，頁 9。
❹　《春秋左傳正義》，同註❸，頁 685－686。
❹　《春秋左傳正義》，同註❸，頁 785。
❹　《禮記正義》，同註❶，頁 368。

「昭公無少喪其母」之考證，毛氏以《傳》考之，其證據充足，論點足以採信；然《家語》乃東漢王肅所撰，目前為學術界公認為偽書，故少喪其母者乃魯孝公之論，因證據不足，筆者則認為不予採信之。

二、《檀弓訂誤》考「事」之誤

蓋上文乃以《檀弓訂誤》中之考「人」誤為主，下文則以《檀弓訂誤》中之考「事」誤為主，其事誤包含〈檀弓〉所記之戰事誤與諸侯、臣子對外外交事物之誤。就《檀弓訂誤》之毛奇齡所訂標題以論之，分為「乘邱之敗必是乾時之敗」之誤、「邾婁戰升陘不敗」、「冉有無使楚事」、「魯襄請襲拂柩之誤」、「〈曾子問〉衛靈公無適魯事，且季桓子為喪主」四則，以下申述之：

㈠「乘邱之敗必是乾時之敗」之誤

此則乃毛奇齡針對「乘丘之敗」提出辨正。《禮記・檀弓》云：

> 魯莊公及宋人戰于乘丘。縣賁父御，卜國為右。馬驚，敗績，公隊。佐車授綏。公曰：「末之卜也。」縣賁父曰：「他日不敗績，而今敗績，是無勇也。」遂死之。㊹

〈檀弓〉記載戰乘丘之戰是縣賁父侍左，而卜國侍右；時戰敗績，莊公認為是卜國無勇（鄭玄注㊺，未之，言卜國無勇，然後世多爭議），而縣賁父也認為自己無勇，故二人死之；在《禮記正義》之注疏上，鄭玄等都以二人死之（孫希旦認為僅縣賁父一人）而孔穎達則有云「大敗宋師于乘邱」㊻。故毛氏以孔語為出發點，並引經據典，考證出乘丘之敗魯師並非敗績，敗績者乃乾時之戰，云：

> 按乘邱之戰莊公用公子偃之謀，乘其未陣時，從雲門出，先蒙皋比以犯之，

㊹　《禮記正義》，同註❶，頁 117。

㊺　《禮記正義》，同註❶，頁 117。

㊻　《禮記正義》，同註❶，頁 117。

而後馳之，宋師大敗。《春秋》經曰：「公敗宋師于乘邱。」此明明有經有傳，豈可誣妄至此！嘗推其所誤，此必因莊九年，公及其師戰于乾時，我師敗績之事而移誤者爾！時莊公納齊公子糾與小白戰而致敗，傳稱公喪戎路乘他車以歸，而戎右與御皆為齊獲，此則與檀弓敗績隊車之言彼此相合。雖戎右與御《傳》稱秦子、梁子，與〈檀弓〉異；《傳》稱「獲」〈桓弓〉稱「死」又異要，是此一事或者傳聞稍殊耳。〈檀弓〉道聽塗說以僵桃而令李代，而鄭氏、孔氏又皆不能以乾時之戰為之駁正，嗟乎！古文之難讀如此。❹

據毛氏說法，筆者試將其論點分為以下二點說明之：

　　1.乘丘之戰大勝：按《左傳》莊公十年記載：

　　　公子偃曰：「宋師不整，可敗也。宋敗，齊必還。請擊之。」……公從之。大敗宋師于乘丘。❹

乃符合毛氏所引《春秋》經所言「乘丘之戰大勝」。毛氏引其歷史記載，述說戰爭經過，並以「有經有傳」證其錯誤，故筆者以為此論可信。

　　2.乘丘之敗乃乾時之敗：按《左傳》莊公八年：「八月庚申，及齊師戰于乾時，我師敗績。」❹之載，明瞭魯君於莊公九年與齊師戰於乾時，乃敗績。而毛氏以為前時之戰乃〈檀弓〉此則之戰事，非乘丘之戰；毛氏引歷史事件作證(1)時莊公之戎右與御皆為齊所獲，與〈檀弓〉所云之公隊敗績有異曲同工之妙，雖然《左傳》稱戎右與御為「秦子、梁子」與「擒」，而〈檀弓〉稱御右為「縣賁父、卜國」與「死」，故毛氏認為此乃「傳聞殊耳」。毛氏引用以經比經之法，既然乘丘之戰為勝，而據經載又與乾時之戰有多許相同處，雖其論有理，卻僅為毛氏推理，雖可信之，然其證仍顯不足矣！

---

❹　毛奇齡：《檀弓訂誤》，同註❷，頁1。
❹　《春秋左傳正義》，同註⓭，頁147。
❹　《春秋左傳正義》，同註⓭，頁144。

㈡ 邾婁戰升陘不敗

此則乃毛奇齡針對邾婁人戰於升陘之勝敗考證。《禮記‧檀弓》云：「邾婁復之以矢，蓋自戰於升陘始也。」**⑤**蓋〈檀弓〉記載說明邾婁人用劍來召魂的習俗是自升陘戰敗以後開始。鄭注語孔疏皆謂此為「時師雖勝，死傷者多，無衣可招魂」。針對升陘戰敗一語，毛氏云：

> 按春秋僖公二十二年，魯及邾人戰于升陘，魯師敗績。邾人獲公胄懸于邾城之魚門，是邾婁此戰最稱得勝，而反謂死傷者多招魂以矢，是乘邱以勝為敗，而升陘又以敗為勝，正相對誤也。《春秋》凡邾公羊作邾婁。**⑤**

按《左傳》僖公二十二年：「邾人以須句故出師。公卑邾，不設備而禦之。……月丁未，公及邾師戰于升陘，我師敗績。邾人獲公胄，縣諸魚門。」**⑤**之言，可知邾人於升陘之戰擄獲魯公胄並懸於魚門之上，故魯僖公二十二年升陘之戰是邾婁得勝（魯師敗績）。據此毛氏引《傳》說明之，他認為此戰為邾婁得勝，不應謂其死傷多而招魂以矢。毛氏此說引經據典，故「邾婁戰升陘不敗」之論是成立的。然毛氏「是乘邱以勝為敗，而升陘又以敗為勝，正相對誤也」一句似有筆誤，筆者試解毛氏之語，應為「乘丘本是勝利卻被認為失敗，升陘本是失敗卻認為勝利」，此則毛氏乃謂「邾婁戰升陘不敗」又何出此言？此當為毛氏筆誤。

㈢ 冉有無使楚事

此乃毛奇齡針對「冉有是否使楚事」一事做出辨正。按《禮記‧檀弓》所云：

> 有子：「……昔者夫子失魯司寇，將之荊，蓋先之以子夏，又申之以冉有。」**⑤**

經本謂孔子失魯司寇（官名），後將前往楚國，於是派子夏與冉有前往探查。於《禮

---

⑤　《禮記正義》，同註**❶**，頁118。

⑤　毛奇齡：《檀弓訂誤》，同註**❷**，頁2。

⑤　《春秋左傳正義》，同註**❸**，頁247－248。

⑤　《禮記正義》，同註**❶**，頁230。

記正義》中，鄭注、孔疏皆無針對冉有侍楚一事論述。然毛奇齡認為其中有誤，故
云：

> 按《史記》哀公三年，季康子召冉求，而子貢送之。又二年，夫子遭陳蔡之
> 難。然後使子貢至楚，楚昭王興師迎孔子，則是時冉有已任魯為季氏宰矣！
> 故哀十一年齊師之戰，冉有尚在軍，計自三年至此，年連歲任魯，焉得于哀
> 之六年，忽有冉有使楚之事。況子夏于孔子失司寇後，之齊、之宋、之衛、
> 之陳、之蔡，未嘗一從行也，此又誤也。❺

此毛奇齡引《史記》作為考察之據。按《史記‧孔子世家》之記載❺，如毛氏所說，
魯哀公三年時季康子生病，正興嘆孔子不在魯國，自此冉求遂至魯國事魯君。於此
計冉有之行，謂哀公三年至魯，哀公五年孔子遇陳蔡之難，哀公六年孔子至楚，哀
公十一年魯齊之戰（冉有在軍），因此冉有于哀公六年根本不可能與子夏至楚；再
者以毛氏的看法，子夏于孔子失司寇後一直跟隨孔子周遊各國，隨侍在側，也不可
能前孔子至楚。故此則毛氏考之「冉有無使楚事」且「子夏亦無使楚」二點，其論
根據《史記》比對，並以常理斷之，故可信也。

㈣ 魯襄請襲拂柩之誤

　　此乃毛奇齡針對「魯襄王是否請襲、拂柩」問題提出看法；《禮記‧檀弓》有
云：

> 襄公朝于荊，康王卒。荊人曰：「必請襲。」魯人曰：「非禮也。」荊人強
> 之。巫先拂柩。荊人悔之。❺

〈檀弓〉此則原意為魯襄公至楚，逢楚康王卒。楚人希望魯襄公為康王穿壽衣，雖

---

❺　毛奇齡：《檀弓訂誤》，同註❷，頁4。
❺　見〔西漢〕司馬遷著：《史記》。
❺　《禮記正義》，同註❶，頁190。

與禮法不合，然楚人依然強迫襄公襲之。此時襄王卻在康王靈柩上云「君臨臣喪」以祓除不祥（拂柩），後楚人悔之。於《禮記正義》中鄭注、孔疏皆無說明。毛奇齡乃針對襄王「請襲」、「拂柩」持有異論，故云：

> 按楚康王卒在襄廿八年冬。斯時襄公未至楚，方謀還而不果者，至是請襚在廿九年春，則康王已在殯矣！故《左傳》曰「請襚」、曰「祓殯」。襚不是襲，殯不是柩，蓋國君三日而斂，五日而殯，沐浴含襲，皆在斂前，贈襚賵贈可在殯後。故文九年秦人來歸僖公、成風之襚，則僖公之薨已及十年，不必真以衣尸者。〈雜記〉亦云致襚之禮「委衣于殯東」，則殯後得致襚可知也。若襲與柩則安能有逾月不斂、逾月不攢之理？❺

筆者據《左傳》襄公二十八年所載考證：「楚康王卒。公欲反」，又二十九年：「公在楚，釋不朝正于廟也。楚人使公親襚，公患之……乃使巫以桃、茢先祓殯。楚人弗禁，既而悔之。」查毛氏以經為說，認為楚康王卒時襄公未至楚，且欲還，後作罷之說法有其根據。對此則毛氏之說，筆者試分為幾點論述之：

　　1.康王卒於襄公二十八年，而國君需三日而斂，五日而殯，沐浴含襲（見《禮記·喪大記》），故不可能在二十九年尚未入殯；因此〈檀弓〉所用「請襲」、「拂柩」一詞是錯的；反而《左傳》「請襚」與「祓殯」說法才是對的。

　　2.毛氏又引經說證明自己的論點：於《左傳》文公九年：「秦人來歸僖公、成風之襚」與《禮記·雜記》：「委衣於殯東」皆被毛氏引作「致襚」的例子，以加強自己「請襲」乃「請襚」之誤、「拂柩」乃「祓殯」之誤論點。

　　於清孫希旦之《禮記集解》中亦引用此說法。蓋毛氏引經據典，以經之記載作為自我推理之脈絡，故「請襲」乃「請襚」之誤、「拂柩」乃「祓殯」之誤二論點足以採信之。此則見毛氏將經典常識融於文章之中，足見其經典之熟悉。

㈤　〈曾子問〉衛靈公無適當喪事，且季桓子為喪主

　　同前說法，毛奇齡在此無針對自己所辨正之內容訂標題，故筆者亦針對毛奇齡

---

❺　毛奇齡：《檀弓訂誤》，同註❷，頁5。

之內容考訂，模仿毛奇齡訂題目，訂為「衛靈公無適魯事，且季桓子為喪主」一則。此則乃毛奇齡針對「衛靈公是否適魯與季桓子之喪」事作考證。《禮記‧曾子問》云：

> 喪之二孤，則昔者衛靈公適魯，遭季桓子之喪，衛君請弔，哀公辭不得命，公為主，客人弔。……公拜，興，哭；康子拜稽顙於位，有司弗辯也。今之二孤，自季康子之過也。❺❽

經本論衛靈公到魯國，正遇季桓子之喪，靈公欲請弔。然在喪禮之上哀公為主人，故拜客人，而季康子亦在喪主之位拜客人，變成一場喪禮有二位喪主，於禮不合。鄭注、陳澔、徐師曾、孫希旦皆認為「靈公為出公」❺❾。對於「衛靈公」適魯事毛氏不以為然，亦不同意各家所論，提出辯駁，云：

> 按《春秋》靈公無適魯之事，且哀公二年，經書衛侯元卒，即靈公也，至三年而後書季孫斯卒，即季桓子也，然則靈公之死在季桓子前矣！或曰季桓子之喪，不必桓喪或是桓子為喪主耳！若然則是時死者當是季平，考季平之死在定公五年，此時哀公未立也，且桓子郎主喪，安得康子復為主稽顙就位。據云二孤，謂哀公與康子也，若桓子為主不三孤乎？（小註：記凡稱某之喪皆指死者，言謂某之死喪也。《孟子》公行子有子之喪，謂公行喪子耳，父主子喪，此是正禮。陋儒不識禮，解作有人子之喪。〈檀弓〉子路有姐之喪，豈亦有人姊耶！此云季桓子喪父，其誤正同。）❻⓪

針對毛奇齡的說法，筆者試歸納為下列幾點：

1.靈公無適魯事：毛氏引《春秋》經「靈公無適魯」之事做為辨正之先。既明

---

❺❽ 《禮記正義》，同註❶，頁367。
❺❾ 《禮記正義》，同註❶，頁367。
❻⓪ 毛奇齡：《檀弓訂誤》，同註❷，頁8。

靈公適魯之事乃誤，則靈公必無弔季桓子之喪。按《左傳》哀公二年：「衛侯元卒」❻❶又哀公三年：「季孫卒」❻❷，哀公早卒季孫斯一年。故毛氏此論引經據典，其論可信。

　2.季桓子為喪主，死者當為其父季平：毛氏考《左傳》定公五年，季平死，按《左傳》說法：「季平子行東野。還，未至，丙申，卒于房。⋯⋯既葬，桓子行東野」❻❸，然當時哀公未立，故哀公為之主則有所誤，故毛氏認為當時喪者應為「季平」，而季桓子乃為喪主。此說乃毛氏根據經典所載合理推論，然與他家說法差異甚大，故筆者存疑之。

　3.毛氏最後引其小註，引《孟子》與《禮記‧檀弓》之說，加強他「季桓子喪父」之論點。

三、《檀弓訂誤》之西河考證與諸家評論比較

　《檀弓訂誤》或有特殊論點，或有尚不足者，筆者為探毛奇齡考訂之價值，故選以《禮記》重要註本或名家說法，針對毛奇齡提出之問題查考有無其他說法，包含十三經禮記正義注疏本、元陳澔《禮記集說》、明徐師曾《禮記集註》、清孫希旦《禮記集解》等重要注本說法，並一一詳加比較，望窺各家之殊同❻❹，從附錄比較表格中，可窺見毛奇齡與他家說法之比較，故筆者在此節分為三部分：一為論點特殊者；二為論點舊說已有者；三為論點尚有不足者。

（一） 論點特殊者／有影響者

　筆者經由各家比對後，整理出以下毛奇齡說法特殊者，有些論點為毛奇齡之創見，有些則是毛奇齡異於諸家之說，不一定可以採信者。故筆者將《檀弓訂誤》中幾則毛論，列為「論點特殊者」：

　1.春秋無分儀氏：毛氏以為公儀氏見於經傳始於魯謬公時，故孔子時代並無此

人。然鄭注「魯之同姓也,其名未聞」❻❺、孔疏:「故疑魯同姓也」❻❻、陳澔「魯同姓也」❻❼、明徐師曾「魯之同姓大夫也」❻❽,而孫希旦乃結合鄭注、孔疏之說,故可知毛氏引孟子云之依據,考證出春秋應無公儀氏,其論可信,且其論點特殊耳!

　　2.乘邱之敗必是乾時之敗之誤:毛氏於此則後云:「〈檀弓〉道聽塗說以僵桃而令李代,而鄭氏、孔氏又皆不能以乾時之戰為之駁正,嗟乎!古文之難讀如此。」❻❾針對〈檀弓〉說法以「道聽塗說」評論之,又云「鄭、孔氏」皆不能註解乘邱之戰實乃「乾時之戰」。按此則之各家說法:僅有孔穎達針對乘邱之戰引經描述:

　　　莊公十年夏六月,齊師、宋師次于郎。公子偃曰:「宋師不整,可敗也。宋
　　　敗,齊必還。請擊之。大敗宋師于乘丘。齊師乃還。」❼⓿

因此可見諸家並無針對乘丘之戰作辨正,而毛奇齡遂可引經與「乘邱之戰」、「乾時之戰」作合理推論,為其訂誤,不但其言可信,且為毛氏之特殊見解。

　　3.冉有無使楚事:此則毛奇齡以經典之說明,論證冉有時於魯國侍魯君,不可能先與侍楚。然筆者綜觀諸家,鄭氏、孔氏、孫氏皆無論說,而陳澔云:

　　　將適楚,而先使二子繼往者,蓋欲觀楚之可仕與否,而謀其可處之位歟!❼❶

徐師曾亦云:「孔子之欲仕,非為富也,為行道也。」❼❷故由此可知,二者仍於「孔子欲仕」上打轉,並無討論到冉有是否有侍楚,因此,本則在無他家論證之下,毛

---

❻❺　《禮記正義》,同註❶,頁 109。

❻❻　《禮記正義》,同註❶,頁 109。

❻❼　〔元〕陳澔:《禮記集說》(臺北市:世界書局,1962 年 4 月),頁 27。

❻❽　〔明〕徐師曾:《禮記集註》,收入《四庫全書存目叢書・經部》第 88 冊(臺南縣:莊嚴文
　　　化事業公司,1997 年 2 月),頁 465。

❻❾　毛奇齡:《檀弓訂誤》,同註❷,頁 2。

❼⓿　《禮記正義》,同註❶,頁 117。

❼❶　陳澔:《禮記集說》,同註❻❼,頁 41。

❼❷　徐師曾:《禮記集註》,同註❻❽,頁 484。

奇齡為特殊說法，以經證經，其推論有理，不但證出冉有無使楚事，也論出子夏亦無侍楚。此等細膩的考證功夫，乃注意到他人所未注意之處，並加以考訂，開出其前未有之論點與成果。

4.魯襄請襲拂柩之誤：此則毛奇齡認為「請襲」乃「請襚」，「拂柩」乃為「祓殯」；毛奇齡在此引《左傳》說以證其論，蓋筆者綜觀毛氏之前諸家論說，皆無毛氏如此細心而查出此誤者。而此論之可信，也影響到後來清之學者，如孫希旦之《禮記集解》，曰：

> 禮，死日即襲，殯則大夫士三日，諸侯五日。計此時康王之殯必已久矣。是傳言「使襚」及「拂殯」者是，而記言「請襲」及「拂柩」者非也。❼❸

由孫氏所云可知孫氏亦採「『請襲』乃『請襚』，『拂柩』乃為『祓殯』」之說，故可知毛氏之論點對後世之禮學大家的影響。

5.季武子死，無曾點倚門事：此則乃毛奇齡以經證經考出曾點無倚季武子門事，乃因曾點尚幼，仍在八歲以下，故不能倚門而歌。筆者綜觀毛氏之前論者，鄭氏、孔氏、陳氏、徐氏並無針對此點作出辯駁，故為毛氏之特殊見解，此見解於同時稍晚的萬斯大亦有此說，記載於孫氏《禮記集解》云：

> 萬斯大云：季武子卒，在魯昭公七年，孔子方十七歲。四子侍坐，點齒在子路下，子路少孔子九歲，時方八歲，曾點當亦幼矣，倚門而歌，必無是事。❼❹

故可知其論與毛奇齡尚同，在當時已考出其說，又毛奇齡前之學者尚無考證出，故筆者將之安排於論點特殊者，而此論可信也。

6.靈公無適魯事，且季桓子為喪主：按毛氏引經據典，考證出靈公無適魯事，且季平為死者，季桓子為喪主。其「季平為死者」說當為新意，筆者綜觀他家注說

---

❼❸ 〔清〕孫希旦：《禮記集解》（臺北市：文史哲出版社，1990 年 8 月），頁 285。
❼❹ 同前註，頁 244。

並無證之，然說法卻與毛氏迥異，如鄭氏云：

> 靈公先桓子以魯哀公二年夏卒，桓子以三年秋卒，是出公也。❼❺

陳澔《禮記集解》說法：「靈公先桓子卒，經訛為靈公，實出公也。」❼❻明徐師曾《禮記集註》亦云：「靈公先桓子一年卒，則此當作出公。」❼❼孫希旦《禮記集解》亦云：

> 案《春秋》哀公三年秋，季桓子卒，時衛公為出公而非靈公，又無適魯之事，此《記》所言疑也。❼❽

由以上諸說可知鄭氏、陳氏、徐氏、孫氏均相信靈公為出公；而毛氏在此仍相信季平絕對是死者，與他家比較，在時間上有移前的論述。然毛氏依然沒有解決「靈公」無適魯，那適魯者是何公也？由他家論述可知「死者為季桓子」為主，故考適魯者為出公，亦解決適魯之問題。毛氏所論雖不可信，然其論卻頭頭是道，且有新意，而鄭氏三人，故筆者列為「論點特殊者」。

㈠ 論點舊說已有者

經學家在閱讀群經時，必會參看各家註解。而毛奇齡在考訂同時，亦有參考各家，並沿用之前鄭注孔疏之說法，以下筆者就《檀弓訂誤》之內容，列以下幾者為「論點沿用舊說者」：

1.齊王姬制服誤解：此則毛奇齡所論為二，其一為「齊王姬為同姓諸侯主婚，故魯莊公為其服大功服」；其二為「王姬非魯莊公之外祖母」，針對此二點，可知此兩點皆為毛氏沿用舊說之論點：

---

❼❺ 《禮記正義》，同註❶，頁 367。
❼❻ 陳澔：《禮記集說》，同註❻❼，頁 105。
❼❼ 徐師曾：《禮記集註》，同註❻❽，頁 577。
❼❽ 孫希旦：《禮記集解》，同註❼❸，頁 523。

⑴齊王姬為同姓諸侯主婚，故魯莊公為其服大功服：針對此點，鄭氏、孔氏、陳氏、孫氏皆無此說，且皆云此為「由魯嫁，故為姊妹之服」；唯明徐師曾有云：

> 天子女下嫁諸侯，必使同姓諸侯主之。卒，則天子無服，而主嫁之國為之服，如內女。⑲

其論「必使同姓諸侯主之」與毛氏之「為同姓諸侯主婚」說法相同，故可知此點舊說為已存者。

⑵王姬非魯莊公之外祖母：針對此論，鄭氏有云：「莊公，齊襄公女弟文姜之子，當為舅之妻，非外祖母也。」⑳唐氏疏「王姬是莊公舅妻，不得為外祖母，是一非也。」㉑而後陳澔、孫希旦皆云王姬非魯莊公之外祖母，此一路說法相同，可見其論點之可信度，與毛氏此論點舊說已有之。

2.公叔文子無衛衛難事，亦不諡貞：此則毛奇齡以經證經說明公叔文子根本沒有以死為國君，也無賑粥之事，此載為〈檀弓〉之誤；因無衛君地無賑粥，故無「貞惠」之稱。綜觀諸家對此論點，鄭氏、孔氏、陳氏、孫氏等均無考證，僅針對當時歷史事件作論述。惟明徐師曾有所云：

> 文子不佐其君賑窮而私為粥，不可也。以死衛君，於經、傳不見。據子鰌歸文子執禮，則文子嘗不臣矣！……則知此章之為虛譽矣！㉒

故知徐師曾在此就已有公叔文子無衛衛難事之說，因此此則之訂誤，舊說已有之，毛氏非開創者。

3.陳無太宰嚭：按毛氏以「不能同時、同官、同名」，又與吳王夫差相周旋此

---

⑲　徐師曾：《禮記集註》，同註㉘，頁 473。
⑳　《禮記正義》，同註❶，頁 166。
㉑　《禮記正義》，同註❶，頁 166。
㉒　徐師曾：《禮記集註》，同註㉘，頁 502。

等巧合之事,考出陳無太宰嚭之論點。綜觀毛氏之前諸家之論,鄭氏、孔氏、陳氏皆無此論說,惟明徐師曾有云:

> 大宰嚭始於師,當作行人儀使於師;夫差謂行人儀,當作夫差謂大宰嚭。⑧

考徐氏之說,可知與毛氏「陳無太宰嚭」之說相同,故可知毛氏「陳無太宰嚭」之論點,舊說已有之。又筆者以為毛氏論證此點仍有所不足,針對此則之考訂,孫希旦⑭又加宋洪邁《容齋隨筆》之言「嚭乃夫差之宰,陳遣使者,止用行人,則儀乃陳人也。記禮者簡冊錯互」,強化太宰嚭為吳人,而行人儀為陳國人,此為錯簡之因。然毛氏之考訂確緊盯「太宰嚭」而無視「行人儀」,若此則可加強「不能同時、同官、同名」之佐證矣。

　　4.魯昭公無少喪其母:此則毛奇齡認為魯昭公之母去世時,昭公已三十,故魯昭公無少喪其母,且引《家語》說少喪其母者乃為魯孝公。筆者綜觀毛氏之前論者,查出鄭玄與孔穎達已有其論,而陳氏、徐氏皆無其論;鄭玄云:

> 昭公年三十,乃喪齊歸,猶無戚容,是不少,又安能不忍于慈母?此非昭公明矣,未知何公也。⑧

又孔穎達又云:

> 案襄三十一年襄王薨,《左傳》云:「昭公十九猶有童心。」是即位時年十九也。昭公十一年,其母齊歸薨而無戚容,是年三十,非少孤也。按《家語》云:「孝公有慈母良。」今鄭云:「未知何公」者,鄭不見《家語》故也,

---

⑧　同前註,頁 500。

⑭　孫希旦:《禮記集解》,同註⑦,頁 273。

⑧　《禮記正義》,同註❶,頁 368。

或《家語》王肅所足，故鄭不見也。❽

由鄭玄與孔穎達之言，可知兩人皆已查出魯昭公無少喪其母；而毛氏引《家語》之部分，孔穎達早有其論；故可知毛氏於此則之論點，舊說早已有之，非毛氏之洞察所見。

三 論點尚有不足者

　　毛奇齡論點中除有特殊者與沿用舊說之外，亦有不足處，故筆者則根據《檀弓訂誤》之內容，列以下幾者為「論點尚有不足者」：

　　1.邾婁戰升陘不敗：毛氏以為邾婁戰升陘是勝利的，故不能說為「死傷者多招魂以矢」，毛氏在此似乎認為死者多就不是勝利的，卻與其他家說法差距甚大：鄭氏注「戰於升陘，魯僖二十二年秋也。時師雖勝，死傷亦甚，無衣可以招魂」❽、孔氏疏「以其死傷者多，無衣可以招魂，故用矢招之也。必用矢者，時邾人志在勝敵，矢是心之所好，故用所好招魂」❽、陳澔與孫希旦皆援用舊說；徐師曾看法有異：

　　　　魯師敗績，而邾人死傷者亦多，軍中無衣，用矢以復。陳可大曰：「疾而死，
　　　　復可也；兵刃之下，肝腦塗地，豈有再生之。復之用矢，不亦誣乎？」❽

徐師曾引用陳可大說法，認為疾病而死尚可用復之，但是兵刃之下就不可復之。對於各家說法各有異同，有用以招魂，亦有不可招者；然毛氏之論點僅著重在戰爭之勝敗，何況這場戰爭諸家都解為邾婁獲勝，故此毛氏非但沒有創意，在論述方面焦點亦有模糊，故為論點尚有不足者。

　　2.公叔木不得有同母異父昆弟：此則毛奇齡認為公叔木不得有同母異父之昆

---

❽　《禮記正義》，同註❶，頁368。

❽　《禮記正義》，同註❶，頁118。

❽　《禮記正義》，同註❶，頁118。

❽　徐師曾：《禮記集註》，同註❽，頁471。

弟，乃因公叔木之母並無改嫁異父，然綜觀諸家說法，鄭玄、孔穎達、陳澔皆無針對此點作論述；而至明徐師曾有云：

> 禮，為同父同母之昆弟期。則同母異父者，當降而為大功。❾⓿

徐師曾亦無針對「公叔木是否有同母異父之昆弟」作出澄清，但於清孫希旦更云：

> 公叔木，衛之大夫，必不從母而嫁。且為後父者，出母且不服，又何異父同母兄弟之服乎？魯為秉禮之國，二子學於聖人，而其繆於禮乃如此，殊不可解也。❾❶

由以上論說可知，孫氏以「禮」之角度來反推公叔木應無同母異父之昆弟，其論點已較毛論圓融；但之前卻無他說提及「公叔木是否有同母異父之昆弟」之問題，故可推論孫氏論點上確有受到毛氏之啟發。

　　3.宋襄不得葬夫人，又葬時不得有曾子：按毛氏主觀認定，視宋襄所葬夫人必為「王姬」，故云宋襄不得葬夫人；然正如上文筆者所言，可能是「亡妻」；綜觀諸家評論：鄭氏、陳氏、徐氏皆無論說；而孔穎達正義曰：「此得云『宋襄公葬其夫人』者，蓋襄公初取夫人，死在襄公時，故得葬之」❾❷，與孫希旦亦云：「蓋初取夫人」❾❸可知宋襄夫人可能是宋襄初取之夫人，非王姬也。此毛氏所云闕矣！故其論尚有不足者。

　　4.子思無嫂：在此則中，毛奇齡認為子思無嫂，且子思非原憲也，然此說法多家迥異，查鄭氏、陳氏、徐氏皆無論說。而孔穎達正義曰：

---

❾⓿　同前註，頁485。

❾❶　孫希旦：《禮記集解》，同註❼❸，頁230。

❾❷　《禮記正義》，同註❶，頁225。

❾❸　孫希旦：《禮記集解》，同註❼❸，頁225。

此子思哭嫂，是孔子之孫，以兄先死，故有嫂也，皇氏以為原憲字子思，若然，鄭無容不注，鄭既不注，皇氏非也。孔氏《連叢》云：「一子相承，以至九世。」及《史記》所說亦同者，不妨。雖有二手相承者，唯存一人，或其兄早死，故得有嫂。且雜說不與經合，非一也。**㉔**

孔穎達認為子思為孔子後人，且有嫂，其原因可能是其兄早死。對於皇氏所云，子思為孔子弟子之論，皇氏非也。而孔穎達又為孔家後人，故對此說深信不疑。然孫希旦卻提出不同見解，云：

今案孔子弟子原憲、燕伋皆字子思，此所稱子思，或為異人，未可知也。**㉕**

孫氏認為孔子弟子原憲、燕伋皆字子思，故此子思，不知何人。而清俞樾（1821年晚於孫希旦）《群經平議》曾云：

樾謹按伯魚不聞更有長子子思，安得有嫂。疑當從皇氏之說。且此節乃曾子之言，下文詳言思皆斥其名，而於子思獨稱其字者。曾子與原憲竝事夫子，行輩相同，故字之也。若子魚是伯魚之子，下文曾子謂子思曰：「伋。吾執親之喪也，水漿不入於口者七日。」未聞稱其字也，即此以論其為原憲明矣。**㉖**

在此俞樾提出兩點證據：其一、孔伋並無兄長，則不應有嫂；其二、曾子和原憲同為平輩，故稱其字，而孔伋是晚輩，向來只稱其名。所以此處所言子思當為原憲。從中可見各家說法不一，然毛奇齡仍以其論證「此子思非原憲」，與眾說迥異，但諸家卻有不同見解，毛氏無法以其論勝過他論，證明「此子思非原憲」，故筆者以

㉔　《禮記正義》，同註❶，頁127。

㉕　孫希旦：《禮記集解》，同註❼❸，頁189。

㉖　〔清〕俞樾：《群經平議》，《續修四庫全書》（上海市：上海古籍出版社，2003年3月），頁308。

為其論點尚有不足之處。

結　論

㈠ 前文回顧

　　有關毛奇齡寫作《檀弓訂誤》之時間、背景，經筆者考證《四庫提要總目》、《四庫總目提要續編》及毛氏之文集等著作，仍考察不出其內容，故《檀弓訂誤》之寫作時間背景，尚無結論。毛奇齡乃經學大家，其學精通諸經，筆者於點校《檀弓訂誤》時即可深切感受。筆者認為西河讀書校對相當細心，於比較原典時亦可合理推論錯誤之處，其治經方式更可供學者一學習方式，西河大都針對前人之註解加以詳讀後，與各經書交叉比對，往往得出與他人不同之見解，據筆者估計於《檀弓訂誤》中，西河即運用了《春秋》經、《左傳》、《孟子》、《論語》、《禮記》等經以訂誤之。本文除針對《檀弓訂誤》之內容一一分析外，也得出了毛氏考訂之不足、存疑與特殊考訂。最後，筆者對於《檀弓訂誤》有以下幾點看法與整理：

　　1.《檀弓訂誤》大部分以考「人」為主，共九則，考「事」次之，共五則。

　　2.全篇採用「以經制經」的考訂方法。

　　3.以毛氏寫作的方法，各篇之紀錄非《禮記‧檀弓》原本次序，除類似篇放在一起之外，筆者認為乃毛奇齡隨手紀錄（讀到哪記到哪），為筆記性質的著作。

　　4.按筆者察考、統計毛奇齡所訂之人或事，發現「季氏」出現二次、衛靈公出現二次、公叔氏出現三次、魯襄公出現二次加其子昭公一次，乃毛氏常訂之人（或時），可能為毛氏對比較熟悉而所訂誤；然〈檀弓〉其他錯誤仍無完全訂誤出來。

㈡ 毛氏《檀弓訂誤》論點之價值與成果

　　關於毛氏所訂誤內容之價值與成果，筆者就以下重點條列之：

　　1.春秋無公儀氏：此則之論點為毛氏特殊見解之一，他家無論；成果為考出春秋無公儀一氏，其論以經制經，故可信之。

　　2.乘邱之敗必是乾時之敗之誤：此則之論亦為毛氏之特殊見解，他家無論之；成果為毛氏考出「乘邱之敗」必是「乾時之敗」之誤，其論言之有理，故可信之。

　　3.邾婁戰升陘不敗：此則毛氏之論尚有不足，因各家見解皆曰邾婁勝；然毛氏在打轉於此點上，其論亦大有問題。

4.齊王姬制服誤解：毛氏考出二點，一為魯莊公為王姬服魯女服，乃因魯莊為其主婚，而此點明徐師曾以有舊說；二為王姬非魯莊公外祖母，乃為舅妻，此亦為鄭氏、孔氏、陳氏、徐氏等之舊說。故此則毛奇齡成果不高。

5.公叔木不得有同母異父昆弟：此則毛氏考公叔木之母無改嫁異父，故無同母異父之弟；然此則毛氏以自我邏輯方式推論，尚缺他證，故論證不足，成果亦不高。

6.公叔文子無衛衛難事，亦不諡貞：此則毛氏考公叔文子無衛衛難事，亦不諡貞之論點，明徐師曾已有舊說，故此則毛氏成果亦不大。

7.冉有無使楚事：此則毛氏以經制經，不但考出冉有無使楚事，更推論出子夏亦無使楚，由於前人並無此論，故其為毛氏特殊見解之成果；而其論證據十足又言之有理，故可信之。

8.陳無太宰嚭：此毛氏論太宰嚭乃為吳夫差人，非陳人；然明徐師曾已有舊說，故此則毛氏成果不大。

9.魯襄請襲拂柩之誤：此則毛氏以經證經，考出「請襲」乃「請禭」，「拂柩」乃為「祓殯」之論點，為西河之特殊見解，亦影響後世孫希旦之《禮記集解》之論點。

10.季武子死，無曾點倚門事：此則論點為毛氏特殊見解，前人皆無立論，成果為考出季武子卒時，曾點乃在八歲以下，時人萬斯大皆有此說，故此論可信。

11.宋襄不得葬夫人，又葬時不得有曾子：此則毛氏論點尚有不足之處，葬時不得有曾子其論可信；而宋襄不得葬夫人之論則有不足之處，毛氏尚未參考他家之說，一味以為此夫人為王姬，然此夫人或為宋襄公之「初娶夫人」，故此則毛氏成果不大。

12.子思無嫂：此則毛氏考出子思無嫂且此子思非原憲；然諸家眾說紛紜，毛氏之論卻不能以其論勝過他論，故其論仍顯不足！

13.靈公無適魯事，且季桓子為喪主：此則毛氏說法與他家差異甚大，毛氏不但考出靈公無適魯事，且死者乃為季平而季桓子為喪主，立論雖精采，然無解決何公適魯事；而諸家皆云「此公為出公」，巧妙解決毛氏之闕，故毛氏此論不足採信。

14.魯昭公無少喪其母：此則毛氏魯昭公無少喪其母，並引《家語》少喪其母者乃為孝公；然此論孔穎達已有舊論，故毛氏成果不豐；又《家語》為偽書，故孝公

之條不足採信。

　　由以上說明，可知「論點特殊者」共有六條，「論點舊說已有者」共有四條，而「論點尚有不足者」共有四條；故整體而論，毛氏著《檀弓訂誤》成果實為豐碩！

參考書目

一、書目

1. 〔西漢〕司馬遷撰：《史記》，臺北市：啟明書局，1961 年。
2. 〔元〕陳澔：《禮記集說》，臺北市：世界書局，1962 年 4 月。
3. 〔清〕毛奇齡：《檀弓訂誤》，學海類編 24 冊，臺北市：藝文印書館，1967 年。
4. 〔後漢〕宋衷注，孫馮翼輯：《世本》，臺北市：藝文印書館，1970 年。
5. 〔漢〕班固撰，〔唐〕顏師古注：《漢書》，臺北市：洪氏出版社，1975 年。
6. 〔東漢〕鄭玄注，〔唐〕孔穎達疏：《禮記正義》，十三經注疏本 5，臺北市：藝文印書館，1977 年 8 月。
7. 〔周〕左丘明傳，〔晉〕杜預注，〔唐〕孔穎達疏：《春秋左傳正義》，十三經注疏本 6，臺北市：藝文印書館，1977 年 8 月。
8. 〔魏〕何晏注，〔宋〕邢昺疏：《論語正義》，十三經注疏本 8，臺北市：藝文印書館，1977 年 8 月。
9. 〔漢〕趙岐注、〔宋〕孫奭疏：《孟子正義》，十三經注疏本 8，臺北市：藝文印書館，1977 年 8 月。
10. 〔漢〕公羊壽傳，何休解詁，〔唐〕徐彥疏：《春秋公羊傳注疏》，十三經注疏本 7，臺北市：藝文印書館，1977 年 8 月。
11. 《中國歷史紀年表》，臺北市：華世出版社，1983 年 2 月。
12. 〔清〕孫希旦：《禮記集解》，臺北市：文史哲出版社，1990 年 8 月。
13. 〔清〕俞樾：《群經平議》，上海市：上海古籍出版社，1995 年。
14. 〔明〕徐師曾：《禮記集註》，四庫全書存目叢書，經部第 88 冊，臺南縣：莊嚴文化事業公司，1997 年。

二、論文

1. 陳逢源：《毛西河及其春秋學研究》，政治大學中國文學研究所碩士論文，1991 年 6 月。
2. 陳逢源：《毛西河四書學研究》，政治大學中國文學研究所博士論文，1997 年 6 月。

三、期刊

1. 鄭吉雄：〈全祖望論毛奇齡〉，《臺大中文學報》第 7 期，1995 年 4 月。
2. 陳逢源：〈毛奇齡經學論著及其學思歷程〉，《東吳中文學報》，2000 年 5 月。

附錄一：

毛奇齡與各家說法比較一覽表

各家說法 標題	東漢：鄭玄	唐：孔穎達	元：陳澔	明：徐師曾	清：毛奇齡	清：孫希旦
春秋無公儀氏	魯之同姓其名未聞。	疑魯同姓。	魯之同姓。	無。	公儀之族見于魯謬公時。	疑魯同姓。
乘邱之敗必是乾時之敗之誤	無。	魯莊公大敗宋師于乘丘。	無。	無。	乘兵之戰為魯師戰於乾時之敗績移誤者。	無。
邾婁戰升陘不敗	升陘雖勝，死傷亦甚，無衣可招魂。	邾人用矢招魂乃心之所好。	邾師雖勝，而死傷者多，軍中無衣，復者用矢。	魯師敗績，而邾人死傷者亦多，軍中無衣，用矢以復。陳大可曰：「疾而死，復可也；兵刃之下，肝腦塗地，豈有再生之。復之用矢，不亦誣乎？」	邾婁此戰勝，不可言「死傷者多招魂以矢」。	時師雖勝，死傷亦甚。
齊王姬制服誤解	王姬及姊妹之服，且為莊公舅母；又外祖母，服小功。	王姬為莊公舅妻，非外祖母；且外祖母服小功。	魯君為王姬服出嫁姊妹大功之服，又王姬乃莊公舅妻，非外祖母，外祖母服小功。	天子女下嫁諸侯，必使同姓諸侯主之。卒，則天子無服，而主嫁之國為之服，如內女。……其不知此王姬乃莊公舅之妻，而以	莊公為王姬主婚歸於齊，故服魯女禮服，且王姬非外祖母也。	王姬服之如內女姊妹服，且非莊公外祖母。

				為外祖母；又不知外祖母服小功，而以為大功，則非矣。		
公叔木不得有同母異父昆弟	無。	無。	公叔木，衛公叔文子之子，同父母之兄弟期，則此同母而異父者，當降而為大功也。	禮，為同父同母之昆弟期。則同母異父者，當降而為大功。	公叔木之母無改嫁異父。	公叔木必不從母而嫁，出母不服，況同母異父之弟。
公叔文子無衛衛難事，亦不諡貞	無。	無。	無。	文子吳賑粥，無死衛君。此章知為盧譽矣！	賑粥事不可考，其時以死衛衛君者，慶比、公子南楚、華寅、褚師子申諸人。諡「貞子」者北宮喜也，竝未有公孫拔從亡以死衛衛君者。	當時從公者為公南楚、析朱鉏諸人，平亂者為北宮喜。衛侯賜喜諡貞子，析朱鉏諡成子。
冉有無使楚事	無。	無。	而先使二子繼往者，蓋欲觀楚之可仕與否。	孔子之欲仕，非為富也，為行道也。	冉有無使楚，子夏亦無使楚。	無。
陳無太宰嚭	無。	無。	無。	太宰嚭始於師，當作行人儀使於師；夫差謂	夫差時，有太宰嚭共事，不可能陳國當時亦	洪氏邁曰：記禮者簡冊錯互，當云：「陳行

				行人儀，當作夫差謂大宰嚭。	有太宰嚭如此巧合之事。	人儀使於師，夫差使太宰嚭問之。」
魯襄請襲拂柩之誤	無。	無。	無。	無。	襄公至楚康王已殯。故《左傳》曰「請襚」、曰「祓殯」。襚不是襲，殯不是柩。	計此時康王之殯必已久矣。是傳言「使襚」及「拂殯」者是，而記言「請襲」及「拂柩」者非也。
季武子死，無曾點倚門事	無。	無。	無。	陳大可曰:「若曾點之倚門而歌，則非禮矣。」	季武子卒時孔子尚十七歲，何況曾點在八歲以下，不可能倚門而歌。	引萬斯大說法，認為當時曾點亦幼，不能倚門而歌。
宋襄不得葬夫人，又葬時不得有曾子	無。	蓋襄公初取夫人，死在襄公時，故得葬之。其後取夫人是襄王之姊，死在襄公之後。	無。	無。	宋襄卒時，孔子尚未出生，必無曾子，且宋襄夫人較宋襄王晚死，宋襄不得葬夫人。	此云「宋襄公葬其夫人」者，蓋初取夫人。
子思無嫂	無。	子思為孔子之孫，或其兄早死，故得有嫂。	無。	無。	孔子世家自孔子至子上皆單傳，子思焉得有嫂（子思為孔子後人）。	此所稱子思，或為異人，未可知也。
靈公無適魯事，且季桓	靈公為出公。	無。	靈公先桓子卒，經訛為	靈公先桓子一年卒，則	靈公無適魯事，若有喪	季桓子卒時衛公為出公

子為喪主			靈公，實出公也。	此當作出公。	則死者當是季平，季桓子為喪主。	而非靈公，又無適魯之事。
魯昭公無少喪其母	昭公年三十，乃喪齊歸，猶無戚容，是不少，又安能不忍于慈母？此非昭公明矣，未知何公也。	公是年三十，非少孤也。《家語》云：「孝公有慈母良。」鄭不見《家語》（或因王肅所著不見）。	無。	無。	是昭公喪母時已三十歲，《家語》載此事稱魯孝公。	引述鄭注與孔疏。

經 學 研 究 論 叢
第 十 六 輯　　頁123～152
臺灣學生書局　　2009 年 5 月

銅器銘文所見聘禮研究

鄭憲仁[*]

一、前　言

　　在銅器銘文的研究上，聘禮仍是較少被關注到的議題，而在經學的研究方面，也少有學者引用銅器銘文來探究聘禮。[❶]因此本文乃以銅器銘文中所見的聘禮為

---

[*]　鄭憲仁，國立臺南大學國語文學系助理教授。

[❶]　研究銅器銘文的學者，於各器銘文考釋時，或提及與聘禮有關，但少有專門探討的著作，目
　　前可見對聘禮銘文做較大篇幅的論述為劉雨先生〈西周金文中的「周禮」〉「相見禮」一節
　　（收錄於《燕京學報》，新 3 期（1998 年 2 月），北京：北京大學出版社，頁 24－31（總
　　78－85））。本文所認定的聘禮銘文數量較劉先生提及的多，再者，劉先生認為《九年衛
　　鼎》是眉敖覲王，屬於覲禮（頁 26（總 80）），本文認為屬聘禮，此銘文明確提到遣使，不
　　宜做覲禮解讀。
　　關於朝聘制度，兩岸學者以此做專題或學位論文者亦有幾篇，較可觀者為李无未先生《周代
　　朝聘制度研究》（長春：吉林人民出版社，2005 年 4 月）。此書雖以傳世文獻為主，但採用
　　不少西周銘文以補充、參驗，很值得參考。又，本文在聘禮銘文的認定上與此書或有出入，
　　如該書云：「諸侯遣使聘問天子。有關西周諸侯遣使聘問天子的情況銅器銘文記載明確。
　　〈史話簋〉記：『（康）王詰畢公，乃易（錫）史話貝十朋。』……史話奉命聘問康王，因
　　此受到了賞賜。」（頁 126）本文認為〈史話簋〉銘文提到周王詰畢公，未提到史話是否為
　　畢公使者，而王詰諸侯亦不可能是由諸侯遣使至周中央，因此李先生認為〈史話簋〉為聘禮
　　銘文是不宜的，本文不收入此銘。
　　目前所見其他以朝聘或聘禮為題所做的論文，大多整理《左傳》與三禮，罕能與銘文結合，
　　更乏全面性的探討之作。

題，與傳世文獻相印證以探討先秦禮制。本文所採用的方法是根據傳世文獻所記載的聘禮資料，歸納條例，以為判斷銘文是否屬於聘禮的依據，接著全面檢尋具有聘禮性質的銅器銘文，加以分組探究，以期對禮學與銘文研究，提出新的看法。

二、聘禮的判斷條件及銘文的聘禮資料

㈠ 聘禮的性質與範圍

　　聘禮於五禮屬賓禮，是專為維繫「天子與諸侯」、「諸侯與諸侯間」交誼，諸如：繼好、結信、謀事、補闕等（《左傳》襄公元年文）所設計的禮制。天子與諸侯或諸侯間，非朝覲、會盟，則沒機會見面，為了聯絡情誼，因此派遣使者（卿大夫）代替天子或國君相互訪問，這種禮儀，便是聘禮。關於聘禮，先秦文獻提及者甚多，以《儀禮‧聘禮》、《禮記‧聘義》最為詳細，《周禮》、《大戴禮記》、《左傳》等亦有不少記載。

　　《周禮‧秋官‧大行人》云：

> 掌大賓之禮及大客之儀，以親諸侯。春朝諸侯而圖天下之事，秋覲以比邦國之功，夏宗以陳天下之謨，冬遇以協諸侯之慮。時會以發四方之禁，殷同以施天下之政，時聘以結諸侯之好，殷覜以除邦國之慝，間問以諭諸侯之志，歸脤以交諸侯之福，賀慶以贊諸侯之喜，致襘以補諸侯之災。

關於「朝、覲、宗、遇、時會、殷同」鄭玄注以為「此六事者，以王見諸侯為文」，對「時聘、殷覜」以為：

> 此二事者，亦以王見諸侯之臣使來者為文也。時聘者，亦無常期，天子有事，諸侯使大夫來聘，親以禮見之，禮而遣之，所以結其恩好也。天子無事則已。殷覜，謂一服朝之歲也。慝猶惡也。一服朝之歲，五服諸侯皆使卿以聘禮來覜天子，天子以禮見之，命以政禁之事，所以除其惡行。

對「間問、歸脤、賀慶、致襘」認為「此四者，王使臣於諸侯之禮也。間問者，間

歲一問諸侯，謂存省之屬。」於〈大行人〉注中，鄭玄已指出「王見諸侯之使臣」
與「王使臣於諸侯」為聘問中的兩個類型。聘禮必有使臣，若是諸侯見天子，則為
朝覲，其事有六：朝、覲、宗、遇、時會與殷同。至於王親臨者或云巡守與殷國。
諸侯與諸侯會面或曰遇、會、朝、盟。

　　孫希旦（1736－1784）《禮記集解》引呂大臨（1040－1092）的說法：

> 聘禮，有天子所以撫諸侯者，〈大行人〉「一歲徧存，三歲徧覜，五歲徧
> 省」是也。有諸侯所以事天子者，〈大行人〉「時聘以結諸侯之好，殷頫以
> 除邦國之慝」是也。有鄰國交脩好者，〈大行人〉「凡諸侯之邦，交歲相
> 問，殷相聘」是也。❷

呂大臨將聘禮分為三類，屬於天子和諸侯間的有二，屬於諸侯間的有一。傳世文獻
中，《儀禮‧聘禮》與《禮記‧聘義》便是諸侯與諸侯間之聘禮，其他如《周禮‧
秋官‧大行人》云：「凡諸侯之邦，交歲相問也，❸殷相聘也，世相朝也。」《禮
記‧曲禮下》云：「諸侯使大夫問於諸侯曰聘。」也都屬於此類。關於「天子與諸
侯間的遣使往來」的聘禮，以《春秋》、《左傳》、《周禮》三書最為常見，如：
《春秋》隱公七年載「冬，天王使凡伯來聘。」《左傳》桓公四年載「夏，周宰渠
伯糾來聘。」宣公九年載「王使來徵聘。夏，孟獻子聘於周。王以為有禮，厚賄
之。」《周禮‧春官‧大宗伯》載「以賓禮親邦國：春見曰朝，夏見曰宗，秋見曰
覲，冬見曰遇，時見曰會，殷見曰同，時聘曰問⋯⋯」《周禮‧秋官‧大行人》載
「春朝諸侯而圖天下之事，秋覲以比邦國之功⋯⋯時會以發四方之禁，殷同以施天
下之政，時聘以結諸侯之好，殷覜以除邦國之慝，間問以諭諸侯之志⋯⋯。」《禮
記‧王制》載「諸侯之于天子也，比年一小聘，三年一大聘，五年一朝。」這些都

---

❷　〔清〕孫希旦：《禮記集解》（臺北：文史哲出版社，1990 年 1 月），下冊，頁 1456。
❸　關於〈大行人〉這段文字，前人斷句為「凡諸侯之邦交，歲相問也」，李无未先生主張斷句
　　為「凡諸侯之邦，交歲相問也」，將「交」字屬下讀（〈《周禮》「諸侯之邦交」之斷句正
　　誤〉，《文獻》1998 年 4 期，頁 253-256。）今從其斷句。

是天子和諸侯間的聘問之禮。

　　聘禮的作用由除了固定地聯絡兩國交誼外，結信與謀事也是很重要的功能。《儀禮‧聘禮》「若有言，則以束帛如享禮。」指的是在聘禮時，若有特別的告請，可以在夫人聘享禮儀後，再以束帛加書致命於主君。查《左傳》中所載聘禮，有不少為「結盟」、「尋盟」、「軍事」、「謀事」而聘，或因聘而告請他事。例如隱公七年「齊侯使夷仲年來聘，結艾之盟也。」成公三年「冬，十一月，晉侯使荀庚來聘，且尋盟。衛侯使孫良夫來聘，且尋盟。」成公十一年「郤犨來聘，且涖盟。」是結盟、尋盟而聘；有軍事目的，如文公十二年「秦伯使西乞術來聘，且言將伐晉。」成公二年「及共王即位，將為陽橋之役，使屈巫聘于齊，且告師期。」成公八年「晉士燮來聘，言伐郯也，以其事吳故。」；謀事的如僖公十三年「春，齊侯使仲孫湫聘于周，且言王子帶。」王子帶奔齊，齊使仲孫湫至周行聘禮時，請周天子召回王子帶，又如宣公十一年「公孫歸父以襄仲之立公也，有寵，欲去三桓，以張公室。與公謀而聘于晉，欲以晉人去之。」謀事也包含「歸田」、「召聘」、「通路」，如襄公三十一年「吳子使屈狐庸聘于晉，通路也。」聘禮的功能很廣，可以稱得上是高級貴族的見面禮，藉由這樣的見面，商議事項，因此聘禮之用，可謂大矣。

　　在禮學的研究上，「聘」和「問」❹是有差別的，常用的說法是「問是小聘」。這主要是依使者（正使）的身分區分，鄭玄《三禮目錄》：「大問曰聘。諸侯相於久無事，使卿相問之禮，小聘使大夫。」此處的「小聘使大夫」是相對於《儀禮‧聘禮》以「卿」為正使而說的。聘和問在差異上，「聘」是三年施行、正使為卿、七介或五介❺；「問」是比年行之、正使為大夫、三介、不享、獻不及夫人、不筵几、不用醴、私覿不升堂、不郊勞。「聘」、「問」二字雖然嚴格來說，是可以區分的，但在古人的用法上，常混稱、通用。二者對文則別，散文則通。

---

❹　此處所提及之「問」是《儀禮‧聘禮》「小聘曰問」及鄭玄《三禮目錄》「大問曰聘」的「問」。問又有一義：《周禮‧春官‧大宗伯》「時聘曰問」，所指為天子有事，諸侯使臣來聘，因無常期，故稱「時聘」，又稱為「問」。「小聘曰問」與「時聘曰問」的「問」不同。

❺　《禮記‧聘義》：「聘禮：上公七介，侯伯五介，子男三介」。

㈡ 聘禮的儀節與判斷指標

　　呂大臨將聘禮區分為三類，關於天子遣使至諸侯、諸侯遣使至天子兩類因傳世文獻未有詳細的記錄，因此其儀節無可說；至於「諸侯和諸侯間」的聘禮因保留於《儀禮・聘禮》故其儀節可援引以說之，可將主要的儀節歸類如下❻：

1. 出使前諸儀：包含「圖事命使介」、「授幣」、「告禰」、「受命遂行」。
2. 途中諸儀：包含「過他邦假道」、「習儀」。
3. 至受聘國聘享前諸儀：包含「及竟」、「入竟展幣」、「郊勞」、「致館展幣」、「設飧」、「至朝及廟門」。
4. 聘享諸儀：包含「聘」、「享」、「聘享夫人」。
5. 禮賓勞賓諸儀：包含「禮賓」、「私覿」、「公送賓問勞」、「卿勞賓」。
6. 歸饗諸儀：「歸饗餼於賓介」、「賓介問卿大夫」、「夫人歸禮於賓介」、「大夫餼賓介」、「饗食賓介」。
7. 反行前諸儀：包含「還玉報享」、「賓將行君館賓」、「賓行主國贈送」。
8. 反至國諸儀：包含「使者反命」、「使還奠告」。

這些是常禮的狀態，至於權變在《儀禮》〈聘禮〉中也有清楚的說明。

　　由傳世文獻歸納，用於聘禮的名物應有下列幾類：

聘幣：圭、璧、璋、琮、皮、束帛……等

饗餼：禾、米、黍、稷、粱、（大）牢、薪芻……等

禮器：鼎、鉶、簋、簠、竹簠方、筥、籩、豆、觶、壺、瓦大……等

贄侑：鴈禽、（羔）、束紡……等

以上四類，聘幣和饗餼兩類是聘禮有關文獻中常為論述的部分，如《禮記・聘義》載：

> 以圭璋聘，重禮也。已聘而還圭璋，此輕財而重禮之義也。諸侯相屬以輕財重禮，則民作讓矣。
>
> 主國待客，出入三積。餼客於舍，五牢之具陳於內。米三十車，禾三十車，

---

❻　鄭憲仁：〈聘禮儀節探討〉，《南臺科技大學學報》第 31 期（2006 年 12 月），頁 69－83。

芻薪倍禾，皆陳於外……賜無數，所以厚重禮也。

討論到此，可以提出判斷聘禮銘文的三指標：

主要指標：「必須有使者出使到周中央或諸侯國」，非遣使者，則不稱為聘。凡使者出使到周中央或其他諸侯，則合乎聘禮的基本條件。

輔助指標一：「其內容應有結好、謀事、問候的意涵」，其所用動詞未必為聘、問，聘禮的功用以《左傳》為例，有邦交互訪（初聘、報聘、通嗣君、召聘、拜朝）、結盟（含尋盟、蒞盟）、軍事征討、修好（修平）、夫人寧、通路、問疾、致田、勘界……等等。

輔助指標二：「提及名物可和聘禮相聯繫」，重要的為圭、璧、璋、琮等玉器，《左傳》昭公四年記載薳啟強論及聘禮，云「朝聘有珪，享頫有璋」。足見圭璋在聘禮中的重要。其他各類也值得留意。

三指標可助於判斷一項傳世文獻或出土文獻之性質是否與聘禮有關。

㈢ 聘禮相關銘文的初步清理

這部分所列的銘文，並非本文已認為為聘禮銘文，我們在此是先將可能的銘文分組，以為下一章節的探討。

檢尋已公佈的銅器銘文資料，由銘文內容可直接判斷與聘禮有關的為西周中期的〈九年衛鼎〉2831 ❼、〈匍盉〉*62 ❽、齊威王的〈陳侯因齊敦〉4649、秦孝公時的〈商鞅量〉10372 ❾，凡四器，只有〈商鞅量〉銘文直接使用「聘」字，而〈陳侯因齊敦〉銘文「淖（朝）聞（問）諸疾（侯）」則用了「問」字。

由釋讀銘文，依其可能與聘禮有關的動詞，又可分成幾組：

---

❼ 數字為中國社會科學院考古研究所：《殷周金文集成》（北京：中華書局，1984－1994 年）之編號。

❽ 凡器銘加「*」者，為《殷周金文集成》編輯後公佈之銘文，乃依據鐘柏生、陳昭容、黃銘崇、袁國華四位先生所編之《新收殷周青銅器銘文暨器影彙編》（臺北：藝文印書館，2006年）器號，故加「*」以區別之。

❾ 此器左壁銘文載秦孝公十八年（西元前 344）齊使來聘之事，器底銘文為後刻。

　　⑴「逌」字組：殷代銅器〈戍甬鼎〉2694 一例一件。❿

　　⑵「安」字組：西周昭王時代器〈作冊睘卣〉5407 與〈作冊睘尊〉5989（此二器下文稱為「作冊睘諸器」）❶、西周中期的〈公貿鼎〉2719，凡二例三件。

　　⑶「寧」字組：西周早期器〈盂爵〉9104，一例一件。

　　⑷「殷」字組：殷、𣪵為一字之異體，銘文或於字加「宀」者，如「親」與「寴」，其用法無別，凡此類，皆可視作一字之異體，故殷與𣪵合為一組。此組包括西周早期的〈士上卣〉5421－5422、〈士上尊〉5999、〈士上盉〉9454（以上四件器下文稱為「士上諸器」）、〈保卣〉5415－5416、〈保尊〉5003（以上三件器下文稱為「保諸器」）、〈作冊䰧卣〉5400、〈作冊䰧父乙尊〉5991（以上二器下文稱為「作冊䰧諸器」）、〈小臣傳設〉4206；西周中期的〈豐作父辛卣〉5403、〈豐作父辛尊〉5996（以上二器下文稱為「豐諸器」）；西周晚期的〈士百父盨〉❷、〈駒父盨蓋〉4464。凡七例十四件。

　　⑸「省」字組：此組包含西周早期的〈臣卿鼎〉2595、〈臣卿設〉3948（以上二器下文稱為「臣卿諸器」）、〈中甗〉949、〈中方鼎〉2751－2752 ❸、〈靜方鼎〉*1795、〈小臣夌鼎〉2775；西周中期的〈䕫鼎〉2721 ❹；西周晚期的〈史頌

---

❿　凡銘文相同的組器，稱「同銘器」，因銘文內容相同，故視為同例，以一例計算；件數為實際器數，同銘者分開計算。如士上所作之器有「卣」二件、「尊」一件、「盉」一件，凡四件銅器，而銘文相同（同銘器），本文皆視為一例四件。

❶　〈作冊睘卣〉、〈作冊睘尊〉銘文稍有出入，尊銘少「隹十又九年，王」六字，卣銘作「王姜令作冊睘」尊銘作「君令余作冊睘」，卣銘作「賞睘貝、布」尊銘作「賞用貝、布」，卣銘作「文考癸寶傳器」尊銘作「朕文考日癸䵼寶」，尊銘有族徽而卣銘無之。卣與尊之銘文出入如上述，然依西周器物學慣例：西周早期至中期「尊卣」成組而銘文亦多相同。作冊睘之尊與卣銘文雖有小異，然內容一致，故仍視為一例銘文兩件器。

❷　此器由張光裕先生首次公佈，參見張光裕：〈西周士百父盨銘所見史事試釋〉，《古文字與古代史》第一輯（陳昭容主編，臺北市：中央研究院歷史語言研究所出版品編輯委員會，2007 年 9 月），頁 213－221。

❸　〈中甗〉和兩件〈中方鼎〉為同一人所鑄，其事有所關聯，但甗和鼎不是同銘之器，故視為二例三器。

❹　䕫所鑄器尚有〈遇甗〉，䕫和遇，字形雖有異，但都从禹，且銘文與師雄父有關，應為一人，本文依「銘文與聘禮有關的動詞」為分類，故〈遇甗〉分在不同組，參「事字組」。

鼎〉2787－2788、〈史頌設〉4229－4236（以上十件器下文稱為「史頌諸器」）。
凡七例十八件。

（6）「事」字組：金文「事」、「史」、「吏」、「使」為一字之分化，在銘文
釋讀時，必須依文例判定應讀為何字，而銘文中有「事」、「吏」諸字者甚多，為
能準確討論，本文將銘文一一檢視，字作「派使」、「遣使」之意者，擇出為一
組。此組包含西周早期的〈述父乙設〉3862、〈小臣宅設〉4201；西周中期的〈生
史設〉4100－4101、〈遇甗〉948、〈小臣鼎〉2678、〈小臣守設〉4179－4181、
〈仲幾父設〉3954，凡七例十件。

　　上揭六組涉及的銅器是二十五例四十七件，加上銘文內容直接可判斷的四器，
便是二十九例五十一件，也就是說有二十九篇不同的銘文是和聘禮可能有關。另外
銘文中有「出入使人」的字句，也有學者認為與聘禮有關，本文稱為「出入使人
組」，亦在下個章節探討。

三、銅器銘文中的聘禮探討

　　上一章節已初步清理銅器銘文，依其內容可能與聘禮有關的動詞分組，接著，
便是加以論證探究。

㈠ 由內容可直接判斷與聘禮有關的銘文四例

1.〈九年衛鼎〉

　　〈九年衛鼎〉2831 為 1975 年陝西岐山縣董家村窖藏出土，時代為西周恭王
世，本器銘文提到眉敖遣使者見周王：

> 隹九年正月既死霸庚辰，
> 王才（在）周駒宮，各（格）廟。眉敖者
> 膚卓吏（使）見于王，……

因為銘文後面的內容和聘禮無關，故不徵引。眉敖亦見於〈乖伯設〉4331「王命益
公征眉敖」、「眉敖至見，獻賓」，設銘提到周王命益公征討眉敖，眉敖臣服來朝
覲周王，眉敖可能是外族，依周制，其身分為諸侯。鼎銘敖眉遣使見王，合乎聘禮
——「諸侯遣使聘王」一類。若眉敖親自見王，屬「朝覲」，〈乖伯設〉的眉敖至

見，便是覲禮，而〈九年衛鼎〉的眉敖者膚卓使見于王，事屬聘禮。

2.〈匍盉〉

西周中期的〈匍盉〉*62 為 1988 年於河南平頂山滍陽嶺應國墓地 M50 出土，銘文五行四十四字，是西周諸侯間聘禮的重要文獻：

> 隹（唯）四月既生霸戊申，匍
> 即于氐（軝），青公史（使）嗣史∫Ｃ
> 曾（贈）匍于束：麀夆、韋兩、赤
> 金一勻（鈞），匍敢對覹（揚）公休，
> 用乍（作）寶障彝，其永用。

應國的使者匍出使至軝，青公派使者嗣史∫Ｃ饋贈匍，匍達成聘禮任務，回應國便鑄此器以為紀念。

3.〈陳侯因咨敦〉

〈陳侯因咨敦〉4649 為戰國齊威王之器，銘文「墜侯因咨」即文獻所載田齊之齊威王「因齊」，銅器命名習慣依銘文所稱，故不稱齊侯因咨敦。銘文提到「朝問諸侯」：

> 隹正六月癸未，墜（陳）厌（侯）因咨（齊）
> 曰：「皇考孝武趄（桓）公，龏（恭）戠（哉）大
> 慕（謨），克成其〔功〕，惟因咨（齊）覹（揚）皇考，
> 卲（紹）練（繼）高且（祖）皇啻（帝），伕（邇）嗣（嗣）趄（桓）
> 文，
> 淖（朝）聞（問）者（諸）厌（侯），合覹（揚）氒惪（德）。……

問字作，此字為聞本字，假借為聘問之問，「朝問諸侯」猶「朝聘諸侯」為聘禮之事。

4.〈商鞅量〉（〈商鞅方升〉）

〈商鞅量〉10372 右壁銘文云：

十八年齊☐❶⑤卿大夫眾來聘。

冬十二月乙酉，大良造鞅。……

《史記‧秦本紀》載孝公「十年，衛鞅為大良造」，故知此十八年齊使來聘秦之事，為西元前 344 年。云齊使來聘，明確為諸侯間聘禮之事。

㈡　「迨」字組

迨字从辵合聲，合為聲符兼義。殷商銘文〈戌𤔲鼎〉2694 載殷王派遣宜子與西方諸侯會面，戌𤔲因有功得到賞賜，鑄父乙的祭祀用鼎，其銘文云：

亞🔲　丁卯，王令宜子迨西

方于省。隹反（返），王賚（賞）

戌𤔲貝二朋，用乍（作）父乙齍。

《說文解字》以佮為會字古文，而迨與佮實為一字，古文字中从彳與从辵可通（辵乃由彳與止合成），字从合得聲，聲符表義，合與會的字義可通，故宜子去會見西方諸侯之意甚為明確。

銘文迨字除〈戌𤔲鼎〉外尚有〈保卣〉5415（〈保尊 6003〉同銘）與〈麥方尊〉6015，其文例如下：

◎〈保卣〉5415：乙卯，王令保及殷東或（國）五医（侯），征𩁹六品，蔑曆𢼸保，易（賜）賓，用乍（作）文父癸宗寶障彝。遘𢼸三（四）方迨王大祀祓于周，才（在）二月既望。

◎〈麥方尊〉6015：王令辟井医（侯）出🔲医（侯）𢼸井，雩若二月，医

---

❶⑤ 此字左邊从辵，另半邊殘泐，器藏上海博物館，由目前最新的拓片亦未能看清楚（陳佩芬：《夏商周青銅器研究》，上海：上海古籍出版社，2004 年 12 月，東周下，頁 472。）此字由上海博物館馬承源先生等人所撰寫之《商周青銅器銘文選》（北京：文物出版社，1990 年 4 月，卷四，頁 612）則釋為「達」，就殘泐筆畫與上下文來看，可能性不高。中國社會科學院考古研究所：《殷周金文集成釋文》（香港：香港中文大學中國文化研究所，2001 年 10 月，頁 204）則隸定作「師」，與从辵字形不合，張亞初先生《殷周金文集成引得》（北京：中華書局，2001 年 7 月，頁 160）隸定作「遣」，與此字右邊殘泐筆畫亦不能合。

（侯）見**㡀**宗周，亡**尤**（尤），迨王**饗䜩**京**彭**祀。

這兩例銘文的「迨」字是周王與諸侯會面，《金文形義通解》釋迨為「朝見天子」並云：

> 此乃會合一義之特指義，臣與君會合也。此義于春秋後或用「覯」字，典籍作「會」。〈戍甬鼎〉：「丁卯。王令宜子迨（會）西方……」〈保卣〉：「遘（遘）于三（四）方迨（會）王大祀，祓㡀（于）周。」孫稚雛〈匯釋〉：「是說恰逢四方會王大祀祐于周之年。」〈麥尊〉：「雩（粵）若二月，戻見㡀（于）宗周，亡述（尤）。迨（會），王客（格）……」「迨（會）」指邢侯覲見周王。**⓰**

由〈保卣〉與〈麥方尊〉二銘文，可以釋「迨」為「朝見天子」（即覲禮），不過〈戍甬鼎〉的迨，所指是殷王使者宜子與諸侯見面，由這樣的現象，應可推論殷周於禮制用字，或未如傳世禮書之精確，迨字實指會面、會合，若依禮書的分類，戍甬可能是代殷王去見西方諸侯，性質近於「殷國」之禮（巡狩禮的一類）。

㈢ 「安」字組

「安」字組包含三件銅器：〈作冊睘卣〉5407、〈尊〉5989 與〈公貿鼎〉2719，因為銘文都以動詞「安」來表現使者出使的目的，因此合為一組探討。

1. 作冊睘諸器

作冊睘諸器的時代為西周早期，卣銘與尊銘字數與用詞稍有出入，然記載同一事，周王后——王姜派遣作冊睘到夷國：

卣 5407：

隹十又九年，王才（在）序，王

姜令乍（作）冊睘安尸（夷）=白（伯）=，

⓰ 張世超等：《金文形義通解》（日本京都：中文出版社，1996 年），卷 2 字碼 0237，頁 297 －298。

（尸白）賓睘貝、布，覜（揚）王姜休，用

乍（作）文考癸寶隣器。

尊 5989：

才（在）庤，君令余乍（作）冊

睘安尸＝（夷）白＝（伯），（尸白）賓用貝、

布，用乍（作）朕文考

日癸肈（旅）寶。　　人

銘文的關鍵在「安夷伯」，關於安的訓釋，楊樹達先生以為與「寧」同意，並由《詩經》〈葛覃〉「歸寧父母」談及后妃夫人古禮：

> 按安今言問安，寧與安同義，故經傳皆言寧。《詩》〈周南・葛覃〉云：「歸寧父母。」《毛傳》云：「寧，安也，父母在則有時歸寧耳。」《孔疏》云：「此謂諸侯夫人及王后之法。《春秋》莊二十七年，杞伯姬來。《左傳》曰：凡諸侯之女，歸寧曰來，是父母在得歸寧也。〈泉水〉有義不得往，〈載馳〉許人不嘉，皆為此也。」樹達案：彝銘記王姜令作冊睘安夷伯，據古禮言之，知王姜之父母既沒，故使睘往寧，與《左傳》襄公十二年楚司馬子庚為夫人秦嬴寧秦為一例，然則夷伯當為王姜兄弟或兄子之類，孫仲容謂為王姜之母黨是也。❼

《商周青銅器銘文選》同此說。❽依周代婦人名稱的慣例，王姜的父家姓姜，因此學者又將姜姓與夷伯聯結。❾另外，日本學者白川靜先生說：

---

❼ 楊樹達：《積微居金文說》（北京：中華書局，1997 年），頁 164。作者自署 1949 年寫。

❽ 馬承源主編：《商周青銅器銘文選》（北京：文物出版社，1988 年），卷 3，頁 65。

❾ 學者對於此銘之夷伯，多用陳夢家說，陳夢家云：「王姜令作冊所安之夷伯乃是姜姓之夷國。《左傳》桓十六『衛宣公烝於夷姜』，又取公子之娶於齊女者為『宣姜』。此夷姜是夷國之女：《左傳》隱元：『紀人伐夷』，杜注云：『夷國在城陽莊武縣』，今濮陽。此器夷伯之夷作尸，即此國。」（《西周銅器斷代》，北京：中華書局，2004 年，上冊，頁 62。）

我推考王姜是河南姜姓國出生的人，隨從今次王出行，是在靠近本籍貫的地方協助王，為撫恤諸侯而努力。❷

作冊諸官掌管祭事等為主，由此關係，自然也有被君婦命令的情況，特別在本器，正如其所指出的，王姜是在出生的地域實施撫恤政策，可視為份外的策略性行為。❷

白川靜先生以王姜「撫恤」本籍貫的諸侯夷伯，這個意義，是具有聘禮作用的。

　　楊樹達先生的歸寧說，與白川靜先生的撫恤說，並不衝突，西周時期，南方諸侯叛服不定，王姜遣使至本籍之夷伯，於禮固有歸寧之意，亦有安好南方諸侯的作用，《周禮‧秋官‧大行人》：「王之所以撫邦國諸侯者」，鄭玄注「撫，猶安也。」〈公貿鼎〉亦云「安夐伯」，〈盂爵〉云「寧鄧伯」，安和寧是「安撫」或「安好」的意思。王姜為周王后妃，於西周早期後段銘文中常見記載，甚具雄才，是一位對當時政治很有影響力的女性。王姜遣使者作冊睘安夷伯，合於遣使至諸侯國行聘禮的性質❷，聘禮本有「繼好、結信、謀事、補闕」，安撫亦有繼好、結信等作用，因此作冊睘諸器應視為聘禮銘文。

2.〈公貿鼎〉

　　〈公貿鼎〉2719 的時代為西周中期前段，內容為叔氏派遣貿出使夐國：

　　隹十又二月初吉

---

❷ 白川靜通釋、曹兆蘭選譯：《金文通釋選譯》（武昌：武漢大學出版社，2000 年），頁 29。引文中的「隨王出行」有必要說明，過去學者以為庱是河南地名，但依據盧連成先生〈庱地與昭王十九年南征〉（《考古與文物》1984:4，頁 76-77。）一文的研究，庱在陝西。故出行的看法是應修正的，但王在庱並不影響王姜本籍是否為河南的推測。

❷ 同前註，頁 30。

❷ 依三禮與後世禮學的標準，后妃聘諸侯僭禮，然西周早期的周王后妃王姜遣師賜「田」〈旟鼎〉2704、中期的王俎姜遣內史賞賜貴族「玄衣朱襮衿」〈威方鼎〉2789 等，都是當時認可的事，尤其「玄衣」為朝服，具有身分的象徵意義，為周王於冊命禮對諸侯大夫之賜服。因此，於後世禮學觀點為僭越的行為，在當時可能不是這樣看待的。賜服是一例，遣使安夷伯也是一例。

　　　　　王午，叔氏事（使）

　　　　　貧安晨白（伯），賓

　　　　　貧馬轡乘，

　　　　　公貿用牧休

　　　　　鑫，用乍（作）寶彝。

貧出使完成任務，得到賞賜，銘文「賓」字為習見的賞賜動詞，如〈兩殷〉4195「王命兩罘弔（叔）緑父歸吳姬飴器，自（師）黃賓兩章（璋）一、馬兩，吳姬賓帛束，兩對飄天子休」。〈公貿鼎〉銘文中提到的人物有「叔氏」、「晨白」、「貧」與「公貿」，關於使者貧受賞賜，而作器人為「公貿」，楊樹達先生有很好的解釋：

　　　　按貧為人名，其字从貝从父，《說文》未見。以字形言之，疑是泉布之布本字也。泉布字經傳通作布，乃假布帛之布為之，此字从貝，乃與泉布之義相合。銘文云：「公貿用△休鑫，」知其人字公貿，蓋泉布為貿易所需，故名字義互相應合如此。㉓

楊說以為一名一字，有助於通解銘文，銘文中清楚的說明叔氏派使者貧去安撫晨伯，叔氏與晨伯皆為諸侯，貧為使者，他出使的目的是「安好」，也就有「結好、繼好、補闕」的作用，可以斷定為諸侯遣使行聘禮。

　　　此處討論了兩例以安為聘禮動詞的銘文，第一例的性質是天子后妃遣使聘諸侯，第二例為諸侯遣使行聘禮。

（四）「寧」字組

　　　「寧」字組僅一件，即日本小川睦之輔所藏〈盂爵〉9104，為西周早期器，銘文提到盂受王命到畀（鄧）國：

　　　　　隹王初奉于

_____

㉓　同註⑰，頁88。作者自署1946年寫。

　　成周，王令盂

　　寧異（鄧）白（伯），賓

　　貝，用乍（作）父寶尊

　　彝。

銘文的動詞「寧」與作冊睘諸器、〈公貿鼎〉的動詞「安」是同樣的用法，陳夢家先生已指出「『寧登白』猶睘尊『安夷伯』。」❷《銘文選》釋曰：

> 寧：安。《尚書·洛誥》：「伻來毖殷，乃命寧。」孔安國《傳》：「文武使已來慎教殷民，乃見命而安之。」又《儀禮·覲禮》：「歸寧乃邦」，鄭玄《注》：「寧，安也。」此當作安撫解。❷

銘文首句依銘文之例，或為「以事紀年」，故不必以為事在成周發生，周王遣盂出使鄧國，為王遣使聘諸侯之禮，故可歸為聘禮銘文。

㈤ 「殷」字組

　　「殷」字作動詞使用，亦與聘禮有關，本文將應討論的銘文篩選出七例十四件，於此討論。

1. 士上諸器

　　士上諸器傳 1929 年於河南省洛陽邙山馬坡出土，為西周早期昭王時代器，包含〈士上卣〉5421－5422 二件、〈士上尊〉5999 一件、〈士上盉〉9454 一件，四器同銘，依卣銘隸定其文如下：

> 隹王大侖（禴）于宗
>
> 周，徙饗蓁京年，
>
> 才（在）五月既望（望）辛
>
> 酉。王令士上眔史

---

❷　同註⓭，頁 63。

❷　同註⓱，頁 44。

寅寏于成周，替❷⁶

百生（姓）豚，罙寶（賞）卣、鬯、

貝，用乍（作）父癸寶

障彝。　　臣辰冊光

銘文提及周王派遣士上和史寅為使，寏（殷）成周百姓，百姓的身分為各族各姓族長，具有貴族的身分。而寏的訓釋是決定此銘文是否屬於聘禮的關鍵，陳夢家先生以「寏于成周」為「異姓侯民的集會受命」，並認為「殷見之事皆行于成周」❷⁷，是以寏為殷見，郭沫若先生也認為寏字「用為殷同或殷覜之繇文」❷⁸。由銘文來看，周王派士上和史寅殷見成周百姓，可知殷見或殷同之禮，不必周王親臨，可以遣使代之。

2. 保諸器

保諸器的時代為西周早期，包含〈保卣〉5415－5416　二件、〈保尊〉6003　一件，三器同銘，依卣銘隸定其文如下：

乙卯，王令保及

殷東國五厌（侯），征

掀六品，蔑曆珝

保，易（賜）賓，用乍（作）文

父癸宗寶障彝，遘

珝三（四）方，迨王大祀衭

珝周，才（在）二月既望（望）。

「及殷東國五侯」　語是討論的重心，學者或以為此與殷人反抗、周公東征有關，《說文解字》云：「及，逮也，从又从人」，以逮捕為及字本義，郭沫若先生以

---

❷⁶ 此字，《商周青銅器銘文選》云：「辭書未見，或釋豐、禮。從辭義看，應包涵有賞賜的意思。」（卷3，頁82）

❷⁷ 同註❶⁹，頁42。

❷⁸ 郭沫若：《兩周金文辭大系圖錄考釋》（上海：上海書店，1999年7月），下冊，頁32。

為：

> 「及」同逮，即逮捕之意。此為本義，後假為暨與之及，而本義遂失。㉙

《商周青銅器銘文選》承之云：

> 王令保及殷東或（國）五侯：王命太保逮捕殷之東國五侯。或說，此句應讀
> 為王令保及殷，東國五侯，征兄（兄）六品。
> 及，《說文・又部》：「及，逮也，从又从人」，本義為逮捕。
> 殷，指武庚祿父。㉚

此銘的「殷」字，另一說為「殷見」之禮，蔣大沂云：

> 為什麼說這「殷」是大合內外臣工而會見之的典禮，而不說它是「殷商」的
> 「殷」呢？這是由於銘文後面記時的語句中，有「四方會王大祀」的話。
> 「四方會王大祀」正就是「大合內外臣工而會見之」，但這也正就是「殷」
> ……會合者「眾」則會合的規模也「大」，所以《廣雅・釋詁》又說「殷，
> 大也」；此言「大祀」，則又因大會合內外臣工必舉行大祭祀之故。㉛

蔣說將殷釋為「大合內外臣工而會見之的典禮」作動詞「及」的「賓語」。對於
「及」，蔣先生認為「有與聞、參預的意義」：

> 《說文・彳部》「彶，急行也」，要想伸手把前面的人逮捕住，必須急行趕

㉙　郭沫若：〈保卣銘釋文〉，《考古學報》1958 年 1 期，頁 1。

㉚　同註⑱，頁 22。

㉛　蔣大沂：〈保卣銘考釋〉，《中華文史論叢》，5（1964 年），頁 96。李學勤先生亦同意此
　　說（李學勤：《青銅器與古代史》，臺北：聯經出版事業股份有限公司，2005 年 5 月，頁
　　169－171）。

上前去，所以急行實在也正該是這「及」字另一方面的意思。會合了兩方面
的訓詁，則「及」字引申的第二義應該是趕及前人。由趕及前人之義再引申
出來，又可以作趕上時期解。……而這裏的「及殷」，也就是說從速趕上大
合內外臣工的日期。能夠趕上這件事，就是能夠與聞這件事，參預這件事。㉜

「及」字的訓解影響此銘「殷」字的說法，目前可見「及」有兩種解釋：

　　第一說是依《說文解字》將及釋為「逮也」，那麼「殷」則釋為「殷商」或
「殷族」。於是將「及殷東國五侯」解釋為「逮捕殷之東國五侯」，如此說法，則
下文的「祉䏌六品」就不好理解了，不可能既逮捕又䏌賜之，再者，銘文中的及字
用法，未見做逮捕用的，因此，釋「及」為「逮捕」之說較不好。

　　第二說是將「及」解釋為「參與」的意思，那麼「及殷東國五侯」可以解為
「參與殷見東國五侯之禮」，殷作「殷見」或「殷同」解釋。此說較佳。

　　「遷㽸三（四）方，迨王大祀祓㽸周，才（在）二月既朢（望）」和士上諸器
的「隹王大龠（禴）于宗周，徟饔莑京年」、作冊䰩諸器的「隹明保殷成周年」都
近似以事紀年的性質，蔣大沂先生將殷和「遷㽸三（四）方，迨工大祀祓㽸周」等
同，似可再商。本文認為此銘之保因王令而參與殷見東國五侯的典禮，並且完成了
王賜諸侯六品的使命，此行亦當在安撫東國五侯，並宣揚王命。

3.作冊䰩諸器

　　作冊䰩諸器包含〈作冊䰩卣〉5400 與〈作冊䰩父乙尊〉5991，皆為西周早期
器，卣尊同銘，茲依卣銘隸定如下：

　　隹明保殷

　　成周年，公易（賜）

　　乍（作）冊䰩鬯、貝，䰩

　　揚公休，用乍（作）父乙

　　寶障彝。　青冊

對於本器「殷」字，《商周青銅器銘文選》釋為「殷見」，云：

> 經籍中「殷見」是諸侯會同朝王，即所謂「六服盡朝。」殷，傳統解釋為大
> 或盛的意思。但金文辭意中的殷多作動詞。小臣傳篡「令師田父殷成周」，
> 士上盉「王令士上眔史寅殷於成周」，殷殷通用，皆是動詞。據辭義，殷或
> 殷是朝覲于成周的意思，不僅是諸侯王臣之朝可稱殷，而且王遣使于諸侯亦
> 可稱殷。豐尊銘：「王在成周，令豐殷大矩，大矩錫豐金。」表明豐是王使
> 而受大矩錫賓之禮，故金文中之殷並無上下尊卑的區別。字當讀為覲，覲與
> 殷同部，殷影紐，覲群紐，此兩紐在同部條件下通轉之例甚多。如佳、街見
> 紐，娃、洼影紐。奇、掎、敧見紐，猗、椅、欹影紐。殷之與覲，是在同部條
> 件下的音變之假借字。覲為見義，殷在此也用為見義。後來殷訓覲見之義泯
> 沒，因而又別造與殷同音之字，而皆為見視義。《玉篇・見部》：覸，「視
> 貌」。覸與殷為雙聲疊韻字。覸、映，《集韻》皆云視貌，視見同義。❸❸

《銘文選》以殷當讀為覲，可備一說，但覲禮銘文作「堇」，亦或用「見」字，而
覲與殷二字仍有別。❸❹

4.〈小臣傳毀〉

西周早期的〈小臣傳毀〉4206記載周王派遣師田父到成周與諸侯殷見：

> 隹五月既朢（望）甲子，王〔才（在）蒡〕
> 京，令師田父殷成周〔年〕，
> 師田父令小臣傳非余，傳……

年字殘泐，只存上筆，諸家皆補「年」字，可從。

---

❸❸ 同註❶❽，頁80。

❸❹ 劉雨先生指出「西周金文中，諸侯邦君朝見周王稱『覲』（寫作『堇』）或『見』」（劉
雨：〈西周金文中的「周禮」〉，《燕京學報》，新 3（北京市：北京大學出版社，1998
年，頁24（總78））、「西周早期金文記諸侯見周王又可稱『見事』」、「某貴族朝見高一
級貴族也可稱『見』」（頁24（總79））。本文認為除了用堇和見二字外，亦可用「殷」。

5. 豐諸器

豐諸器為微史家族器群之一，1976 年於陝西省扶風縣莊白一號窖藏出土，豐諸器包含〈豐作父辛卣〉5403 與〈豐作父辛尊〉5996，為穆王時代器，亦為卣尊同銘，依卣銘隸定其文如下：

> 隹六月既生
> 霸乙卯，王才（在）
> 成周令豐殷
> 大=矩=，（大矩）易（賜）豐金、
> 貝，用乍（作）父辛
> 寶隩彝。　　木羊冊

王派使者豐殷大矩，殷亦用於上對下的關係，王派使者與諸侯會見。器主豐為王使出使到大矩處，屬王遣使聘諸侯之禮。

6.〈士百父盨〉

此器依張光裕先生的研究定其年代為宣王器㉟，張先生指出與「殷見」、「殷同」之禮有關，本器銘文隸定如下：

> 唯王廿又三年八月，
> 王命士百父殷南邦
> 君者（諸）医（侯），乃易（賜）馬，王命
> 夻曰：「達道于小南。」唯
> 五月初吉，還至于成
> 周，乍（作）旅須（盨），用莝（對）王休。

此銘「王命士百父殷南邦君諸侯」是討論的關鍵句子，殷字顯明為動詞，因諸侯會見不在王都，故宜將殷字釋為「殷國」而非「殷見」。

7.〈駒父盨蓋〉

㉟　張光裕：〈西周士百父盨銘所見史事試釋〉，頁 213−221。

〈駒父盨蓋〉4464 於 1974 年陝西省武功縣回龍村出土，為西周晚期器，其銘文如下：

> 唯王十又八年正月，南
> 中（仲）邦父命駒父毀（殷）南者（諸）
> 医（侯），率高父見南淮尸（夷），乎（厥）
> 取乎（厥）服，菫（謹）尸（夷）俗，豕（遂）不敢
> 不苟（敬）畏王命逆見我，乎（厥）
> 獻乎（厥）服，我乃至于淮小大
> 邦，亡敢不■具（俱）逆王命。
> 四月還至于蔡，乍（作）旅盨，
> 駒其臺（萬）年永用多休。

銘文第二行第七字，依字形看是毀字，應為殷字之訛，這一點張光裕先生已指出。[36]

　　細分之，此七例中為王遣使者「殷」諸侯的有五例：士上諸器、保諸器、〈小臣傳毀〉、豐諸器、〈士百父盨〉，特別的是保諸器，由銘文可以肯定保受王命參與殷東國，但保不是主持殷東國之禮的使者，何人是主要的使者並未交待。其他二例中作冊翻諸器則提到明保殷成周，〈駒父盨〉為公卿遣使者殷南國。故七例中以王命使者殷諸侯比例最高，就地點而言，大多在成周，這很可能與文獻記載諸侯固定的年數要至周中央述職有關，若周王於成周，則諸侯覲王，若周王不克親臨，則命使者與諸侯殷見，雖亦遣使，但仍屬於覲禮的範疇。

　　「殷見」或「殷同」於禮書系統中，指王大會諸侯，地點或在王城，其在外地者（如某一諸侯國，稱為「殷國」），然由銘文「殷」的使用來看，王遣使亦得稱為「殷」。殷字的本義，學界多從于省吾先生的考釋：

> 古文殷字象人內腑有疾病，用按摩器以治之。商器〈光簋〉有■字（隸定作■），象病人臥于牀上，用手以按摩其腹部。又商器〈父癸卣〉有■字

---

[36] 同前註，頁 216。

（也見觚文和觶文，隸定作癥），象宅內病人臥于牀上，用按摩器以按摩其腹部，而下又以火暖之之形。癥乃殷字的繁構。魏三體石經《書·多士》的古文殷作𣪊，隸定作癥，是癥與殷古通用。……商人患病除乞佑于鬼神外也用按摩療法。㊲

殷為按摩治病之形構，引伸有安撫之義，觀銘文以「安」、「寧」為聘禮動詞，則以「殷」為聘禮動詞，也是同理可喻的。

另外，劉雨先生認為：

> 西周早期，周王凡有重大政令頒布或重要任命宣佈，往往由宗周派遣特使去成周發佈，金文稱「殷于成周」。㊳
>
> 郭沫若先生認為金文中的「殷」禮與《周禮》中的「殷同」、「殷頫」等相同，各家多從其說。但《周禮》所說的「殷同」、「殷國」等是指周王對諸侯的巡視，這在西周金文中稱「省」，不省「殷」。而且從金文看，殷禮乃王之使臣所為，他們「殷于成周」是代宣王命。……在西周時，王家的主要政治活動仍以豐京、鎬京和莽京等周原老家一帶地點為核心來進行，只是遇有重大政令、任命和重要會見需向全國頒佈時，才派特使去「天下之中」的成周發佈。金文所記殷禮皆行於成周，無一例外，正說明這一點。㊴

其意見是以殷于成周為王遣使於成周宣佈政令。這裏有兩點可以補充：「殷」不是皆行於成周的，〈士百父盨〉與〈駒父盨蓋〉載遣使「殷」南國，此其一也；由銘文內容，未見「殷」之事有宣佈什麼重大的政策，反而以「安撫」的意涵較為濃厚，此其二也。

㊲　于省吾：《甲骨文字釋林》（臺北：大通書局，1981 年 10 月），頁 322−323。

㊳　劉雨：〈西周金文中的「周禮」〉，《燕京學報》，新 3（北京大學出版社，1998 年），頁 28（總 82）。

㊴　同前註，頁 29（總 83）。

　　本文認為，諸侯前來朝見周王固然為覲禮，若王不親見，以使代之，亦屬於覲禮；若王至一侯國而其他諸侯來見，屬於殷國，王亦可遣使代之；若周王遣使至諸侯處，非諸侯本有朝見之意，則為聘禮，因此以上七例中，只有豐諸器合乎聘禮的性質。

㈥　「省」字組

　　《周禮・秋官・大行人》「王之所以撫邦國諸侯者，一歲徧存，三歲徧覜，五歲徧省」、〈秋官・小行人〉「存、覜、省、聘、問，臣之禮也」，賈公彥疏云：「存、覜、省三者，天子使臣撫邦國之禮。聘、問二者，是諸侯使臣行聘時聘殷覜問天子之禮。」故禮學家以「省」屬聘問之禮，銅器銘文中省可能作為聘問動詞的有以下幾例：

　　◎〈臣卿鼎〉2595、〈毁〉3948：公違省自東，才（在）新邑，／臣卿易（賜）金，／用乍（作）父乙寶彝。

　　◎〈中甗〉949：王令中先省南或（國）貫行，埶／应在曾，史兒至，旦（以）王令曰：／「余令女（汝）史（使）小大邦，乎（厥）又舍／女（汝）苑❹量，至玧（于）女（汝）廒小多丮。」／中省自方、奠（鄧），復丮邦在噩（鄂）／自（師）師……

　　◎〈中方鼎〉2751－2752：隹（唯）王令南宮伐反／虎方之年，王令中／先省南或（國）貫行，埶／王应在襄陣真／山……

　　◎〈靜方鼎〉*1795：隹十月甲子，王才（在）宗周，令／師中眔（暨）靜省南或（國）☐／埶应……

　　◎〈小臣夌鼎〉2775：正月王才（在）成周，／王逊于楚麓，令／小臣夌先省楚应，／王至于逊应，無遣（譴）……

　　◎〈黻鼎〉2721：隹十又一月，師／雔父徧（省）道❹至／于馱，黻

<hr>

❹　字舊釋舅，今改釋為苑。劉釗：〈釋金文中从宛的幾個字〉，《古文字考釋叢稿》（長沙：岳麓書社，2005年7月），頁105－116。

❹　對於「道」，郭沫若先生初以為道國，後又改釋為道、導（《兩周金文辭大系圖錄考釋》，下冊，頁60）陳夢家先生依郭先生舊說，其意見為：「今案『省道』猶史頌鼎之『省穌』。

從。……

◎〈史頌鼎〉2787－2788〈毁〉4229－4236：隹三年五月丁巳，王才（在）宗／周，令史頌𦔻（省）櫨（蘇）𧻚友、里君／百生（姓），帥齵𧻚于成周，休又（有）／成史（事）……

上列各例中〈中甗〉與〈中方鼎〉應是同一作器人，所載也是同一事件。明確與省南國、南征有關的為〈中甗〉、〈中方鼎〉、〈靜方鼎〉、〈臤鼎〉四例。這四例皆因軍事目的，遣使省諸侯國，依《左傳》之例，文公十二年「秦伯使西乞術來聘，且言將伐晉。」成公二年「及共王即位，將為陽橋之役，使屈巫聘于齊，且告師期。」襄公八年「晉范宣子來聘，且拜公之辱，告將用師于鄭。」都以聘禮而行軍事目的，為省道、通路的如襄公三十一年「吳子使屈狐庸聘于晉，通路也。」故這四例銘文得為聘禮之屬。又以〈臤鼎〉為例，師雄父將軍隊駐於古師，胡國是南方重要封國，因此師雄父派了使者臤前往胡國聯絡，師雄父的身分為周中央卿大夫，周制中央卿大夫有封邑，亦為封君，胡侯是地方諸侯，雄父遣使到胡國，得以聘禮視之。

史頌諸器云「王令史頌省蘇」，陳夢家先生云：「此銘記王在宗周命史頌東至于成周省視蘇國、存問里君百姓並聚教其黎民，蘇有所賓獻，因以作器。」❷《商周青銅器銘文選》云：「王命令史頌視察蘇國」、「𧻚友邦之里君，百姓得相率來至成周，事情辦得很成功」，❸王之使者省問諸侯國里君百姓，亦所以省問諸侯國，此賈公彥所謂「存、覜、省三者，天子使臣撫邦國之禮」是也，故史頌諸器銘文為聘禮銘文。

臣卿諸器云公遹由東國省視回到新邑（成周），推測可能是奉周王命出使，但

《左傳》僖公五年『於是江、黃、道、柏方睦於齊，皆弦姻也。』《左傳》昭公十一年楚滅蔡後『靈王遷許、胡、沈、道、房、申于荊焉』，杜注『道、房、申皆諸侯』。」（同註❿，頁118）《商周青銅器銘文選》云：「省道，巡視通道。古代戰爭使用戰車，故作戰須察看戰車馳騁的通道。」（卷3，頁131）目前所見說法有此三說，不論道是國名或道路，並不影響討論。

❷　同註❿，頁306。

❸　同註⓲，頁300。

亦不排除其他可能，故僅列為「聘禮參考器」。

〈小臣夌鼎〉是王遣小臣夌省楚応，這個楚或可能為南方的楚地，也可能是某一地名（楚麓），而省楚応應是純粹地省視王的応所，這和〈中甗〉、〈中方鼎〉、〈靜方鼎〉的省南國，性質有別，故不列入聘禮銘文。

㈦ 「事」字組

事與使字為一字之分化，銘文中「事△」或「事于△」有可能和出使某國或某地有關，因此本文篩選可能與聘禮有關的銅器銘文為探討對象，得出以下諸器：

◎〈遳父乙毁〉3862：公史（使）徵事（使）又（有）／息……

◎〈小臣宅毁〉4201：隹五月壬辰，同公才（在）豐，／令宅事白（伯）懋父，白（伯）易（賜）／小臣宅畫毌、戈、九（弐）、易（錫）／金車、馬兩……

◎〈生史毁〉4100－4101：鹽（召）白（伯）令生史事（使）于／楚，白（伯）錫（賜）賞，用乍（作）寶／毁……

◎〈遇甗〉948：隹六月既死霸／丙寅，師雊（雍）父戍／才（在）古自（師），遇從師／雊（雍）父肙史（事）遇事（使）／于鈇厌（侯）＝，（侯）蔑遇曆，／易（賜）遇金……

◎〈小臣鼎〉2678：唯十月，事（使）于／曾，銁白（伯）于成／周休毗小臣／金……

◎〈小臣守毁〉4179－4181：隹五月既死霸辛未，／王事（使）小臣守事于夷＝，（夷）賓／馬兩、金十匀（鈞），守敢對／瞟（揚）天子休令（命）……

◎〈仲幾父毁〉3954：中（仲）幾父史（使）幾事／于者（諸）厌（侯）、者（諸）監……

這七例❹銘文都是作器人被派遣「事△」或「事于△」。由內容來看，除〈小

---

❹ 另有一件器：〈叔卣〉銘文云：「隹王𥁵于宗周，／王姜史（使）叔事于大（太）／儨（保），賓（賞）叔鬱鬯、白／金、苑牛，叔對大（太）儨（保）／休，用乍（作）寶障

臣宅毀〉外，六例銘文都是出使於諸侯國（息、楚、馘、曾、夷），受到賞賜而鑄器紀念。

出使諸侯國的六例銘文中只有〈小臣守毀〉可由銘文知是王遣使至夷，應是天子遣使聘諸侯，其他五例為公卿諸侯遣使至諸侯國，故亦當是諸侯互聘之事，故此六例屬聘禮銘文。

〈小臣宅毀〉與六例銘文有別，同公派小臣宅去伯懋父處，若是去問候結好，那麼便屬於聘禮性質，但伯懋父給小臣宅的賞賜物是兵器和車馬器，而且賞賜金車，等級不低，聘問之禮侑以兵器並非常例，加上伯懋父是周初重要的將領，不能排除同公遣小臣宅的任務是去幫伯懋父，而非聘問。不能確定是問候結好，或是協助事務，因此這件器宜列為「聘禮參考器」。

(八)　「出入使人組」

銅器銘文中有習用套語「（饗王）出入」、「出入使人」，對此不少學者曾提出看法，李无未先生匯合諸說：

> 天子遣使聘問諸侯。從西周銅器銘文中能夠見到周天子遣使聘問諸侯的記載。《伯矩鼎》，成王時器：「白（伯）矩乍（作）寶彝，用言（歆）王出內（入）吏（使）人。」唐蘭認為：言就是音字，此處讀為歆。《詩・生民》毛傳：「歆，饗也。」《國語・周語上》「王歆太牢」。「歆」有宴享義，伯矩當是燕國的行人之官，掌迎接周王的聘問使者。吏人就是使人，即成王派出的使者。……《衛鼎》，昭王時器，則說，衛「乃用饗王出入吏（使）人。」……也是進行聘問活動。[45]

彝。」李无未先生以為聘禮銘文（《周代朝聘制度研究》，頁 124），然本文以為〈叔毀〉記載周王秦於宗周，王姜隨王來宗周，乃遣叔至太保處辦事，周初由周公與召公分治，召公治理宗周，此器時代為昭王世，銘文的太保為第二代太保，此時太保是王室重要的公卿，叔赴太保處，或是助秦，或是處理政事，不必然為交誼或安撫等因素。

[45] 李无未，《周代朝聘制度研究》，頁 124。

本文認為「出入使人」的出入即「出納」，意指出納王或諸侯之命，❹是習慣用語，而「使人」未必是「出使」的意思，凡是指派他人做事，皆可稱為「使人」。因此，由這樣的詞彙就認定為聘禮，理由尚嫌不足。銘文凡云「出入使人」者，作器人必為重要臣子，常為天子或國君傳達命令，或派任官員職務，只能說由此詞彙能顯示其重要性，但不足以論定為聘禮之事。

四、結　論

本文得出「聘禮銘文」凡十九例三十二件，「聘禮參考銘文」二例三件。分析所得如下：

　　1.在聘禮銘文的十九例中，就時代來看，僅有〈陳侯因资敦〉與〈商鞅量〉兩例為戰國器，其他的十七例皆為西周器。時代跨度雖然甚大，西周器數量較多，與聘禮賞賜而鑄器之習慣有關，就史料而言，這些銘文都是彌足珍貴的。

　　2.就性質來看，十九例中屬於王遣使聘諸侯的有七例：〈盂爵〉、豐諸器、〈中甗〉、〈中方鼎〉、〈靜方鼎〉、史頌諸器、〈小臣守毁〉；后妃遣使聘諸侯有作冊睘諸器一例；諸侯遣使聘王有〈九年衛鼎〉一例；諸侯遣使互聘有十例：〈匍盉〉、〈陳侯因资敦〉、〈商鞅量〉、〈公貿鼎〉、〈敔鼎〉、〈遇甗〉、〈逑父乙毁〉、〈生史毁〉、〈小臣鼎〉、〈仲幾父毁〉。因此，以諸侯互聘和王遣使聘諸侯的數量最多。

　　3.具有聘禮性質的動詞，有「聘」、「安」、「寧」、「殷」、「省」、「事（使）」六類，以「省」和「事（使）」兩類最為常見。

　　4.士上諸器銘文提到士上和史寅殷見成周百姓，可知殷見或殷同之禮，不必周王親臨，可以遣使代之。

　　5.「殷見」或「殷同」於禮書系統中，指王大會諸侯，地點或在王城，或者外地，然由銘文「殷」的使用來看，王遣使亦得稱為「殷」。更明白地說，殷禮不必行於周都（宗周或成周）。

　　6.研究聘禮的學者，或將銘文的「出入使人」做為聘禮銘文的判斷依據，本文

---

❹　可參《商周青銅器銘文選》〈小臣宅毁〉「出入」一條的解釋。同註❶，頁53。

認為「出入使人」的出入即「出納」，意指出納王或諸侯之命，是習慣用語，而「使人」未必是「出使」的意思，凡是指派他人做事，皆可稱為「使人」。

另外，值得留意的是經學家有「下聘」是否合於禮制的討論，這個問題出自於《穀梁傳》隱公九年的一段話：「春，天王使南季來聘。南氏，姓也；季，字也。聘，問也。聘諸侯，非正也。」其意為天子聘諸侯不是正禮，晉范甯《集解》引用許慎的說法「禮：臣病，君親問之，天子有下聘之義。」對《穀梁傳》此處持保留意見，今由銅器銘文可以看出天子聘諸侯是西周常見的禮儀，《穀梁傳》「下聘非正」之說並不合於實情，許慎的說法是正確的。

最後補充一件聘禮玉器：〈太保玉戈〉，其銘依李學勤先生的隸定為：

> 六月丙寅，王才豐，令太保省南國，帥漢，遂殷南，令厲侯辟，用鼄走百人。[47]

王派太保省南國，省為天子撫諸侯之禮，屬於聘禮範疇，由玉器銘可知太保為周王使者，至南國行聘禮省問諸侯，後又有殷見之禮，是一件難得的玉器銘文，亦可見西周時代省南國一直是大事，本文雖以銅器銘文為探討對象，然此器可以相發明，故補充於此。

引用書目

一、傳統文獻：

〔漢〕鄭玄注，〔唐〕賈公彥疏：《周禮注疏》，臺北市：藝文印書館，1955 年，景印嘉慶二十年江西南昌府學刊本。

〔漢〕鄭玄注，〔唐〕賈公彥疏：《儀禮注疏》，臺北市：藝文印書館，1955 年，景印嘉慶二十

---

[47] 李緒雲編：《李學勤學術文化隨筆》（北京市：中國青年出版社，1999 年），頁 367。李先生又指出：「『遂殷南』，『殷』意為殷見，即諸侯會集向王朝見。這種典禮是在王主持下進行的。……此銘『殷南』，是殷見南國的諸侯，請注意，『殷』的主語是『王』，不是太保，舉行殷見典禮的地點，估計是在周都，并不在南國。」（頁 398）這樣的說法似可再商榷，銅器銘中不少例子是周王派使者殷見諸侯，故殷禮之舉行不必然在周都，也不必然由周王親臨。

年江西南昌府學刊本。

〔漢〕鄭玄注，〔唐〕孔穎達等正義：《禮記注疏》，臺北市：藝文印書館，1955 年，景印嘉慶二十年江西南昌府學刊本。

〔晉〕杜預注，〔唐〕孔穎達等正義，《春秋左氏傳注疏》，臺北市：藝文印書館，1955 年，景印嘉慶二十年江西南昌府學刊本。

〔晉〕范甯注，〔唐〕楊士勛疏：《春秋穀梁傳注疏》，臺北市：藝文印書館，1955 年，景印嘉慶二十年江西南昌府學刊本。

〔清〕張爾岐：《儀禮鄭注句讀》，臺北市：學海出版社，1981 年。

〔清〕秦蕙田：《五禮通考》，臺北市：臺灣商務印書館，1983 年，景印文淵閣四庫全書本。

〔清〕孫希旦：《禮記集解》，臺北市：文史哲出版社，1990 年。

〔清〕胡培翬：《儀禮正義》，南京市：江蘇古籍出版社，1993 年。

〔清〕黃以周：《禮書通故》，《續修四庫全書》，上海市：上海古籍出版社，2002 年，光緒十九年刻黃氏試館本。

二、近人論著：

于省吾：《甲骨文字釋林》，臺北市：大通書局，1981 年。

中國社會科學院：《殷周金文集成》，北京市：中華書局，1984－1994 年。

王世民等：《西周青銅器分期斷代研究》，北京市：文物出版社，1999 年。

白川靜通釋、曹兆蘭選譯：《金文通釋選譯》，武昌市：武漢大學出版社，2000 年。

李縉雲編：《李學勤學術文化隨筆》，北京市：中國青年出版社，1999 年。

李學勤：《青銅器與古代史》，臺北市：聯經出版事業股份有限公司，2005 年。

李无未：〈《周禮》「諸侯之邦交」之斷句正誤〉，《文獻》1998 年 4 期，頁 253－256。

李无未：《周代朝聘制度研究》，長春市：吉林人民出版社，2005 年。

郁台紅：〈春秋朝聘研究〉，新竹市：玄奘人文社會學院中國語文研究所碩士論文，柯金虎先生指導，2004 年 6 月。

孫稚雛：〈保卣銘文滙釋〉，《古文字研究》，5 輯（1981 年），頁 191－210。

徐杰令：《春秋邦交研究》，北京市：中國社會科學出版社，2004 年。

馬承源主編：《商周青銅器銘文選》，北京市：文物出版社，1988－1990 年。

張世超等：《金文形義通解》，（日本）京都市：中文出版社，1996 年。

張光裕：〈西周士百父盨銘所見史事試釋〉，《古文字與古代史》第一輯，陳昭容編，臺北市：中央研究院歷史語言研究所出版品編輯委員會，2007 年。

張慶：〈談談先秦的聘禮〉，《文史知識》1990 年 2 期，頁 50－53。

郭沫若：〈保卣銘釋文〉，《考古學報》1958 年 1 期，頁 1－2。

郭沫若：《兩周金文辭大系圖錄考釋》，上海市：上海書店，1999 年。

陳夢家：《西周銅器斷代》，北京市：中華書局，2004 年。

楊樹達：《積微居金文說》，北京市：中華書局，1997 年。

劉雨：〈西周金文中的「周禮」〉，《燕京學報》，新 3 期(1998 年)，頁 55－122。

劉釗：《古文字考釋叢稿》，長沙市：岳麓書社，2005 年。

劉啟益：《西周紀年》，廣州市：廣東教育出版社，2002 年。

蔣大沂：〈保卣銘考釋〉，《中華文史論叢》，1964 年 5 期，頁 93－142。

錢玄：《三禮通論》，南京市：南京師範大學出版社，1996 年。

謝德瑩：《儀禮聘禮儀節研究》，臺北市：文史哲出版社，1983 年。

鐘柏生等：《新收殷周青銅器銘文暨器影彙編》，臺北市：藝文印書館，2006 年。

經 學 研 究 論 叢
第 十 六 輯　　頁153～192
臺灣學生書局　　2009 年 5 月

讀吳靜安
《春秋左氏傳舊注疏證續》後記

曾聖益[*]

前　言

　　儀徵劉氏自劉文淇開始編撰《春秋左氏傳舊注疏證》（下文略作《左傳舊注疏證》），從事《左傳》漢儒舊注的輯錄及考釋，企圖取代杜預《春秋經傳集解》（下簡稱作杜注）及孔穎達纂修的《春秋正義》（通稱《左傳正義》，下文依此通稱），以成一代新疏。其書歷經劉毓崧及劉壽曾兄弟賡續，至劉師培前後四世百餘年，及其後子弟的綴補工作，但終未能完成。書稿僅止於襄公五年，致使清代諸經新疏獨缺《左傳》一部。

　　《左傳舊注疏證》雖未完成，但劉文淇、劉壽曾的撰述過程及其書的體例，透過友人的傳述，及劉毓崧〈先考行略〉、《清史稿·儒林傳》的記載，後人多贊其精審詳密，推為清代新疏之佳作，但亦感嘆其書未能完成，殊為可惜。

　　今人吳靜安氏費時數十年，續劉氏完成《左傳舊注疏證》，其功厥偉，且撰述期間遭逢文革的種種波折，仍能執筆不輟，誠值得我輩後學效法。然其書之體例與內容，與劉氏並不全然相同，茲擷列數則，說明二書之差異處，以供讀者參酌，匪敢議駁前人也。

---

*　曾聖益，輔仁大學中國文學系助理教授。

一、儀徵劉氏《左傳舊注疏證》

　　吳靜安《春秋左氏傳舊注疏證續》（下文略作《左傳舊注疏證續》）係接續劉氏《左傳舊注疏證》而成，欲探討吳氏書的得失優劣，必須以劉氏原撰的主旨及其著作精神為基礎，故此先就《左傳舊注疏證》收錄的舊注、內容主旨及成書問題三方面，略述《左傳舊注疏證》一書的性質。

㈠ 《左傳舊注疏證》收錄的舊注

　　劉文淇作《左傳舊注疏證》的主要原因，在於不滿意杜注和孔疏的內容，此因於清代考據學興起後，學者對傳統注釋的反省。注重考據的學者認為宋明盛行的程朱陸王義理學不能契合孔孟的學術思想，而完成於唐宋學者的群經注疏，其觀點與流傳自先秦的孔門師說，亦多有違背。因此，考據工作的重要目的，即是探究孔門學說的原始觀點，而其主要依據，則是古籍中載存的先秦及兩漢舊注。劉文淇作《左傳舊注疏證》，即企圖依據先秦兩漢的舊注以了解孔子思想，而舊注內容的闡釋，則又須透過清儒的考據與闡釋。據此，可以明白得見《左傳舊注疏證》的基本架構，是結合漢儒舊注與清儒考釋，成為與杜注孔疏《左傳正義》不同觀點的新疏。

　　劉文淇擬定《左傳舊注疏證》的編纂方式時，對後世流傳的《左傳》相關舊說，做了清楚的考辨，分別各種舊說的差異。其中有些是漢儒的《左傳》注釋，有些是流傳在戰國秦漢之際的孔門儒者舊說，有些則是漢儒藉《左傳》以諷時政；這些不同性質的舊注資料，其產生的時代和目的不同，在闡釋《左傳》的意義上，亦有所差異。劉文淇在廣泛蒐集資料後，將舊注分為三大類：

　　第一類：《左傳》古義，指戰國至漢初流傳的相關論述，可視為是早期儒者依據師說闡釋《左傳》內容的論述。據劉向《別錄》所載，有鐸椒、虞卿各作《抄撮》❶，然二書皆不傳，其形式亦不得而詳。

---

❶ 鐸椒、虞卿之書，應稱作《左氏傳抄撮》或《春秋抄撮》，《抄撮》則是書名簡稱，茲暫依劉向所載。姚振宗《漢書藝文志拾補》引劉向《別錄》：「左丘明授曾申，申授吳起，起授其子期，期授楚人鐸椒，鐸椒作《抄撮》八卷授虞卿，虞卿作《抄撮》九卷授荀卿，荀卿授張蒼。」（《二十五史補編》第 2 冊，頁 17，臺北市：開明書店，1974 年）

　　第二類：《左傳》先師之說，即西漢經師的論述。據劉向《別錄》、班固《漢書・儒林傳》、陸德明《經典釋文・敘錄》等記載，西漢傳《左傳》之經師，有張蒼、賈誼（孫賈嘉、曾孫賈捐之皆傳《左傳》）、張敞（子張吉、孫張竦皆傳《左傳》）、杜鄴（從張吉學《左傳》）、劉公子、貫公、貫長卿、張禹父子、蕭望之、尹更始、尹咸、翟方進、胡常、賈護、陳欽、劉歆等各家，其中，張蒼、賈誼、尹咸三家著有《春秋左氏傳訓故》，陳欽著有《春秋說》❷，依據劉文淇說，其所謂《左氏》先師，應包括未有著述傳世的各家說。❸

　　第三類：《左傳》舊注，以東漢學者的著述為主。包含劉歆以後，杜預以前的各家注釋、章句及條例。《左傳舊注疏證》中列為舊注的有劉歆、鄭眾、賈逵、許淑、潁容、馬融、鄭玄、服虔、王肅、糜信、京相璠十一家。其中王肅、糜信、京相璠三家處於魏、晉之際，劉文淇作《左傳舊注疏證》時，是否將其說輯入舊注，並不一致，故書中於京相璠之說，或歸入舊注，或於「疏證」徵引。

　　就以上三類言，其中僅有第三類的「《左傳》舊注」，見於魏晉南北朝相關著作及《五經正義》等書徵引，可略見其梗概；但因古代學者徵引前人論述，多簡略其名氏，因此可據以考論者，僅寥寥數家，且各家留存的論述，亦極其有限。前二者則散見於先秦、兩漢之史籍及諸子書中，然多失載論述者，故難以確認出自何人。且諸子書輾轉徵引之相關記載未必是出自《左傳》，此類文獻，大抵而論，僅

---

❷　《漢書・儒林傳》：「漢興，北平侯張蒼及梁太傅賈誼、京兆尹張敞、太中大夫劉公子皆修《春秋左氏傳》。誼為《左氏傳訓故》，授趙人貫公，為河間獻王博士，子長卿為蕩陰令，授清河張禹長子。禹與蕭望之同時為御史，數為望之言《左氏》，望之善之，上書數以稱說。後望之為太子太傅，薦禹於宣帝，徵禹待詔，未及問，會疾死。授尹更始，更始傳子咸及翟方進、胡常。常授黎陽貫護季君，哀帝時待詔為郎，授蒼梧陳欽子佚，以《左氏》授王莽，至將軍。而劉歆從尹咸及翟方進受。由是言《左氏》者本之貫護、劉歆。」（《漢書》頁3620，北京市：中華書局，1962年6月）
　　以上六家之書名，據〔清〕姚振宗《漢書藝文志拾補》，其中張敞、劉公子似無專著，故略其書名。
❸　《左傳舊注疏證》徵引之「注」文，尚有逕作「左氏說」者，如僖公五年《傳》：「冬十二月，丙子朔，晉滅虢，虢公醜奔京師。」注：「左氏說：周十二月，夏十月也，言天者，從夏正。」（頁277）此劉文淇「疏證」稱其為舊說，應是指西漢學者說。

可藉以證明漢儒論述承古有據，未能遽稱其是闡釋《左傳》的內容。

　　劉文淇《左傳舊注疏證》所稱的舊注，以第三者為主，而兼含前二類，其〈致沈欽韓書〉云：

> 　　如《五經異義》所載《左氏》說，皆本《左氏》先師。《說文》所引《左傳》，亦是古文家說，《漢書·五行志》所載劉子駿說，皆左氏一家之學。又如《周禮》、《禮記》疏所引《左傳注》，不載姓名而與杜注異者，亦是賈、服舊說。凡若此者，皆以為注而為之申明。

此書札所論及者，包含《左氏》先師、古文家說、劉歆一家之學及賈、服注。其中許慎《五經異義》所載者，劉文淇稱為「《左氏》先師」，《說文解字》所載，劉文淇以「古文家說」名之，二者應有所不同。依其意，此「《左氏》先師」兼指戰國、秦、漢之際傳《左傳》的學者，包含前述第一類的「《左傳》古義」。「古文家說」，則指漢代出現今、古文歧異後的古文經學者，並非專指傳《左傳》者，就《左傳》言，戰國至秦、漢的《左傳》先師與西漢的古經學家的訓解，應無太大歧異。西漢末劉歆整理中祕書時，將「《左氏》先師」、「古文家說」與《春秋古經》進一步結合，發揮義例，《春秋左傳》學初步建立。其後賈逵等人則依據劉歆建立的條例，闡述《左傳》的義理，發展成東漢的《左傳》學。

　　劉文淇《左傳舊注疏證》中，雖依據清儒考論《左傳》古義的論述，稱「許慎所載《左氏》，皆賈逵、鄭眾之舊說」，❹ 然據其〈致沈欽韓書〉，則許慎《說文解字》所引載的，應是與賈逵、鄭眾同源的「《左氏》先師」或西漢的「古文家說」，而非逕取材自賈逵、鄭眾。此就劉文淇《左傳舊注疏證》「疏證」中稱「《左氏》先師」者，多出於賈逵、鄭眾之外可得知。

　　《左傳舊注疏證》「注例」中，以舊籍徵引的「服虔」、「賈逵」、「賈、服

---

❹　《左傳舊注疏證》隱公元年，三月「公及邾儀父盟於蔑」之疏證。頁 4。其說本臧壽恭，臧氏《春秋左氏古義》文公二年「丁丑，作僖公主」，按云：「許氏受古學於賈逵，《異義》所述，蓋左氏說。」（北京市：科學出版社，頁 727，1959 年）

以為」、「賈、服云」、「賈、服以」、「舊注」六者為其輯錄並作疏證的對象。
其中所謂「舊注」者，自注云：

> 諸書引《左傳注》，不載姓名，而確非杜注。❺

其意以各書徵引《左傳》相關論述，不論著述時代前後於杜預，凡與杜說不同者，
均屬舊注。特標舉「舊注」一詞於賈、服二家之外，其意似指「舊注」乃賈、服以
外的劉歆、潁容等各家論述。相較於〈致沈欽韓書〉稱「如《周禮》、《禮記》疏
所引《左傳注》，不載姓名而與杜注異者，亦是賈、服舊說」，則劉文淇在舊注的
歸屬判別上，亦非篤定其說。

　　然以賈、服注為主，取《左傳》先師的古義、西漢古文經學家的舊說及東漢經
師的注解三者以輔助之，則是《左傳舊注疏證》論述的基本原則。

㈢ 《左傳舊注疏證》的主旨

　　劉文淇與舅氏凌曙從洪梧問學時，即在洪梧指導下，探討《左傳》五十凡，❻
故其對《左傳》義例頗有體會，劉壽曾《左傳五十凡論》及劉師培《左傳》義例相
關論述即在此基礎下完成。但劉文淇作《左傳舊注疏證》，卻否定杜預《春秋釋
例》在解釋經傳上的觀點，其〈致沈欽韓書札〉，論《左傳》的義例云：

> 至若《左氏》之例，異於《公》、《穀》，賈、服間以《公》、《穀》之例
> 釋《左傳》，是開其罅，與人以可攻。至《春秋釋例》一書，為杜氏臆說，
> 更無論矣。文淇所為疏證，專釋詁訓名物典章，而不言例。
> 其《左氏》凡例，另為一表，皆以《左氏》之例釋《左氏》，其不知者，概

---

❺　此亦見於按語中。《左傳舊注疏證》，隱公元年《傳》：「聞之，有獻於公，公賜之食」按
　　云：「凡諸書所引《左傳注》，不載姓名而確非杜注者，皆稱為舊注。」（頁11）

❻　見洪梧〈四書典故覈序〉，凌曙《四書典故覈》卷首（《續修四庫全書》影印嘉慶十三年刊
　　本）

　　從闕如。❼

　　此書札中，劉文淇既反對賈逵以來若干據《公羊》、《穀梁》家說以闡釋《左傳》的種種義例，同時也明顯反對杜預《春秋釋例》對《左傳》義例的解釋。

　　劉文淇既然反對以義例解釋《春秋》，那麼自須另闢途徑，使《左傳》能闡發《春秋》大義，否則《左傳》的釋經地位便會產生問題，故劉文淇自禮文著手，強調「釋《春秋》必以周禮明之」的解經方式。《左傳》詳細記載的事件發展及人物言論，正可以看出各國君臣卿士的行誼是否合於禮文規範，而予以適當的褒貶評價。

　　劉文淇《左傳舊注疏證》正由禮文的制度儀式著手，先考明各種儀式的禮義，而後疏理《左傳》的相關記載，進而闡述《春秋》的微言大義。《左傳舊注疏證》注例一：

> 釋《春秋》必以周禮明之。周禮者，文王基之，武王作之，周公成之。周禮明，而後亂臣賊子乃始知懼。若不用周禮而專用從殷，《公羊》家言《春秋》變周之文，從殷之質，殊誤。則亂臣賊子皆具曰「予聖」，而藉口於《春秋》之改制矣。《鄭志》曰：「《春秋經》所識所善，皆於禮難明者也。其事著明，但如事書之，當按禮以正之。」所謂禮，即指周禮。

　　這裡所說的周禮，指的是經歷文王、武王，至周公而大成的政教制度，兼含政治制度及宗法禮俗而言。文王、武王在開國之初建立周代之政治制度，其後的周公輔佐成王時制作禮樂制度，以禮樂輔助政教，使國家趨於郁郁文明，一改殷人質樸的社

---

❼　《青谿舊屋文集》卷 4。又《左傳舊注疏證》隱公七年《傳》：「告終稱嗣也，以繼好息民。」疏證云：「五十凡，乃左氏一家之學，異於公、穀，賈、服間以公、穀釋《左傳》，是自開其罅隙，與人以可攻。杜氏既尊五十凡為周公所制，而其《釋例》又不依以為說，自創科條，支離繳繞，是杜氏之例，非左氏之例也。今證經傳，專釋訓詁、名物、典章，而不言例，另為〈五十凡例表〉，皆以左氏之例釋《左氏》，其所不知，概從闕如。」（頁 42，道光十八年刊本）

會文化。劉文淇認為孔子作《春秋》的中心思想，既包含周文王、武王的政治制度，亦有周公的禮樂制度，前者為《公羊》家所特別闡發，後者則是《左傳》所特別重視，故劉文淇《左傳舊注疏證》即以此為注例第一原則。

　　《左傳舊注疏證》在禮儀制度、氏族地理各方面都有詳細的解釋，能夠闡發漢儒《左傳》的精義，但其解經的基本精神，不外乎禮。對於五十凡例，則僅說明其意義，而不以其為《春秋》經旨所在。

㈢　**《左傳舊注疏證》的成書問題**

　　《左傳舊注疏證》的編撰過程，據劉毓崧〈先考行略〉，劉文淇生前已成《左傳舊注疏證》長編八十卷，手自抄寫一卷。據《清史列傳·儒林傳》及《清史稿·儒林傳》，《左傳舊注疏證》是由劉壽曾完成至襄公四年，中國科學院歷史研究所整理的標點本根據原稿及抄稿，全書編撰至襄公五年。其後論及《左傳舊注疏證》者，均依據《清史列傳》或中國科學院歷史所的標點本，稱劉氏完成的《左傳舊注疏證》，止於襄公四年或五年。

　　根據抄本的樣式推斷，《左傳舊注疏證》的成公、襄公部分，應屬未完成稿，劉壽曾編撰的《左傳舊注疏證》應是僅完成至宣公末年。劉氏留下的《左傳舊注疏證》原稿及抄稿各七本，原稿第六本是成公，第七本是襄公；抄稿七本，第七本是宣公，意即抄本無成公、襄公二部分。此正可證明成公、襄公部分原稿並未完成，故亦未抄寫備存。

　　《左傳舊注疏證》原稿第六及第七本，確屬未完成稿，此涉及劉氏編撰《左傳舊注疏證》的方式，如據劉毓崧〈先考行略〉所云，劉文淇在生前似已完成《左傳舊注疏證》的初稿，但依據上海圖書館藏《左傳舊注疏證》抄本的部分內容，可知所謂「長編」，應只是劉文淇在《左傳正義》上圈出有漢注及須要作疏證的，並將「疏證」所欲徵引的資料彙集，然後下眉批按語，抄本上僅記載惠氏、沈氏、洪氏的文字，大致即是這樣的作用。

　　就書稿形式而言，稱劉氏編撰《左傳舊注疏證》停筆於襄公五年，並無太大問題；但若就其內容而論，襄公五年以前，亦非完成的書稿。劉壽曾或是其他劉氏子弟完成者，大約止於宣公末年或是成公初年；成公之後，多處出現空白疏證，或是僅徵引杜預注，或僅簡單釋義而無考證，頗異於《左傳舊注疏證》的前半部疏證

文，正說明此部分屬於初稿形式，且是未及修補論述的初稿，當然不能視作是已經
完成的著作。

　　劉文淇生前將蒐集的材料，編訂成書，雖僅至隱公四年，但此一卷即成為全書
的編纂範例，之後劉壽曾遵循此體例將劉文淇所蒐集資料，一一摘錄抄入❽，並將
劉文淇之眉批、按語載入，此工作大致完成至宣公十八年，但宣公年間的眉批上，
多見「擬而未作」的闕文，可見此部分（原稿第五本）雖已成書，但劉壽曾仍有期
待後日能繼續增補。

　　劉文淇生前已編具的《左疏長編》八十卷四十巨冊，是考察《左傳舊注疏證》
的學術思想及撰述過程的重要依據。可惜的是，民國以後劉氏未再賡續《左傳》學
的研究，家藏書籍亦多散落；茲若能得見劉文淇、劉壽曾編撰所用《左傳正義》底
本，則劉文淇案語，應可見於整部《左傳正義》，不僅止於襄公四年。止於襄公四
年或五年的《左傳舊注疏證》稿本，成於劉壽曾。壽曾沒後，劉富曾、顯曾兄弟曾
繼長兄暫主金陵書局編輯事務，但為時不長，未能繼續壽曾編撰《左傳舊注疏
證》。二人離開金陵後，流寓四方，劉文淇及劉壽曾編輯《左傳舊注疏證》用的
《左傳正義》，先歸於揚州儀徵青谿舊屋劉氏故居，後被劉富曾或劉師培攜離揚
州❾，遂不知流落何處。底本及提綱一失，即使有心欲繼承其事，實不易進行。

二、吳靜安《左傳舊注疏證續》輯錄的注釋資料

　　《左傳舊注疏證續》是吳靜安費時二十多年的巨著，據東北師範大學出版社的

---

❽　劉壽曾雖依據劉文淇所擬定的體例，但所作的「疏證」，自有出於劉文淇擬定之外者，如其
　　徵引俞樾、汪士鐸、張文虎說等均是。俞樾《群經平議》成於劉文淇歿後，汪士鐸《悔翁筆
　　記》、《梅村賸稿》等書刊行甚至在劉壽曾之後，惟劉壽曾與汪士鐸同修《金陵府志》，故
　　能得聞汪說。其他如包慎言說，則未能確定是劉文淇或劉壽曾所徵引，包慎言《廣英室文
　　稿》雖由劉壽曾輯刊，但包慎言與劉文淇私交甚篤，劉文淇著書時，已徵詢其說。

❾　梅鈇《青谿舊屋儀徵劉氏五世小記》：「所謂的《春秋長編》數十巨冊，徧尋不知下落。我
　　想是舅氏（劉師培）在甲辰、乙巳（光緒三十、三十一年，1904－1905）這兩年間，曾經由
　　揚州裝書十餘箱到上海，或者此稿在其中，是預備帶出隨時編纂的。」（頁 5，手寫油印
　　本）

〈出版者言〉，全書「輯錄舊注五十餘家，疏證一百八十餘家」❿，其內容之繁富，遠在儀徵劉氏原撰之上。該〈出版者言〉又稱「本書延續劉文淇之體例」，故不另作凡例，可見吳氏是完全以繼承《左傳舊注疏證》為其基本原則。

《左傳舊注疏證》將前人相關論述資料分為「注」及「疏證」二項，「注」係舊注，以杜預以前的舊說為主，「疏證」則是劉氏徵引清人注釋及其判定的論說。吳氏續書亦依循「注」、「疏」分列的方式輯錄相關論述；但在資料的選取上，吳氏《左傳舊注疏證續》擴大了舊注的範圍，對舊注的界定，與劉文淇有明顯的不同。

劉文淇編撰《左傳舊注疏證》，收錄的舊注僅十一家，外加若干無法確定出自何人的舊說；但其視為舊注的，必然是以解釋《左傳》一書的意旨。若是引《左傳》以闡釋個人政治觀點，或用以印證他書的記載，劉文淇並不視其為《左傳》舊注。

儀徵劉氏《左傳舊注疏證》輯錄舊注的範圍甚為明確，吳氏《左傳舊注疏證續》的體例既是承繼劉氏書，因此，分辨二者輯錄舊注文獻的差異，對評論其書及理解其學術思想具有關鍵意義，故略依其輯錄的性質，列出劉氏未視為《左傳》注，而吳氏《左傳舊注疏證續》輯錄的注文，俾後文據以論述。

（一）**漢人論述**

1. 京房《易傳》

襄公八年《傳》：「子駟曰：『周詩有之曰：俟河之清，人壽幾何？』」注：

> 京房《易傳》：「河一千年清。」（《文選・思玄賦注》）河水性濁，清則難得。《易緯》曰：「王者太平嘉瑞之將出，則河水先清。」（〈伐檀〉正義）（頁31）

注中「河水性濁，清則難得」係吳氏所作解釋，非舊注。

---

❿　書前頁 2。本文徵引吳靜安《春秋左傳舊注疏證續》，皆東北師範大學出版社排印本（2005年），下僅隨文注明頁碼。

2.《周易》鄭注及虞注

襄公九年《傳》：「是謂艮之隨。」注：

> 《易·隨象傳》：「澤中有雷，隨。君子以嚮晦入宴息。」鄭注：「震，動
> 也。兌，說也。內動之以德，外說之以言，則天下之民，慕其行而隨從之。
> 故得隨也。」虞注：「隨，陰隨陽，謂隨卦三陰皆隨陽，故卦名隨。」

此輯《周易》鄭玄注及虞翻注。

3.《尚書》傳注

襄公九年《傳》：「始往而筮之，遇艮☰☰之八。」注：

> 《書·洪範》：「三人占，則從二人之言。」孔安國傳：「夏、商卜筮各
> 異，三法並卜，從二人之言。」（頁53）

又襄公六年《傳》：「於鄭子國來聘也，四月，晏弱城東陽，而遂圍萊。甲寅，堙
之環城，傅於堞。」注：

> 《尚書》曰：「鯀堙洪水。」堞：城上女垣也。（頁7）

引《尚書》孔安國傳者，如襄公十四年《傳》：「晉侯問衛故於中行獻子，對曰：
『不如因而定之……史佚有言曰：因重而撫之。仲虺有言曰：亡者侮之，亂者取
之。推亡、固存，國之道也。』」注：

> 孔安國《傳》：「弱則兼之，闇則攻之，亂則取之，有亡形則侮之，有亡道
> 則推而亡之，有存道則輔而固之。王者如此，國乃昌盛。」（頁205）

此引自《尚書·仲虺之誥》傳。

引馬融《尚書注》之說，襄公七年《傳》：「無忌不才，讓其可乎？請立起

也。與田蘇游，而曰『好仁』。《詩》曰：『靖共爾位，好是正直，神之聽之，介
爾景福。』」注：

> 馬融曰：「靖，安也。」（《尚書注》）（頁 17）

劉氏《左傳舊注疏證》徵引馬融經說六條，但劉文淇並未自《尚書注》輯錄其說。

4.《詩》及傳注

引《詩經》者，如襄公二十七年《傳》：「子西賦〈黍苗〉之四章。趙孟曰：
『寡君在，武何能焉？』」注：

> 《詩·黍苗》：「肅肅謝功，召伯營之。列列征師，召伯成之。」（頁
> 531）

引《詩經》毛傳鄭箋，如襄公七年《傳》：「辭曰：『《詩》曰：豈不夙夜？謂行
多露。又曰：弗躬弗親，庶民弗信。』」注：

> 《詩·行露》毛傳：「行，道也。豈不，言有是也。」鄭箋：「夙，早也。
> 厭浥然，湆道中，始有露，謂二月中嫁取時也。言我豈不知當年早夜成昏禮
> 與！謂道中之露太多，故不行耳。今強暴之男，以此多露之時，禮不足而強
> 來，不度時之可否，故云然。《周禮》仲春之月，令會男女之無夫家者，行
> 事必以昏昕。」《釋文》：「至禮用昕，親迎用昏。」《詩·節南山》毛
> 傳：「庶民之言不可信，勿罔上而行也。」鄭箋：「此言王之政不躬而親
> 之，則恩澤不信於眾民矣。不問而察之，則下民末罔其上矣。」（頁 16－
> 17）

引《詩》及毛傳鄭箋，以作為《左傳》引詩注。

5.《三禮》及鄭玄注

襄公七年《傳》：「南遺為費宰，叔仲昭伯為隧正。」注：

《周禮‧遂人》：「掌諸侯之政，令徒役，出諸遂之民。」（頁 14—15）

又昭公元年《傳》：「及享，具五獻之籩豆於幕下。」注：

《周禮‧大行人》：「上公饗禮七獻，食禮九舉。出入五積。諸侯饗禮七
獻，食禮七舉，出入四積。諸伯如諸侯之禮。諸子饗禮五獻，食禮五舉，出
入三積。諸男如諸子之禮。」《周禮‧典命》：「公侯伯之卿，皆三命。」
（頁 756）

《周禮》記載之制度與《左傳》多可相參照，此劉師培所特別強調，但劉氏《左傳
舊注疏證》中並無以《周禮》為舊注者，吳氏則遽輯錄為舊注以證《左傳》。
　　襄公九年《傳》：「對曰：古之火正，或食於心，或食於味，以出內火。是故
咮為鶉火，心為大火。」注：

《禮記‧月令》：「其帝太皞，其神句芒。」「其帝炎帝，其神祝融。」
「其帝黃帝，其神后土。」「其帝少皞，其神蓐收。」「其帝顓頊，其神玄
冥。」（〈月令〉係取自《呂覽》十二月紀。）（頁 48）

此僅引《禮記‧月令》文，無鄭注。襄公七年《傳》：「公登亦登。叔孫穆子相，
趨近，曰：『諸侯之會，寡君未嘗後衛君。今吾子不後寡君，寡君未知所過。吾子
其少安！』孫子無辭，亦無悛容。」注：

《儀禮‧聘禮》：「公迎賓于大門，內及廟門。公揖入立于中庭，納賓。賓
入，三揖至于階，三讓。公升二等。」鄭注：「先賓升二等，亦欲君行一，
臣行二。言君先升二等，然後臣始升一等。」（頁 20）

輯自《鄭志》之鄭玄說。襄公十一年《傳》：「十一年春，季武子將作三軍。」
注：

《鄭志》：「答臨碩云：『〈魯頌〉公徒言三萬。……又以此為三軍者，以周公受七百里之封，明知當時從上公之制，備三軍之數。此序云復周公之宇，故此箋以三萬為三軍，言其復古制也。《書·費誓》：魯人三郊三遂。』」（頁112）

引鄭玄說，尚有《六藝論》之文（頁199）。但劉文淇輯錄鄭玄注，以其為釋《左傳》為限，即《箋左氏膏肓》一書，及《駁五經異義》、《鄭志》中論述《春秋》部分，至於其《易注》、《三禮注》則劉文淇於疏證中引其說，注則未錄之。

　6.大戴《禮記》及注

　　襄公六年《傳》：「晉人以鄫故來討，曰：何故亡鄫？季武子如晉見，且聽命。」注：

《大戴·朝事義》：「時聘以結諸侯之好。」《禮記·聘義》：「君使士迎于境，大夫郊勞，君親拜迎于大門，而廟受。北面拜見，踐君命之辱，所以致敬也。敬讓也者，君子之所以相接也。故諸侯相接以敬讓，則不相侵陵也。」（頁5—6）

兼引大戴《禮記》盧辨注，如襄公十一年《傳》：「晉侯使叔肸告于諸侯。」注：

《大戴禮記·將軍文子》：「祁奚曰：羊舌大夫其為和容也，溫良而好禮，博聞而時出其志也。」盧辨注：「和容，主賓客也。」（頁122）

盧辨，北齊人。此錄其注「和容」一語，與《左傳》無涉。

　7.《公羊傳》

　　襄公十四年《傳》：「誰敢奸君？有國，非吾節也。札雖不材，願附于子臧，以無失節。固立之，棄其室而耕。乃舍之。」注：

賢季子也。何賢乎季子？讓國也。其讓國奈何？謁也，餘祭也，夷昧也，與

季子同母者四。季子弱而才，兄弟皆愛之，同欲立之以為君，謁曰：「今若
是迮而與季子國，季子猶不受也，請無與子而與弟，弟兄迭為君，而致國乎
季子。」皆曰：「諾。」故諸為君者，皆輕死為勇，飲食必祝曰：「天苟有
吳國，尚速有悔於予身。」故謁也死，餘祭也立。餘祭也死，夷昧也立。夷
昧也死，則國宜之季子者也。季子使而亡焉。僚者，長庶也，即之，季子使
而反，至而君之耳。闔閭曰：「先君之所以不予子國而與弟者，凡為季子故
也。將從先君之命與，則國宜之季子者也；如不從先君之命與，則我宜立者
也，僚焉得為君乎？」於是使專諸刺僚，而致國乎季子。季子不受，曰：
「爾殺吾君，吾受爾國，是吾與爾為篡也。爾殺吾兄，吾又殺爾，是父子兄
弟相殺，終身無已也。」去之延陵，終身不入吳國。故君子以其不受為義，
以其不殺為仁。（頁 174）

襄公二十年《傳》「君入，則掩之。若能掩之，則吾子也」下引《公羊傳》文，亦
同此例。

8.何休《左氏膏肓》及鄭玄《箴左傳膏肓》

襄公七年《傳》：「是故啟蟄而郊，郊而後耕。今既耕而卜郊，宜其不從
也。」注：

《膏肓》云：「《孝經》云：『郊祀后稷，以配天，宗祀文王于明堂，以配
上帝。』止言配天，不言祈穀。」

《箴膏肓》云：「《孝經》主說周公孝，必以配天之義，死不為郊祈之禮
出，是以其言不備。」（頁 14）

此劉文淇將鄭玄說視為舊注，何休說則未輯錄。

9.《春秋文耀鉤》及注

襄公九年《傳》：「對曰：古之火正，或食於心，或食於咮，以出內火。是故
咮為鶉火，心為大火。」注：

《春秋文耀鈎》：「咮為鳥陽七星，為頸。」宋均注：「陽猶首也。柳謂之咮。咮，鳥首也。七星謂朱鳥頸也。」（頁 48）

緯書說，劉文淇未輯錄。

10. **《論語》及注**

襄公十年《傳》：「瑕禽曰：昔平王東遷，吾七姓從王，牲用備具，王賴之，而賜之騂旄之盟。」注：

《論語・雍也》：「犁牛之子，騂且角。」注：「騂，赤也。」（頁 104）

此注係何晏說。徵引《論語》鄭注，如襄公十三年《傳》。**❶**

11. **《孟子》及注**

襄公十四年《傳》：「初尹公佗學射於庚公差，庚公差學射于公孫丁。二子追公，公孫丁御公。」注：

《孟子・離婁》：「庚公之斯曰：小人學射于尹公之他，尹公之他學射于夫子，我不忍以夫子之道反害夫子？雖然，今日之事，君事也，我不敢廢。抽矢叩輪，去其金，發乘矢，而後反。」（頁 188）

12. **劉向**

吳氏輯錄劉向說，包含《五經要義》、《列女傳》、《新序》。

如襄公十一年《傳》：「凡兵車百乘；歌鐘二肆，及其鎛、磬。」注：

《五經要義》：「鐘磬皆編懸之，二八十六而在一簴，謂之堵。鐘一堵、磬一堵謂之肆。《春秋傳》曰歌鐘二肆，此之謂也。」（頁 123）

---

❶　見襄公十三年《傳》「不猶愈乎」下。（頁 159）

徵引自《說苑》者。襄公六年《傳》：「及杞桓公卒之月，乙未，王湫率師及正輿子、棠人軍齊師。」注：

> 《說苑·正諫》：「萊不用子猛而齊并之。」（頁 8）

徵引自《列女傳》者，如襄公九年《傳》：「我則取惡，能無咎乎？必死于此。弗得出矣。」注：

> 《列女傳·孽嬖》亦載穆姜事。（頁 58）

徵引自《新序》者，如襄公十四年《傳》：「誰敢奸君？有國，非吾節也。札雖不材，願附于子臧，以無失節。故立之，棄其室而耕。乃舍之。」注：

> 延陵季子將西聘晉，帶寶劍以過徐君，徐君觀劍，不言而色欲之。延陵季子為有上國之使，未獻也，然其心許之矣。致使于晉，故反，則徐君死于楚。于是脫劍致之嗣君。從者止之曰：「吳國之寶，非所以贈之也。」延陵季子曰：「吾非贈之也，先日吾來，徐君觀吾劍，不言而色欲之，吾為有上國之使，未獻也，雖然，吾心許之矣。今死而不進，是欺心也。愛劍偽心，廉者不為也。」遂脫劍致之嗣君。嗣君曰：「先君無命，孤不敢受劍。」于是季子以劍帶徐君墓樹而去。徐人嘉而歌之曰：「延陵季子兮不忘故，脫千金之劍兮帶丘墓。」（頁 175）

引劉向說，除以上各書外，尚有〈諫起昌陵疏〉等篇。

13. 譙周《五經然否論》

襄公九年《傳》：「以先君之祧處之。」注：

> 譙周曰：「國不可以久無儲貳，故天子諸侯十五而冠，十五而娶。娶必先冠。以夫婦之道，王教之本，不可以童子之道治之。禮十五為成童，以次成

人。欲人君之早有繼體。故因以為節。《書》稱成王十五而冠，著在〈金
滕〉。」（《五經然否論》）（頁74）

譙周，三國蜀漢人，其經說近於鄭玄。魏晉之際學者注釋，劉文淇是否視之為舊注
而輯錄，本未肯定。

14.《說文解字》

襄公六年《傳》：「宋華弱與樂轡少相狎，長相優，又相謗也。」注：

《說文》：「狎，犬可習也。」（頁4）

劉文淇徵引許慎說，以《五經異義》為主，且未視其為漢人《左傳》說，故僅於疏
證論述其說，於《說文解字》，則更未為徵引。

15.《爾雅》及注

襄公七年《傳》：「公登亦登。叔孫穆子相，趨進，曰：『諸侯之會，寡君未
嘗後衛君。今君子不後寡君，寡君未知所過。吾子其少安！』孫子亦辭，亦無悛
容。」注：

《爾雅・釋詁》：「安，止也。」（頁20）

引《爾雅》李巡注，如襄公九年《傳》：「使伯氏司里。」注：

《爾雅・釋言》：「氏、里，邑也。」李巡曰：「是居之邑也。」（頁
41）

引《爾雅》孫炎注，如襄公十一年《傳》：「乃盟諸僖閎，詛諸五父之衢。」注：

《爾雅・釋宮》：「衖門謂之閎。」孫炎曰：「巷舍間道也。」（頁114）

李巡、孫炎均後漢時人。

　　16.《廣雅》

　　　襄公七年《傳》：「南遺為費宰，叔仲昭伯為隧正。」注：

　　　　《廣雅‧釋詁》：「遂，竟也。」（頁15）

《廣雅》三國魏人張揖撰。

　　17.孔鮒《小爾雅》

　　　襄公九年《傳》：「猶愈于戰……大勞未艾。君子勞心，小人勞力，先王之制也。」注：

　　　　孔鮒《小爾雅‧廣言》：「艾，止也。」（《孔叢子》）（頁63）

《孔叢子》，原名《盤盂》，後漢時改稱《孔叢》，舊題孔鮒撰，殆漢人輯錄舊文而成。今本《小爾雅》即從《孔叢子》裁篇別行。

　　18.《方言》

　　　襄公九年《傳》：「陳畚挶，具綆缶。」注：

　　　　《方言》：「缶謂之瓵瓿。」「自關而東，周、洛、韓、魏之間謂之綆，關西謂之繘。」（頁42）

以上四種解釋字義之書，吳氏輯錄之相關注文頗多。

㈡　**史籍**

　　1.《國語》及注

　　　襄公七年《傳》：「冬十月，晉韓獻子告老。公族穆子有廢疾，將立之。」注：

　　　　韋昭曰：「韓獻子、韓厥，晉卿。老而辭位。魯成十六年《傳》曰：『韓厥

將下軍。』十八年，晉悼公即位，《傳》曰：『韓獻子為政。』」〈晉
語〉：「使公族穆子受事于朝。」韋昭曰：「穆子，厥之長子無忌也。」
《世本》：「韓厥生無忌，無忌生襄，襄生魯為韓言氏。」（《姓纂》引）
唐固曰：「獻子致仕，而用其子為公族大夫。」韋昭曰：「悼公元年，使無
忌為公族大夫。後七年，獻子告老，欲使為卿，有廢疾，讓其弟起。公聽
之，使掌公族大夫，在魯襄七年。」（頁16）

除韋注外，吳氏尚多輯錄孔晁注。

2.《周書》

襄公十三年《傳》：「所以請從先君於禰廟者，請為『靈』若『厲』。大夫擇
焉。」注：

　　《周書·諡法》：「亂而不損曰靈，戮殺不辜曰厲。」（頁155）

3.《春秋事語》

襄公十四年《傳》：「衛人立公孫剽，孫林父、甯殖相之，以聽命於諸侯。」
注：

　　《春秋事語》：「衛獻公出亡，公孫浮為君。」（頁194）

衛獻公出亡，孫林父、甯殖立其弟秋為君，是為殤公。吳氏引《春秋事語》事與
《左傳》記載，應非一事。公孫浮未見於相關記載。

4.《世本》

襄公六年《傳》：「六年春，杞桓公卒。始赴以名，同盟故也。」注：

　　《世本》：「杞桓公是成公之弟，成公卒，而桓公立。至此七十一年。」
　　（本疏，商務本《世本八種》收輯清人所輯《世本》，茆、張、雷、陳較謹
　　嚴，洪飴孫所輯最豐富。）（頁3）

吳氏除於注文多輯錄《世本》記載，疏證中，亦徵引其記載以論述。

　　5.《史記》

　　　襄公六年《經》：「六年春王三月，壬午，杞伯姑容卒。」注：

　　　《史記・陳杞世家》：「桓公十七年卒，子孝公匄立。」（頁1）

劉文淇意《史記》中多載存《左傳》先師之說，但並未視其為舊注，僅於疏證中徵引以參論之，吳氏注則備載《史記》記載。

　　6.《戰國策》。

　　　襄公六年《傳》：「十一月，齊侯滅萊，萊恃謀也。」注：

　　　蘇子曰：「昔者萊、莒好謀，陳、蔡好詐，莒恃越而滅，蔡恃晉而亡。此皆內長詐，外信諸侯之殃也。」（《戰國策・齊策五》，頁4）

《戰國策》中論及春秋人物事件，吳氏均輯錄以作注文。

　　7.《漢書》及注

　　　襄公十年《經》：「夏五月。遂滅偪陽。」注：

　　　《漢書・地理志》：「楚國傅陽，故偪陽國，莽曰輔陽。」（頁80）

吳氏徵引《漢書》除〈地理志〉外，兼及〈古今人表〉及各篇列傳，如襄公十一年《傳》「告叔孫穆子曰：請為三軍，各征其君」下引《漢書・杜鄴傳》之語。

（三）先秦漢晉諸子相關論述

　　1.《老子》及注

　　　襄公十三年《傳》：「楚子疾告大夫曰：不穀不德，少主社稷。」注：

　　　河上公曰：「不穀喻不能。如車轂為眾所湊。」（頁154）

「不穀」者，侯王謙虛低賤自持之詞，《老子》第三十九章：「故貴以賤為本，高以下為基。是以侯王自稱孤、寡、不穀。」河上公注與《老子》義有其參差之處。吳氏引其說以為《左傳》注，則與《左傳》義不符。

　2.《荀子》

　　襄公六年《傳》：「及杞桓公卒之月，乙未，王湫率師及正輿子、棠人軍齊師。」注：

　　　《荀子·堯問》：「萊不用子馬而齊并之。」（頁8）

　3.《韓非子》

　　襄公七年《傳》：「公登亦登。叔孫穆子相，趨近，曰：『諸侯之會，寡君未嘗後衛君。今君子不後寡君，寡君未知所過。吾子其少安！』孫子亦辭，亦無悛容。」注：

　　　《韓非·難四》：「衛孫文子聘于魯，公登亦登。叔孫穆子趨進，曰：『諸侯之會，寡君未嘗後衛君也。今子不後寡君一等，寡君未知所過也。子其少安！』孫子無辭，亦無悛容。」（頁20）

以上二者均徵引相關記載以旁證《左傳》。

　4.《呂氏春秋》及注

　　襄公十四年《傳》：「而射鴻於囿。二子從之，不釋皮冠而與之言。」注：

　　　《呂覽·慎小》：「衛獻公誡孫林父、甯殖食。鴻集于囿，虞人以告，公如囿射鴻。二子待君，日晏，公不來至。來不釋冠而見二子，二子不悅。」高誘注：「林父，孫文子也，甯殖，惠子也。畜禽獸，大曰苑，小曰囿。虞人，主囿之官。以告，以告鴻也。」（頁182）

吳氏除引《呂覽》相關記載外，亦多徵引高誘注。

5.《淮南子》及注

襄公六年《傳》：「於鄭子國來聘也，四月，晏弱城東陽，而遂圍萊。甲寅，堙之環城，傳於堞。」注：

> 《淮南·兵略》：「設渠塹傅堞而守。」高誘注：「傅，守也。」（頁7）

6.賈誼《新書》

襄公七年《傳》：「無忌不才，讓其可乎？請立起也。與田蘇游，而曰『好仁』。《詩》曰：『靖共爾位，好是正直，神之聽之，介爾景福。』」注：

> 賈誼曰：「方正不曲謂之正。」（《新書·道術》）（頁17）

劉文淇稱賈誼是《左傳》先師，對《左傳》流傳有深刻的影響。劉文淇並未將其《新書》的論述，視為《左傳》舊注。

7.《白虎通》

襄公十四年《傳》：「天生民而立之君，使司牧之，勿使失性。」注：

> 《白虎通·性情》：「性者，生也。」（頁198）

又襄公十九年《傳》：「晉士匄侵齊，及穀，聞喪而還，禮也。」注：

> 《白虎通》：「諸侯有三年之喪，有罪且不誅何？君子恕己，哀孝子之思慕，不忍加刑罰。《春秋傳》曰：『晉士匄帥師侵齊至穀，聞齊侯卒，乃還。』《傳》曰：『大其不伐喪也。』」（頁281）

8.王符《潛夫論》

襄公十六年《傳》：「張君臣為中軍司馬。」注：

《潛夫論・志氏姓》：「凡桓叔之後有寒氏、言氏、嬰氏、褐餘氏、公族氏、張氏，此皆韓後姬姓也。及留侯張良，韓公族姓也。晉張侯、張老實為大家。張孟談相趙襄子以滅智伯。遂逃功賞，耕于南山。後魏有張儀、張丑。」（頁226）

同引〈志氏姓〉文，或置於疏證，如襄公二十年《傳》「陳慶虎、慶寅畏公子黃之偪」下。

9. 桓譚《新論》

襄公十九年《傳》：「宣子盥而撫之，『曰：事吳敢不如事王！』猶視。欒懷子曰：『其為未卒事于齊故也乎？』乃復撫之曰：『主苟終，所不嗣事于齊者，有如河！』乃冥，受含。宣子出，曰：『吾淺為之丈夫也。』」注：

桓譚以為荀偃並而目出，初死其目未合，尸冷乃合，非其有所知也，《傳》因其異而記之耳。（頁273）

10. 王充《論衡》

襄公十九年《傳》：「宣子盥而撫之，『曰：事吳敢不如事王！』猶視。欒懷子曰：『其為未卒事于齊故也乎？』乃復撫之曰：『主苟終，所不嗣事于齊者，有如河！』乃冥，受含。宣子出，曰：『吾淺為之丈夫也。』」注：

《論衡・死偽》：「荀偃之病，卒苦目出，目出則口噤，口噤則不可含……宣子撫之早，故目不瞑，口不闇。少久氣衰，懷子撫之，故目瞑受含。自此荀偃之病，非死精神見恨於口目也。」（頁273）

11.《楚辭》王逸注

襄公十一年《傳》：「女樂二人。」注：

《楚辭・招魂》王逸注：「二八，二列。大夫有二列之樂。」（頁125）

12.蔡邕《銘論》

襄公十九年《傳》：「臧武仲謂季孫曰：『非禮也。夫銘，天子令德，諸侯言時計功，大夫稱伐。』」注：

> 蔡邕《銘論》：「昔肅慎納貢，銘之楛矢。所謂天子令德者也。黃帝有中几之法，孔甲有盤盂之誡，殷湯有〈甘誓〉之勒，饞鼎有丕顯之銘。武王踐阼，咨於太師，作席几楹杖之銘十有八章。周廟金人，緘口以慎。亦所以勸進人主，勖于令德者也。呂尚作周太師，封于齊，其功銘于昆吾之冶，獲寶鼎於美陰，仲山甫有補袞闕，戒百辟之功；《周禮·司勳》凡有大功者，銘之太常，所謂諸侯言時計功者也。有宋大夫正考父，三命茲益恭而莫侮。衛孔悝之莊叔，隨難漢陽，左右獻公，衛國賴之，皆銘于鼎，晉魏顆獲杜回銘功於景鐘，所謂大夫稱伐者也。（頁275）

13.尹更始

襄公二十五年《傳》：「列為一國，自是以衰。」注：

> 尹更始曰：「天子以千里為衰。」（《文選·魏都賦注》，頁440）

14.孔臧

襄公二十三年《傳》：「子無然。禍福無門，惟人所召……」注：

> 孔臧〈鴞賦〉：「禍福無門，惟人所求。」（頁359）

15.韋孟

襄公二十四年《傳》：「在夏為御龍氏，在商為豕韋氏。」注：

> 韋孟〈諷刺詩〉：「肅肅我祖，國自豕韋。」（頁380）

16. 董遇

襄公二十五年《傳》：「自六正、五吏、三十帥、三軍之大夫、百官之正長……」注：

董遇曰：「五吏，謂--正有五吏，為三十帥之長。」（頁 426）

董遇，三國時代魏人，著有《易注》。

㈣ 魏晉以後的論述

1. 劉敞《春秋傳》

襄公七年《傳》：「及將會于鄖子駟相，又不禮焉。侍者諫，不聽。又諫，殺之。及鄖，子駟使賊夜弒僖公，而以瘧疾赴于諸侯。」注：

劉敞曰：「鄖者何？鄭之邑也。……何見其以如會而卒？《傳》曰：弒也。孰弒之？其大夫公子騑弒之。公子騑弒之奈何？公子騑執鄭國之政，鄭伯不禮焉。公子騑怨鄭伯，將廢諸侯廢之。公子騑欲與楚，鄭伯曰：不可。……」（頁 23）

引劉敞說，亦多見於疏證中，如襄公二十一年《經》「秋晉欒盈出奔楚」一條。

2. 李石《方舟經說》

襄公七年《傳》：「恤民為德，正直為正，正曲為直，參和為仁。如是則神聽之，介福降之，立之，不亦可乎？」注：

三詩者，韓穆子之賦也。韓闕以老謝事，欲立穆子，穆子以廢疾為辭，疾則不可以行多露，疾則不可以親民事，以示不欲立也。〈小雅〉之賦，專以韓起為才，非己之不才廢疾之比也。曰德、曰正、曰直、曰仁，以此契神，表韓起之三德也。闕遂告老，晉侯以穆子為仁，使之為公族之師，曰公族大夫者，既長且賢，雖疾無害也。（《方舟經說》，頁 18－19）

引李石說，多見於疏證中，如襄公九年《傳》、襄公十九年《傳》。

　　3. **沈欽韓**

　　　《詩》曰：「退食自公，委蛇委蛇。」注：

　　　　沈欽韓曰：「《唐石經》初刻虵字。郭忠恕《佩觿》曰：『委虵之虵，余脂反，蛇，是遮友虵也。』」（頁 21）

沈欽韓說見於《左傳補注》及《左傳地名補注》中。

　　4. **李貽德**

　　　襄公九年《傳》：「陶唐氏之火正閼伯居商丘。」注：

　　　　李貽德曰：「顧棟高《春秋大事表》云：『今為河南歸德府之商丘縣。城西南有商丘，周三百步，世稱閼臺。』」（頁 49）

李貽德說見《春秋左氏傳賈服注輯述》，吳氏於注文引其說，亦見襄公九年《傳》「令于諸侯曰：『修器備，盛餱糧、歸老幼，居疾于虎牢，肆眚，圍鄭。』」下。

　　4. **李富孫**

　　　襄公九年《傳》：「陶唐氏之火正閼伯居商丘。」注：

　　　　李富孫曰：「《路史》作過伯。昭二十五年虞閼父，〈陳世家〉索隱並作過父。〈釋詁〉：『過，止也。』《說文》：『閼，遮擁也。』音同，古通用。」（頁 49）

李富孫說見其《春秋三傳異文釋》中。

　　以上四種，吳氏或輯為注文，或於疏證徵引其說，本不一致。

㈤ **吉金文**

　　1. 〈叔夷鐘〉

　　　襄公六年《傳》：「齊師大敗之。丁未，入萊。」注：

〈叔夷鐘〉：「唯王五月，辰在戊寅，師于淄陘。公曰：汝夷，余經乃先祖，余既尃乃心，汝小心畏忌，汝不墜夙夜，宦執爾政事……（下略）。」（薛氏《鐘鼎款識》、《兩周金文大系》）（頁 8-9）

2.〈陳公子仲慶簠〉

襄公七年《傳》：「陳人患楚，慶虎、慶寅謂楚人曰：『吾使公子黃往，而執之。』楚人從之。二慶使告陳侯于會，曰：」注：

〈陳公子仲慶簠〉：「陳公子仲慶自坐筐簠，用祈眉壽，萬年無疆。子子孫孫永壽用之。」（頁 24）

〈陳公子仲慶簠〉銘文收錄於《金文總集》、《殷周金文集成》等，吳氏未注明徵引自何書。

3.〈齊侯鑑〉

襄公十二年《傳》：「齊侯許昏。王使陰里結之。」注：

〈齊侯鑑〉：「齊侯作媵子仲姜寶盂。其眉壽萬年，永保其身。子子孫孫永保用之。」（《文物》1977 年 3 號，頁 143）

他如引王子午鼎、倗鼎、孫林父敦等吉金文字。

除以上各家外，注文中亦有若干條資料，應視為吳氏所作的注釋或是考證，而非徵引之舊注，如前引京房《易傳》下的釋語。茲再引數例以見之。

襄公七年《傳》：「獲蔡公子燮。」注：

燮，《穀梁》作溼，又音燮。（二十年同，頁 26）

襄公九年《傳》「韓厥老矣，知罃稟焉以為政……韓起少于欒黶，而欒黶、士魴上之，使佐上軍。」注：

《金澤文庫》本：士魴作范魴。（頁 59）

襄公十九年《傳》：「今稱伐，則下等；計功，則借人也……」注：

《石經》作：「亡之之道也。」（頁 276）

襄公十九年《傳》：「莊公即位，執公子牙于句瀆之丘。」注：

《論語》「自經手于句瀆。」《史記》作竇。（頁 280）

襄公二十五年《傳》：「楚蒍掩為司馬。」注：

〈古今人表〉作「薳掩」。（頁 441）

類此皆屬校勘《左傳》傳本文字差異，與舊注自應有所分辨。

　　以上所列，均屬吳氏視為注文輯錄，而劉氏《左傳舊注疏證》未收錄之說。而劉氏輯錄之注文中，京相璠《春秋土地名》一書，或視為舊注，吳氏則均於疏證中論述。

三、《左傳舊注疏證續》之特色

　　劉文淇在擬定《左傳舊注疏證》的體例時，係透過漢儒《左傳》舊注及相關論述以探討先秦兩漢的《左傳》學，又以清儒的考證成果以申述漢儒觀點，在學術主旨上，有其一致的思想和價值，呈現出不同於杜注孔疏的《左傳正義》，也不同於元明盛行，重視義理論述、強調春秋大義的胡安國《春秋傳》的思想。

　　吳氏《左傳舊注疏證續》雖是承繼劉氏《左傳舊注疏證》，但因其時代與劉氏不同，故其書除了大量收錄非屬漢儒《左傳》相關注釋外，尚有下列三方面異於劉氏原撰。

㈠ 多朵《左傳》義例

　　劉文淇《左傳舊注疏證》強調禮文儀式及名物制度的考訂與闡釋，不就義例闡釋《左傳》，但是此原則是在乾嘉考據學的風氣下擬定，有其時代特質。晚清《公羊》學興起，面對劉逢祿、康有為倡言《左傳》係劉歆偽作，本非《春秋》之傳，劉師培因而整理《左傳》義例以攻駁劉、康，因此《左傳》可見到較有系統的釋經義例。

　　吳氏先人既受學於劉師培，自是熟習劉師培論述的《左傳》義例，故疏證中，多引劉師培歸納的義例，如襄公七年《經》：「夏四月，三卜郊，不從，乃免牲。」疏證：

> 劉師培曰：「禮不卜常祀，卜郊非禮也。四月卜郊，是為過郊，牲成而卜，上怠慢也。書與禧經例同。故《經》特書月，《傳》引孟獻子之言明之。」
> （頁11）

孟獻子稱釋免牲之義云：「啟蟄而郊，郊而後耕。今既耕而卜郊，宜其不從也。」劉師培以此而推得書月乃貶上怠慢，蓋劉師培比較《春秋》經傳後，歸納得「日月愈詳，貶譏愈甚」故推論《春秋》經傳未記載日期，僅書時或月者，必有所隱諱。

㈡ 廣採宋明學者及近人的論述

　　劉文淇作《左傳舊注疏證》，欲取代杜注孔疏，成為一部以漢人經說為主的新疏，故其初始擬定的論述主旨，明確以漢人《左傳》注為依據，再以清人考證的成果闡述漢人經說。此因于其確信漢儒經說傳自孔門弟子，確實可信，而其處於考據學發達的乾嘉時期，自是以考據方式作為理解經傳的主要方式；因此《左傳舊注疏證》中，除少數轉引自顧炎武及惠棟《左傳補注》中徵引的明人論述外，並不載錄宋元學者的論述。

　　吳氏《左傳舊注疏證續》雖云承劉氏書而作，但徵引資料其並不依照劉氏的原則。其疏證中，除原本劉文淇徵引的清人論述外，並大量徵引宋明學者、清末民初及近人的論述，宋明學者的論述，如前節引作注文的劉敞《春秋說》、李石《方舟經說》外，宋代程頤、蘇轍、汪克寬、薛季宣、胡安國、卓爾康、陳傅良，明代邵

寶、楊慎、郝敬等各家說。近人的論述，則自劉師培、章太炎、周大璋、吳闓生、韓席籌，以致於傅隸樸、錢鍾書。

㈢ 備錄吉金文獻

劉文淇處於乾嘉時期，金石器物學未成系統，甲骨文字則尚未出土，故其論述以考據為主，透過禮文儀式及名物制度的考訂，以了解《左傳》的內容。晚清器物學漸發達，學者有系統的整理吉金文字，並用以闡釋殷周史事。

吳氏主要於注文中載錄的吉金文獻以闡釋《春秋》經傳人事，如襄公十七年《經》：「十有七年春王二月庚午，邾子牼卒。」疏證：

> 《兩周金文辭大系》載有邾公牼鐘：「隹王正月初吉，辰在乙亥，邾公牼擇其吉金，玄鏐錯鑢，自作和鐘曰：余翼襲畏忌，鑄台和鐘，和鐘二堵，以樂其身，以宴大夫，以饎諸士，至于萬年，分器是寺。」宣公立於魯成公十八年，為簡王十三年，卒于魯襄公十七年，為靈王十六年，鑄鐘以《春秋長曆》推之，約在魯襄公二年。（頁 233－234）

此吳氏徵引金文辭以述邾子牼之事，可以與經傳記載參照。又如襄公二十三年《傳》：「乙亥，臧紇斬鹿門之關以出奔邾。」注：

> 〈少司寇邦孫宅盤〉：「魯少司寇邦孫宅作其子孟姬媵盤匜，其眉壽萬年，永保用之。」（《文物》1963）

疏證：

> 靜安按：臧紇時為司寇，蓋即少司寇邦孫宅。宅即紇、仡，如公父宅亦即季紇也。孟氏將辟告季氏，乃致季孫之怒逐臧孫。（頁 364）

此以盤銘文闡釋臧紇出奔之事，其中孟氏、季氏與臧孫關係，可透過銘文與《左傳》記載相證。正是王國維「二重證據法」的具體運用。

㈣ 重視《春秋》義理的申論

　　吳氏既廣採宋明學者及民國以來各家學者之說，則其疏證載錄的論述，必然多涉及《春秋》義理的申論，及人物得失的評價，茲略舉數例以見之。襄公二十一年《經》「秋，晉欒盈出奔楚。」疏證：

> 劉敞曰：「不以范匄逐之為文，而以盈之自出為說。使盈無可逐之釁，則匄不得逐矣。匄之罪易見，盈之失難知，此《春秋》所以深探其情，而大正其本也。」

> 高閌曰：「盈不能防閑其母，遂為范匄所逐，既取奔亡，復有作亂之志，故特奔於楚焉。以楚強大，今日可以持以逃難，他日可挾以復歸也。」（頁297）

　　劉敞《春秋說》及高閌《春秋集注》均是宋代春秋學的代表著作，內容強調倫理綱常，以此評騭人物功過得失。此處劉敞、高閌均明指欒盈之過，高閌並說明其奔楚之緣由，以著其惡。

　　吳氏除重視義理申論外，於《左傳》文章義法及章句賞析，皆採錄以作疏證。如襄公二十年《傳》：「對曰：蘘者志入而已，今則怯也。皆笑，曰：公孫之亟也。」疏證：

> 儲欣曰：「二子固奇，《傳》亦善寫，呫呫欲活。」

> 吳曾祺曰：「此節極得名將風度？亦復絕古今，不可再得之文。」

> 韓席籌曰：「記二子直是飛天仙人，諸侯壁上觀者，無不人人惴恐，開後世說部法門。」（頁393）

　　韓席籌著有《左傳分國集注》，本承馬驌《左傳事緯》、吳闓生《左傳微》而作，

其論述重在論人物形式得失及品評文章，論述風格近於以評論《左傳》文章義法為主的桐城派。

於此可見吳氏雖承劉氏書，但闡釋《左傳》的方式，與劉氏大異其趣。

四、《左傳舊注疏證續》的缺失

吳靜安以個人之力完成《左傳舊注疏證續》，其學識毅力均令人敬佩，但在時空環境的限制下，其書仍然呈現若干的問題，本文僅就學術內容、文獻資料的裁減及舊注與疏證的編輯三方面，略述其顯見的缺失。

㈠ 混淆《左傳》與《公羊》、《穀梁》釋《春秋》的差異

《左傳》及《公羊》、《穀梁》皆是闡釋《春秋》的著作，三者關係密切，漢人闡釋三《傳》自不可能完全沒有相同的觀點。但劉文淇《左傳舊注疏證》的論述中，極力分辨賈逵、服虔的注文並非取自《公羊》、《穀梁》家言。❷

劉氏《左傳舊注疏證》中，對於三《傳》異文，於疏證中論列，此因其對於三《傳》經說，各有源流，不應混淆。

吳氏除於注中載其異文外，並徵引《公羊傳》與《穀梁傳》以釋之，襄公六年《經》：「十有二月，齊侯滅萊。」注：

> 《公羊傳》：「何為不言萊君出奔，國滅君死之，正也。」（頁3）

此《公羊》家稱萊之國滅君死為正，並非《左傳》義。而吳氏不僅引《公羊傳》及《穀梁傳》文以闡釋《左傳》，于疏證徵引前人論述，亦多載錄學者發揮《公羊》之家，而未注意到其中說法實與《左傳》有所牴牾，如襄公二十年《經》：「蔡殺其大夫公子燮，蔡公子履出奔楚。」疏證：

> 家鉉翁曰：「燮奉文侯遺命，求成于晉，不克而死。《春秋》稱國而不去其

---

❷ 詳見本人博士論文《儀徵劉氏春秋左傳學研究》第四章第三節，頁 300－316。（臺灣大學中文研究所博士論文，2005）

官，錄之也。」

錢大法曰：「陳、蔡近楚，受偪已數十年，又有不逞之徒，附楚以張其聲勢。所以欲自拔而不能。迨至囊瓦不仁，昭侯受羈三載，終致柏舉之禍。」

王祖畬曰：「爕從先君以利蔡，不克而死。所謂蔡人殺之者，亦二慶之黨耳。《經》曰：『蔡殺其大夫』，從所告也。曰公子爕，成其為公子也。《左氏》乃以不與民同欲歸之，不特昧於《春秋》內諸夏外夷狄之義，而于天下萬世忠臣義士守死不貳，而見戕于亂臣賊子者，皆以違眾之罪歸之，其可哉！」（頁289）

同年，《經》「陳侯之弟黃出奔楚」疏證引李廉曰：

杜《釋例》曰：兄而害弟者，稱弟以章兄罪，此例可施于陳黃、秦鍼、衛鱄、宋辰。弟而言兄，則去弟以罪弟，此例可施于鄭段，然于通例不甚合。又《左氏》以為罪公子爕不與民同欲者，謬矣。（頁289）

此二者所輯錄之論述，皆據《公羊》家說以駁《左傳》，殊與劉文淇編撰《左傳舊注疏證》之意不合。

㈡ 違背劉氏撰述原意

　　劉氏編撰《左傳舊注疏證》的重要目的，是企圖恢復漢人《左傳》經說，並藉此以理解《春秋》及《左傳》蘊含之禮法規範及褒貶大義，故其編撰過程中，對漢人《左傳》注釋以外的相關論述，去取頗為慎重，如《史記》記載與《左傳》不同，劉文淇多以司馬遷旁採異說，別有據依，非盡為《左傳》說，故僅於「疏證」中徵引相關記載而論述之。若於魏晉之際之論述，則徵引之際，多考其與漢人經說之異同，以辨別其論述之依據。蓋劉文淇認為魏晉處學風轉變之際，學者不重視經傳蘊含的義理幽微，而多暢論其體會，故其抨擊杜預注《左傳》，不知禮義，因而所論云多違背經旨。

吳氏既繼承劉氏體例完成舊注疏證的工作，於劉氏撰述宗旨，自須有所照應。然就其輯錄之舊注資料，已明顯可見其非以漢人經說為主；編撰目的亦並非闡明漢人經學思想，藉以辨正杜注孔疏之訛誤。作為一續書，僅存原作者的編撰形式，而改變其的論述宗旨，其功過得失，實以不難得見。

㈢ **舊注與疏證混淆**

劉氏《左傳舊注疏證》為呈現不同於杜注的漢注特色，故以舊注為中心，疏證為輔。因此，在文獻的選擇上，舊注據其所見，完整輯錄，其中並不摻雜個人觀點，疏證則是劉氏擇取其認為可以據信、足以闡發《左傳》的論述，層次上明顯有所分辨。吳氏續著在注及疏證的材料選擇上，遠不如劉氏清楚。如襄公六年《傳》：「及杞桓公卒之月，乙未，王湫率師及正輿子、棠人軍齊師。」注：

> 《荀子‧堯問》：「萊不用子馬而齊并之。」《說苑‧正諫》：「萊不用子猛而齊并之。」顧炎武曰：「棠在平度州境，孟子所謂發棠在此。即墨為齊大都，倉廩在焉，亦從此知之矣。」江永曰：「《春秋傳說彙纂》云：『今縣南八十里，有甘棠社，即古棠鄉也屬萊州府。』」（《春秋地名考實》）華玉淳曰：「齊未滅萊、棠前，其東北境亦瀕于海，所以得魚鹽之利。」（《春秋大事表》引）王引之曰：「萊正輿子字子馬，正蓋氏也。駕馬所以引輿也。」《荀子‧堯問》注：「《說苑》作子猛。」（頁8）

此注文徵引之資料，包含《荀子》及注，及清人顧炎武、江永、顧棟高、王引之四家論述，但其徵引《荀子》及注，多視為注文，顧炎武、江永、顧棟高、王引之等各家說，則多在疏證，體例殊不一致。

吳氏輯錄資料，未明確視其為注或疏證者，以《漢書》相關記載、《經典釋文》二書為甚。

又其闡釋《左傳》，多徵引前後記載以見事件之始末，但對相關記載之處理，則或於注文徵引，或疏證徵引，體例殊不一致。如襄公八年《傳》：「春，公如晉，朝，且聽朝聘之數。」注：

昭年《傳》：「昔文、襄之霸也，其務不煩諸侯。諸侯三載而聘，五歲而朝，有事而會，不協而盟。」（頁28）

同例，襄公九年《傳》：「穆姜薨于東宮。」疏證：

> 成十六年《傳》：「宣伯通于穆姜，欲去季、孟而取其室。冬十月，出叔孫僑如而盟之。僑如奔齊。齊聲孟子通僑如，史立于高、國之間。」（頁52）

此二者均引《左傳》前後記載以注釋，但一在注文，一在疏證，體例不一。

除此外，吳氏於注文或疏證後，多有申論其意之論述，如襄公九年《傳》：「令司宮、巷伯儆宮。」注：

> 靜安按：「《傳》文：使伯氏司里……令司宮巷伯儆宮。」皆子罕素有教令，故遇災即能佈置有序。（頁45）

此亦不應與舊注並列。

(四) 徵引前人論述多失本旨

吳氏徵引相關論述作疏證，既有過於冗雜，失於裁剪。但其節引論述，又多裁減不當，以致無助於闡釋經傳意旨。如襄公十三年《傳》：「十三年春，公至自晉，孟獻子書勞于廟，禮也。」疏證：

> 劉文淇曰：「疏云：凡公行者，或朝或會，或盟或伐，皆是也。《禮記·曾子問》：『孔子曰：諸侯嫡無子，必告于祖，命祝史告于宗廟。諸侯相見，必告于禰，命祝史告于五廟。反必親告于祖禰。乃命祝史，告於前所告者。其路遠者亦親告于祖。』鄭注：『道近或可以不親告祖廟。』明道遠者亦親告祖廟矣。」（頁149）

此劉文淇疏證見於《左傳舊注疏證》桓公二年。劉文淇徵引《左傳正義》疏文全段，後稱「疏詮禮意甚晰，惟言諸侯相見，蓋兼朝、會、盟、伐之事。但舉朝鄰國言，疏矣。」**⓭**吳氏於「告於前所告者」之後則刪除「由此而言，諸侯朝天子，則親告祖禰，祝史告餘廟；朝鄰國，則親告禰，祝史告餘廟。其路遠者亦親告祖，故於其反也，言告於祖禰，明出時亦告於祖也。出時不言祖者」一段。故吳氏疏證雖作「劉文淇曰」，然此徵引實僅有《禮記・曾子問》及鄭注，《左傳正義》及劉文淇論述均未載錄。且桓公二年《傳》文：「公至自唐，告于廟也。凡公行，告于宗廟，反行飲至，舍爵策勳焉，禮也。」劉文淇於此徵引《左傳正義》以闡明告廟的制度，並說明「公行」必須告廟的範圍。吳氏於此所必須注釋的，應是「書勞」之儀式，蓋即「舍爵策勳」，而其徵引的劉文淇論述，實未能挈合此《傳》義。

又如襄公十二年《傳》：「無女而有姊妹及姑姊妹，則曰：『先守某公之遺女若而人。』」疏證：

> 劉文淇曰：「襄二十一年疏，劉炫以公之姑姐為一人。《釋文》云：『或曰《列女傳》謂節姑姊妹，謂父之妹。此云姑姐，是父之姐，一人耳。』陸氏所引或說，即只光伯說也。此疏亦光伯語，但此引《列女傳》以證姑妹，意必引襄二十一年《傳》以證姑姐。唐人于彼疏駁光伯姑姐之說，故此亦刪之。說詳襄二十一年。」（頁 143）

此疏證本應是闡述姊妹及姑姊妹的差異，但所徵引的劉文淇《左傳舊疏考正》說，乃是論述《左傳正義》疏文係刪取劉炫《春秋述議》而成，而非解釋傳文之姊妹及姑姊妹。劉文淇作《左傳舊疏考正》，欲在指明孔穎達攘奪劉炫書之過，引此書中備引《左傳正義》疏文，吳氏於此徵引劉文淇論述而無《左傳舊疏考正》載錄之疏文，遂使劉文淇之論述語焉不詳，且與《傳》文無關涉。

㈤ **資料來源標示不一**

吳氏徵引資料，多未注明來源，此是劉氏書即有的缺失，但吳氏並有記載來源

⓭　《左傳舊注疏證》，頁 75。

不一的問題，如《世本》，襄公六年《傳》下引該書，又說云：

> 商務本《世本八種》收輯清人所輯《世本》，茆、張、雷、陳較謹嚴，洪飴
> 孫所輯最豐富。（頁3）

據此知其徵引《世本》記載，應是各家《世本》輯本，如襄公二十五年《傳》「弈
者舉棋不定，不勝其耦」疏證即引洪飴孫《世本輯本》。但吳氏此處徵引《世
本》，注明之出處，則是徵引佚文之原書。如襄公七年《傳》「南遺為費宰。叔仲
昭伯為隧正」引《世本》注明出自〈檀弓〉正義，襄公八年《傳》「鄭人皆喜，唯
子產不順」下，引《世本》，則注明是出自《古今姓氏書辨證》。⓮

　　同為漢魏學者之著作，後世不傳的佚書，如何休《左氏膏肓》、鄭玄《箴左氏
膏肓》⓯、《周易》鄭注及虞翻注⓰、譙周《五經然否論》⓱等書，吳氏則未注明
出處。吳氏書經數十年辛勤蒐集，期間又經流離顛沛，徵引資料所用書籍不一，自
不能苛責。

　　除以上明顯缺失外，吳氏徵引資料亦有失之冗雜，如襄公十二年《傳》「是故
魯為諸姬，臨于周廟，為邢、凡、蔣、茅、胙、祭，臨於周公之廟」下，引其所作
〈補史記邢世家〉及諸國始末以釋其源流。⓲襄公二十四年《傳》「穆叔如周聘，
且賀城。王嘉其有禮也，賜之大路」下，引《國語·周語下·太子晉諫靈王壅穀
水》及《周書·太子晉解》二篇全文，⓳《國語》記載太子晉之事，與《左傳》文
並無密切關係。

⓮　《左傳舊注疏證續》，頁 29。《古今姓氏書辨證》四十卷，宋人鄧名世撰，其子椿哀補成，
　　清人輯自《永樂大典》。

⓯　見襄公七年《傳》「是故啟蟄而郊，郊而後耕」下。（頁14）

⓰　見襄公九年《傳》「史曰：是謂艮之隨」下。（頁54）

⓱　見襄公九年《傳》「以先君之祧處之」下。（頁74）

⓲　頁 137－142。

⓳　頁 395－398。

五、結　語

劉氏《左傳舊注疏證》的編撰工作，大致停止於劉壽曾，時為光緒八年，距離清帝遜位、民國建立，有近三十年時間。就吳氏《左傳舊注疏證續》輯錄的資料，約略可看出這期間的《左傳》學的發展及變化。

劉文淇《左傳舊注疏證》明顯以清人的考證成果作為解釋《左傳》的依據，強調漢人釋經的權威性，否定杜注、孔疏的價值，更遑論宋明學者對義理的發揮。劉師培闡釋《左傳》雖堅守古文家傳統，但其並不排斥今文家說，與其同時並且同為古文家的章太炎，並且認為杜預注有其一定的價值，不宜全然否定。

吳氏則不然，其先人受學於劉氏後人，對劉氏學必有一定程度的理解，然其續劉氏書，卻全未依循《左傳舊注疏證》的原則。李學勤為《左傳舊注疏證續》寫的序文中，稱吳氏此書無劉文淇時代崇尚漢學的門戶之見，是其優點。但是劉氏書確實發揮了《左傳》漢注的特色，此書似乎未掌握劉氏著書的精神，因此，既非如漢人重視禮義的樸素經學，亦非暢意發揮《春秋》褒貶大義的宋人經學。似乎只是資料的匯集，而且漢人、宋人論述相衝突之處，甚且不免。

在舊注文獻的蒐集處理上，劉氏非常謹慎的擬定條例，僅輯錄漢人《左傳》注，未能確定的相關論述，僅以疏證方式陳述，因此全書具體呈現漢代《左傳》經說的特色。

吳氏則未能掌握劉氏著書的精神，因此，輯錄的舊注，多與《左傳》無涉，如此旁徵博引，固有助於了解經傳文字，但卻完全無法彰顯漢代《左傳》學的特色。

據此而論，此書雖然形式與劉氏《左傳舊注疏證》相同，但體例與內容，卻是與劉氏截然不同。

然此發展，卻是晚清以來經學沒落的具體呈現。蓋劉文淇關注漢儒經說，是因為杜預注強調史事的發展始末，異於漢儒重視的禮義褒貶的傳統，因此在杜注中，就不易看到《左傳》可以作為倫理規範的經學價值，劉文淇所要恢復的，即是此價值。吳氏輯錄的舊注，雖以漢人論述為主，卻缺乏一體的思想，因此足以解釋字義，卻無法闡發經義；其疏證徵引的資料雖多宋人的褒貶論述，看似無漢宋學的偏見，但是其中徵引的論述實多學者個人的見解，頗有背離《左傳》史實之處。《左

傳舊注疏證續》載錄的資料，金石銘文、品評人物及文章義法兼有，但整體而論，既非著重在史實考訂，又無強調倫理規範的經學特質，缺乏論述主旨。但此實反映近代以來經學的尷尬地位，既不被奉為倫理綱常，學者於其記載亦多懷疑，非史非哲非文，遂成象徵意義的古文獻彙編。經學由倫理綱常的典範，淪為資料彙編，在吳氏《左傳舊注疏證續》中，已不難得見。

　　附帶說明，儀徵劉氏的著作，除了劉師培的《劉申叔遺書》外，存亡參半，但其家世事蹟，史傳多載存，不難查考。李學勤〈序〉稱「劉壽曾的兒子就是清末民初著名的學者劉師培」，此其一時疏漏誤記。據史傳資料，劉壽曾有二子：師達及師蒼。師達早夭，師蒼在光緒二十八年（1902）送師培、師慎赴考時，在金陵落水而卒。師培是壽曾弟貴曾之子。劉氏師蒼一代，從兄弟之幼年教育，皆承自家學，係劉貴曾在揚州青谿舊屋親自教授。

經 學 研 究 論 叢
第 十 六 輯　　頁193～230
臺灣學生書局　　2009 年 5 月

兩漢之際的讖緯與《公羊》學

陳蘇鎮*

　　關於讖緯（或稱緯書）的形成、內容和影響，前人已做了大量研究，積累了豐富的成果。❶但有些具體環節和深層問題還可進一步闡發，如讖緯形成的具體過程，讖緯的篇目結構所包含的思想內容，讖緯的主體思想和政治主張，讖緯在西漢末年大量出現的原因及其對東漢王朝的意義等。這些問題相互關聯，構成兩漢之際政治文化演變的一個側面。讖緯與《公羊》學的關係則是貫穿其中的核心問題。

　　清人徐養原說：「圖讖乃術士之言，與經義初不相涉。至後人造作緯書，則因圖讖而牽合於經義。其於經義，皆西京博士家言，為今文之學者也。」❷日本學者安居香山進一步指出：「《易緯》等書可以認定是京房後學所作，《春秋緯》等書可以設想是公羊學派的後學所作」。❸鍾肇鵬仔細考察了讖緯同今文經學的關係，認為「《易》緯為孟京《易》學一派」，「《詩》緯為《齊詩》說」，各種緯書「用今文《尚書》說」的例子也很多，而「在今文經學中，又以《公羊春秋》對讖緯的影響最大」，讖緯每每襲取董仲舒的著作，是對「董仲舒思想論著的繼承和發

---

*　陳蘇鎮，北京大學歷史學系教授。

❶　特別是日本學者安居香山和中村璋八所作《緯書集成》，將散見各處的讖緯遺文輯在一起，
　　為研究者提供了很大方便。

❷　見氏著：〈緯候不起於哀平辨〉，《清經解》（南京市：鳳凰出版社影印本，2005 年 6
　　月），頁 10834。

❸　〔日〕安居香山，田人隆譯：《緯書與中國神秘思想》（石家莊：河北人民出版社，1991 年
　　月），頁 142。

展」。他們大致揭示了這樣一個事實：讖緯內容雖十分龐雜，但主體思想屬於西漢今文經學，尤其是《春秋》公羊學。

筆者在前人基礎上又對讖緯與《公羊》學的關係做了進一步探討，嘗試著對張衡的「禁絕圖讖」疏、讖緯的篇目結構、讖緯中的「赤帝九世」說和「五德終始」說等進行了深入考證和分析。通過研究，筆者對上面提到的那些問題形成了一些新的看法，特別是發現讖緯同《公羊》學的關係，不僅表現為前者的內容受到後者的影響，還表現為前者對後者的一些基本理論和主張做了神學式的論證和發揮。今詳述於下，以就正於方家。

一、張衡「禁絕圖讖」疏考釋

《後漢書》卷五十九〈張衡傳〉載：「初，光武善讖，及顯宗、肅宗因祖述焉。自中興之後，儒者爭學圖緯，兼復附以訞言。」張衡認為「圖緯虛妄，非聖人之法」，「皆欺世罔俗，以昧埶（勢）位」，遂上疏順帝，要求「收藏圖讖，一禁絕之」。疏中為說明圖讖之「虛妄」，做了如下考證：

> 立言於前，有徵於後，故智者貴焉，謂之讖書。讖書始出，蓋知之者寡。自漢取秦，用兵力戰，功成業遂，可謂大事，當此之時，莫或稱讖。若夏侯勝、眭孟之徒，以道術立名，其所述者，無讖一言。劉向父子領校秘書，閱定九流，亦無讖錄。成、哀之後，乃始聞之。《尚書》堯使鯀理洪水，九載績用不成，鯀則殛死，禹乃嗣興。而《春秋讖》云「共工理水」。凡讖皆云黃帝伐蚩尤，而《詩讖》獨以為「蚩尤，敗然後堯受命」。《春秋元命包》中有公輸班與墨翟，事見戰國，非春秋時也。又言「別有益州」。益州之置，在於漢世。其名三輔諸陵，世數可知。至於圖中，訖於成帝。一卷之書，互異數事，聖人之言，埶（勢）無若是，殆必虛偽之徒，以要世取資。往者侍中賈逵摘讖互異三十餘事，諸言讖者皆不能說。至於王莽篡位，漢世大禍，八十篇何為不戒？則知圖讖成於哀、平之際也。且《河洛》、《六

藝》篇錄已定，後人皮傳，無所容纂。❹

　　文中的「讖」、「讖書」、「圖」、「圖讖」、「圖緯」，顯然都是泛指讖緯
❺，即所謂「《河洛》、《六藝》」。李賢注引《張衡集》云：「《河洛》五九，
《六藝》四九，謂八十一篇也。」是張衡所見讖緯有《河洛》類四十五篇，《六
藝》類三十六篇，共八十一篇。疏中所謂「八十篇」，係舉成數而言。《後漢書‧
祭祀志上》載劉秀封禪刻石曰「以章句細微相況八十一卷」❻，荀悅《申鑒‧俗嫌
篇》引荀爽語曰「八十一首非仲尼之作」❼，劉勰《文心雕龍‧正緯篇》曰「八十
一篇皆托於孔子」，可證東漢的讖緯確有八十一篇。《隋書》卷三十二〈經籍志〉
讖緯條對八十一篇的構成有更具體的說明：

> 其書出於前漢，有《河圖》九篇，《洛書》六篇，云自黃帝至周文王所受本
> 文。又別有三十篇，云自初起至於孔子，九聖之所增演，以廣其意。又有
> 《七經緯》三十六篇，並云孔子所作，並前合為八十一篇。❽

八十一篇究竟包括哪些篇目？張衡、荀爽等東漢人應該是清楚的，可惜未留下有關
文字。現在只有後人的一些說法可供參考。
　　《隋志》著錄《河洛》類只有《河圖》二十卷、《河圖龍文》一卷，本注曰：
「梁《河圖洛書》二十四卷，目錄一卷，亡。」顯然，《隋志》作者見到的《河
洛》之書已不全了，完整的目錄也未見到，因而說不清四十五篇的全部篇目。《文

---

❹ 〔宋〕范曄撰，〔唐〕李賢等注：《後漢書》（北京市：中華書局點校本，1965 年 5 月），
　頁 1910。
❺ 關於讖與緯的異同問題，筆者贊同二者互辭、不可區分說。參陳槃：〈讖緯命名及其相關之
　諸問題〉，《歷史語言研究所集刊》第 21 本第 1 分（1948 年 12 月）；鍾肇鵬：《讖緯論
　略》（瀋陽市：遼寧教育出版社，1991 年 11 月），頁 9－11。
❻ 見《後漢書》，頁 3166。
❼ 《諸子百家叢書》（上海市：上海古籍出版社，1990 年，影印明文始堂本），頁 23。
❽ 〔唐〕魏徵：《隋書》（北京市：中華書局點校本，1973 年 8 月），頁 941。

選》李善注引用了《河圖》類的〈括地象〉、〈帝覽嬉〉、〈帝通紀〉、〈著命〉、〈闓包受〉、〈會昌符〉、〈龍文〉、〈玉版〉、〈考鉤〉，清人汪師韓認為這些就相當於《河圖》九篇。❾安居香山認為，此說雖缺乏堅實的證據，但這九篇「確是《河圖》各篇中最可信賴的資料」。❿清人蔣清翊考得《洛書》類的〈甄曜度〉、〈靈准聽〉、〈寶命號〉、〈錄運期（法）〉、〈稽命曜〉、〈摘命（亡）辭〉六種。安居香山亦持肯定態度，認為在現存的《洛書》篇目中這六種較為可信。⓫鍾肇鵬則認為《洛書》六篇中無〈稽命曜〉，而有〈洛罪級〉。⓬今天尚可見到的《河圖》篇目共有四十餘種⓭，《洛書》篇目共有十餘種⓮，除上面提到的十六種外，還有三十餘種。安居香山指出：「它們中的許多是六朝以後的偽作，或是篇名的誤寫」。⓯此說大致不錯，但〈赤伏符〉、〈合古篇〉、〈秘征篇〉、〈提劉篇〉等見於《後漢書》、《續漢志》的篇目，應當是比較可信的，「九聖之所增演」的三十篇或有殘存其中者。

　　關於《七經緯》篇目，《後漢書》卷八十二上〈方術樊英傳〉李賢注有一種說法：

　　　　七緯者，《易》緯〈稽覽圖〉、〈乾鑿度〉、〈坤靈圖〉、〈通卦驗〉、
　　　　〈是類謀〉、〈辨終備〉也；《書》緯〈璇機鈐〉、〈考靈耀〉、〈刑德
　　　　放〉、〈帝命驗〉、〈運期授〉也；《詩》緯〈推度災〉、〈記歷樞〉、
　　　　〈含神務〉也；《禮》緯〈含文嘉〉、〈稽命徵〉、〈斗威儀〉也；《樂》
　　　　緯〈動聲儀〉、〈稽耀嘉〉、〈汁圖徵〉也；《孝經》緯〈援神契〉、〈鉤

---

❾　汪師韓：《韓門綴學》（北京大學圖書館藏刻本）卷1，「緯候圖讖」條。

❿　說見〔日〕安居香山、中村璋八合輯：《緯書集成》（石家莊：河北人民出版社，1994年12月），頁66。

⓫　〔日〕安居香山、中村璋八合輯：《緯書集成》，頁68。

⓬　鍾肇鵬：《讖緯論略》，頁73。

⓭　《緯書集成・解說》統計為42種（見頁67），《讖緯論略》統計為40種（見頁71－72）。

⓮　《緯書集成・解說》舉出11種（見頁67－68），《讖緯論略》舉出13種（見頁73）。

⓯　〔日〕安居香山、中村璋八合輯：《緯書集成》，頁67。

命決〉也；《春秋》緯〈演孔圖〉、〈元命包〉、〈文耀鉤〉、〈運斗樞〉、〈感精符〉、〈合誠圖〉、〈考異郵〉、〈保乾圖〉、〈漢含孳〉、〈佑助期〉、〈握誠圖〉、〈潛潭巴〉、〈說題辭〉也。（頁 2721－2722）

此注所舉只有三十五篇，所缺的一篇，有人認為是《禮》緯〈默房〉，也有人認為是《孝經》緯〈左右契〉或《春秋》緯〈命曆序〉。❶❻李賢的《後漢書注》是他作太子期間（675－680 年）召集張大安、劉訥言、格希元、許叔牙等學者共同完成的❶❼，其中只有劉訥言是當時著名的《漢書》學家❶❽，其他人學術背景不明，所提供的《七經緯》篇目從何而來也不得而知。陳槃就認為：「賢注三十六緯之目，東拼西湊，無以充其數，故止於三十五篇也。」❶❾今案《隋志》著錄的七經緯有《易緯》八卷、《尚書緯》三卷、《詩緯》十八卷、《禮緯》三卷、《樂緯》三卷、《孝經勾命決》六卷、《孝經援神契》七卷。另有《禮記默房》二卷，不知是否屬《禮緯》；有《孝經內事》一卷，不知是否屬《孝經緯》。《春秋緯》全然不見，只有漢末人郗萌「集圖緯讖雜占」而成的《春秋災異》十五卷。本注曰：「梁有《春秋緯》三十卷，……亡。」《隋志》作者已見不到完整的《七經緯》，對三十六種篇目也未一一舉出。《隋志》又說：八十一篇之外「又有《尚書中候》、《洛罪級》、《五行傳》、《詩推度災》、《氾曆樞》、《含神務》、《孝經勾命決》、《援神契》、《雜讖》等書。」似乎認為《詩》緯《推度災》、《氾曆樞》、《含神務》和《孝經》緯《勾命決》、《援神契》不在三十六篇中，與李賢注的說法不同。《隋志》成書於顯慶元年（656 年），早於李賢注二十餘年。《隋志》的作者既不知《七經緯》三十六篇的確切篇目，李賢等人的說法有沒有可靠的目錄學根據的確令人懷疑。今天尚能見到的《七經緯》篇目超出李賢所列之外的還

---

❶❻　參閱鍾肇鵬：《讖緯論略》，頁 35、60。

❶❼　〔後晉〕劉昫：〈章懷太子賢傳〉，《舊唐書》（北京市：中華書局點校本，1975 年 5 月）卷 86，頁 2832。

❶❽　〈儒林傳〉，《舊唐書》卷 189，頁 4956。

❶❾　見陳槃：〈讖緯釋名〉，《歷史語言研究所集刊》第 11 本（1944 年 9 月），頁 313。

有數十種❷，它們是否都屬於三十六篇之外的「雜讖緯」也難以斷言。

　　張衡所謂「八十一篇」究竟包括哪些篇目今已無法確定，但東漢時的讖緯有個朝廷認可的八十一篇的定本存在是肯定的。《後漢書》卷一〈光武帝紀〉中元元年條明確記載：「是歲……宣佈圖讖於天下。」自此以後，再造圖讖便屬非法。《後漢書》卷二〈顯宗孝明帝紀〉載：永平十三年十一月，「楚王英謀反，廢，……所連及死徙者數千人。」同書卷四十二〈光武十王列傳〉載其事曰：「男子燕廣告英與漁陽王平、顏忠等造作圖書，有逆謀，事下案驗。有司奏英招聚奸猾，造作圖讖，擅相官秩，置諸侯王公將軍二千石，大逆不道」。此事還涉及濟南王康。〈光武十王列傳〉：「人上書告康招來州郡奸猾漁陽顏忠、劉子產等，又多遺其繒帛，案圖書，謀議不軌。」〈顯宗孝明帝紀〉又載：永平十六年五月，「淮陽王延謀反，發覺，……所連及誅死者甚眾。」〈光武十王列傳〉載其事曰：「有上書告延……招奸猾，作圖讖，祠祭祝詛。」同書卷四十〈班固傳〉還提到：「扶風人蘇朗偽言圖讖事，下獄死。」（頁 1334）這幾樁大獄都與圖讖有關，張衡所說「儒者爭學圖緯，兼復附以妖言」，也許就是指此類事件而言。可見自光武帝宣佈圖讖於天下之後，八十一篇成為定本，於此之外再行造作便是大罪。自明帝懲處三王之後直至漢末禪代之際，公然造作讖緯的事未再發生。除朝廷厲禁之外，張衡所說「《河洛》、《六藝》，篇錄已定，後人皮傳，無所容竄」也是原因之一。李賢注：無所容竄「謂不容妄有加增也」。❷前述汪師韓、蔣清翊、李賢等人的說法，則為我們大致勾畫了這一定本的輪廓。

　　那麼這些讖緯又是何時形成的？張衡疏中自「讖書始出」至「哀平之際也」，都是關於這一問題的考證，其中又有三層意思。

　　第一層曰：「讖書始出，蓋知之者寡。自漢取秦，用兵力戰，功成業遂，可謂大事，當此之時，莫或稱讖。若夏侯勝、眭孟之徒，以道術立名，其所述者，無讖一言。劉向父子領校祕書，閱定九流，亦無讖錄。」眾所周知，秦始皇時曾出現

---

❷　見《緯書集成》和《讖緯論略》相關部分。

❷　〈張衡傳〉，《後漢書》卷 59，頁 1912、1913。

「亡秦者胡」、「今年祖龍死」、「始皇死而地分」等讖語㉒；昭帝時「有蟲食樹葉成文字，曰：公孫病已立」，亦為讖語，眭弘（字孟）則作出了「故廢之家公孫氏當復興」的解釋㉓；劉向父子校秘書雖無讖錄，然班固據劉歆《七略》所作《漢書‧藝文志》術數略天文種有「《圖書秘記》十七篇」。

案「圖書」一詞在漢代或泛指官府中的圖籍文書，如《史記》卷五十三〈蕭相國世家〉：「收秦丞相御史律令圖書藏之。……漢王所以具知天下厄塞，戶口多少，強弱之處，民所疾苦者，以何具得秦圖書也。」（頁 2014）卷九十六〈張丞相列傳〉：「自秦時為柱下史，明習天下圖書計籍。」（頁 2676）或為《河圖》、《洛書》之簡稱，如《漢書》卷六〈武帝紀〉元光元年五月詔有「麟鳳在郊藪，河洛出圖書」。或特指讖緯，如《史記》卷六〈秦始皇本紀〉：「燕人盧生……因奏錄圖書，曰：亡秦者胡也。」（頁 252）《續漢志》卷二〈律曆中〉載章帝詔，引《河圖》及《尚書》緯〈琁璣鈐〉、〈帝命驗〉之文，既而曰「每見圖書，中心惡焉」。「秘記」一詞的用法與「圖書」大致相同，有時泛指官府圖籍，如《晉書》卷二十四〈職官志〉：漢成帝置尚書五人，「通掌圖書秘記章奏之事」（頁 730）。有時亦特指讖緯，如《後漢書》卷三十〈楊厚傳〉：「祖父春卿，善圖讖學」，臨死戒子統曰：「吾綈袠中有先祖所傳秘記，為漢家用，爾其修之。」楊厚「少學統業，……曉讀圖書」（頁 1047－1048）。文中「圖讖」、「秘記」、「圖書」皆指讖緯。㉔劉歆著錄的《圖書秘記》十七篇，當然不是泛指官府圖籍文書，因而很可能是讖緯。

張衡對上述事實肯定是知道的，所作《思玄賦》有「嬴擿讖而戒胡兮，備諸外而發內」一句，即指「亡秦者胡」而言。㉕因此，他說秦漢之際「莫或稱讖」，夏

㉒ 見〔漢〕司馬遷：〈秦始皇本紀〉，《史記》（北京市：中華書局點校本，1959 年 9 月）卷6，頁 252、259；〔漢〕班固：〈五行志〉，《漢書》（北京市：中華書局點校本，1962 年6 月）卷 27，頁 1400。

㉓ 〈眭弘傳〉，《漢書》卷 75，頁 3153－3154。

㉔ 「秘記」有時又稱「秘書」，亦指讖緯。參〈藝文志〉「圖書秘記十七篇」條，〔清〕王先謙：《漢書補注》（北京市：中華書局影印本，1983 年 9 月）卷 30，頁 898。

㉕ 〈張衡傳〉，《後漢書》卷 59，頁 1924。

侯勝、睦孟「無讖一言」，不是指零星的讖語尚不存在，而是指屬八十一篇系統的讖緯尚處於「始出」階段，「知之者寡」，故不見稱引。㉖《漢書》卷三十〈藝文志〉說劉向校書每完成一種，便「條其篇目，撮其指意，錄而奏之」。張衡說劉向父子「無讖錄」，李賢釋為「無讖說」，意指劉向父子未將讖緯列為一種並進行「條其篇目，撮其指意」的工作。其原因除了劉向父子不重視讖緯之外，可能也和其篇數太少有關。〈藝文志〉所收書分為「六略，三十八種，五百九十六家」，每「略」和每「種」之後都有一篇「撮其指意」的說明文字。劉向父子所見《圖書秘記》只有十七篇，不夠一「種」，只能列為一「家」，故無說明文字。所以，「成、哀之後，乃始聞之」一句應理解為：讖緯自成帝、哀帝後才開始大量出現，並為人們所知。

自「《尚書》堯使」至「哀平之際也」一段，是關於讖緯大量出現於哀、平之際的考證。筆者細讀其文，覺得其中「春秋元命包」至「訖于成帝」五十四字和其後「一卷之書」至「皆不能說」四十九字文意不順，很可能是錯簡。㉗將二者倒換

㉖　〈李尋傳〉，《漢書》卷 75，載尋語有「五經六緯，尊術顯士」一句。顏師古注引孟康曰：「六緯，五經與《樂》緯也。」張晏曰：「六緯，五經就《孝經》緯也。」（頁 3179）清人閻若璩認為據此可「知成帝朝已有緯名矣」。（見〔清〕王先謙：〈張衡傳〉，《後漢書集解》（北京市：中華書局影印本，1984 年 2 月）卷 59，頁 668）但王先謙《漢書補注》引劉攽據上下文提出疑義曰：「正言星宿，何故忽說五經？蓋謂二十八舍。」又引官本考證云：「劉攽駁顏，其論甚合。」王氏進而指出：「案〈天文志〉，太微廷掖門內六星諸侯，其內五星五帝坐。五帝者……蓋即五經，六緯者，六諸侯。〈天官書〉同。蓋漢世天文家說如此。」（頁 1381）據此，李尋所謂「六緯」并非指緯書。

㉗　秦漢簡牘文書中一簡字數在五十字上下者是常見的。故這裏的前五十四字和後四十九字很可能曾分別寫在兩支簡上，並顛倒了順序，又因二簡內容相對完整，顛倒後不易察覺，遂相沿至今。李賢注曰：「《衡集》云：『後人皮傳，無所容竄』。……《續漢書》亦作『竄』。本作『篡』者，義亦通也。」是《張衡集》和司馬彪《續漢書》皆有此疏，除個別文字出入外，內容與范曄《後漢書》基本相同。《隋書‧經籍志》有：「後漢河間相《張衡集》十一卷。」本注曰：「梁十二卷，又一本十四卷，……亡。」范曄於〈張衡傳〉末載衡一生著述，除《周官訓詁》外，還有「詩、賦、銘、七言、〈靈憲〉、〈應間〉、〈七辯〉、〈巡誥〉、〈懸圖〉凡三十二篇」。李賢於〈懸圖〉下注曰：「《衡集》作《玄圖》，蓋玄與懸通。」則唐人所見《張衡集》正是由上述作品組成的。據此，范書所載「禁絕圖讖」疏有可能來自「三十二篇」，也有可能來自《續漢書》等其他成書更早的東漢史書，錯簡應當是在

位置，便可更清楚地看出其中包含了這一大段文字的第二和第三兩層意思。第二層
曰：

> 《尚書》堯使鯀理洪水，九載績用不成，鯀則殛死，禹乃嗣興。而《春秋
> 讖》云「共工理水」。凡讖皆云黃帝伐蚩尤，而《詩讖》獨以為「蚩尤敗，
> 然後堯受命」。一卷之書，互異數事，聖人之言，埶（勢）無若是，殆必虛
> 偽之徒，以要世取資。往者侍中賈逵摘讖互異三十餘事，諸言讖者皆不能
> 說。

說的是讖緯內容自相矛盾，決非聖人所做，而是虛偽之徒偽造的。第三層曰：

> 《春秋元命包》中有公輸班與墨翟，事見戰國，非春秋時也。又言「別有益
> 州」，益州之置，在於漢世。其名三輔諸陵，世數可知。至於圖中，訖于成
> 帝。至於王莽篡位，漢世大禍，八十篇何為不戒？則知圖讖成於哀、平之際
> 也。

說的是讖緯中出現了戰國之人和西漢成帝以前之事，而對成帝之後的事，包括王莽
篡漢這樣的大事，卻隻字不提。由此判定「圖讖成于哀、平之際」。

　　對上述考證中的共工和公輸班兩條，有學者提出質疑。惠棟《後漢書補注》卷
十四曰：「共工治河，事見汲郡《竹書》及《周語》，在鯀前。而張平子駁之，非
也。」又引吳仁傑《補疑》曰：「《禮記》：『季康子之母死，公輸若尚幼，般請
以機封。』般與班同，則公輸班正出春秋時矣。」[28]但這些質疑並不能動搖張衡的
基本結論。特別是讖緯中出現的西漢皇帝至成帝止，不見哀帝、平帝及王莽，確是

這些文獻的形成或流傳過程中出現的。晉袁宏據謝承、司馬彪、華嶠等諸家《後漢書》所作
《後漢紀》亦提及此疏，可惜只有「劉向父子領校秘書，閱定九流，復無讖書，讖書出於
哀、平之際，皆虛偽之徒以矯世取容，不可信也」數語，刪略太多，無法與范書之文核校。
[28] 張舜徽主編：《二十五史三編》（長沙市：岳麓書社，1994年12月），4冊，頁170。參閱
〔清〕王先謙：《後漢書集解》，頁668。

讖緯大量形成於哀、平之際的有力證據。此疏限於篇幅未將相關考證充分展開，但張衡是東漢順帝時人，所見八十一篇不僅完整無缺，而且尚未摻入後人繼續編造的內容。他對待讖緯的態度也比較公允客觀。考慮到這些因素，我們對他的看法整體上應給予充分信任。

二、讖緯篇目結構的形成和意義

前引《隋志》說：八十一篇由三部分組成，《河圖》、《洛書》有十五篇是「自黃帝至周文王所受本文」，另有三十篇是「自初起至於孔子九聖之所增演」，《七經緯》三十六篇則皆「孔子所作」。這當然是東漢定本的篇目結構，但從東漢初年整理讖緯的情況和劉秀對待讖緯的態度看，這一篇目結構應當不是劉秀君臣的創造，而是在他們之前就大體形成了。

《後漢書》卷七十九上〈儒林尹敏傳〉：

> 帝以敏博通經記，令校圖讖，使蠲去崔發所為王莽著錄次比。敏對曰：「讖書非聖人所作，其中多近鄙別字，頗類世俗之辭，恐疑誤後生。」帝不納。（頁 2558）

同書卷二十八上〈桓譚傳〉：

> 是時帝方信讖，多以決定嫌疑。……譚復上疏曰：「……今諸巧慧小才伎數之人，增益圖書，矯稱《讖記》，以欺惑貪邪，詿誤人主，焉可不抑遠之哉！……」帝省奏，愈不悅。其後有詔會議靈臺所處，帝謂譚曰：「吾欲〔以〕讖決之，何如？」譚默然良久，曰：「臣不讀讖。」帝問其故，譚復極言讖之非經。帝大怒曰：「桓譚非聖無法，將下斬之！」譚叩頭流血，良久乃得解。（頁 959－961）

細細體味這兩段記載似可看出，在劉秀親自干預下，尹敏等人對讖緯所做的整理工作，只是對現成的本子加以校訂，而沒有將分散的篇章輯在一起並對其真偽加以鑒

別等過程，所謂校訂也只是刪去了崔發加入的為王莽服務的那些篇章，其餘部分，包括被尹敏、桓譚指為近人增益和竄改的那些內容，都被保留下來。

　　桓譚《新論》曰：「讖出《河圖》、《洛書》，但有兆朕而不可知，後人妄復加增依托，稱是孔丘，誤之甚也。」❷胡應麟《四部正訛》說：「讖緯之說，蓋起於河洛圖書。當西漢末……俗儒增益，舛訛日繁。」❸蔣清翊《緯學原流興廢考》以《河洛》開篇，並解釋說：「圖書實群緯先河，故首《河》、《洛》。」❸陳槃也指出：「讖書之始出，皆稱《河圖》、《洛書》……讖緯之書，斷推《河圖》、《洛書》為領袖。」❷其意皆指讖緯的形成是先有《河圖》、《洛書》，而後衍生出其他部分。筆者贊同這樣的看法，並懷疑《河圖》、《洛書》本文作為讖緯的核心篇目在劉向之前就已經存在了，劉向父子校書所見《圖書秘記》十七篇可能與此有關。及哀平之際，儒生方士們在此基礎上加以「增益」，偽造新的篇目❸，便形成了《河圖》、《洛書》本文若干篇、九聖之所增演若干篇、孔子所作《七經緯》若干篇的篇目結構，和多有「近鄙別字」、「世俗之辭」的粗陋面貌。平帝元始四年，王莽下令「征天下通一藝教授十一人以上，及有《逸禮》、《古書》、《毛詩》、《周官》、《爾雅》、天文、圖讖、鍾律、月令、兵法、《史篇》文字，通知其意者，皆詣公車。網羅天下異能之士，至者前後千數，皆令記說廷中，將令正乖繆，壹異說云。」❸這是一次規模空前的學術會議，大約按專業的不同又分成了若干分會。《漢書》卷二十一〈律曆志〉序記載「鍾律」分會的情況說：「至元始中，王莽秉政，欲燿名譽，征天下通知鍾律者百餘人，使羲和劉歆等典領條奏，言之最詳。」（頁 955）其主要內容都保留在《漢書·律曆志》中。許慎《說文解

---

❷　〔清〕嚴可均：《全後漢文》（北京市：中華書局影印本，1958 年 12 月）卷 14 引，頁 544。

❸　見《少室山房筆叢》（臺北市：臺灣商務印書館，影印《文淵閣四庫全書》本，1983 年 10 月）卷 14，886 冊，頁 313。

❸　見〔清〕姜忠奎著，黃曙輝、印曉峰點校：《緯史論微》（上海市：上海書店出版社，2005 年 6 月），頁 399。

❷　陳槃著：《戰國秦漢間方士考論》，《歷史語言研究所集刊》17 本（1948 年 4 月），頁 54。

❸　關於讖緯與方士的關係，參閱陳槃：《戰國秦漢間方士考論》。

❸　〈王莽傳上〉，《漢書》卷 99，頁 4069。

字‧序》又記載了「《史篇》文字」分會的情況：「孝平時，征（爰）禮等百餘
人，令說文字未央廷中，以禮為小學元士。黃門侍郎楊雄采以作《訓纂篇》，凡
《倉頡》已下十四篇，凡五千三百四十字。群書所載，略存之矣。」❸顧頡剛先生
說：「《訓纂篇》是這次文字方面的『正乖繆，壹異說』的結果，推之其他方面，
當亦如此。」❸這兩個分會各有百餘人參加，並都有重要成果問世。又《漢書》卷
九十九〈王莽傳下〉地皇四年四月條：「除用徵諸明兵法六十三家術者，各持圖
書，受器械，備軍吏。」（頁 4182）《後漢書》卷一〈光武帝紀〉：「初，王莽
徵天下能為兵法者六十三家數百人，並以為軍吏。」（頁 5）這些人可能是參加
「兵法」分會的兵家學者。可見這次會議並非虛張聲勢，徒有形式。「圖讖」分會
的情形不見記載，想必也有若干學者「記說廷中」之事，哀平之際新出的讖緯可能
就在此時被集中起來，並同原有的《圖書秘記》編輯在一起。王莽稱帝後，又搜集
了時人編造的「言莽當代漢有天下」的《符命》四十二篇❸，由崔發「著錄次比」
於讖緯之中。及至尹敏等校定讖緯，將崔發編入的部分剔出，便形成了八十一篇的
定本。由於有這樣一個形成過程，讖緯篇目雖多，內容雖雜，卻有一個嚴整的結構
體系。仔細分析這一結構體系，又可隱約看出讖緯作者們最初的意圖。

　　首先值得注意的是「自黃帝至周文王所受」一語的含義。《雒書靈准聽》：
「建世度者戲，重瞳之新定錄圖」。鄭玄注：「建世度，謂五世之法度，處戲氏始
作八卦，以為後世軒黃帝之表。重瞳定錄圖，黃帝始受《河圖》而定錄。」❸據
此，伏羲雖作八卦，但未受《河圖》、《洛書》，「始受《河圖》」的是黃帝。
《後漢書‧天文志序》曰：「三皇邁化，協神醇樸，謂五星如連珠，日月若合璧。
化由自然，民不犯懟。至於書契之興，五帝是作。軒轅始受《河圖鬭（闓）苞
授》，規日月星辰之象，故星官之書自黃帝始。」（頁 3214）所謂「軒轅始受

❸　〔漢〕許慎撰，〔宋〕徐鉉校定：《說文解字》（北京市：中華書局影印本，1963 年 12
　　月），頁 315。

❸　顧頡剛：《五德終始說下的政治和歷史》，《古史辨》（海口市：海南出版社，2005 年 5
　　月）第 5 冊，頁 310。

❸　〈王莽傳中〉，《漢書》卷 99，頁 4112。

❸　《易緯是類謀》引，《叢書集成初編》0688（北京市：中華書局，1985 年 1 月），頁 5。

《河圖翩（闓）苞授》」肯定是讖緯的說法，大意和上引《靈准聽》相同，也認為《河圖》、《洛書》是黃帝以後才有的。從中我們還得知，黃帝所受《河圖》本文就是《翩（闓）苞授》。這些材料證明，《隋志》所說《河》、《洛》本文「自黃帝」始「至周文王」止，確是漢代讖緯的原貌。漢人所知道的古代帝王不止於黃帝至周文王，現存讖緯遺文中出現的古代帝王就有隧人、女媧、伏羲、神農、黃帝、少昊、顓頊、帝嚳、帝堯、帝舜、夏禹、商湯、周文王、周武王、周公等。《河》、《洛》本文的編造者只取「黃帝至周文王」，很可能是受當時流行的「五帝三王」說影響。《尚書·璇機鈐》：「孔子曰：五帝出，受錄圖。」❸明言至「五帝出」才有「受錄圖」之事。

　　我們知道，儒家的古史系統原本由帝堯、帝舜、夏、商、周組成。大約在戰國後期，又形成了五帝之說，於是古史系統變成了黃帝、帝顓頊、帝嚳、帝堯、帝舜、夏、商、周。❹《大戴禮記·五帝德》載宰我「問黃帝」、「問帝顓頊」、「問帝嚳」、「問帝堯」、「問帝舜」、「問禹」，孔子一一作了回答。❹同書《帝系》又詳細記載了黃帝至禹的世系：「少典產軒轅，是為黃帝。黃帝產玄囂，玄囂產蟜極，蟜極產高辛，是為帝嚳。帝嚳產放勳，是為帝堯。黃帝產昌意，昌意產高陽，是為帝顓頊。顓頊產窮蟬，窮蟬產敬康，敬康產句芒，句芒產蟜牛，蟜牛產瞽叟，瞽叟產重華，是為帝舜，及產象，敖。顓頊產鯀，鯀產文命，是為禹。」❷司馬遷作《史記·五帝本紀》即用此說。董仲舒所說周代的五帝三王也與此相同。《春秋繁露·三代改制質文》：「同時稱帝者五，稱王者三」，及周文王受命而王，「改號軒轅謂之黃帝，因存帝顓頊、帝嚳、帝堯之帝號，紬虞而號舜曰帝舜，錄五帝以小國。下存禹之後於杞，存湯之後於宋，以方百里，爵號公。」❸

❸　〈漢高祖功臣頌〉注引，〔梁〕蕭統編，〔唐〕李善注：《文選》（北京市：中華書局影印本，1977 年 11 月影印清嘉慶十四年胡克家刻本）卷 47，頁 662。

❹　參閱顧頡剛：《五德終始說下的政治和歷史》，《古史辨》第 5 冊，頁 267。

❹　王聘珍：《大戴禮記解詁》（北京市：中華書局，1983 年 3 月），頁 117－125。

❷　同前註，頁 126。

❸　〔漢〕董仲舒著，〔清〕蘇輿義證，鍾哲點校：《春秋繁露義證》（北京市：中華書局，1992 年 12 月），頁 198－199。

《河》、《洛》本文「自黃帝」始「至周文王」止，與此說法正合。由此推測，「受本文」者當是「五帝」和「三王」，除黃帝和周文王之外，還應有帝顓頊、帝嚳、帝堯、帝舜、夏禹、商湯。

　　《周易‧繫辭上》：「河出《圖》，洛出《書》，聖人則之。」孔穎達疏引《春秋緯》曰：「河以通乾出天苞，洛以流坤吐地符。河龍《圖》發，洛龜《書》感。」❹❹《論語‧子罕》：「子曰：鳳鳥不至，河不出《圖》，吾已矣夫！」何晏注引孔安國曰：「聖人受命則鳳鳥至，河出《圖》。」❹❺《隋書》卷三十二〈經籍志〉曰：「聖人之受命也，必因積德累業，豐功厚利，誠著天地，澤被生人，萬物之所歸往，神明之所福向，則有天命之應。蓋龜龍銜負，出於河洛，以紀易代之徵」。根據這些說法，《河圖》、《洛書》是聖帝明王建立新王朝的受命之符，也是天地神明賜給聖帝明王用來治理天下的根本大法。讖緯的作者讓五帝三王獲得《河圖》、《洛書》，從而為他們加上了神聖的光環，使他們的問世及其王朝的建立都成了上天的安排。

　　再看「自初起至於孔子九聖之所增演」一語。可以肯定的是，「九聖」中最後一位是孔子。那麼孔子之前的八位聖人又是誰呢？鍾肇鵬說是伏羲、神農、黃帝、堯、舜、禹、文王、周公。❹❻然而《隋志》明言這「九聖之所增演」的三十篇是「以廣其意」的，「其」字指《河》、《洛》本文。本文只有黃帝以後的，伏羲、神農在黃帝前，怎能對本文加以「增演」並「廣其意」呢？看來「九聖」也應自黃帝算起，「初起」二字當指居五帝三王之首的黃帝，也就是說，此語中的「自初起」與前面一語中的「自黃帝」同義。根據上文的分析，「自黃帝至周文王」係指黃帝、帝顓頊、帝嚳、帝堯、帝舜、夏禹、商湯、周文王八人，「九聖」中的前八位應當就是他們。❹❼他們作為聖帝明王，都獲得了天地神明賜與的《河圖》、《洛

❹❹ 〔清〕阮元校刻：《十三經注疏》影印本（北京市：中華書局，1980 年 10 月），頁 82。
❹❺ 同前註，頁 2490。
❹❻ 鍾肇鵬：《讖緯論略》，頁 70。
❹❼ 陳槃說：「《隋志》謂，《河》、《洛》之作出於黃帝、周文王、孔子等九聖。」似乎也將黃帝至周文王視為九聖中的前八位。陳槃著：〈讖緯命名及其相關之諸問題〉，《歷史語言研究所集刊》21 本 1 分，頁 33。

書》，又對所受《河》、《洛》本文加以「增演」，「以廣其意」。如此解釋，似更合情理。

　　順此思路再往下推，一個重要現象便出現了。「九聖」中自黃帝至周文王八人同時又是受命帝王。作為受命帝王，他們獲得了《河圖》、《洛書》；作為聖人，他們又對《河》、《洛》中的神意進行了解釋和發揮，以指導其政治實踐。唯獨孔子，雖是聖人，卻不是受命帝王。而他不僅對《河圖》、《洛書》有所「增演」❹，還作了《七經緯》三十六篇，全部讖緯八十一篇也是經他整理而成的。那麼，孔子所做的這些工作又是為誰服務的？第九位聖人所對應的第九代王朝又是哪一朝呢？答案十分明確：漢朝。

　　所謂「《春秋》為漢制法」是漢代《公羊》家最重要的說法之一。《公羊傳》哀公十四年春：「君子曷為為《春秋》？撥亂世反諸正，莫近諸《春秋》，……制《春秋》之義，以俟後聖。」❹文中「君子」指修《春秋》的孔子，「後聖」則被漢代《公羊》家解釋為繼周之後的「新王」即漢朝。董仲舒《春秋繁露・三代改制質文》曰：「《春秋》應天作新王之事。」何休注「以俟後聖」曰：「待聖漢之王以為法。」此說在讖緯中有更直白的說明。如《春秋演孔圖》：「孔子仰推天命，俯察時變，卻觀未來，豫解無窮，知漢當繼大亂之後，故作撥亂之法以授之。」❺《孝經援神契》：「丘制命，帝卯行。」丘指孔子，卯（卯金刀）即劉字，指漢朝。《尚書考靈燿》：「丘生倉際，觸期稽度，為赤制，故作《春秋》。」❺倉，木德之色，指周朝。赤，火德之色，指漢朝。不僅如此，經讖緯作者們的「增益」，孔子為漢制法之作又增加了《孝經》和讖緯。《公羊傳》何休序：「孔子有云：吾志在《春秋》，行在《孝經》。」據徐彥疏，此語出《孝經鈎命決》。同書

---

❹　《易緯》中留下了孔子增演《洛書》的痕跡。如《易緯是類謀》開篇引《雒書靈准聽》之辭，繼而有「孔子演曰」云云（《叢書集成初編》0688，頁 1、10）；《易緯通卦驗》有「孔子表《洛書摘亡辟》曰」云云（《叢書集成初編》0689，頁 12）。

❹　〔清〕阮元校刻：《十三經注疏》影印本，頁 2354。

❺　《公羊傳》哀公十四年春何休注引，見《十三經注疏》影印本，頁 2354。

❺　〈魯相史晨祀孔子奏銘〉引，見〔清〕王昶：《金石萃編》（北京市：中國書店，1985 年 3 月）卷 13。

隱公條徐彥疏引《春秋說》：「丘攬《史記》，援引古《圖》，推集天變，為漢帝制法，陳敘《圖錄》。」❷《圖錄》即讖緯。❸《宋書》卷二十七〈符瑞志〉說得最全面：「孔子作《春秋》，制《孝經》，既成，使七十二弟子向北辰星罄折而立，使曾子抱《河》、《洛》事北向，孔子齋戒向北辰而拜，告備於天曰：『《孝經》四卷，《春秋》（此處疑脫卷數）、《河》、《洛》凡八十一卷，謹已備。』」❹據《北堂書鈔》卷八十五、《太平御覽》卷五四二，此為《孝經緯》文。❺

在讖緯中，孔子是為漢立法的聖人，劉邦則是漢朝的受命帝王。上引《宋書·符瑞志》說：孔子告備於天後，「天乃洪郁起白霧摩地，赤虹自上下，化為黃玉，長三尺，上有刻文。孔子跪受而讀之曰：寶文出，劉季握；卯金刀，在軫北；字禾子，天下服。」明指劉邦（字季）就是周之後即將受命的新王。《河圖》：「漢高祖觀汶水，見一黃釜，驚卻反，化為一翁，責言曰：『劉季何不受河圖』。」❻照此說法，劉邦也曾受《河圖》。《詩含神霧》：「赤龍感女媼，劉季興。」❼劉邦雖有父，卻是神龍與其母所生。類似的故事在其他聖帝明王身上也都發生過。《河圖》：「帝劉季，日角戴勝，斗胸龍股，長七尺八寸。」❽這種異常風貌也是其他聖帝明王都有的。這些內容進一步強調了劉邦具有同黃帝、周文王等一樣的神性和權威。❾讖緯描述劉邦受命時，還多次提到張良。如《河圖》：「天授圖，地出道，予張兵鈐，劉季起。」❿《詩含神霧》：「聖人受命必順斗，張握命圖授漢

❷　《十三經注疏》影印本，頁 2190、2195。

❸　《公羊傳》哀公十四年春何休注：「夫子素案《圖錄》，知庶姓劉季當代周。」見《十三經注疏》影印本，頁 2353。

❹　〔南朝梁〕沈約：《宋書》（北京市：中華書局點校本，1974 年 10 月），頁 766。

❺　參〔日〕安居香山、中村璋八：《緯書集成》，頁 1001。

❻　〔宋〕李昉：《太平御覽》卷 757 引（北京市：中華書局，1960 年 2 月，影印本），頁 3359。

❼　《史記》卷 8，〈高祖本紀〉〈索隱〉引，頁 342。

❽　《後漢書》卷 40，〈班固傳〉李善注引，頁 1337。

❾　參閱〔日〕安居香山、中村璋八：《緯書集成》，頁 74。

❿　〈班固傳〉李善注引，《後漢書》卷 40，頁 1337。

寶。」宋均注曰：「聖人，謂高祖也。受天命而王，必順旋衡法。故張良受兵鈐之圖命，以授漢為珍寶也。」**❻❶**此說當是從張良遇黃石公得《太公兵法》的傳說引申而來。至於上引《宋書·符瑞志》中「卯金刀，在軫北」一語，則指劉邦受命的星氣之瑞。同樣內容還見於其他讖緯，如《尚書考靈曜》：「卯金出軫，握命孔符，赤用藏，龍吐珠也。」**❻❷**《河圖》：「昌光出軫，五星聚井，……劉季起。」**❻❸**軫是星名，二十八宿之一。《漢書》卷二十六〈天文志〉曰：「軫為車，主風。……若五星入軫中，兵大起。」又曰：「軫，荊州。」（頁 1278、1288）是軫在占星術中有特定意義，所對應的人間區域是荊州。昌光則是一種瑞氣。《晉書》卷十二〈天文志〉瑞氣條：「昌光，赤，如龍狀，聖人起，帝受終，則見。」（頁 330）昌光出現於軫宿，預示著荊州地區將有聖帝受命而起。劉邦受命的星氣之瑞，原來只有「五星聚井」。《漢書》卷一〈高帝紀〉：「元年冬十月，五星聚于東井。」（頁 22）同書卷二十六〈天文志〉解釋說：「五星聚于東井，……此高皇帝受命之符也。」（頁 1301）到讖緯中又多了「昌光出軫」一項。

三、「赤帝九世」考

從黃帝算起，孔子是第九位聖人，漢是第九代王朝，漢高祖劉邦當然就是第九位受命帝王了。由此我們意識到讖緯中多處出現的「九世」云云，可能和劉邦有關。

《後漢書·祭祀志》載：建武三十年，群臣要求劉秀封禪泰山，被劉秀拒絕；兩年後劉秀夜讀《河圖會昌符》，有「赤劉之九，會命岱宗」之文，「乃詔（梁）松等復案索《河》、《洛》讖文言九世封禪事者，松等列奏，乃許焉」，於是舉行了封禪大典。李賢注引用了《東觀書》所載梁松等人的奏疏，其中提到：「《河》、《洛》讖書，赤漢九世，當巡封泰山，凡三十六事。」劉秀封禪時命人上泰山立石刻文，其中還引用了下面幾條：

---

❻❶　《太平御覽》卷 802 引，頁 3558。

❻❷　《太平御覽》卷 802 引，頁 3561。

❻❸　〈班固傳〉李善注引，《後漢書》卷 40，頁 1337。

《河圖會昌符》：

赤帝九世，巡省得中，治平則封，誠合帝道孔矩，則天文靈出，地祇瑞興。

帝劉之九，會命岱宗，誠善用之，姦偽不萌。

赤漢德興，九世會昌，巡岱皆當。

天地扶九，崇經之常。漢大興之，道在九世之王。

《河圖合古篇》：

帝劉之秀，九名之世，帝行德，封刻政。

《河圖提劉予》：

九世之帝，方明聖，持衡拒，九州平，天下予。

《洛書甄曜度》：

赤三德，昌九世，會修符，合帝際，勉刻封。

《孝經鉤命決》：

予誰行，赤劉用帝，三建孝，九會修，專茲竭行封岱青。（頁 3165－3166）

東漢人認為這些文字中的「赤帝九世」、「帝劉之九」等皆指劉秀，因為劉秀是劉邦九世孫。如果這確是其作者的本意，那麼這三十六條讖語就肯定都是劉秀起兵後甚至稱帝後才成文的。

　　然而如前所述，讖緯可能在平帝末年已經被編輯在一起，形成了一個本子。此後，人們要在其中增添內容，大概主要是靠在已有的本子上「增損」字句，而很難再大規模編造新內容了。王莽末年，卜者王況對魏成大尹李焉說：「漢家當復興，君姓李，李音徵，徵火也，當為漢輔。」遂為李焉作讖書，言「文帝發忿，居地下

趣軍」等等。⓺這部讖書就沒有託名於黃帝、孔子等先聖，也未採用《河圖》、《雒書》、《七經緯》的形式，只是假借漢文帝之口，其性質當與王莽的「符命」相似，是獨立於八十一篇系統之外的。東漢初，公孫述在成都稱帝，曾利用讖緯以「感動眾心」。《後漢書》卷十三〈公孫述傳〉載其事曰：「述亦好為符命鬼神瑞應之事，妄引讖記。以為孔子作《春秋》，為赤制而斷十二公，明漢至平帝十二代，歷數盡也。一姓不得再受命。又引〈錄運法〉曰：『廢昌帝，立公孫。』〈括地象〉曰：『帝軒轅受命，公孫氏握。』〈援神契〉曰：『西太守，乙卯金。』謂西方太守而乙絕卯金也。」除此之外，還「刻其掌，文曰『公孫帝』」。劉秀為了揭穿這些說法，至書公孫述說：「圖讖言『公孫』，即宣帝也。『代漢者當塗高』，君豈高之身邪？」（頁 538）《華陽國志‧公孫述志》載劉秀之書更詳：「《西狩獲麟讖》曰『乙子卯金』，即乙未歲授劉氏，非西方之守也。『光廢昌帝，立子公孫』，即霍光廢昌邑王，立孝宣帝也。黃帝姓公孫，自以土德，君所知也。『漢家九百二十歲，以蒙孫亡；受以丞相，其名當塗高』，高豈君身邪？」⓺公孫述沒有編造新的讖緯，只是引用已有的讖緯並加以曲解，劉秀進行反駁也同樣引讖緯為依據。這說明讖緯此時已基本定型了，再編造新的內容很容易被人揭穿。刻掌之舉便與編造新的讖語相似，劉秀以為十分拙劣，嘲笑說「乃復以掌文為瑞，王莽何足效乎！」《後漢書》卷七十九〈儒林尹敏傳〉載：尹敏校定圖讖時，「因其闕文增之曰：『君無口，為漢輔。』帝見而怪之，召敏問其故。敏對曰：『臣見前人增損圖書，敢不自量，竊幸萬一。』」⓺尹敏此舉雖是半開玩笑，卻反映出對已有的內容加以「增損」已是「前人」們製造新讖語的主要手段了。在這種情況下，短時間內在不同讖緯篇章中加入三十六條關於「九世」的文字，可能性不大。

　　筆者認為，讖緯中關於「九世」的說法應當出現較早，其最初所指則是劉邦。像「赤帝九世」、「九世之帝」、「九世之王」等，僅從字面上看，解釋為劉邦就

⓺　〈王莽傳下〉，《漢書》卷99，頁4166。

⓺　〔晉〕常璩撰，任乃強校注：《華陽國志校補圖注》（上海市：上海古籍出版社，1987年月），頁331。

⓺　〈儒林尹敏傳〉，《後漢書》卷79，2558頁。

比解釋為劉秀更順當。「九世會昌」之「會昌」二字，陳槃認為是「封禪之謂」。
❻而筆者以為應是遇到「昌光出軫」之瑞的意思。如果是這樣，則此處之「九世」
只能是劉邦，因為和劉秀有關的星象之變只有「星孛于張」❻，而無「昌光出
軫」。至於「帝劉之秀，九名之世」等指明劉秀為「九世」的讖語，可能是晚出
的，也可能是改「季」為「秀」而成的。在出現「劉秀」字樣的讖語中，最有名的
是《河圖赤伏符》。其辭曰：「劉秀發兵捕不道，四夷雲集龍鬥野，四七之際火為
主」。❻正是這條讖語，特別是「四七之際火為主」一句，留下了改字的痕跡。

　　關於「四七之際」，李賢注曰：「四七，二十八也。自高祖至光武初起，合二
百二十八年，即四七之際也。」其後的史家對此皆未提出異議。今案漢元年為西元
前二○六年，建武元年為西元二五年，其間二百三十一年。除非將「光武初起」解
釋為劉秀起兵的地皇三年（西元 22 年），方合二百二十八年之數。但「火為主」
當指立漢建元，從起兵之時算起，難免牽強。何況劉邦起兵於秦二世元年（前 209
年），也早於漢元年。若劉邦也從起兵之時算起，豈不又不合二百二十八年之數
了？其實在劉秀君臣看來，「四七之際」是對應於劉秀二十八歲之年的。劉秀封禪
時所立泰山刻石之文也引用了〈赤伏符〉之讖，並且明言：「皇天睠顧皇帝，以匹
庶受命中興，年二十八載興兵。」《後漢書‧光武帝紀》亦循此例，卷首不載劉秀
生年，卻在其起兵之時特意強調「時年二十八」。此說亦以劉秀起兵之年而非建立
東漢之年為標誌，仍顯得勉強。更重要的是，讖緯中的「劉秀」最初並非指光武
帝，而是指王莽時的國師劉歆。

　　據《東觀漢記》，劉秀生於哀帝建平元年（前 6 年）❼，而據《漢書》卷三十

---

❻　陳槃著：《古讖緯書錄解題（一）》，《歷史語言研究所集刊》10 本（1948 年 4 月），頁
　　378。

❻　《後漢書》卷 1〈光武帝紀〉：地皇三年十一月，「有星孛于張，光武遂將賓客還舂陵。時
　　伯升已會眾起兵。」（頁 3）《後漢書‧天文志》解釋此事說：「張為周地。星孛于張，東
　　南行即翼、軫之分。翼、軫為楚，是周、楚地將有兵亂。後一年正月，光武起兵舂陵……攻
　　破南陽……興於河北，復都雒陽，居周地，除穢布新之象。」（頁 3218）

❻　見〈光武帝紀〉，《後漢書》卷 1，頁 21。

❼　《太平御覽》卷 90 引，頁 430。

六〈劉歆傳〉，劉歆也在這一年「改名秀」（頁 1972），從此便有了兩個劉秀。從現存史料看，劉秀一名出現在讖緯中，是王莽末年的事。前引王況讖書就作於地皇二年，其中提到「江中劉信，執敵報怨，復續古先，四年當發軍。江湖有盜，自稱樊王，姓為劉氏，萬人成行，不受赦令，欲動秦、洛陽」。王莽「以王況讖言荊楚當興，李氏為輔，欲厭之」，命李聖為揚州牧，率軍前往鎮壓。❼當時，綠林、赤眉暴動已起，「荊楚當興」當是指此而言。綠林軍中還有奮威大將軍劉信，後封汝陰王，但非重要人物❼，「江中劉信」不知是否暗指此人。姓劉的「樊王」，未見其人，不知是否暗指赤眉領袖樊崇。「劉信」、「樊王」究竟指誰並不重要，重要的是王況沒說「劉秀」將為漢朝中興之主。這表明當時尚未形成劉秀中興之說。但其後不久，關於劉秀的讖語就出現了。《東觀漢記》載：「王莽時，上（指光武帝）與伯升及姊婿鄧晨、穰人蔡少公燕語。少公道：『讖言劉秀當為天子，或曰是國師劉子駿（即劉歆）也。』上戲言：『何知非僕耶？』坐者皆大笑。」❼案《後漢書》卷一〈光武帝紀〉、卷十三〈齊武王縯傳〉，劉秀與劉伯升、鄧晨等人起兵在地皇三年，上述燕語事當在此時。從他們的語氣看，當時人們包括劉秀的親友都認為讖語中的劉秀指的是國師劉歆。《漢書》卷九十九〈王莽傳〉地皇四年六月條載：「先是，衛將軍王涉素養道士西門君惠。君惠好天文讖記，為涉言：『星孛掃宮室，劉氏當復興，國師公姓名是也。』涉信其言，以語大司馬董忠，數俱至國師殿中盧道語星宿」，勸劉歆發動政變，取代王莽。可見王莽身邊的大臣們也認為讖語中的劉秀指的是劉歆。當時，劉秀尚未起事或剛剛起事，尚不為人所知，劉歆則早已大名鼎鼎，人們將興復漢室的希望寄託在劉歆而非劉秀身上是很自然的。

　　既然「劉秀發兵捕不道」指的是劉歆，同一讖語中的「四七之際火為主」便不可能指劉秀。然而此類讖語最初肯定也不是為劉歆編造的，因為劉歆即無特別事跡可應「四七」之數，也不是劉邦九世孫，不能應「九世」之數。❼那麼，劉邦有什

---

❼　〈王莽傳下〉，《漢書》卷 99，頁 4166－4167。

❼　〈劉玄傳〉，《後漢書》卷 11，頁 470－471。

❼　〔漢〕劉珍等撰，吳樹平校注：《東觀漢記校注》（鄭州市：中州古籍出版社，1987 年 3 月），頁 6－7。

❼　據《漢書》卷 36，〈楚元王傳〉，劉歆是楚元王劉交六世孫，而劉交是劉邦同父異母弟。

麼事跡可應「四七」之數嗎？有，劉邦建漢在孔子獲麟二百七十五年之後。《後漢書‧律曆志中》載議郎蔡邕議曰：「《元命苞》、《乾鑿度》皆以為開闢至獲麟二百七十六萬歲；及《命曆序》積獲麟至漢，……為二百七十五歲。」（頁 3038）又載太史令虞恭、治曆宗訢等議曰：「《四分曆》仲紀之元，起於孝文皇帝後元三年，歲在庚辰。上四十五歲，歲在乙未，則漢興元年也。又上二百七十五歲，歲在庚申，則孔子獲麟。二百七十六萬歲，尋之上行，復得庚申。……此《四分曆》元明文圖讖所著也。」（頁 3036）「乙未」作為「漢興元年」是讖緯中最重要的年份，前引《西狩獲麟讖》所謂「乙子卯金」也是指向這一年的。「二百七十五歲」則是由此推出的一個重要數字，它意味著孔子獲麟後所作的《春秋》、《孝經》和八十一篇讖緯，都是為將於二百七十五年之後建立的漢朝預先準備的。「開闢至獲麟二百七十六萬歲」是二百七十五加一的一萬倍。今案「西狩獲麟」在魯哀公十四年，即西元前四八一年，漢元年則是西元前二〇六年，其間共二百七十六個年頭。按虞恭、宗訢的算法，從庚申到乙未也是二百七十六個年頭。因此，讖緯所謂「獲麟至漢」是指獲麟之年至劉邦建漢的前一年，從漢元年「又上二百七十五歲」也是從漢元年的前一年算起。「開闢至獲麟二百七十六萬歲」顯然是由此推算出來的、用以加強「漢興元年」之神聖性的一個數字。如果將《赤伏符》所謂「四七之際」理解為第二十八個十年之間，即二百七十一年到二百八十年之間，便正合「二百七十五歲」（或二百七十六歲）之數。而讖緯用乘法表示未來年代時，常常是十的倍數。如《後漢書》卷三十〈楊厚傳〉注引《春秋命歷序》：「四百年之間，閉四門，聽外難，群異並賊，官有孽臣，州有兵亂，五七弱，暴漸之效也。」宋均注云：「五七，三百五十歲，當順帝漸微，四方多逆賊也。」（頁 1049）《易緯乾鑿度》：「《洛書靈准聽》曰：『……八九七十二，錄圖起。』」鄭玄注曰：「八九相乘七十二歲，而七百二十歲，復於冬至甲子生，象其數以為軌焉，故曰錄圖起之。」❼❺《易緯是類謀》：「五九之數，頓道之維。」鄭玄注：「五九者，四百五十年」。❼❻這種做法顯然是從方士那裏學來的。如《漢書》卷八十五〈谷永傳〉說

---

❼❺　《叢書集成初編》0688，頁 51。

❼❻　《叢書集成初編》0688，頁 16。

成帝「涉三七之節紀」，就是當時方士的說法，注引孟康釋「三七」之意為「三七二百一十歲」（頁 3468）。其目的是讓被預言的年代有一定模糊性，從而增加神秘性。

由此看來，將「四七之際火為主」理解為孔子預言劉邦建立漢朝的相對年代，更合讖緯作者們的本意。因而「劉秀發兵捕不道」原來很可能是「劉季發兵捕不道」，至王莽末年才被人竄改。與此類似的讖語還有「劉秀發兵捕不道，卯金修德為天子」。「卯金刀」在讖緯中例指劉邦，此處的「秀」字很可能也是由「季」字改寫而成的。如果以上考證可以成立，尹敏所說的「增損《圖》、《書》」之事便多了一個典型例子。

不過，「赤帝九世」的頭銜也不是一下子從劉邦頭上轉到劉秀頭上的，中間還經過成帝的一次倒手。西漢十二帝依次是：高、惠、文、景，武、昭、宣、元、成、哀、平、孺子，成帝正是第九代。從世系推，成帝是元帝子，元帝是宣帝子，宣帝是武帝曾孫，武帝是景帝子，景帝是文帝子，文帝是高祖劉邦子，則成帝又是劉邦九世孫。王莽所頒《符命》曰：「新室之興也，德祥發於漢三七九世之後」。❼「三七」即二百一十年，「九世」則指成帝。可能在哀平之際「九世」的頭銜已被某些讖緯作者安到了成帝頭上，相應地也就出現了十世、十一世等概念。如《後漢書》卷三〈章帝紀〉注引《河圖》曰：「《圖》出代九，天開明，受用嗣興，十代以光。」❼❽又引《括地象》曰：「十代禮樂，文雅並出。」（頁 131）《後漢書・律曆志》載章帝詔引《河圖》曰：「赤九會昌，十世以光，十一以興。」（頁 3026）這裏的「代九」、「赤九」本意當指成帝，「十代」、「十世」、「十一」則指哀帝和平帝。及王莽末年劉秀興起，「九世」的頭銜又被移到劉秀頭上，「帝劉之秀，九名之世」一語，無論是否經改字而來，都只有此時才可能出現。其後，「十世」和「十一世」也分別歸了東漢明帝和章帝。

---

❼　〈王莽傳中〉，《漢書》卷 99，頁 4112。

❼❽　中華書局點校本斷為「圖出代，九天開明」，《緯書集成》頁 1223 亦同。鍾肇鵬已辨其誤，見《讖緯論略》，頁 269。

四、「三教」與「五德」

在上述「赤帝九世」、「四七之際火為主」等說法中，漢朝是火德尚赤的。這又涉及了「五德終始」說問題。「五德終始」說在漢代經歷了複雜的演變過程，讖緯的「五德終始」說則是其中一個重要環節，而它的形成也與《公羊》學有些關聯。

《公羊》家有所謂「三教」說。《漢書》卷五十六〈董仲舒傳〉載武帝冊問詔有「三王之教所祖不同，而皆有失」之語，董仲舒對曰：「夏上忠，殷上敬，周上文者，所繼之救，當用此也」。又曰：「百王之用，以此三者矣」。最後的結論則是「今漢繼大亂之後，若宜少損周者文致，用夏之忠者」（頁 2518－2519）。《史記》卷八〈高祖本紀〉「太史公曰」對此說有較完整的描述：「夏之政忠。忠之敝，小人以野，故殷人承之以敬。敬之敝，小人以鬼，故周人承之以文。文之敝，小人以僿，故救僿莫若以忠。三王之道若循環，終而復始。周秦之間，可謂文敝矣。……故漢興，承敝易變，使人不倦，得天統矣。」（頁 393－394）此說的關鍵是漢朝繼周末大亂之後，必須改變統治方式，用夏之「上忠」救周之「文敝」。而在董仲舒看來，夏朝的「上忠」之道就是「堯舜之道」，是從堯那裏傳下來的，因為「禹繼舜，舜繼堯，三聖相受而守一道」。不知是否與此有關，最晚至昭帝時，《公羊》家又有了「漢家堯後」的說法。《漢書》卷七十五〈眭弘傳〉載：昭帝元鳳三年，泰山有大石自立，昌邑有枯木復生，上林苑亦有斷枯柳樹自立生。《公羊》家眭弘「推《春秋》之意」，對這些怪異現象進行了解釋，其中提到：「先師董仲舒有言，雖有繼體守文之君，不害聖人之受命。漢家堯後，有傳國之運。」（頁 3153－3154）此說為漢效法堯提供了新的理由，與「三教」說的結論相合。

漢家為堯後的史料依據僅見於《左傳》，且由文公十三年、襄公二十四年和昭公二十九年的三段文字構成。⑲班固在《漢書・高帝紀》贊曰中概括這三段文字說：「《春秋》晉史蔡墨有言：『陶唐氏既衰，其後有劉累，學擾龍，事孔甲，范

---

⑲　分見《十三經注疏》影印本，頁 1852、1979、2123。參閱顧頡剛：《五德終始說下的政治和歷史》，《古史辨》第 5 冊，頁 293－294。

氏其後也。』而大夫范宣子亦曰：『祖自虞以上為陶唐氏，在夏為御龍氏，在商為豕韋氏，在周為唐杜氏，晉主夏盟為范氏。』范氏為晉士師，魯文公世奔秦，後歸於晉，其處者為劉氏。」（頁 81）「陶唐氏」就是堯，「劉氏」就是漢。劉氏既出於陶唐氏，漢家便是堯後了。《後漢書》卷三十六〈賈逵傳〉載逵上書曰：「五經家皆無以證圖讖明劉氏為堯後者，而《左氏》獨有明文。」（頁 1237）就是指此而言。《公羊》家的「漢家堯後」說當由此而來。《左傳》的內容比《公》、《穀》二傳豐富得多。昭宣之時，《穀梁》家尹更始兼治《左傳》，「取其變理合者以為章句」⑩，用《左傳》的材料豐富《穀梁》家的學說。西漢經學家法森嚴，但相互滲透、取長補短的現象也是常見的。所以，《公羊》家利用《左傳》史料提出「漢家堯後」說不是不可能。其後，此說又被讖緯所採納。

　　否定周道，要求漢朝用堯舜禹之道，是漢代《公羊》家的核心觀點。與此相似甚至可能是為此提供論證的，還有董仲舒提出的「三統」說、「四法」說和「五帝迭首一色」說。《春秋繁露‧三代改制質文》：「《春秋》曰：『王正月』。……何以謂之王正月？曰：王者必受命而後王。王者必改正朔，易服色，制禮樂，一統於天下，所以明易姓非繼人，通以己受之於天也。王者受命而王，制此月以應變，故作科以奉天地，故謂之王正月也。」這是說王者受天命建立新王朝後，必須改制作科，以示同前代王朝的區別。那麼，新王應如何改制作科？董仲舒回答說：「當十二色。曆各法而（其）正色，逆數三而復。紺三之前曰五帝，帝迭首一色，順數五而相復。禮樂各以其法象其宜，順數四而相復。」⑪

　　「逆數三而復」的是黑、白、赤三統。夏為黑統，商為白統，周為赤統，至漢而復始，故應為黑統。這意味著漢朝應同夏朝一樣，以建寅之月為正月，朝服、輿馬、旗幟、璽印、犧牲、樂器等皆尚黑，冠、婚、喪、祭等禮儀也有一些自己的特點。此說與三教說要求漢朝用夏政的主張相吻合。但二者也有不同處。在三教說中堯舜禹是「守一道」的，而在三統說中堯舜禹也按「逆數三而復」的順序各有其統。董仲舒說「新王必改制」，即指三統而言；又說「繼治世者其道同，繼亂世者

---

⑩　〈儒林傳〉，《漢書》卷88，頁3618。
⑪　蘇輿：《春秋繁露義證》，頁184－186。

其道變」❽，則指三教而言。因此「三統」說不能說明漢和堯舜的關聯。

「順數四而相復」的是商、夏、質、文四法。舜法商，禹法夏，湯法質，文王法文，至漢而復始，故應法商。此說要求漢朝禮樂用虞舜之制，基本特點是「其道佚陽，親親而多仁樸」，還包括「立嗣予子，篤母弟，妾以子貴；昏冠之禮，字子以父，別眇夫婦，對坐而食；喪禮別葬，祭禮先臊，夫妻昭穆別位；制爵三等，祿士二品」等許多具體內容。❽此說將漢與舜直接聯繫起來，符合三教說中夏道即堯舜之道的說法，形式上可以構成對「三教」說的支持。但根據四法循環規則，堯當法文，與漢朝不同。故此說仍不能說明漢與堯的關聯。

「順數五而相復」的是五帝之首的「色」。〈三代改制質文〉說：商人以商、夏、虞為三王，以帝堯、帝嚳、顓頊、軒轅、神農為五帝，其中神農作為五帝之首須「迭首一色」，故為「赤帝」。而周朝建立後，以周、商、夏為三王，以帝舜、帝堯、帝嚳、顓頊、軒轅為五帝，神農退出五帝，進入九皇系列，軒轅成為五帝之首，亦須「迭首一色」，故為「黃帝」。❽董仲舒的論說到此為止，暫時看不出與漢有什麼關係。但照他的邏輯，隨著王朝繼續更迭，顓頊以下諸帝遲早也會成為五帝之首，因而也會成為以一種顏色命名的帝。這裏的「色」只有五種，終而復始，漢是堯後的第六代，因而必將與堯同「色」。可見，此說中隱含著一種能將漢與堯聯繫起來的方法。

五種顏色按一定順序排列並終而復始，是「五德終始」說特有的說法。而最初的五德終始說是按五行相勝的順序排列的。劉歆《七略》曰：「鄒子有《終始五德》，從所不勝，（土德之後）木德繼之，金德次之，火德次之，水德次之。」❽《呂氏春秋》卷十三〈應同〉：「黃帝之時……土氣勝，故其色尚黃，其事則土。及禹之時……木氣勝，故其色尚青，其事則木。及湯之時……金氣勝，故其色尚白，其事則金。及文王之時……火氣勝，故其色尚赤，其事則火。代火者必將

---

❽　〈董仲舒傳〉，《漢書》卷 56，頁 2519。

❽　蘇輿：《春秋繁露義證》，頁 205－207。

❽　同前註，頁 186－187。

❽　〔南朝梁〕蕭統編，〔唐〕李善注：《文選》卷 6，〈魏都賦〉注引（北京市：中華書局，1977 年 11 月，影印清嘉慶十四年胡克家刻本），頁 106。

水……水氣勝，故其色尚黑，其事則水。」❽按照這種說法，黃帝為土德，夏為木德，商為金德，周為火德，繼周者為水德。其中不見顓頊、帝嚳、帝堯、帝舜的位置，好像是讓黃帝做了五帝的代表。董仲舒的三統說與這種五德終始說的後三項正相符合。顧頡剛先生「疑心三統說是割取了五德說的五分之三而造成的」❽，不無道理。董仲舒的「五帝迭首一色」說則借用了這種五德終始的形式，按五行相生的順序重新排列。他說神農居五帝之首時為赤帝，軒轅居五帝之首時為黃帝。黃帝在赤帝之後，正是「火生土」。❽以此類推，「土生金」，黃帝之後應是白帝；「金生水」，白帝之後應是黑帝；「水生木」，黑帝之後應是倉帝；「木生火」，倉帝之後又是赤帝。

　　讖緯繼承了《公羊》家的上述說法。故有「三教」說，如《春秋元命包》曰：「三王有失，故立三教以相變。夏人之立教以忠，其失野，故救野莫若敬。殷人之立教以敬，其失鬼，救鬼莫若文。周人之立教以文，其失蕩，故救蕩莫若忠。如此循環，周則復始，窮則相承。」❽也有「三統」說，如《通典》卷五十五「歷代所尚」條曰：「高陽氏（顓頊）尚赤……高辛氏（嚳）尚黑……陶唐氏（堯）尚白……有虞氏（舜）尚赤」。本注曰：「並出《尚書中候》」，又引《元命包》曰：「夏以十三月為正……其色尚黑」，「殷以十二月為正……其色尚白」，「周以十一月為正……其色尚赤」。❿現存讖緯遺文中未見「四法」說，但有與之相似的「文質」說。《春秋元命包》曰：「一質一文，據天地之道，天質而地文。」又曰：「正朔三而改，文質再而復。」❾

　　讖緯的「五德終始說」則是《公羊》家原來沒有的，是讖緯作者的一項發明。

❽　陳奇猷：《呂氏春秋校釋》（上海市：學林出版社，1984 年 4 月），頁 677。

❽　顧頡剛：《五德終始說下的政治和歷史》，《古史辨》第 5 冊，頁 260。

❽　參錢穆：《評顧頡剛五德終始說下的政治和歷史》，《古史辨》第 5 冊，頁 360。

❽　《禮記·表記》疏引，《十三經注疏》影印本，頁 1642。

❿　〔唐〕杜佑著，王文錦、王永興等點校本：《通典》（北京市：中華書局，1988 年 12 月），頁 1543－1544。又見《宋書》卷 14《禮志》引《樂稽曜嘉》，頁 329。

❾　〈答賓戲〉李善注引，《文選》卷 45，頁 635。

《說郛》卷五引《河圖始開圖》曰：「伏羲氏以木德王」。❾❷

《太平御覽》卷七十九引《春秋內事》曰：「軒轅氏以土德王天下」。（頁
367）

《太平御覽》卷七十九引《河圖》曰：「大星如虹，下流華渚，女節氣感，
生白帝朱宣。」宋均注云：「朱宣，少昊氏也。」又引《帝王世紀》曰：
「少昊帝……以金承土帝，《圖讖》所謂白帝朱宣者也，故稱少昊，號金天
氏。」（頁 370）

《太平御覽》卷七十九引《河圖》曰：「瑤光之星，如蜺貫月，正白，感女
樞幽房之宮，生黑帝顓頊。」（頁 371）

《玉海》卷一九八引《尚書中候》曰：「堯火德，故赤龍應焉。」❾❸

《易緯是類謀》引《雒書靈准聽》：「甄機立功者堯，放德之名者虞，與同
射放，赤黃配樞，乾坤合斗，七以分治。」鄭玄注：「堯赤而舜黃，堯受天
精，舜應地德，在中安配樞星也。」❾❹

《太平御覽》卷八引《春秋演孔圖》曰：「舜之將興，黃雲升於堂。」（頁
38）

《太平御覽》卷八十二引《尚書帝命驗》曰：「禹，白帝精，以星感。」

❾❷ 〔明〕陶宗儀等編：《說郛三種》（上海市：上海古籍出版社，1988 年 10 月），3 冊，頁
251。

❾❸ 〔宋〕王應麟撰：《玉海》（上海市：上海古籍出版社，1992 年 7 月文淵閣四庫類書叢刊
本），6 冊，頁 214。

❾❹ 《叢書集成初編》0688，頁 5－6。

（頁 380）

《太平御覽》卷八十三引《河圖》曰：「扶都見白氣貫月，感生黑帝湯。」
又引《洛書靈准聽》曰：「黑帝子湯，長八尺一寸。」（頁 388）

《太平御覽》卷八十四引《洛書靈准聽》曰：「蒼帝姬昌，日角鳥鼻，身長
八尺二寸。」又引《春秋感精符》曰：「孔子案錄書，含觀五常英人，知姬
昌為蒼帝精。」（頁 396）

《太平御覽》卷八十七引《尚書帝命驗》曰：「有人雄起戴玉英，祈旦失
籥，亡其金虎。」鄭玄注曰：「祈，讀曰哲（晢），白也，謂之秦也。旦失
籥，戶將開。金虎，獸之長，喻于秦君也。」（頁 412）

《易緯通卦驗》：「孔子表《洛書摘亡辟》曰：亡秦者胡也。丘以推秦白精
也……秦為赤軀（驅），非命王。」**95**

《後漢書》卷四十〈班固傳〉注引《春秋演孔圖》曰：「卯金刀，名為劉，
中國東南出荊州，赤帝後，次代周。」（頁 1378）

按照上述說法，伏羲為木德，黃帝為土德，少昊為金德，顓頊為水德，堯為火德，
舜為土德，夏為金德，商為水德，周為木德，秦為金德，漢為火德。炎帝、帝嚳為
何德，在現存讖緯遺文中不見明確記載。但炎帝顯然應為火德。《古微書》卷十三
引《春秋命曆序》曰：「地皇十一頭，火德王」。**96**《禮記·月令》疏引《春秋
說》云：「炎帝號大庭氏，下為地皇，作耒耜，播百穀，曰神農也。」**97**地皇為火

95　《叢書集成初編》0689，頁 12。
96　《叢書集成初編》0691，頁 246。
97　《十三經注疏》影印本，頁 1364。

德，而炎帝即地皇。是為炎帝火德之側證。帝嚳在水德的顓頊和火德的堯之間，顯然應為木德。《太平御覽》卷八十引《古史考》曰：「高辛氏（帝嚳），或曰房姓，以木德王。」（頁 373）所依據的可能就是讖緯。此外，讖緯中重要的古帝王還有燧人氏。《周禮正義・序》引《易通卦驗》：「燧皇始出，握機矩」。注云：「燧皇，謂人皇，在伏羲前，風姓，始王天下者。」⑱讖緯遺文不載燧人為何德，《古史考》說他「以火德王」⑲，不知是否來自讖緯。但可以肯定的是，讖緯中的燧人「在伏羲前」，是「始王天下者」。

　　讖緯的五德終始說，整體上採用五行相生說，很可能是從董仲舒的「五帝迭首一色」說發展而來。⑳其中，以黃帝為土德顯然是沿用鄒衍、董仲舒、司馬遷等人的舊說。以漢為火德、秦為金德，當是採用了漢初民間的一種說法。《史記》卷八〈高祖本紀〉載：劉邦夜行斬大蛇，有老嫗哭曰：「吾子，白帝子也，化為蛇，當道，今為赤帝子斬之。」（頁 347）「白帝子」，金德，指秦。「赤帝子」，火德，指漢。㉑讖緯如此安排，使周、漢兩朝成為木生火的相生關係，而周、秦、漢三朝則是金勝木、火又勝金的相勝關係。顧頡剛先生曾於此處產生疑問：「在相生說的系統中，如何容得下相勝？對於這個駁詰，實在無法解答。」㉒其實，讖緯對此有一種解釋。《五行大義》卷五引《錄圖》曰：「東方蒼帝……順金授火，南方

---

⑱　《十三經注疏》，頁 633。讖緯中關於三皇的說法比較亂。如應劭《風俗通義》卷 1「三皇」條載：《春秋運斗樞》說「伏羲、女媧、神農，是三皇也」，無燧人而有女媧；而《禮含文嘉》則以「慮戲、燧人、神農」為三皇，燧人在慮戲之後（諸子百家叢書本，上海市：上海古籍出版社，1990 年 11 月，頁 8）。又《古微書》卷 18 引《禮稽命徵》曰：「三皇三正，伏羲建寅，神農建丑，黃帝建子。」（《叢書集成初編》0692，頁 341）無燧人而有黃帝。但是占主導地位的說法是燧人、伏羲、神農。

⑲　《太平御覽》卷 78 引，頁 364。

⑳　參錢穆：〈評顧頡剛五德終始說下的政治和歷史〉，《古史辨》第 5 冊，頁 361。

㉑　疑古派懷疑此類記載都是劉歆偽造的。參顧頡剛：〈五德終始說下的政治和歷史〉，《古史辨》第 5 冊，頁 288。但錢穆先生指出：當時盛行「把方位配五行顏色之說」，即東方木，南方火，中央土，西方金，北方水，由此形成「秦在西方是白帝子，楚在南方是赤帝子」的說法。見錢穆：〈評顧頡剛五德終始說下的政治和歷史〉，《古史辨》第 5 冊，頁 361－362。今從錢說。

㉒　見顧頡剛：〈五德終始說下的政治和歷史〉，《古史辨》第 5 冊，頁 288。

赤帝……順水授土，中央黃帝……順木授金，西方白帝……順火授水，北方黑帝……順土授木。」⑩「順」指相勝，「授」指相生。周於秦、漢正是「順金授火」。其他帝王的德可能是在這一既定框架內由後向前依次推定的。至顓頊為水德，無法與黃帝之土德相接，遂據《左傳》和《國語》插入少昊。⑩《後漢書》卷三十六〈賈逵傳〉載逵上書曰：「五經家皆言顓頊代黃帝，而堯不得為火德。左氏以為少昊代黃帝，即圖讖所謂帝宣也。」（頁 1237）可見西漢經學各家都認為顓頊代黃帝，只有左氏說少昊代黃帝。讖緯顯然採納了左氏的這一說法。由於將秦定為金德，又在黃帝和顓頊之間插入少昊，堯才「得為火德」，而讓堯和漢同為火德，可能正是讖緯的作者們編造這種五德終始說的主要目的。「五德轉移，治各有宜」。⑩堯漢皆為火德說，配合「漢家堯後」說，使漢政效法堯道有了更充分的理由。《後漢書》卷三十五〈曹褒傳〉載章帝詔引《尚書琁機鈐》曰：「述堯理世，平制禮樂，放唐之文。」又引《帝命驗》曰：「順堯考德，題期立象。」（頁1202）《公羊傳》哀公十四年春徐彥《疏》引《中候》曰：「卯金刀帝出，復堯之常。」（頁2353）這些說法的前提都是漢家為堯後且同為火德。

這種五德終始說，因插入了少昊而與當時流行的五帝說不合，又因按五行相生的順序排列而與董仲舒的三統說不合。《詩譜序》正義曰：

> 鄭注《中候敕省圖》，以伏犧、女媧、神農三代為三皇，以軒轅、少昊、高陽、高辛、陶唐、有虞六代為五帝。德合北辰者皆稱皇，感五帝座星者皆稱

---

⑩　《叢書集成初編》0696，頁 96。

⑩　《左傳》昭公十七年秋：「黃帝氏以雲紀，故為雲師而雲名。炎帝氏以火紀，故為火師而火名。……少皞摯之立也，鳳鳥適至，故紀於鳥，為鳥師而鳥名。……自顓頊以來不能紀遠，乃紀於近，為民師而命以民事。」（《十三經注疏》影印本，頁 2083－2084）又《國語‧楚語下》：「及少皞之衰也……顓頊受之。」（徐元誥撰，王樹民、沈長雲點校：《國語集解》（北京市：中華書局，2002 年 6 月），頁 514－515。）參閱顧頡剛：〈五德終始說下的政治和歷史〉，《古史辨》第 5 冊，頁 332－336。

⑩　〈孟子荀卿列傳〉，《史記》卷 74，頁 2344。

帝，故三皇三而五帝六也。●

五帝而有六人，是讖緯中固有的矛盾。鄭玄強行疏解，難免附會之嫌。又《五行大義》卷四引《春秋感精符》曰：

> 周以天統，服色尚赤者，陽道尚左，故天左旋。周以木德王，火是其子，火色赤，左行，用其赤色也。殷以地統，服色尚白者，陰道尚右，其行右轉。殷以水德王，金是其母，金色白，故右行，用其白色。夏以人統，服色尚黑者，人亦尚左。夏以金德王，水是其子，水色黑，故左行，用其黑色。●

這段文字將五德按相生順序自右向左排列，又杜撰出「陽道尚左」、「陰道尚右」、「人亦尚左」的公式，企圖將三統與五德打通，消除二者的矛盾。照此說法，周是木德，火是木之子，在火之左，周以陽道左行，故又為赤統；殷是水德，金是水之母，在水之右，殷以陰道右行，故又為白統；夏是金德，水是金之子，在金之左，夏以人道左行，故又為黑統。以三代為例，此說似乎可通。但若推廣開來，用這一公式解釋其他帝王之德與統的關係，便有不可通者。如漢是火德、黑統，堯是火德、白統，火之母是木，子是土，從火德出發，無論左行還是右行都夠不著黑統和白統。這種顧此失彼的解說，表明其作者已經意識到三統和五德之間存在矛盾，卻想不出更好的辦法加以解決。張衡說賈逵曾「摘讖互異三十餘事」，不知是否包括這兩條。

　　劉歆的《世經》又有一種「五德終始」說。●其辭曰：太昊帝炮犧氏「繼天而王，為百王先，首德始於木」；其後，木生火，故炎帝神農氏為火德；火生土，故

● 《十三經注疏》影印本，頁 264。

● 《叢書集成初編》0696，頁 69-70。

● 《漢書》卷 21，〈律曆志上〉：「元始中……征天下通知鐘律者百餘人，使羲和劉歆等典領條奏，言之最詳。故刪其偽辭，取正義，著於篇。」（頁 955）《世經》是其中一部分，應當是在劉歆主持下寫成的。班固便將《世經》看作劉歆的作品。同書卷 27〈五行志上〉：「劉歆以為虙羲氏繼天而王」（頁 1315）。虙羲「繼天而王」正是《世經》之語。

黃帝軒轅氏為土德；土生金，故少昊帝金天氏為金德；金生水，故顓頊帝高陽氏為水德；水生木，故帝嚳高辛氏為木德；木生火，故唐帝堯為火德；火生土，故虞帝舜為土德；土生金，故夏禹為金德；金生水，故商湯為水德；水生木，故周武王為木德；木生火，故漢高祖劉邦為火德。這是《世經》「五德終始」說的主體部分，與讖緯的說法基本相同。但《世經》又說：太昊、炎帝之間有共工，「雖有水德，在木火之間，非其序也。任知刑以強，故伯（霸）而不王。」與之類似的有「秦以水德，在周、漢木火之間」。帝嚳、帝堯之間還有帝摯，也在木、火之間。⑩所謂「非其序」是說水德按相生的順序應在金、木之間，共工、帝摯、秦卻居木、火之間，故不在五德相生序列中。此說與讖緯將秦定為金德不同，是對周、秦、漢關係的新解說。西漢自武帝太初改制後，依五行相勝順序定周為火德，秦為水德，漢為土德，以示秦勝周、漢又勝秦的歷史過程。讖緯改周為木德，秦為金德，漢為火德，還是五行相勝的順序，理論上仍比較質樸，與前者有明顯的繼承關係。《世經》對共工、帝摯和秦的安排則細膩周全得多，與太初之制相去較遠。以情理推之，應當是讖緯之說在先，《世經》之說在後。《世經》又以伏羲「為百王先」，劉歆還據《周易・說卦》論證說，「『帝出於〈震〉』，故包羲氏始受木德」⑩，很可能是針對讖緯中燧人「始王天下」說的駁正。因此，筆者認為，《世經》的五德終始說是在讖緯五德終始說的基礎上稍加修改而成的，《世經》所述古帝王也有少昊，堯和漢也都是火德，則是沿襲讖緯之說。

　　康有為認為：五帝之中本無少暤，「劉歆欲臆造三皇，變亂五帝之說，以與今文家為難，因躋黃帝於三皇而以少暤補之。」⑪崔適進而指出：「增少昊為五帝，而分配五德，固自歆為莽典文章始矣。歆所以為此說者，由顓頊水德而下，嚳木、堯火、舜土、夏金、殷水、周木，漢復為火，新復為土，則新之當受漢禪，如舜之當受堯禪也。」⑫顧頡剛沿用此說，並詳細比對了《世經》五德終始說和鄒衍五德

---

⑩　〈律曆志下〉，《漢書》卷 21，頁 1011－1023。

⑩　《漢書》卷 25，〈郊祀志〉贊，頁 1270－1271。

⑪　康有為：《新學偽經考・史記經說足證偽經考》（北京市：三聯書店，1998 年 7 月），頁41。

⑫　〔清〕崔適：《史記探源》，張舜徽主編：《二十五史三編》，2 冊，頁 6。

終始說的不同。但他們都未留意讖緯的五德終始說也與《世經》不同。顧先生還說：「讖緯是發源於西漢末而盛行于東漢的，把王莽們手造的歷史保存在裏邊是很可能事」。⓭言下之意，讖緯形成於《世經》之後，有關五德的內容是從《世經》中抄來的。因此，他們將按五行相生順序排列的五德終始說以及少昊代黃帝、堯與漢皆為火德等說法的發明權，都判給了劉歆和王莽。安居香山意識到讖緯中的五德終始說「極有體系性和組織性」，其意圖是「為了確定漢王朝是火德王朝，同時也為了確立它為堯之後裔的地位」。但他也忽視了讖緯和《世經》對秦、共工、帝摯的不同安排，因而也認為將漢安排為火德「是劉向、劉歆把各王朝配以五行相生說的結果」，而「緯書似據此採用了漢火德說」。⓮根據本文的考證，上述發明權應改判給讖緯的作者。

五、讖緯在兩漢之際的沈與浮

綜上所述，讖緯不僅繼承了《公羊》學等今文經學的許多內容和說法，還盜用五帝三王和孔子的名義，沿著《公羊》家的思路，用一套神學語言，論證和發揮了以下基本觀點：一是漢朝和五帝三王一樣擁有上天賦予的神聖權威和法統地位，二是今文學家特別是《公羊》家所闡釋的孔子學說對漢朝政治有不可替代的指導作用，三是漢朝作為帝堯之後應效法堯道治理天下。這些觀點將讖緯和《公羊》學綁在了一起，並使它們在兩漢之際共同經歷了政治上的命運沈浮。

我們知道，自宣帝召開石渠閣會議後，「《穀梁》之學大盛」；元帝即位後，在「純任德教用周政」的口號下，掀起轟轟烈烈的改制運動；王莽當政後，又扶植《左氏》、《周禮》等古文經學，模仿周公制禮作樂，將改制推向高潮。在這一過程中，漢家的天子寶座遇到嚴重挑戰，最終被王莽篡奪，《公羊》學也受到排抑，失去了往日的獨尊地位。⓯在這一背景下，讖緯的大量出現及其對《公羊》學的發

⓭ 說見顧頡剛：《五德終始說下的政治和歷史》，《古史辨》第 5 冊，頁 329-330。

⓮ 〔日〕安居香山、中村璋八：《緯書集成》，頁 75-76。參閱〔日〕安居香山，田人隆譯：《緯書與中國神秘思想》，頁 92-93。

⓯ 詳見拙著：《漢代政治與《春秋》學》（北京市：中國廣播電視出版社，2001 年 3 月），頁　，第四章〈「純任德教，用周政」——西漢後期和王莽的改制運動〉。

展，顯現出特殊意義。它是依舊信奉《公羊》學的儒生們在不利處境中表現其存在、強調其主張的一種方式，是企圖維護搖搖欲墜的漢朝統治、並恢復《公羊》學在朝廷中的主導地位的一次嘗試。然而西漢後期，改革大潮勢不可擋，新莽代漢也得到西漢臣民的廣泛擁護或默許，讖緯則是一股潛流，既不可能得到朝廷的提倡，也未引起社會的普遍重視，雖有八十一篇之多，卻極少被稱引。⓰

　　劉歆在編造他的「五德終始」系統時沿用了讖緯「五德終始」說的主體部分，但對讖緯的思想體系和基本觀點整體上持否定態度。《漢書》卷二十七〈五行志〉序有如下一段話：

> 《易》曰：「天垂象，見吉凶，聖人象之；河出《圖》，雒出《書》，聖人則之。」劉歆以為：虙羲氏繼天而王，受《河圖》，則而畫之，八卦是也；禹治洪水，賜《雒書》，法而陳之，《洪範》是也。聖人行其道而寶其真。降及于殷，箕子在父師位而典之。周既克殷，以箕子歸，武王親虛己而問焉。……「初一曰五行，次二曰羞用五事，次三曰農用八政，次四曰叶（日傍）用五紀，次五曰建用皇極，次六曰艾用三德，次七曰明用稽疑，次八曰念用庶徵，次九曰嚮用五福，畏用六極。」凡此六十五字，皆《雒書》本文。……以為《河圖》、《雒書》相為經緯，八卦、九章相為表裏。昔殷道弛，文王演《周易》；周道敝，孔子述《春秋》；則〈乾〉、〈坤〉之陰陽，效《洪範》之咎徵，天人之道粲然著矣。

劉歆認為，《河圖》就是《易經》中的「八卦」，受之者是伏羲⓱；《洛書》則是

⓰　《漢書》僅兩見，一是卷 84〈翟方進傳〉載居攝二年王莽所作〈大誥〉，有「《河圖》、《雒書》，遠自昆侖，出於重野，古讖著言，肆今享實」之語（頁 3432）；二是卷 99〈王莽傳中〉載天鳳三年五月群臣上壽，有「《河圖》所謂『以土填水』」之語（頁 4144）。

⓱　讖緯中也有伏羲曾受《河圖》的說法。如《尚書中候》：「伏羲氏有天下，龍馬負圖出于河，遂法之畫八卦。」《尚書中候握河紀》：「河龍負圖出河，虙犧受之，以其文畫八卦。」（安居香山、中村璋八：《緯書集成》，頁 399、422）此類文字當係晚出，是受劉歆影響而成的。

《尚書》中的《洪範》，受之者是禹；二者相為經緯表裏，構成王道的主幹；又經文王和孔子的進一步豐富和發展，便形成了完備的王道理論。此說指實《河圖》、《洛書》就在五經之中，甚至明言《洪範》中「初一曰」以下六十五字就是《洛書》本文，從而否定了讖緯中「自黃帝至周文王所受」《河圖》、《洛書》本文十五篇的真實性。本文既不真實，由此「增演」而成的其他部分當然也站不住腳了。劉歆說文王和孔子使「天人之道粲然著矣」是通過「演《周易》」和「述《春秋》」，所依據的則是八卦、《洪範》的「陰陽」、「咎徵」之學，其間並無「九聖」增演《河圖》、《洛書》和孔子作《七經緯》之事。劉歆的這一說法，對讖緯及其思想體系是顛覆性的。王莽當政後，劉歆「典儒林史卜之官」，主管文化學術事務，讖緯的境遇可想而知。

　　王莽時期，改制篡漢，地覆天翻。為了爭取人們的支持，他還發動了輿論攻勢。一時間，朝廷上下引經據典，造歌謠頌功德，好不熱鬧。但此類文字從不引用讖緯。及平帝崩，王莽加快了篡位的步伐，開始製造「符命」。《漢書》卷九十九〈王莽傳〉載：「前煇光謝囂奏武功長孟通浚井得白石，上圓下方，有丹書著石，文曰：『告安漢公莽為皇帝』。符命之起，自此始矣。」王太后明知「此誣罔天下，不可施行」，但迫於王莽和群臣的壓力，只得下詔說：「朕深思厥意，云『為皇帝』者，乃攝行皇帝之事也。」遂令王莽居攝踐祚，稱「攝皇帝」。兩年後，廣饒侯劉京、車騎將軍千人扈雲、大保屬臧鴻又奏符命。劉京上書言：「七月中，齊郡臨淄縣昌興亭長辛當一暮數夢，曰：『吾，天公使也。天公使我告亭長曰：「攝皇帝當為真」。即不信我，此亭中當有新井。』亭長晨起視亭中，誠有新井，入地且百尺。」扈雲和臧鴻則一「言巴郡石牛」，一「言扶風雍石」，並都運至長安。王莽率群臣往視，「天風起，塵冥，風止，得銅符帛圖於石前，文曰：『天告帝符，獻者封侯。承天命，用神令。』」王莽以此為據，迫使王太后同意去掉「攝」字。稍後，梓潼人哀章又將一銅匱送至高廟，匱中有「兩檢」，分別署曰「天帝行璽金匱圖」和「赤帝行璽某傳予黃帝金策書」。其內容是「赤帝」劉邦的魂靈奉天命將皇位傳給「黃帝」王莽，並「書莽大臣八人，又取令名王興、王盛，章因自竄姓名，凡為十一人，皆署官爵，為輔佐」。王莽親往高廟「拜受金匱神嬗」，遂稱天意，正式代漢稱帝。「又按金匱」，封拜十一人。其中「王興者，故城門令史；

王盛者，賣餅。莽按符命求得此姓名十餘人，兩人容貌應卜相，徑從布衣登用」。同年秋，王莽遣五威將率十二人「頒《符命》四十二篇於天下」，使之成為定本。但投機者仍「爭為符命封侯，其不為者相戲曰：『獨無天帝除書乎？』」王莽意識到「此開奸臣作福之路而亂天命」，遂下令驗治，「非五威將率所班，皆下獄」。（頁 4078－4122）王莽的「符命」，性質與讖緯相近，訴諸天意的做法也與讖緯一脈相承。但它不稱《河》、《雒》之書，不借先聖之口，直接偽造天帝神靈的意旨，形式更加粗俗。其政治用意則與讖緯截然相反，公然為王莽篡漢製造神學依據。所以，讖緯和「符命」雖是一根神學藤上的瓜，內涵卻完全不同。在「符命」當道的新莽時期，讖緯只能和漢朝一起被當作歷史遺跡封存起來。

　　如果王莽改制成功，新朝的統治得以鞏固，讖緯怕是永無出頭之日了。然而王莽偏偏不爭氣，改制很快失敗，社會陷入混亂，天怒人怨，民心思漢，終於激起大規模反新暴動，並最終導致東漢的建立。在這場戲劇性的歷史巨變中，《春秋》學中的《穀梁》、《左氏》兩家被逐出學官，《公羊》學重新獲得獨尊地位。⑱讖緯也因緣時會，一躍登上東漢王朝正統神學的寶座，形成前引〈張衡傳〉描述的「光武善讖，及顯宗、肅宗因祖述焉……儒者爭學圖緯」的盛況。讖緯的命運在東漢初年能出現如此轉機，固然與《赤伏符》等為劉秀稱帝所做的貢獻有關，但主要原因還在於讖緯的主體思想和基本主張是為漢朝服務的，是站在漢朝立場上試圖扭轉其衰頹之勢以維持其統治的。讖緯對劉邦及漢朝的神聖權威和法統地位所做的論證，只要用「劉氏真人當更受命」⑲之說過渡一下，便可用來為劉秀和東漢服務。讖緯所強調的《公羊》學對漢朝政治的指導意義以及漢家當用堯道的說法，正可用來否定新莽效法周公、模仿周禮的政治路線，指導東漢撥亂反正。難怪光武、明、章精明幹練，卻對形式粗俗、漏洞百出的讖緯抱堅定支持的態度，桓譚、尹敏、張衡等人一再指出讖緯虛妄不可信，卻不能阻止其盛行，原來讖緯中除了《赤伏符》一類讖語外，還有可供東漢王朝利用的更重要的學術資源。因此，從兩漢之際政治和學術思想發展的大勢看，即使沒有《赤伏符》之類內容，讖緯也會成為東漢王朝的正

⑱　參拙著：《漢代政治與《春秋》學》，頁 413－415。

⑲　〈劉玄傳〉，《後漢書》卷 11，頁 473。

統神學，也會同《公羊》學一道對東漢的指導思想和政策走向產生重大影響。

本文是教育部人文社會科學重點研究基地重大項目「東漢至明中業政治文化與政治演進、制度變遷關係研究」成果之一

經 學 研 究 論 叢
第 十 六 輯　　頁231～244
臺灣學生書局　　2009 年 5 月

廖平研究論著知見目錄

丁 亞 傑[*]

一、本目錄收錄時間自 1911 年起至 2006 年止研究廖平之論著。

二、本目錄收錄地區以臺灣及大陸之研究成果為主。

三、本目錄收錄對象涵蓋專書、期刊論文與專書論文，專著有涉及廖平學術者亦收
錄。

四、本目錄分傳記、年譜、著作目錄暨選集、治學方法、經學、小學、哲學、楚辭
學、醫學、廖平與其他學者、廖平傳記評論、廖平研究成果述評十二類。經學
再分為經學思想綜論、經學六變及春秋學三類。

五、本目錄各類論著概依出版年代先後為序，其中有原作年代較早，收錄於相關著
作出版年代較晚，因各該著作均已注明原作出處，為省篇幅，以收錄著作出版
年代為主。

一、傳　記

1.　廖平　楊家駱撰

　　　民國名人圖鑑　上海　辭典館　1937 年　頁 1－12、13

2.　廖平傳　夏觀敬撰

　　　國史館館刊　創刊號　1947 年 12 月　頁 79－80

3.　經學家廖季平的生平　胥端甫

---

*　丁亞傑，國立中央大學中國文學系助理教授。

大陸雜誌　第 23 卷第 6 期　1961 年 9 月　頁 1－13

4.　廖季平傳略

大陸雜誌　第 24 卷第 8 期　1962 年 9 月 29 日　頁 29

5.　政府褒揚川籍人士明令彙誌——褒揚宿儒廖平

蜀俠輯　頁 15－16

6.　廖平先生評傳　王森然撰

近代二十家評傳　近代中國史料叢刊初輯　第 90 輯　第 900 冊　臺北

文海出版社　1973 年 4 月　頁 69－86

7.　民國人物小傳——廖平　劉紹唐主編

傳記文學　第 24 卷第 3 期　1974 年 3 月　頁 108

8.　梁啟超論廖季平　平川

四川文獻　第 163 期　1977 年 6 月　頁 63－64

9.　廖平　鍾肇鵬撰

中國近代著名哲學家評傳（上）　山東　齊魯書社　1982 年 8 月　頁 391
－442

10.　廖平　湯志鈞撰

戊戌變法人物傳稿　臺北　漢京文化公司　1982 年 9 月　頁 192－197

11.　清故龍安府學教授廖君墓誌銘　章炳麟撰

廖季平年譜　成都　巴蜀書社　1985 年 6 月　頁 94－96

12.　廖季平先生傳　蒙文通撰

廖季平年譜　成都　巴蜀書社　1985 年 6 月　頁 97－106

13.　廖平　向楚撰

廖季平年譜　成都　巴蜀書社　1985 年 6 月　頁 107－130

14.　我的父親廖平　廖幼平撰

龍門陣　1985 年 6 期

15.　六譯先生行述　廖宗澤撰

廖季平年譜　成都　巴蜀書社　1985 年 6 月　頁 84－93

16.　廖平傳略　鍾肇鵬撰

中國現代社會科學家傳略　第 5 輯　太原　山西人民出版社　1985 年 7 月　頁 453－467

17. 廖平　彭靜中撰

四川近現代人物傳　成都　四川省社會科學院出版社　1985 年 9 月　頁 196－200

18. 廖平　鍾肇鵬撰

四川思想家　成都　巴蜀書社　1988 年 3 月　頁 501－542

19. 廖季平先生遺骨遷葬儀式在井研舉行　佚名

四川文物　1988 年 4 期（總 20 期）　1988 年 7 月　頁 23

20. 經學大師廖平　李伏伽、廖幼平撰

四川近現代文化人物　成都　四川人民出版社　1989 年 3 月　頁 1－9

21. 廖平傳　刁抱石撰

國史館館刊　復刊第 8 期　1990 年 6 月　頁 187－189

22. 一代經學大師廖平　黃開國撰

文史雜誌　1991 年 3 期

23. 經學畸人——廖平　舒大剛撰

中國十大名儒　延吉　延邊大學出版社　1992 年 8 月　頁 209－230

24. 廖平評傳　黃開國撰

南昌　百花洲文藝出版社　1993 年 8 月

25. 廖季平先生傳　蒙文通撰

經史抉原　成都　巴蜀書社　1995 年　頁 138－145

26. 師承與變法——談廖平　廖振常撰

識史集　上海　上海古籍出版社　1997 年 4 月　頁 64－68

27. 廖平　趙永紀編

清代學術辭典　北京　學苑出版社　2004 年 10 月　頁 481－482

二、年譜

1. 廖平年譜稿本　廖宗澤撰

2. 廖季平年譜　廖幼平編

　　成都　巴蜀書社　1985 年 6 月

三、著作目錄暨選集

1. 王制訂跋　胡玉縉編

　　許廎學林　臺北　世界書局　1963 年　頁 369－370

2. 六譯先生已刻未刻各書目錄表　廖幼平撰

　　廖季平年譜　成都　巴蜀書社　1985 年 6 月　頁 181－188

3. 現存廖季平著作目錄稿　卞吉撰

　　廖季平年譜　成都　巴蜀書社　1985 年 6 月　頁 189－194

4. 廖平學術論著選集（一）　李耀仙主編

　　成都　巴蜀書社　1989 年 5 月

5. 廖平、蒙文通卷　蒙默編

　　石家莊　河北教育出版社　1996 年 8 月

6. 廖平選集（上、下）　李耀仙編

　　成都　巴蜀書社　1998 年 7 月

四、治學方法

1. 應講求實事求是的學風　廖幼平撰

　　歷史知識　1982 年 4 期（總）15 期　1982 年 7 月 20 日　頁 29－31

2. 廖平治學觀點的若干考察　丁綱撰

　　社會科學研究　1984 年 6 期　1984 年 12 月 20 日　頁 61－66

3. 坎坷困頓，矢志不移——經學大師廖平治學歷難述略　李朝正撰

　　文史雜誌　1993 年 6 期（總 48 期）　1993 年 11 月 20 日　頁 28－29

五、經學思想

㈠ 經學思想綜論

1. 與廖季平論今古學考書　江翰撰

中國學報（民元）　第 2 期　1912 年 12 月　頁 27－31

2.　井研廖季平師與清代今古文學　蒙文通撰

新中華　第 1 卷第 12 期　1933 年 6 月 25 日　頁 41－50

3.　井研廖季平師與近代今文學　蒙文通撰

學衡　第 79 期　1933 年 7 月　頁 11061－11073

4.　廖季平哲學思想與經學的終結　鍾肇鵬撰

社會科學研究　1983 年 5 期　1983 年 9 月 15 日　頁 27－36

5.　廖季平先生與清代漢學　蒙文通撰

廖季平年譜　成都　巴蜀書社　1985 年 6 月　頁 148－152

6.　井研廖師與漢代今古文學　蒙文通撰

廖季平年譜　成都　巴蜀書社　1985 年 6 月　頁 153－176

7.　議蜀學　蒙文通撰

廖季平年譜　成都　巴蜀書社　1985 年 6 月　頁 177－180

8.　廖平與近代經學　李耀仙撰

成都　四川人民出版社　1987 年 3 月

9.　廖平學術思想研究　陳德述、黃開國、蔡方鹿撰

成都　四川省社會科學院出版社　1987 年 8 月

10.　廖平與經學的終結　黃開國撰

哲學研究　1987 年 10 期　1987 年 10 月 25 日　頁 35－40

11.　對廖平先生學術思想的淺見——廖平學術思想研究序節錄　張秀熟撰

四川近現代文化人物　成都　四川人民出版社　1989 年 3 月　頁 10－13

12.　廖平經學述評　黃開國撰

社會科學輯刊　1989 年 4 期（總 63 期）　1989 年 7 月 29 日　頁 12－16

13.　廖平《知聖篇》考辨　黃開國撰

四川師範大學學報　1990 年 6 期（總 77 期）　1990 年 12 月 20 日　頁
80－82

14.　《今古學考》與《五經異義》　李學勤撰

國學今論　瀋陽　遼寧教育出版社　1992 年 6 月　頁 125－135

15. 清代學術三大發明之一──廖平的平分今古之論　黃開國撰

南京大學學報（哲學人文社會科學）　1992 年 4 期　1992 年 10 月 30 日
頁 132－138＋146

16. 廖平經學思想研究　陳文豪撰

政治大學中國文學研究所碩士論文　1992 年 6 月

17. 廖平平分今古的二個重要論點　黃開國撰

甘肅社會科學　1993 年 4 期（總 80 期）　1993 年 7 月 25 日　頁 31－35

18. 井研學案　楊向奎撰

清儒學案新編　第四卷　濟南　齊魯書社　1994 年 3 月　頁 342－407。

19. 清代學術三大發明之一──廖平的平分今古之論　黃開國撰

孔孟學報　第 68 期　1994 年 9 月 28 日　頁 108－113

20. 廖平經學思想研究　陳文豪撰

臺北　文津出版社　1995 年 2 月

21. 井研廖季平師與近代今文學　蒙文通撰

經史抉原　成都　巴蜀書社　1995 年　頁 104－115

22. 廖季平先生與清代漢學　蒙文通撰

經史抉原　成都　巴蜀書社　1995 年頁 116－119。

23. 井研廖師與漢代今古文學　蒙文通撰

經史抉原　成都　巴蜀書社　1995 年　頁 120－137。

24. 廖平：經學的泛衍與畸變　田漢雲撰

中國近代經學史　第六章第三節　西安　三秦出版社　1996 年 12 月　頁
365－377

25. 廖平與晚清今文經學　陳其泰撰

清史研究　1996 年 1 期（總 21 期）　1996 年 1 月　頁 58－66

26. 廖平與晚清今文經學　陳其泰撰

中國近代史　1996 年 6 期　1996 年 7 月 22 日　頁 46－54

27. 廖平與晚清經學　陳其泰撰

清代公羊學　第六章第一節　北京　東方出版社　1997 年 4 月　頁 265－

288

28. 廖平及其《今古學考》 李學勤撰

失落的文明 上海 上海文藝出版社 1997 年 12 月 頁 419－421

29. 廖平《今古學考》經學思想體系中的幾個問題 路新生撰

孔孟學報 第 76 期 1998 年 9 月 頁 189－217

30. 廖平與晚清今文經學 馬增強撰

華夏文化 2000 年 2 期 頁 40－42

31. 晚清今文經學的興盛：廖平 陶清撰

蔣國保等著 晚清哲學 第七章第四節 合肥 安徽教育出版社 2002 年 9 月 頁 440－452

32. 廖平「經學六變」與舊經學的終結 楊建忠撰

李開、劉冠才著 晚清學術簡史 第二編第八章 南京 南京大學出版社 2003 年 10 月 頁 101－106

33. 古學考 趙永紀編

清代學術辭典 北京 學苑出版社 2004 年 10 月 頁 224

34. 廖平經學初探 龍晦撰

西華大學學報（哲學社會科學版） 2004 年 6 期 2004 年 12 月 頁 20 －22

35. 廖平學術思想的歷史貢獻及其地位 陳德述撰

儒學文化新論 成都 巴蜀書社 2005 年 10 月 頁 472－509

(二) **經學六變**

1. 廖季平學術思想之演變 向楚撰

社會科學研究 1983 年 5 期 1983 年 9 月 15 日 頁 37－45

2. 廖季平經學第三變變因芻議 舒大剛撰

社會科學研究 1984 年 4 期 1984 年 8 月 20 日 頁 108－111

3. 廖平經學第一變的思想準備 黃開國撰

重慶師院學報（哲學社會科學版） 1985 年 3 期 1985 年 9 月 15 日 頁 92－94

4. 廖季平經學第四變及其哲學思想　鄭萬耕、張奇偉撰

　　社會科學研究　1986 年 1 期　1986 年 1 月 15 日　頁 74－78

5. 廖平經學六變時間略考　黃開國撰

　　成都大學學報（社會科學版）　1987 年 1 期　1987 年 1 月 30 日　頁 27
　　－32

6. 駁廖平經學思想轉變的賄逼說　黃開國撰

　　四川師範大學學報　1987 年 5 期（總 58 期）　1987 年 10 月 20 日　頁
　　81－83

7. 廖平經學六變的變因　黃開國撰

　　中國哲學史研究　1989 年 2 期（總 35 期）　1989 年 4 月　頁 108－112

8. 廖平經學第四變及其評價　黃開國撰

　　東山師專學報　1992 年 2 期

9. 廖平經學六變的發展邏輯　黃開國撰

　　四川大學學報（哲學社會科學版）　1992 年 2 期　1992 年 6 月 23 日　頁
　　36－40

10. 廖平早年思想變化及其對經學六變的意義　黃開國撰

　　天府新論　1993 年 5 期（總 53 期）　1993 年 9 月 5 日　頁 53－57

11. 廖平經學六變所建構的歷史圖像　林淑貞撰

　　中國學術年刊　第 18 期　1997 年 3 月　頁 47－71＋432－433

12. 廖平的經學六變及意義　黃開國撰

　　經學今詮四編（中國哲學第廿五輯）頁 601－647　瀋陽　遼寧教育出版
　　社　2004 年 8 月　頁 601－647

13. 漢代今、古學的禮制之分——以廖平《今古學考》為討論中心　鄧積意撰

　　中央研究院歷史語言研究所集刊　第 77 卷第 1 期　2006 年 3 月　頁 33－
　　77

㈢ **春秋學**

1. 春秋公羊學與中國封建社會　馮友蘭撰

　　社會科學研究　1984 年 2 期　1984 年 4 月 20 日　頁 102

2. 今文學和《左傳》真偽之爭——清後期　沈玉沈、劉寧著

　　春秋左傳學史稿第十一章　南京　江蘇古籍出版社　1992 年 6 月　頁 329
　　－355

3. 皮錫瑞、康有為、廖平公羊學解經方法　丁亞傑撰

　　元培學報　第 6 期　1999 年 12 月　頁 135－167

4. 清末民初公羊學研究——皮錫瑞、廖平、康有為　丁亞傑撰

　　東吳大學中國文學系博士論文　2000 年 2 月

5. 清末民初公羊學研究——皮錫瑞、廖平、康有為　丁亞傑撰

　　臺北　萬卷樓圖書公司　2002 年 3 月

6. 從廖平到康有為　趙伯雄撰

　　春秋學史　第九章第五節　濟南　山東教育出版社　2004 年 4 月　頁 740
　　－753

7. 清晚期春秋學　戴維撰

　　春秋學史　第九章第三節　長沙　湖南教育出版社　2004 年 5 月　頁 472
　　－489

8. 廖平以禮制治《春秋》略說　趙沛撰

　　山東大學學報（哲學社會科學版）　2005 年 5 期　頁 126－129

9. 廖平經學思想研究——以《春秋》學為核心　趙沛撰

　　四川大學博士後研究工作報告　2006 年 10 月

10. 廖平春秋學研究　趙沛撰

　　成都　巴蜀書社　2007 年 8 月

六、小學

1. 談井研廖平「六書舊義」　方遠堯撰

　　四川文獻　第 1 期　1962 年 9 月　頁 7－8

2. 廖平的小學研究與成就　黃開國撰

　　西南師範大學學報（哲學社會科學版）　1991 年 2 期（總 65 期）　1991
　　年 4 月 25 日　頁 75－79

七、哲學思想

八、楚辭學

九、醫學

十、廖平與其它學者

歷史知識　1981 年 3 期（總 8 期）　1981 年 6 月 25 日　頁 31—32＋62

2. 廖季平的古學考和康有為的新學偽經考　李耀仙撰

社會科學研究　1983 年 5 期　1983 年 9 月 15 日　頁 13—26

3. 廖康羊城之會與康有為經學思想的轉變　黃開國撰

社會科學研究　1986 年 4 期　1986 年 7 月 15 日　頁 72—77

4. 論廖平與康有為的治經　徐光仁、黃明同撰

廣東社會科學　1988 年 3 期　（總 17 期）　1988 年 8 月　頁 59—64

5. 康有為和廖平、皮錫瑞　湯志鈞撰

近代經學與政治　第五章第三節　北京　中華書局　1989 年 8 月　頁 186—196

6. 康有為和廖平的一樁學術公案　房德鄰撰

近代史研究　1990 年 4 期（總 58 期）　1990 年 7 月　頁 80—93

7. 評康有為與廖平的思想糾葛　黃開國撰

社會科學輯刊　1990 年 5 期（總 70 期）　1990 年 9 月 29 日　頁 18—21

8. 孔子改制考與知聖篇之比較　黃開國撰

孔子研究　1992 年 3 期（總 27 期）　1992 年 9 月 25 日　頁 63—72

9. 論康有為思想發展與廖平的關係：以康、廖兩人相關的著作為例　崔泰勳撰

國立臺灣大學中國文學研究所碩士論文　2002 年

10. 教學通義與康有為的早期經學路向及其轉向——兼及康氏與廖平的學術糾葛　劉巍撰

歷史研究　2005 年 4 期　頁 49—68＋190—191

11. 康有為的今文經學思想淵源於廖平　陳德述撰

儒學文化新論　成都　巴蜀書社　2005 年 10 月　頁 436—471

12. 廖平與張之洞　黃開國撰

文史雜誌　1988 年 1 期

13. 王闓運與廖平的經學　黃開國撰

船山學報　1989 年 2 期　頁 90—95

14. 王闓運與廖平的經學——清末今文經學發展的重要一環　黃開國撰

十一、廖平傳記評論

十二、廖平研究成果述評

附

中國歷史人物論集　臺北　正中書局　1973 年 4 月　頁 441－452

2. 廖平小傳：儒教與歷史的分離　列文森（Joseph R. Levenson）撰
　　鄭大華、任菁譯　儒教中國及其現代命運　第三卷第一章　北京　中國社
　　會科學出版社　2000 年 5 月　頁 273－283

3. 章炳麟の廖平評價をめぐって　有田和夫
　　東方學　第 71 輯　1986 年 1 月　頁 1－14

經　學　研　究　論　叢
第　十　六　輯　　頁245～252
臺灣學生書局　　2009 年 5 月

道德文章、山高水長
——記錢玄先生

方向東*、王華寶**

　　錢玄先生名小雲，別署樸齋，一九一〇年九月出生於蘇州吳江同里鎮。同里是一個由七條河道交織而成的水鄉，鍾靈毓秀，人傑地靈，智者樂水，人文薈萃，歷代進士有百人之多，僅清代就出了兩員軍機大臣。宛如水鄉的特點，智慧與文化的密切交融，必然孕育出政治經濟文化上的精英。錢玄先生的父親錢祖翼，字雲翬（1887－1963），是當地著名的書畫、篆刻和文物鑑賞家，當過教員，是新學創導人之一。出生在這樣一個具有文化積澱的家庭裡，幼年的錢玄先生耳濡目染，這對他的成長有著極大的影響。據先生自述，「弱冠肄業蘇州高中，受錢穆先生啟蒙，影響甚大，因有志於國學」。後入中央大學中國文學系，從黃侃先生學經學、小學，尤重三禮之學，從胡小石先生學古文字學，一九三四年畢業後，曾多次向章太炎、金天放所創立國學會會刊《國學論衡》投稿，每獲刊載，並多獎掖，〈設籀偶識〉、〈儀禮喪服經文釋例〉、〈儀禮向位解〉等論文就是在此期間發表的。抗戰期間，避居上海，沒有安定的工作，為生活奔波，直到新中國成立。此後，先生先後在蘇州滸關蠶桑學校和常州中學任教；一九五六至一九六九年任教於江蘇教師進修學院、江蘇教育學院中文系，兼任中文系主任；一九七〇年起，任教於南京師範

---

*　　方向東，南京師範大學文獻學系教授。

**　王華寶，現為鳳凰出版社（原江蘇古籍出版社）編審。

學院（後改為南京師範大學），兼任中文系副主任，直至退休。一九九九年十二月三日去世。他的人生九十年的歷程，是瀝心教育的九十年，是辛勤工作的九十年，是潛心學問的九十年；他以深湛的學術根柢，嚴謹樸實的治學態度，執著追求的鑽研精神，無私奉獻的育人品格，在培養古文獻方面的專業人才，在經學、古代漢語和古文獻整理與研究諸領域深有所得，成就卓著。為社會文化教育事業和學術的繁榮發展作出了突出貢獻。

一

我們是一九八四年才有機會聆聽錢玄先生親切教誨的晚生後輩，對先生的瞭解可能沒有許多老同志多，但十多年來在工作和學習中不斷有幸得到先生的關愛，真切地感受到先生道德學問的崇高境界。先生為人如秋風朗月，施教似春風化雨，那一份疏淡的襟懷、樸實的學風和高蹈的氣概，贏得了世人的尊敬。先生雖已乘鶴而去，但先生那一種不知疲倦地奮力開拓、辛勤耕耘的治學精神始終激勵著後人、引領著我們，先生的崇高風範永遠留在人們的心中。這裡記述我們的一點感受，希冀先生的嘉言懿行得以光大。

錢玄先生長期從事教育工作，是辛勤的園丁，是啟迪人心智的良師，是熱心的學術播火者。在南師大執教期間，先生先後擔任過《古代漢語》、《文字學》、《說文解字》、《古漢語專題》和《校勘學》等課程教學，還要指導研究生。他每上一門課，都要自編講義發給學生，上課不僅內容充實、重點突出、條理分明、深入淺出；而且板書一絲不苟，遒勁秀逸；雖然鄉音較重，但吐字清晰；正如其為人一絲不苟一樣，每次上課的內容和時間都安排得恰到好處，宛如一首樂曲終了，戛然而止，讓人如沐春風，意猶未盡，學生印象極深。曾任文學院院長的郁炳隆教授等人在向全院青年教師提要求時，常常以錢先生為例，可見其上課之精審與規範。先生一直重視對後輩和年輕教師的培養，對他們提出嚴格的要求，並從各方面給予具體的指導和幫助。他曾親口對我們說，上課必須先寫好備課筆記，他主張不寫備課筆記不能上講臺。年輕學者施謝捷從事古文字的研究，得到先生許多具體的指導，甚至開始執教於大學講壇的備課筆記，先生也仔細批閱，指出講課的重點，板書的重要。他不僅關心每位古籍所和專業後學的學問進展，同時對他們的生活也非

常關心，每次談話，都要噓寒問暖，問問各位的家庭情況。在生活上他是一個慈父，學問上是一位嚴師。先生對我們是這樣要求的，而他自己做得更好。他的書齋裡，有一軸國學大師、圖書館學的老前輩柳詒徵書寫的條幅，上面寫著「夙夜強學以待問」，這是先生對待教育事業、對待學術的座右銘，也是先生嚴格要求自己崇高風範的真實寫照。先生晚年樂與青年學者交往，無論是本校還是外地學者登門求教，先生無不悉心指導，提出各種有益的建議。如陝西師範大學的青年學者王鍔，編著《三禮研究論著提要》，寄來樣稿，先生連連稱讚，希望能早日出版，因體弱難支，惜其不能為之作序，吩咐我們轉告，能否請沈文倬先生作序。先生在九十高齡之後仍在培養接班人，指導助手整理《大戴禮記》，在他去世的前兩天，還支撐著病弱的身體審讀《大戴禮記》的整理書稿。李靈年、吳金華、王繼如、趙生群等老師憶及幾十年來錢老對大家的親切指導，敬愛之情溢於言表。

八〇年代後期以後，錢先生深居簡出，不少學生常去看望先生。記得每一次去拜望先生，先生都關切地詢問最近做些什麼，讀了哪些書，有什麼心得體會。在獲知我們所讀書名後，先生總是教以讀書的注意點，循循善誘。後來，先生耳力不濟，猶繼以筆談。先生對每一個學生都是如此，這一份深切的關愛，是我們永遠的精神資糧。先生教導我們，「博通群籍，是治學的必要條件」，「以專帶博，以博輔專」，「學風要平實，學術必創新」等，也將永遠鞭策著我們。

更讓人感動的是，先生將自己珍貴的藏書「及身散之」，化作千萬顆學術的種子。作為一位勤勉的學者，先生購藏了大量的有益的學術圖書，對書的寶愛更是細緻有加，許多圖書錢先生都加了新的封套。例如《中國語文》雜誌，從創刊號到一九九九年，先生都保存完好，其中缺了兩期，還專門託人複印裝釘，以留給後學之用。又如明代施沼莘的散曲集《秋水春花影集》是明末天啟年間的刊本，先生珍愛有加，為它補殘頁，工楷謄寫。這些圖書曾經先生多年研讀，浸潤了先生大量的心血，也飽含著先生無數的情感。而先生在有生之年，割捨下一切，將心愛的圖書分送給許多學生，根據學生的研究方向，將專業對口的書籍分送給他們，一般書籍則依各人所需，以期所藏圖書為學術研究發展揮出最大的效用。古籍所和專業的許多後學，都或多或少擁有他贈送的圖書。這份大智慧以及對學術的執著精神，足傳千秋。而這些書籍上批點的讀書要求、讀書方法和簡短評論，也將成為研討先生學術

思想的一個重要方面。如先生評范文瀾《文心雕龍注》云：「《文心雕龍》評述先秦兩漢魏晉南北朝各個時期的文史體制、作家作品，為學習研究國學之津梁，是以前人均謂必讀之書。范書注釋，徵引資料充實，便於索檢。」評程千帆、徐有富先生所著《校讎廣義》云：「《校讎廣義》四編，為千帆先生歷數十年經營所獲之碩果，精湛詳盡，文獻校讎之學備矣。」該書後獲國家圖書獎，正可印證先生所言之精當。

二

　　先生畢生治學從教，既是辛勤的學術帶頭人，又是熱心的學術播火者，更是繼承和發揚我國優秀學術傳統的切實體道者。錢玄先生是二十世紀從事三禮開拓性研究並取得重大成就的學者之一。早在二十世紀三〇年代，他即在當時影響較大的《國學論衡》等雜誌上連續發表數篇禮學研究文章，對《儀禮‧喪服》的體例進行全面考察，並歸納出其中的九種條例，顯示出深厚的學術功力。其中〈儀禮向位解〉一文影響更大。向、位是區別尊卑、人鬼、男女、吉凶等的重要特徵，《儀禮》所載各種禮節均詳細說明人與物的向、位，因此向、位研究自然是儀禮研究的重要內容之一。錢先生參稽前人的研究，細析「向位依陰陽而定，東、南、左為陽、西、北、右為陰。人為陽，鬼神為陰；如堂上設席，人以東為上，鬼神以西為上」等，據此分條說明各禮的向、位，提綱挈領，便於學者掌握。該文後經修改，歸納為十一例，載於錢先生的專著《三禮通論‧禮儀編》。這些文章，應視為先生在三禮學領域功成名就的奠基之作。

　　十分可惜的是，與正直、善良而勤奮的大多數中國知識分子一樣，隨著國運的興衰，暴風驟雨般的政治運動降臨，錢先生的「禮學」研究一度中斷數十年，先生自述道：「抗戰開始，避居滬上，奔走衣食，以後又以課務繁重，無暇撰寫三禮等專業論文，即偶有所作，或以不達時宜，無處接受發表。如是者中輟數十年。迨七〇年代後期，提倡整理古籍，研究傳統文化，因檢出舊稿，重理舊業。」學術研究的大好時機一晃不再。日月重光之後，先生以極大的熱情投入到傳統學術的研究之中，為漢語史研究、三禮學研究和古文獻整理與研究的人才培養，傾注了大量的心血，除培養出一批優秀的人才外，個人的學術成果也碩果累累，達三百萬字之多。

近十餘年發表了《校勘學》、《秦漢帛書簡牘通借字》、《論古漢語虛詞雙音化》、《金文通借釋例》等重要論著，而《三禮名物通釋》、《三禮辭典》、《三禮通論》、《周禮譯注》、《禮記譯注》等書的出版，更奠定了先生在學術上特別是在三禮學領域的崇高地位。而先生在八十九歲時竟這樣自述：「十幾年來，雖奮力不怠，而所成亦極有限。今者，年老力衰，視昧意倦，已不能述作。歲月蹉跎，傷悲無及。」其追求科學真理的理念、獻身學術的精神、謙遜責己的品德，令人警醒，催人奮進。

對三禮，舊有「累世不能通，當年不能究」之說。近五六十年，很少見到以三禮命名的新著，三禮之學幾成「絕學」。錢先生在七十多歲、身體又弱的情況下，毅然重新開始對「絕學」的研究，其難度可想而知。是錢老對三禮不瞭解，不知其難嗎？非也。記得一九八七年先生作《三禮略說》講座時，談治三禮之難有四：一是篇幅繁多，事情紛雜，三禮約占「十三經」的百分之三十八；二是歷時久遠，文獻不足徵；三是文字簡而深奧；四是異說紛紜。先生是深知其中三昧的。而興亡繼絕向來是知識分子慨然為之的使命。先生是在二十世紀七〇年代後期以來學術復興的大環境裡，毅然承擔起學術使命啊。因為先生懂得，學習和研究三禮具有重要的學術價值和現實意義，將有助於中國文化史的研究，有助於考古工作，進一步推動古籍整理研究工作等。

此後的十多年中，錢先生即遵循黃侃先生治禮次第、治禮方法等，梳理大量的資料，對各種重要問題和疑難問題逐一考辨，並進行現代三禮學的建構。由《三禮名物通釋》，而至《三禮辭典》，終成《三禮通論》，正是錢老三禮學由部分的、微觀的研究，向全面研究、宏觀建構邁進的發展軌跡，也是一位堅毅的老人在學術道路上留下的一個個堅實的腳印。這種有意識的學科化、理論化的實踐成果，必然對今後三禮學研究方法、學術方向等產生深刻的影響。

洋洋五十餘萬言的《三禮通論》，以專題的形式，綜述形制，考訂原委，聯繫近數十年考古出土中有關禮制的成就，徵引前賢的研究成果，詳加考辨。這對當今學術界瞭解禮制發展的全貌和當今研究狀況等大有裨益。學術界讚譽該書是「現代學者研究古籍而獲得較大成果的學術專著」，是近幾十年來系統研究三禮學的代表性成果。

可以說，對三禮學的重新定位，確立三禮學在當代的學科地位，推動三禮學在八九十年代的復興與發展，錢先生貢獻極大。三禮之學，有黃季剛先生倡之於前，錢玄先生等繼之於後，並多所開拓，別樹一幟，「絕學」可謂不絕了。

三

錢玄先生一直從事學術研究和教育工作，學而不厭，誨人不倦，是先生身體力行的師德。在學術方法上，既注意繼承學術傳統，而又強調樸實和精通。先生的書齋取名為樸齋，即顯示出這種學術路向。同時，他特別重視學術人格的重建問題，強調學者應當具有鑽研的精神，韌性的品格，開闊的眼光，殉道的精神，而健全的學術人格最重要的是「實事求是」。先生強調，道德文章乃千秋功業，來不得半點馬虎。解放以來，三禮學的研究一度中斷，先生在禮學研究方面卓然獨樹，但他從未滿足於自己的成績。《三禮通論》出版後，他對書中出現的電腦排印錯誤非常生氣，甚至要求出版社立即停賣他的書，我們知道，他並不是對出版社或編輯有意見，而是對學術高度負責，後經改補，他的心境才稍稍感到平和些。他曾對我們說，這本書如果能為學界使用五十年乃至一百年，他就心滿意足了。他還講到，這本書本不該由他來寫，而是應該由杭州沈文倬先生寫，他比我更有資格寫這本書，我只是後來聽說他沒有寫才寫的。聽了這些話，不能不為他那種學術人格、學術胸懷和謙遜的品德深深感動。「淡泊以明志，寧靜以致遠」，他確實做到了。他所處的時期，是知識與物化價值並不等值的時期，而先生從來沒有要別人無償地為他做點什麼。學生們要是帶點什麼禮物感謝他，都要瞞著他，只要他知道，都要受到他的批評。《文教資料》編輯部的同志至今記得很清楚，先生在《文教資料》上連載發表過他的「樸齋筆談」，刊後有不少人索要，在編輯出版部門送書寄書本是常事，他總是自己購買，然後派人去郵局寄送。即使是託學生代他購買書籍，他也總是先拿出錢，決不肯讓學生墊錢。這些微不足道的小事，卻足以顯現他的高風亮節。他是那樣地無私，奉獻給人的卻是那麼多。

在社會活動方面，只要有益於學術的事，錢玄先生都樂意去做，並且非常認真地去做；而對於圖虛名或者只掛名不幹事的頭銜堅決不要。除早在一九五六年加入中國民主同盟外，其他的學術職務都是受聘的：中國語言學會理事、江蘇省語言學

會顧問、《漢語大詞典》編委、《中國名物大典》顧問、《續修四庫全書‧經部》特邀編纂委員等等。他所擔任的這些職務，都認真地參與其中，紮紮實實地幹了很多事情，付出了很多心血，這是大家有目共睹的。而對宣揚他成績的事，他堅決不答應。例如，《文教資料》想為他出一個專刊，他極力反對，僅僅自編了一個著述目錄和提要而已，「庶世之同好者便於檢索而評議匡正爾」。他一生潛首教學和學術，終日伏案讀書寫作，生活卻十分簡樸，一床一桌一椅而已，唯書滿室。雖幾十年不出生活的小院超過宋代朱熹，然而對學術新動向、出版的新書卻瞭如指掌，我們很多專業書籍，都是他先託我們代他購買才得知的。在一個以學術為最高生命的人那裡，你學到的不僅是知識，更感受到一種崇高理念的威懾力，在這種力量的作用下，你會時時刻刻想到應該怎樣去面對學術面對人生。

太上有立德，其次有立功，其次有立言，是古代君子孜孜以求的目標。錢玄先生言可讀，功可見，德可感。先生的古樸之風，為人景仰；先生的厚生之德，山高水長。我們要學習錢玄先生所代表的老一輩學者的高尚品格，學習他們嚴謹的治學精神，繼承他們學而不厭、誨人不倦的崇高師德，樹立崇高的學術理念，為學術的發展和傳統文化的發揚光大，做出應有的貢獻。

經 學 研 究 論 叢
第 十 六 輯　頁253～292
臺灣學生書局　2009 年 5 月

從窯工到經學家
——訪楊晉龍教授*談學思歷程

蕭開元**整理

時間：2003 年 12 月 16 日

地點：中央研究院中國文哲研究所楊老師研究室

一、可否請楊老師敘述一下求學的過程？哪些師長對老師的影響較深？以及楊老師進入文哲所之前從事的工作有哪些？又進入文哲所的機緣為何？

　　我求學的過程和現在其他多數人有兩點不太一樣：首先因為是工人家庭，所以經常搬遷，小學就讀了三個學校：第一所學校是高雄縣鳥松鄉的大華國小，第二所學校是高雄市三民區十全一路的愛國國小，第三所學校是高雄縣阿蓮鄉的阿蓮國小；其次是整個求學過程中，除小學以外，幾乎都是在家人與親戚不贊成，甚至反對的狀況下，自己努力爭取及其他沒有任何血緣關係的人協助而完成的。初中時考入第一志願省立岡山中學初級部，當時是第二十五屆畢業的。畢業之後，因為我那位一有錢就拿去喝酒賭博的父親說沒錢可供我繼續升學，又反對我去讀海軍士校，我也不願意去考師範學校，於是就跑到臺北工作，倒是我的同班同學陳再福去讀陸軍士校，後來直升官校，現在已經在做中將湯了。當時讀初中時候的學費，都是阿

---

*　楊晉龍，中央研究院中國文哲研究所副研究員兼副所長。

**　蕭開元，東吳大學中國文學系博士生。

蓮國小的導師莊勝清老師、吳照垣老師、當時任教於阿蓮初中的陳冠學老師、阿蓮衛生所的吳慈東主任及吳老師租屋的房東鄭顯川先生等所資助的，老師們希望我初中畢業之後，可以去報考師範學校，但當時初三的導師，是體育教師廣東省蕉嶺縣的徐濟清，在民國五十五年九月某一個星期三下午班會時，公開在班上告訴同學，可以把我們對他不滿的意見寫在「週記」上，他會好好的考慮同學的意見，我就傻傻地在「週記」上抱怨老師同樣的事一再地說，實在太過囉唆，請老師改進。結果是徐濟清在下一堂班會的課堂上把「週記」丟到我臉上，然後再把我帶到體育組，賞我兩個大巴掌，當時幫學生辦車票的吳劍平先生以及另一位我們叫他安妮的女老師也在場，正因為安妮老師在場說話，所以我才只捱了兩個巴掌而已，接著被罰站在升旗臺前直到放學。這種公然欺騙學生、說謊話陷害學生的行徑，應該是我整個的學習生涯中，所能記住的最惡劣的一件事情。另外則是學校的圖書館規定，每一位學生每一個禮拜只能借一本書，其實我一天就把書看完了，有時候還借同學的借書證去借書，沒有書借就看武俠小說，圖書館實在不應該限制學生借書。還有就是每天下課後與假日，經常要和讀阿蓮初中的同學們一起幫忙做磚瓦相關的事，例如用鐵牛車送磚瓦、挖泥土、晚上燒瓦窯火等等。最有意思的是英文畢業分數只有五十八分，並且還不知道去補考；高中夜補校畢業時也補考才及格，大學聯考日間部得九分，夜間部得二‧六四分；研究所考試則有一點進步，得了三分，哈哈！一直到現在我的英文大概也好不到那裏去。所以我常告訴我的學生，中文系的人學好英文當然不錯，但英文學不好也沒什麼大不了，當然如果你想到國外去教書做研究，或研究比較文學，或想當外籍勞工等等，則又另當別論。初中發生的這件事情，我一直沒有忘記，恐怕也很難忘記，現在我雖然已經沒有那麼強烈的報復心，但還是無法原諒徐濟清的惡劣行徑，所以我一直最痛恨說謊話的人，尤其是當教師的人，如果說得到而做不到，還反過來責罰學生，更令我難以接受，因為這都是違背教育原則的事情。也因為我非常堅持這種相信學生而不能隨意冤枉學生的原則，所以我在高師大唸書時，就曾因為學校收取住宿費押金的問題，跑到院長室去罵人，準備和當時的張壽山院長打架；在臺大文學院的院務會議上，斥責當時某位系主任，不願把她研究室中的書歸還圖書館，並且還懷疑學生的說辭。至於那時候的我，除了有父親的反對，還有對徐濟清的惡劣印象所影響，對當教師並沒有太大的興趣，所

以就跑到臺北工作。其實我在求學過程中至少還有兩次被冤枉的重大事件，一次是在大華國小三年級時被冤枉打破教室玻璃；一次是民國五十三年兒童節隔天，在阿蓮國小被負責的教師冤枉假造「摸彩券」，還因此被打過一個巴掌。我一輩子最痛恨人家打我巴掌，我父母雖然經常打我，但從來沒有打我的臉，不過這兩位教師和徐濟清不一樣，他們並不是故意整我，他們只是誤會而已，雖然被冤枉的處罰很不舒服，但還不至於產生什麼報復的恨意。由於自己有過這種被冤枉的經驗，以及強烈的報復之心，因此我爾後在教學時，對處理學生的事件特別謹慎，同時也警告我的學生，不要憑一時的衝動而冤枉，甚至隨意欺負學生，小心碰到像我這樣懷有強烈復仇心態，而且根本不在乎生命的人。不要以為當教師就可以隨便發脾氣，亂欺負學生。不過我想現在這種情況應該是比較少見了。

　　到臺北之後，先是住在我那位十三、四歲時，就因為做童工而失去一條腿，後來僅有的一條腿，又因為早上幫全家煮稀飯跌倒燙傷，幾乎要被父親放棄的姐姐及姐夫鄭善再先生的家，接著到「士林紙廠」應徵，因為太瘦弱所以沒有被錄取；又跑到「遠東紡織士林廠」，他們只要女生和當完兵的男生，所以又被拒絕了；最後進入士林區的一間「中國福來公司」，當時是想做學習修理紡織機器的學徒，因為工廠女生太多了，經常被她們欺負，又不能和她們計較，所以工作一個月之後離開，進入現址為七號公園，當時為建華新村，空軍上校通訊官退伍的王恭先生的「達園工研社」，跟隨一位上海師傅學習鉗工、模具製造、水電與電熱器製造修護、鋁製品的陽極處理等技術。也曾經製造過養雞的孵卵器、洗澡的熱水器、電冰箱的一些零件、自動開關等，一直做到二十歲去當兵。當兵時先學會槍砲修護，後來則被派到「陸軍運輸兵學校二級保養班」、「兵工學校履帶車輛保養班」、「金門兵工營四級保養廠」，學習輪型車輛（一般汽車）與履帶車輛（坦克車、推土機等）的修護。退伍後，在高雄縣澄清湖畔烏材林與考潭村之間「中將湯製藥廠」對面，一位楊姓人家開設的養魚池旁開麵攤賣麵，幾個月後結束，回到臺北板橋的「厚生公司」當作業員，因為學歷較低的關係，做同樣的工作，卻得到較低的工資，這一點讓我非常不服氣，所以跑去和領班計較，領班告知我規定就是這樣，如果不服氣可以去讀書，因此工作了一個月之後，就辭職了。那時臺北市新生北路高架橋施工正在招標，得標的是「亞洲建設公司」，我當時就進入這間公司下所屬的

一間小公司，擔任「反循環樁基礎工程人員」，參與鑽探打地基的工作。作了不久之後，臺北榮民總醫院正在招考護理佐理員，我報名參加考試，通過錄取並受訓半年，這是民國六十四年的事情。

在擔任護理佐理員期間，仍有學歷不足的問題。有一天晚上和鄧瓊霞護士一起上第十九病房的大夜班，因為爭執某個算命問題沒有結果，鄧小姐最後說你只有初中畢業懂什麼？經過厚生公司和這次的刺激，讓我覺得以前相信日本國際電器老闆松下幸之助先生「學歷無用論」的講法大有問題，有必要再多讀一點書，自己也覺得工作可以勝任，工作後尚能安排進修的時間，因此就去報考高中夜間部的補校，同時也參加了一個法律函授學校的課程。我第一個考的學校是建中、北一女補校，但沒有考上；接著又報考泰北中學及延平中學，結果兩間學校都錄取了，於是我選讀了延平中學夜補校。讀書過程中，還多虧榮總十九病房王會雲小姐、十一病房尹佩美小姐、第七病房徐啟輝小姐等三位護理長，在排班上給予的方便。三年之後畢業，參加大學日間部聯招，因為我的英文一向很差，所以當時居然有一位老師對同學說，如果我考得上大學，可以去打他的嘴巴；還有一位老師看到我選填的志願，都是什麼中文系、國文系、歷史系、心理系等一類沒多大出息的科系，還好心地告訴同學說，選填科系如果不好，以後是會餓肚子的。還好我一向都有出人意料之外的表現，所以兩位好心老師的預言都沒實現。放榜後日間部考取輔仁大學應用心理學系；大學夜間部聯招，我則是考取臺灣師範大學國文系。但是我到臺灣師範大學國文系報到的時候，負責人員告知我因為我的分數被少算了，所以要到臺大中文系報到，所以實際上我考取的是臺灣大學夜間部中文系。另外我也考上當時為花蓮師專的兩年制特師（特殊教育師資）科，但我仍然選讀臺大夜間部中文系，主要是考慮到經濟負擔的關係。進入臺大後，我仍然在榮總工作，但為了有比較多的時間唸書，所以就全部上凌晨到早上八點的大夜班，晚上到學校上課後，馬上回來上班，五年下來倒也養成可以少睡的習慣，給我爭取到不少額外的學習閱讀時間。民國七十三年畢業的時候，在完全沒有準備的好玩心理之下，我報考了臺灣師範大學及高雄師範學院兩間學校的國文研究所，結果差十幾分左右就可以錄取，覺得研究所沒什麼難考的，所以又準備了一年，這一年最主要是把大學的筆記重新整理，「中國文學史」大約有五、六十萬字，結果就考上了高雄師範學院國文研究所。

　　考取高師之後，就面臨到要讀書還是要工作的問題，因為我大二的時候結婚，大三時第一個小孩出世，民國七十四年第二個小孩也出世，我和老婆商量的結果，最後決定將工作辭掉繼續讀書，如果沒有辭職，現在就已經工作三十年，可以辦退休拿退休金了。當時我準備了十萬元，再加上獎學金，以為可以度過兩年的研究所生活，結果一年就用光了，當時完全靠老婆李歷吟女士在臺灣鐵路搬運公司當基層公務員的薪水，支付房子貸款和養兩個小孩，加上這中間我父親生病、過世的醫療費、喪葬費，家裏的生活比較困苦一點，甚至還發生沒錢買米的窘境。讀碩士班期間多虧我的岳父母、內兄李等銘先生、老婆的姊姊李珮蓉女士及任職於臺大實驗林竹山管理處的姐夫蔡全信先生，適時幫了忙；我的指導教授周虎林老師與師母李栖老師，更三不五時的匯款資助我，老師和師母都說是要給我買書，或給小孩買東西，其實是顧我的面子，才這樣說的；劉文起老師與師母也經常問我生活有沒有問題，有問題就要說，不可以騙他們。母校延平中學的楊仁佐老師，也幫我向學校申請了一筆獎學金資助我；七十八年碩士班畢業時，延平的老校長朱昭陽先生，還特別交代黃秘書打電話問我，要不要回去延平任教職！說起來我還真是個非常幸運的人，因為從小到大，居然有這麼多與我毫無血緣關係的人，在我不同的人生階段，面臨一些困境時，真心地關懷幫助我。最令我難以忘懷的是鄭顯川先生的大女兒鄭芳蘭小姐，有一次還跟我說，她很想去工作賺錢幫我繳初中的學費，其實她也不過是大我幾歲的大小孩子而已。第二年修課結束後，就趕緊回到臺北找工作，第三年的時候進入雅禮補校夜間部任教，任教了半年之後，學校希望我也可以擔任白天的課程，但是我當時正在寫碩士論文，所以我沒有接受學校的要求，便辭去教職，專心寫完碩士論文。在寫論文的這一年半期間，我只專心在自己的論文及讀書上，除了做做家事，洗衣服，帶小孩外，沒有工作。民國七十八年碩士畢業，接著就報考博士班，原本想報考臺灣大學、臺灣師範大學及東吳大學三間學校，但是臺灣師範大學和東吳大學的考試日期正巧是同一天，經過和指導教授的討論之後，就決定報考臺灣大學及東吳大學兩間學校。臺灣大學先放榜而且錄取，於是東吳大學也就不考了，後來蔡信發老師還問我為什麼沒去考呢。以上大概就是我求學的簡單過程。

　　關於受到老師影響的部分，其實我還沒有進小學之前，我的舅父黃玉柱先生，就已經教我寫字和讀一些像什麼《三字經》、《昔時賢文》、《千字文》等兒童蒙

書，不過是用閩南語搖頭晃腦讀的，後來舅父因為結婚、自殺，所以我的蒙學生涯就如此地結束了，不過也記了一些似懂非懂的內容。小學的許多老師對我的影響蠻大的，我第一個記得名字的老師是大華國小的曾雅郎老師。對我有直接幫助的是：就讀愛國國小時，因為家中經濟不好，所以許山龍及涂玲玉兩位老師免費幫我補習，好讓我去參加初中的考試；後來轉到阿蓮國小時，因為經濟更差，家中希望我到臺南去當機車修護的學徒，莊勝清及吳照垣兩位老師，為了說服我那位愛喝酒賭博的父親，讓我可以繼續讀書，曾到家中兩、三次，兩位老師也讓我免費參加補習。這也就是我當時會報考師範大學，且於就讀期間，特地選修教育學分的主要原因。當時老師不僅免費幫我補習，等我考上初中後，其實我已經被帶到臺南縣西港鄉舅舅的家，準備擇日送到機車行去當學徒了，不過因為莊老師和吳老師及鄭顯川先生他們告訴我父親，願意幫我繳交註冊費，所以後來才又讓我去讀書，我記得老師們幫我繳的第一次註冊費是四百四十多元，老師們唯一的要求，就是希望我初中畢業之後去讀師範學校。後來因為父親的反對及徐濟清事件，讓我對老師產生反感，所以沒去考師範，當然去考也不一定考得上啦，倒是我的同班同學薛金泉考上了屏東師專，值得記一筆。不過年紀漸長之後，經常想到這些事情，才會想要去讀師範學校，因為這兩位老師和川叔對我的影響的確是蠻大的，所以一直沒有對徐濟清採取報復行動，也是因為有他們在我心裏的關係，所以我常說：「會彈琴的孩子可能變壞；但會感恩的孩子絕對不會變壞」，其實就是在說我自己啦。

　　至於進入大學之後讀書的情形，許多老師對我的影響都蠻大的。上大學的時候，我從不會像某些同學一樣，選課之前會先去探聽哪位老師好、哪位老師不好，我希望可以在上課的時候，從每位老師的身上去看到老師的特色。我覺得做學生的沒有資格去批評老師，除非學生自己有和老師一樣的程度，才可以去批評老師，現在多數的學生根本就沒有這樣的資格，但是卻很喜歡去批評老師，我當時並沒有批評老師這樣的想法，雖然偶而也有翹課的紀錄，不過基本上我對老師的專業，始終抱持著一種尊重的態度。因為我喜歡發表意見，所以就有人以為我很喜歡批評老師，其實他們是錯的，對老師的教學發表意見，主要是我們班上從大一開始就有一個自己的讀書會，像現在在臺大中文系任教的李惠綿教授就是其中之一，所以有些課程在上課之前，其實同學們已經討論過了，這個讀書會養成我以後上課預習的好

習慣；另外從大二開始，我只要選修那一門課，就會想盡辦法把那門課可以拿得到的中文書籍都看過一遍，例如修「文心雕龍」時就把臺大圖書館中《文心雕龍》相關的書都影印下來，尋找相關的期刊論文，因此讓齊益壽老師嚇一跳！另外我在臺大期間就喜歡泡在圖書館中，包括總圖和文聯，偶而也跑到研圖去，把圖書館架上的書和期刊一本一本拿下來看，先看目錄和序跋，看看其中有沒有我要的資料，所以我對圖書館的藏書頗有概念，找起資料來非常容易，老師上課提到的書，我馬上就知道在那裏可以找到，並且很快去找來翻一翻，如果圖書館沒有，就自己用獎學金去買，書看多了形成我對許多上課的內容有自己的看法，因此上課常有意見，但這並不表示我瞧不起老師的專業，這是非常不同的兩碼子事。在臺大我最先認識的是張淑香老師及柯慶明老師，以及陳修武老師和師母，我覺得老師們都對我特別的照顧，我去考碩士班時還特別跑去請教陳老師；後來又認識了蕭璠老師，但是互動較少；接著陸續地認識了許多老師，例如樂蘅軍老師對我上課愛發「謬論」的習慣頗為容忍，還送我三十年代大陸作家的小說；梁榮茂老師送我大陸學者的書，又因為梁老師的關係而認識了王叔岷老師，後來一有機會就會去打擾王老師；彭毅老師不僅容忍我不同於老師的「神話」觀，還送我兒子一個玉珮；羅聯添老師在我碩士班的時候，每次碰到我，就要我回來考臺大博士班；曾永義老師在我考博士班的時候，當著葉慶炳老師、黃啟方老師、張亨老師、吳宏一老師、張以仁老師等所有口考委員的面，說我的碩士論文具有博士的水準，還一直找出版社要幫我出書，告訴我可以幫《國語日報》寫文章；另外「國父思想」的葉賡勛老師、「中國思想史」的黃振華老師、以及何大安老師和師母楊秀芳老師、張以仁老師和師母周富美老師、黃沛榮老師等等。何大安老師把中文系可怕的聲韻學，教得讓我們覺得聲韻學也可以很好玩，實在沒那麼難；黃沛榮老師帶我們到他新店的家，去參觀他收購的大陸出版的「匪書」，那時候黃老師的大公子才剛出生，當時師母林玫儀教授正在哄他睡覺；張以仁老師外表雖然看起來很嚴肅，但是我覺得上老師的課蠻輕鬆有趣的，我們班上特別喜歡張老師，還拜託葉慶炳老師讓張老師當我們的導師，同學還一起到老師南港的家中，把老師和師母釀的水果酒喝光光；後來我們班上畢業以後的聚會，也都會邀請老師參加，可惜因為接棒主辦的同學一直沒有進行聯絡的工作，這個聚會也就從此停頓了。我讀碩士班的時候，老師還在中山大學當系主任，

我偶而會去看老師，並參加老師建立的學術討論會，我會認識並選聽戴景賢老師的課，也是因為那個機緣的關係，我曾經寫過關於張以仁老師介紹的文章，張老師對我的影響蠻大的，這也就是我進入博士班後，請張以仁老師指導我論文的原因。在臺大讀博士班時，除了與張以仁老師互動較多之外，程元敏老師對經學文獻的熟悉、張亨老師對我們思考的引導開發，都令我印象深刻；還有最幽默可愛，幾乎什麼都懂得的周鳳五老師，無論有什麼問題問周老師，老師都會有讓我意想不到的答案。另外還有吳宏一老師、王叔岷老師、陳修武老師、柯慶明老師、張淑香老師及林慶彰老師、劉文起老師、龔鵬程老師、戴璉璋老師等，也都是我經常請益的對象。和我一起上吳宏一老師課的同學，應該還會記得我說《紅樓夢》是一群社會寄生蟲故事的論述，現在還要加上「國中生」三個字，因為這些小傢伙的年齡大都在十五歲左右。另外學長陳鴻森先生也是我最常請教的人。我博士論文的大綱最初是和龔鵬程老師擬訂出來的；陳鴻森學長則經常會給我一些我沒有想到的學術觀點，對我研究思考的訓練幫助特別大；我的博士論文除張以仁老師外，還有周鳳五老師、李威熊老師、賴明德老師、洪國樑學長等看過提問。另外還有一位不能不提的是僑居澳洲的柳存仁先生，我第一篇發表在《中國文哲研究集刊》的論文，除了張以仁老師幫忙修正外，也經過柳先生仔細看過修改後才刊登，柳先生的細密與博通，讓我非常敬佩，那篇文章饒宗頤先生覺得還可以繼續發展下去，饒先生不知道這中間其實還有張老師和柳先生的心血在內！可惜距離太遠了，無法經常向柳先生請益。寫作博士論文的時候和張老師與吳老師都有過討論問題談到三更半夜的狀況，也經常去傅斯年圖書館樓上打擾王叔岷老師。

　　在高師大就讀期間，劉文起老師、曾昭旭老師、周虎林老師、吳哲夫老師、吳松林老師、陳迺臣老師對我的影響是比較深的。周虎林老師不但是我的指導老師，在學術上、生活上也照顧我不少；劉文起老師和周虎林老師幫我打下非常實在的治學方法與態度；吳哲夫老師是我「四庫學」的啟蒙者，後來所以會進行「四庫學」的研究，吳老師的影響特別大，一直到現在如果我在「四庫學」上有問題，我依然會去騷擾吳老師，教到我這種學生很苦吧。曾昭旭老師當時是我們的所長，老師的個性和我截然不同，我比較「野」而老師比較「文」，所以老師有時候會說我是屬於「告子型」的學生，我是喜歡當告子的那種人。曾昭旭老師的教學採取一種類似

傳統書院或英國式的大學那種「非課堂式」的「溫馨交談」教學法，雖然我對曾老師的「愛情觀」大有意見，不過我的確從老師身上學到許許多多的正面「愛情觀」和教學方法，而且到現在還一直在執行中呢！後來那個張壽山院長聘應裕康老師來當所長，應老師上課之際在語文與敘述上，非常注意地細講分析，對我的研究頗有影響，應老師所說的「墊腳咬自己鼻子」的故事，我到現在還經常傳述呢！不過我猜應老師那時候可能不知道自己的長處，所以感覺上對自己好像沒有很強的信心。另外林慶勳老師及教育所的吳松林老師、陳迺臣老師、何福田老師等，也對我時常加以關懷，上陳迺臣老師和吳松林老師的課，讓我在學術視野上大開眼界，吳松林老師幫我看過碩士論文中有關心理學的部分，我還將吳老師的教學法融入我的教學觀中而獨創出一種「吳楊式教學法」，就是現在我正在進行的教學法。後來又因為林慶勳老師和劉文起老師等的關係，認識了陳新雄老師，同時也認識了黃慶萱老師，他們也蠻照顧我的。高師大的課程中有「點書」一門，幫我們把關指導的是何淑貞老師；另外還有一門「文學史討論」的課程，曾老師聘請了許多老師來教我們，像王熙元老師、沈謙老師、張夢機老師、徐信義老師、顏崑陽老師、龔鵬程老師等等都是，王老師批改作業非常仔細，我上學期繳交報告中的每一個「者」字，老師都幫我在「日」字上用紅筆加上一點。張夢機老師是我們省立岡山中學早期的學長，我在中學就聽過他的大名，後來張老師在三軍總醫院中風住院，我還去看了好幾次，老師出院後倒一直沒有去看他，不過還是蠻關心他的健康的。其實所有教過我的老師，對我多少有些影響，只不過某些老師的影響較淺，某些老師的確是對我正面的影響較深而已。

　　談到進入文哲所的機緣，其實是因為吳宏一老師當時安排我到文哲所工作的關係，才有機會進入文哲所的。因為文哲所民國七十八年成立，七十九年剛開始聘人，吳宏一老師問我是否可以到所裏擔任助理，我當時並沒有馬上答應，因為同一時間葉慶炳老師也曾私下問我，是否願意嘗試申請在系裏擔任助教的工作？葉老師在我唸夜間部時當我們中文系所的主任，因為我領了七個學期的「書卷獎」都要和老師合照，他不但送我一些書，同時也常告訴我一些做人處世的道理，還答應幫我兒子命名。葉老師後來退休後不久就過世，我們全家難過了好一陣子，因為我們全家曾經和葉老師一起爬過山，小朋友也認識葉師公。不過最後我還是聽從吳老師的

安排，並沒有去申請助教而直接到文哲所工作，然後就一直做到現在，助教的工作後來是蔡振豐學弟申請通過。同時我也在臺大中文系及臺北市立師院進修部兼課，有機會到市立師院任教，是因為陳迺臣老師的安排，老師希望我開「倫理學」和「哲學概論」兩門課，我因為覺得對哲學的瞭解有限，對倫理學還有一點心得，再加上已經在文哲所工作了，所以只願意開「教育倫理學」，而不願意開「哲學概論」的課，老師也沒有勉強我，我當時並沒有注意到這樣拒絕，其實會造成老師處理事情上的一些困擾，實在很對不起老師。這是我求學過程與進入文哲所的情形。

二、楊老師的治學態度相當嚴謹，每日從早到晚不停地研究，請問老師堅持學術研究的方法為何？是否和本身的治學態度密切相關？「義理」與「考據」在老師的研究方法中，孰者為重？又如何運用？

　　我認為學術研究的方法，其實在每個階段都是不同的。我比較堅持的方法，是從整體融合與回歸歷史的角度去觀察問題，因此在我的觀念中，義理和考據是整體而不可分的，所以只有學習上先後次序的關係，沒有價值上主從高下的問題。因為我們現在受到自然學科的分析要求影響，喜歡將問題作分類，但基本上這樣的分類，其實是不得已的。我每次說分類是一種不得已的罪惡，張以仁老師不太同意我這樣的說法，認為這樣的說法過於輕佻，我之所以會認為分類是一種不得已的罪惡，是因為大家長期以來將分類視為一種理所當然的思考模式，但實際在學術上，分類其實是一種方便性，但因為我們太過度強調分類，反而卻忽略了整體性，分類的目的是為了更好去瞭解整體，而不是為了分類而分類。比方說我們將一個人的器官給予不同的名稱，又因為不同的作用而分為呼吸系統、循環系統、神經系統、消化系統、排泄系統等，這都是為了說明或研究整體上的方便而作的分類，並不是因為人的器官本身就應該這樣去作分類，所以我會從一個整體的角度去看問題，也就是我在作研究的時候，希望將研究的問題放到那整個時代中去看問題，而不是孤立的、單獨的將問題放進去，好比研究某個人的特色，就應該要注意他在共時性和歷時性的特色之外，有別於其他人的特色。所謂不同於歷時性的特色，就是說這個人在學術史上，有哪一點是和整個學術史有所不同；而不同於共時性的特色，就是指這個人與同時代的人，是否有所不同的地方，因為有的時候歷時性的特色，其實就

是某一個時期所有人的共同特色，也就是當代共時性的特色，就是說共時性的特色，其實是同時代多數人擁有的，所以這些都不能算是個別人物的特色。比如說現代的人幾乎都會使用電腦，相對於以前的人而言，會用電腦就是一種特色，這就是一種歷時性的特色；然而相對於現在的人而言，會用電腦的人其實是相當普遍的，並沒有什麼特別之處，因此不能認為現代人會用電腦就是一種個人的特色，就是歷時性的特色放到共時性上來看，一點也不是特色。

現在許多人在作研究的時候，就缺乏這樣的仔細判斷，經常將某個共時性的特色當作是某個人特殊的特色，但實際上不是這樣的，那是那個時代大家所共有的特色，所以不能算是某個人單獨的特色。好比有人在研究《四庫全書總目》的時候，會將《四庫全書總目》內所表現的學術特色，說成是紀曉嵐一個人的學術思想表現，這實在是相當錯誤的，這個錯誤直到今天都還是存在著。《四庫全書總目》所表達的，其實是紀曉嵐那個時代的人的共識，裏面當然有紀曉嵐的，但不是紀曉嵐一個人的，這要分得相當清楚，然而很多人卻無法做到這點。我的研究方法及態度是整體的，我認為分類是為了研究上的方便而已；分類的研究結束後，還要將結果放到整體上去，放到整個的歷史脈絡上去，這個歷史的脈絡，就包含了歷時性和共時性。這個歷時性和共時性的觀點，我是借用索緒爾（Ferdinand de Saussure，1857－1913）等語言學家，關於語言上歷時性和共時性的說法來講的。

三、可否請楊老師談談自己的兩部著作《錢謙益史學研究》及《明代詩經學研究》？又老師對明代到清代的學術內涵及評價為何？

這個問題的確是相當有趣的。我作《錢謙益史學研究》牽涉到兩個部分的討論，第一個是錢謙益本身的歷史研究，第二個是錢謙益對歷史研究觀點的研究。關於錢謙益自己歷史的研究，主要的目的是想討論錢謙益投降的這件事情，在作為一個老百姓的立場來看，具有什麼樣的意義和價值？當然這樣的假設就已經先肯定了我不是從倫理道德的觀點去探討這個問題。就倫理道德的觀點而言，投降就是不對，沒有什麼好提的；但我的角度是投降這個行為，對一個老百姓而言，究竟是正面的還是負面的？我主要從兩個方面去考慮探討，第一個考慮是如果只有從倫理道德的層面來說，很可能就會完全忘記他實際上是個有生命、有情緒的經常處於矛盾

選擇中的活人；第二個是陳寅恪先生關於柳如是的研究所引發的想法，因為在《柳如是別傳》中，特別提到錢謙益之所以去參與反清的活動，都是受到柳如是一個人的指導，我實在不太能相信這樣的說法，我認為應該是兩者互相配合才對，因為柳如是當時能夠做這些事情，必須要有錢謙益從旁支持才行，如果錢謙益不支持，柳如是根本也無法做。錢謙益的支持，並不是因為柳如是的關係，即使有也不是最重要的因素，那是因為錢謙益自己也想做這些事情。我當時是借用心理學的角度去分析，主要在分析錢謙益所以敢投降及投降後之所以反悔的理由，當然這樣的分析是有些粗糙的，但我認為至少提供了一種不同的思考方式。我在研究中列出了十幾條不認為錢謙益個性懦弱的理由，因為在《柳如是別傳》中有兩、三處特別提到錢謙益個性懦弱，所以才會受到柳如是的影響和指導，但我不這樣認為，我認為錢謙益是個很有主見、又不太在乎別人去批評他的人。所以你看當時錢謙益的正室還在，他居然敢用正常迎娶正室的禮俗來娶回柳如是，這在當時的傳統社會而言，不但是要受當相當大的壓力，而且他還必須有足夠的力量，可以去和整個社會抗爭，這是一種超越禮俗約束的表現，所以錢謙益投降，同樣地也是一種超越禮俗約束的不正常表現。因此我從這一點觀察，認為錢謙益不但不是個懦弱的人，而且是非常有主見、與當時人非常不一樣的人，因此他才敢冒大不韙而去投降。如果拋棄倫理的評價，純就傳統社會與正常心理的感受來說，投降也可以看做是一種勇敢的行為，投降不是隨便就可以投降的，一個懦弱的人怎麼敢去投降？一頭死去也許還不需要那麼勇敢，投降後還要承受整個傳統社會的龐大壓力！可能還更需要有面對種種責難的勇氣！另外，我們如果認為投降是不對的行為，至少他後悔了，去參與反清運動，所謂知過能改，善莫大焉，更何況他也沒有因為投降而害死過什麼人，更可能因為免去戰爭而救了不少人命，卻反而害自己得到一大堆長久的罵名，當時還不斷地被羞辱，難道他不知道這些嚴重的後果嗎？這些不能彌補他投降的事嗎？難道我們一定要讚美那些堅持自己的觀點，即使知道沒有能力，也要強迫大家和他一樣戰到血流成河，讓一大堆無辜的人陪著他去死的「英雄」嗎？如果純粹站在照顧與尊重老百姓生命價值的一般性立場，那一種方式才是比較合乎道理的呢？我整個論文的前半部，大概都是在敘述這些比較合乎「人道」論點，這一點想法可能和美國耶魯大學孫康宜老師的想法比較接近，所以孫老師頗為讚賞，我也很高興受到孫老師

的讚賞，因為當初碩士論文考試時，我的口考老師之一的所長應裕康老師，站在民族大義的立場，可不太能欣賞我這種為「叛徒漢奸」翻案的研究內容與態度，還多虧中興大學的胡楚生老師解圍！錢謙益的討論還涉及所謂「遺民」的問題，最近美國哥倫比亞大學的王德威教授在我們文哲所訪問，他也在談一些「遺民」的問題，我就把我當年想到的一些觀點，拿出來請教王德威，討論起來似乎也還有一些新意，讓我忽然覺得唸碩士班的四年中，固然生活很刻苦，但似乎沒有白白浪費，至少真的有一些收穫呢。至於後半部就是在說明錢謙益的史學觀點，包括了他的史學方法及史學理念等，這部分談起來當然有些瑣碎，所以在申請文哲所專任時被批評了一傢伙，其實評審的批評在這一部份是頗有道理的，對我爾後研究的時候幫助也很多，應該謝謝他們。我的碩士論文基本上就是寫以上的這兩部分。

　　關於《明代詩經學研究》，其實也是承襲我剛才所談的，因為我看到很多學者經常批評說明代沒有經學。他們之所以會有這樣的批評，是因為他們都是用一種屬於菁英式的現代知識性的思考來做研究。菁英式的研究方式，就是找到跟其他的時代比起來，是屬於比較特殊的、比較具有特色的這樣一種研究方式。這種的研究方式是需要的，因為研究者要找到一些具有創發性及創發力的著作，這在學術史的研究上是相當重要的，尤其是學術創見。我做的是另外一種研究方式，就是所謂傳播式的研究，就是要研究這個學問如何在這個時代可以讓大家所接受，換言之，這個學問究竟是如何開展出去、發展出去的。這樣的研究方式，在經學的研究上是從來不曾有人用過的，我可以說是第一個使用這個研究方法的人。我之所以用傳播式的研究方法，是因為我想探討《詩經》在當時究竟是如何傳布到廣大的群眾之中，這些廣大的群眾為什麼要去接受《詩經》這樣的教育，因為當時的群眾其實可以不必接受，但為什麼要去接受？所以我就分析這種傳播的過程、群眾之所以接受的理由有哪些，以及在當時《詩經》傳播中，朱派和毛派消長的情況。其中朱派主要講的是朱熹《詩集傳》如何從民間的地位慢慢地增長到官方的地位；毛派主要講的是毛《傳》在明代當時，是如何從一個很低的地位逐漸地興起，以及到後來與朱派互動的關係，我主要的研究也就在這些方面，是屬於一種社會學的提問法。

　　其實明代和清代無論在《詩經》學的研究，或一般的學術研究上，都可說是兩個評價不同的時代。因為在明代以前，用我們今天一般性的話來說，已經有一部研

究得非常不錯、被大家公認具有一種典範性質的朱熹《詩集傳》，所以他們當時的
重要任務，就是如何去執行、去實踐程朱之學所表達的義理內涵，而不是去探討朱
熹等人所說的內容究竟是否正確。然而到了清代就完全相反，清代學者探討的是他
們所說的內容是否正確，而不以實踐為主要重點。但這並不是說清代學者完全不去
實踐，只是因為他們開始懷疑程朱之學的內容，究竟是否符合孔子的言論義理精
神，所以他們要去實踐之前，會先去探討程朱之學所說的是否正確？如果正確，則
付之實踐，反之則棄，這是清代學者的作法。明代學者則不然，他們先承認程朱學派
所有的論述是正確的，不去考慮程朱學派的說法到底是否符合孔子的想法，然後再
討論如何將這些言論徹底地實踐，這是明代學者的作法。因此這兩個時代的思考方
向不同，學問路數不同，目的、意圖當然也不同，一個重點在如何執行的實踐、一個重
點在如何判別的知識，因此這兩個時代不能拿來做比較。現在很多學者看明代的學
術成就，用的是清代的學術思考方法，因為清代的學術方法較符合我們現在科學性
的知識性的要求，因為科學性的要求是先問是否正確，而不是毫無疑慮的去實踐，
如果這樣就會被批評是沒有理性的盲目或盲從，明代的學者完全不是這樣想，他們
的重點不在問知識是否正確，他們認為只要實踐就可以。清代的知識形態因為較符
合現代人的思考習性，因此現代的人在看明代的學術，便覺得處處沒有創意，可是
明代就經學研究而言，最大的創意就在於實踐，而不是在文字上或抽象思考上作一
堆空言空語的知識性的理論探索。因此這兩個時代的性質完全不同，不能以清代的
或現代人的標準去看明代的學術，也不能拿來作比較，因為我覺得這中間可能存在
有庫恩（T. S. Kuhn，1922－1996）所謂「不可共量性」（incommensurability：大
陸翻譯做「不可共約性」）的問題。

四、楊老師在四庫學方面頗有研究，是否可請老師敘述一下在四庫學研究方面的心
**　　得？**

　　關於四庫學研究方面，首先當然是因為受到吳哲夫老師的影響，另外是我在研
究明代的時候，發現明代的學術幾乎都是負面的評價，因此我在心中先設問了為什
麼明代的學術會有負面的評價？這個負面的評價過程是如何形成的？經過我的觀
察，發現這個負面的評價的形成，一開始是從顧炎武逐漸而下的，一直到《四庫全

書總目》時就定格了，因此我就去探討這其中的原因。其實到今天為止，我們很多對明代學術的評價，都是從《四庫全書總目》及顧炎武的說法一直傳下來的，幾乎都沒有什麼變動。這些《四庫全書總目》及顧炎武的評價，後來就進入了梁啟超《中國近三百年學術史》、皮錫瑞《經學歷史》裏面，經過這兩部書的影響，就形成了現代學者對明代學術或經學一種定格式的評價，一直沒有再轉變。因為這一層的因素，我就開始注意《四庫全書總目》對明代學術的評價，到底是持一個什麼樣的立場。如果你曾經注意，就可以發現到一個很有趣的現象，也許大家不曾特別注意過吧！就是《四庫全書總目》在談明代的墮落及興盛的過程時，我們可以在萬曆四十六年（1618）努爾哈赤以「七大恨」告天與明代決裂的這件事情上做個觀察點，在這之前《四庫全書總目》對整個明代的評價是不錯的，在這之後對整個明代的評價就非常差勁，好像從此以後明代也就走入命定中，將被另一個政權所取代的必然的墮落過程。這就可以看出整個《四庫全書總目》在敘述的過程中，其實已經慢慢地在建構清代取得政權合法性的論述了，只是大家似乎一直都沒有注意到這個有趣的問題。

　　現代學者研究《四庫全書總目》時，尤其是關於禁燬書目這個部分，並沒有注意到，其實當時在禁燬的過程之前，黃宗羲、顧炎武、閻若璩都有過同樣的主張，禁燬某些有問題的書，並不是乾隆皇帝一個人忽然之間就決定下來的，當時多數的學者們也都是因為教化而考慮禁燬壞的書，因為不好的書給老百姓讀了，他們認為就會影響到人心及整個社會善良的風俗，進而產生負面的影響，這就是他們禁燬這些書的理由與目的。還有另外一點是大家不曾注意的，就是在討論乾隆皇帝禁書的時候，並沒有考慮到乾隆皇帝本來就是個政治人物，本來就是個皇帝，即使再怎麼講，大家都可以認定他是帶有政治目的，所以現代人無論再怎麼討論、批評、譴責乾隆皇帝如何用政治的手段，去達到禁燬書籍的目的，都是沒有用的、沒有任何意義的，因為他本來就是政治人物，而且還是個非得當政治人物不可的人，現代人站在一般人的角度去評論他那個時候的政治行為，不是別有用心，就是太無聊，否則就是太愚蠢。我們可以討論乾隆皇帝這背後的動機究竟是否正當？就當時來講是否有其意義與價值？以及造成怎樣的影響。根據我的觀察，我認為乾隆皇帝的動機是正當的，因為無論換任何人在那個時候當皇帝，都會去做這樣的工作，因此我們不

能用現代自由民主式或個人主義式的角度，保障言論自由的前提，去批評一個十八世紀的皇帝的作為，這是相當不正確的，當然如果是借古諷今則又另當別論，我一直覺得臺灣解嚴之前及大陸的學者等，強烈批評清朝專制或禁燬書籍這件事上，恐怕不是一件單純的學術評斷問題而已，可能有一種「指桑罵槐」的味道在裏面，所以才那樣說。

　　我發覺有很多學者在批評某人時，都沒有先去瞭解這個人所處的時代背景是如何，如果這個人所做的事情，是那個時代多數人都會做的事情，那我們再如何譴責這個人，都是沒有任何意義的，我們只能說這個人所做的事情，放到今天來看是有問題的。我們絕對不能拿今天的規矩、標準去要求古人，否則客氣一點的來說，就是表示批評者不是在作客觀持平的學術評價，而是在歷史中尋找與自己想法一樣的同黨。這些歷史上的同黨對評論者來說，就具有「創新」的「進步」意義，那些和他們想法不同的異黨，當然就是「守舊」落伍應該被消滅的一群了，表面上固然裝飾著學術評價的美好外表，實際上卻是黨同伐異來推銷自己的一種行銷手段，推銷評論者自己的高明與超越；如果不客氣的說，這類批評者其實正犯了「強暴古人」的錯誤，但利用這個錯誤來推銷自己的手法，似乎從胡適之先生以下，皆大有斬獲，中國學者的缺乏判斷與順從性之強，由此可見一般。再舉一個例子來說明，有許多人大力批評乾隆皇帝改掉許多「胡」、「夷」、「狄」、「虜」……等等帶有民族歧視性文字的行為，但就今天尊重各民族平等的民主角度而言，這種歧視性的文字本來就是不應該存在的，如果是乾隆帝下令改正有什麼不對呢？不過恐怕多數還是四庫館臣的「自作主張」，乾隆帝不過是被後人栽贓式的批評而已。姑且不要管誰主張改掉這些帶有嚴重民族歧視的文字，比較好玩的是現在有人用自由民主的角度，去批評乾隆皇帝不可以禁燬書籍；但又用文獻整體完整的角度，去批評乾隆皇帝改正這些歧視性的文字，是一種破壞文獻的整體性的行為，這不是相當矛盾與諷刺嗎？

　　我覺得今天某些的學術研究，因為研究者都是在野的人，可能是「酸葡萄心理」的關係吧，所以對政治批判的意識太高，尤其是對清朝官方的事情，更是完全用一種心理異常的眼光來看，只要和清朝政治措施有關的事，幾乎只會從一個負面批評，甚至非理性謾罵的角度去看，不會用客觀持平的正常心態去看，這個現象其

實在清末民初就已經發生了。因為我們今天大多數看到的學術研究成果，基本上都是意圖消滅滿清的革命黨或對滿清皇朝政權不滿意的反滿分子所寫的書，章太炎先生是最明顯的革命黨例子；梁啟超先生雖然是個「保皇黨」，但所要保的可是新的立憲意義下的「立憲皇朝」，並不是傳統意義下那個早就被認定腐朽不堪的「滿清皇朝」，所以他也是帶有反滿情緒的反滿分子。我們看他們的東西，其實只要注意批判地接受他們的方法，不要接受他們反滿情緒所形成的偏向的思想觀點，我們要學習的是像胡適之先生這類批判性的思考方式，否則我們一定會在無形中受到這些書中反清意識的影響，變成用革命黨的眼光去看清代的政治措施，甚至用革命黨的眼光去評價清代的學術，或者用反對皇帝制度的心態去批評古代的學術，因此所有與官方合作的學者都不值得研究，所有和官方打對臺的具有「反骨」的人物，都非常有研究的價值，這絕對不是一種正常心理下的研究思考方式。其實我們今天距離革命已經很久了，但是在思想方面卻可能比革命黨更嚴重，因為我們不知道自己對清代做觀察時，無形中已經變成要消滅滿清的革命黨同志了，因此缺乏形成具有反省的自覺。

我當初研究四庫學，消極上是基於批評研究四庫學的視野過於狹隘的因素。積極上是因為我覺得四庫學的研究，可以有各種不同的層次，可以從文獻、政治、文化、教育、甚至是圖書管理的層次去討論，並不是只有在單一的糾謬補闕或政治批評範圍。後來我看到周積明先生寫的《文化視野下的四庫全書總目》，書中所講的內容多數和我的研究角度接近，其實我是蠻高興的，因為居然相隔甚遠而可以不謀而合。這大概就是我對四庫學研究的想法。

五、楊老師對中國古代傳統及現代教育方面有不少見解，是否可請老師談論一下關於這方面的看法？又傳統經書在今日各教育階段下該如何進行，才能落實？

關於教育這個問題，很難有一個明確的固定說法，如果單從學校教育的角度來說，我覺得最重要的是尊重學習者本身的學習意願，因為我不認為每個人都適合讀書。我是屬於比較菁英式的讀書想法，因為我覺得讀書並不是唯一的路，我常從多元的世界觀講：「讀書只有一條路，不讀書有無限多條的路」。因為我本來就是在外面工作的人，是屬於不讀書的這類，所以讀書不是我唯一的路，但是我們今天有

太多人從小到大就只有讀書，從來沒有做過其他事，因此以為只有讀書這一條路，這樣的想法其實是不對的，讀書只有一條路，不讀書才會有無限多條的路。所以對我來講，要看這個小孩子適不適合讀書，如果適合，就鼓勵他讀書，如果不適合，我們就要告訴他讀書不是唯一的一條路，我們要尊重那些不讀書的人對社會的貢獻，因為讀書並不一定對社會有貢獻，真正對社會有貢獻的並不一定是讀書人，搞不好讀書的人是對社會最沒貢獻、是屬於米蟲，甚至是製造社會最多問題的人也不一定。所以我個人認為教育至少不要把讀書當作是唯一的出路，然後要尊重小孩子自身的選擇，小孩子有不讀書的權力。我們今天都強迫小孩子去讀書，我覺得這是不對的，教育如果一定要這樣蠻幹，則讀書就像法國社會學者布爾迪厄（Pierre Bourdieu，1930－2001）所講的是個「文化再製」的過程，是一種控制權力再塑造的過程，是具有文化掌控權者，透過這個權力運作，經由教育的方式，不斷地強加在這個被權力控制的人的身上，所以教育的本身就成為一種控制權力再塑造的過程，而不是真正的具有教育意義的教育。也就是說，小孩子不想讀書是不行的，因為在這個權力掌控的前提之下，小孩子就必須要讀書，因為你是國家權力運作機構中的一個小螺絲釘，每個小螺絲釘都必須要受到國家控制，因此你必須要接受教育，不接受教育是不行的，所以要強迫你去接受教育，這種觀點我完全無法接受，因為這不是教育。在傳統的教育裏，應該是自由的，所以我們可以看到孔子所講的「自行束脩以上」，這個具有主動性的「自」字，是非常重要而不能省略的「前提」，這句話同時也隱含有可以選擇拒絕接受教育的權利的「不在場訊息」，然而大家卻都忽略了：「禮聞來學，不聞往教」，我們現在不但「往教」，而且還強迫你要被我教，這完全違反了教育的基本精神。另外是現在的學校教育，雖然一天到晚在強調什麼德、智、體、群、美等「五育」均衡發展的教育，實際上整個教育的設計是以「智育」為主軸的「專家教育」，所以現在學校在宣傳自己的成就，絕對不會說有多少學生的品德高尚、行為端正、見義勇為、學生零犯罪紀錄等等；必然會說有多少人考上第一志願，多少人考上臺大，學生的就業率有多高、收入有多少等等，這樣的教育設計根本不可能注重學生的德性實踐，強調五育也不過是「放屁安狗心」的口號而已，幾時真正去落實啦？因此在這些方面，我是認為很有問題的，當然教育不僅只有學校教育，只是我在這裏提出學校教育做為例證而已。

　　另外，談到關於經書教育的問題，由於現在的教育是「智育至上」、「德育陪榜」，所以我認為現在已經不可能有古代那種真正所謂經學傳統的教育，我們現在只有經學學科的教育。所謂經學學科教育，就是在西洋的學科分類意義之下的一個知識性的科目而已。因為在古代的經學，實際上是和實踐具有不能分開關係的，閱讀經書是為了要去瞭解道理而去實踐，經學不只是一個知識而已，它還是一個必須實踐的規範。古代有不少學者所以大力批評「科舉」，就是因為科舉把經學「做」的實踐本質，轉變成「談」的文字表演的緣故，「表演」只是一種「虛擬行為」，當然與經學確實要求的「實踐行為」大不相同，所謂「有德者必有言，有言者不必有德」，經驗的傳授和知識的談論當然不同，因為「談」經學就是一種只有經學的形式，一種缺乏經學內涵生命的表演，經學因此墮落成為一種「僵屍」的形態，所以他們才會大力批判科舉。但我們在今天的教育體制之下，早已把經學看做是一種和實踐不必然有密切關係的知識，一種古代傳下來的知識系統，這和古人是完全不一樣的。我認為現在的新儒家即使標榜著要傳承傳統，但他們除了這些自認是所謂新儒家分子的人，在人品德性上是否真的具有可以做為全民典範的質疑外，例如翟志成先生所描述的熊十力先生的作風；最大的問題是很難恢復到古代學經書是為了要去實踐的觀念，整個社會型態與學術生態都改變了，他們也不得不只能把經學當成是一種哲學的討論，或是一種對話的對象，戴璉璋老師和劉述先先生所以會說熊先生的成就，不在翟志成先生所說的那一方面，理由就在這裏，這當然沒有錯。但是如果我們今天將經學當成是用來對話的，或是當成一種討論的學科知識，那就和以前的經學完全沒有關係了。以前聽到傳言說余英時先生說經學已經滅亡了，心裏頭大不服氣，可惜一直沒有機會直接請教余先生，不過余先生如果也是從我這個角度來說，應該是沒有問題的。古代的經學，基本上是要實踐的，我認為在今天是回不去了，這個大概只有可能個人式的，不可能是全民性的活動，但在古代可是屬於全民性的活動，是不言自明的。因為現在脫離古代太遠了，現在重視的是知識，不是去實踐，經學實踐對今天的人來說，並無太大的意義，直接去做就可以了，還談什麼學問？所以我們現在學術研究是「談」學問，古代則是「做」學問，如果用現在「談」學問的角度去看古代的「做」學問，那當然是不同的。

　　關於落實這一方面，如果要「談」學問，就要知道如何和別人對話。我們傳統

中文系比較大的缺點，就是沒有辦法和別人做有效的對話。所謂沒有辦法和別人對話，一則我們老是有一種認為別人不如我們對傳統懂得多的先驗心理，這當然有時候是對的，但是不是全部都對，恐怕還有問題，因為有這樣藐視別人的不自覺心理，所以我們比較不容易和人家做真正的對話；另外是指西方在二十世紀後半期的期間，發展出來許多有關物理學、哲學、文學批評或是心理學等各方面的理論及知識，別的學科學者多少都會參考、使用，但是我們中文系的許多人比較閉錮，尤其絕大多數傳統經學的研究者，根本想都不想知道這些東西。比方說我剛提到的布爾迪厄、索緒爾、庫恩、喬姆斯基（Noam Chomsky，1928－），以及諸如：容格（Carl Gustav Jung，1875－1961）、維根斯坦（Ludwig Wittgenstein，1889－1951）、曼海姆（Karl Mannheim，1893－1947）、卡爾巴柏（Karl Raimund Popper，1902－1994）、法伊爾阿本德（Paul Feyerabend，1924－1994）、哈柏馬斯（Jürgen Habermas，1929－）、德里達（J. Jacques Derrida，1930－）、盧曼（Niklas luhmann，1927－）；或人類學家弗雷澤（James Frazer，1854－1941）和列維斯特（Claude Levi-Strauss，1908－）及許烺光（Francis L. K. Hsu，1909－1999）、心理學家弗洛姆（Erich Fromm，1900－1980）、管理學家杜拉克（Peter Drucker，1909－）、物理學家費曼（Richard P. Feynman，1918－1988）、政治倫理學家羅爾斯（John Rawls，1921－2002）和諾齊克（Robert Nozick，1938－）、歷史學家霍布斯邦（Eric J. Hobsbawm，1917－）和海登懷特（Hayden V. White，1928－）、文化研究學者薩伊德（Edward W. Said，1935－2004）、經濟學家貝克（G. S. Becker，1930－）；宗教學者希克（John Hick，1922－）、社會學家紀登斯（Anthony Giddens，1938－）⋯⋯等等，這些人的某些觀點說法，實際上對我們中文系的人而言，還是相當有幫助的學問，可惜我們中文系的人比較缺乏這樣的訓練，我們還是喜歡固守在自己的傳統之中，使得自己的觀點、視野愈來愈萎縮。這個萎縮的結果就是沒有辦法和別人對話，因為你根本不知道別人在說什麼，只能用自己的想法去解釋；人家也無法知道我們到底要說什麼，因為他們也只能用他們的想法來解釋。好比今天我們中文系很喜歡用「風格」這個詞彙，但用的是傳統「風格」的意義，還是 "style" 的意義呢？實際上我們現在用的是既有傳統的意義，也有 "style" 的意義。這個時候我會建議學生去看美國華裔學者劉禾的《跨語

際實踐》，就會發現到其實有很多詞彙並不是以前漢語有的，是從外面傳進來的，這些詞彙的符號本身有些是和我們的漢語相同的，好比說「經濟」，中國傳統也有「經濟」這個詞彙，但是中國的「經濟」不是 "economics"，我們多數人今天講到「經濟」這個詞彙，用的都是 "economics" 的意義，忘記了中國「經濟」原有的意義，如果我們用傳統的意義來說或去解釋人家所說的，一定會造成雙方面的互不瞭解。我們中文系的人經常在不知不覺中用了一些西洋意義的詞彙，但卻不知道這個西洋詞彙的意義是什麼，如我們中文系的講「向度」，也許只是在講一個取向而已，但人家其實會理解為我們在講的是 "dimensional"（大陸翻譯做「維度」）的意思，我們講「範疇」也許把它等同於「範圍」，但人家或許會理解為在講 "category"，這些義涵其實都不一樣，中文系的人講求訓詁，理當瞭解詞彙的來源及本義及其變化為何，而儘量要能辨別清楚一些容易造成誤解的詞彙。因此我覺得現在中文系學者有兩個最值得仔細弄清楚的和對話或發言有密切關係的問題，第一個是在運用很多原屬於傳統漢語中的現代式詞彙時，並不知道其實當我們在運用這些現代式的傳統詞彙時，其實已經在不知不覺間帶入西洋詞彙的意義了，並且以為這是中國原有的詞彙意義，這個觀念是錯誤的。因為我們沒有現代訓詁學，所以傳統的訓詁學在這方面無法發揮作用，這是現代學者應該要重視的問題。第二個就是現在的中文系沒有開設可以讓我們學習這些現代西方理論的課程，當別人在談關於論述或性別等問題時，我們都只能用自己舊有的觀念去幫助自己瞭解，但其實這些西方的理論系統，背後都有很強的 "discourse"，我們如果沒有注意它，缺乏一些必要的背景認識，我們也就很難甚至無法和別人對話。我們在解說古代經典的現代意義時，這些如何有效進行對話的問題，關係到我們的解說是否能夠被理解，如果不被理解，恐怕就很難被接受，這其實也是學術如何行銷包裝的問題，我認為這是我們現在中文系在傳播經典時，必須要注意及加強的地方。

　　我現在上研究所「治學方法」的課，就特別要求同學們注意這方面的學術訊息，像什麼法國「五月事件」啦、什麼「語言學轉向」啦、什麼「後現代轉向」啦、「知識經濟」啦、「新消費者」啦等等，多少總要知道一點，當教師的一定要提醒學生有這些東西存在我們生活的世界中，至於學生去不去讀，那就不干教師的事啦。其實不僅中文系的訓練有學科閉錮的問題，我以前在臺大教工學院的學生

「大一國文」的時候，就曾經要求學生讀許多書，搞得許多學生怨氣沖天，你大概還可以在網路上看到這一類的訊息，不過問題不在我，而是在學生沒有搞清楚狀況，這些學生的學習心態，還依然活在「高中生」時期，根本缺乏一種「大學生」應有的學習態度，他們還停留在「考試要考的才重要」的幼稚階段。其實也不能全怪學生，因為工學院的某些教師，即使到國外拿了學位回來，在學習心態上，不知道是因為依然保留著高中生的幼稚想法？還是因為過度的學科本位要求，所以會和學生說修習那些和工科無關的，什麼人文學或社會科學的無用東西，都是浪費時間的行為，給學生一種非常錯誤的學習觀念，不過如果就工學院自己學科訓練的技術性專家的目的而言，他們這種學科閉錮的要求，並不是全無道理，因為技術學科的研究本來就應該拒絕社會的干擾，全心全意投入研究者注意的那一點上，因此「目光如豆」可能還是他們必須要具備的要求呢，所以我們用「全人」的角度來批評，他們不見得會同意呢。以臺大在臺灣的學術地位與表現的情況而言，居然還有這類在學習觀念上，保留如此幼稚或本位的學科閉錮現象的教師與學生，那麼其他學校的學科閉錮情況，也就可想而知啦！這裏主要是在反省我們中文系的情況，以及如何開展出中文系可以讓人接受的新發言權，所以完全針對中文系發言，並不是說只有中文系才有學科閉錮的問題，其他的科系都是開放而眼界寬廣。

　　我想我有必要交代一下所以會去注意這些中文系以外的東西的原因，主要是我在進入初中之前，陳冠學老師先給我一本《約翰克利斯朵夫》看，因為我看不懂，所以陳老師就帶我到他的書房，由我自己選書看，那個暑假因此看了一堆傑克倫敦的書，一些翻譯的小說，以及東方書局出版的一些改寫的中國名著，《聊齋》和《水滸傳》也是在這個暑假看的，其實在這之前，我已經看過我父親放在桌上的《封神榜》和同學父親買的日本推理小說的翻譯本；初中的時候從圖書館借了一大堆章回小說來看，《紅樓夢》看到那個假乾淨的小尼姑，就看不下去了，趕快翻看看這個傢伙最後的結局，發現她後來被強盜抓走，就好高興。其他像孫臏、龐涓、薛仁貴、薛丁山、羅通、尉遲恭、李元霸、五鼠、濟公、彭公、施公等等；初中畢業以後，更喜歡看一些雜書，做學徒的時候，又看了一大堆費蒙、魯帝、藍天、瓊瑤、楊念慈、朱西寧、司馬中原、繁露、華嚴、禹其民、金杏枝、王藍、臥龍生、諸葛青雲、陳青雲、憶文、雲中岳、司馬翎、宇文瑤璣……等等所寫的黑社會、武

俠、言情的小說,以及一些電學和電子學等方面的書,另外還有一些和心理學相關的書;另外我還買了一些有關警察學、犯罪學、童軍學、化學、武術、法律等方面的書來看,後來會電鍍和陽極處理的工作,還都是拜當時亂看化學書之賜呢!我那時候還每天晚上躲起來練飛刀、練氣功、練手刀、練瑜珈、練打坐等等,冬天故意沒穿衣服在室外開自來水淋頭打坐,冬天洗冷水澡還可以把整個浴室弄得都是水蒸氣,現在想想蠻好笑的,不過這好像對身體健康有點幫助,武術方面的書,臺北真善美出版社的最多,後來我還認識真善美出版社的第二代傳人宋德令先生!在剛進入榮總的時候,我也通過「法院書記官」的普檢,因為去讀延平所以沒有繼續去考普考,後來還用這個資格去報考警察特考,雖然沒考上但也多讀了許多書;以後又參加「公共衛生行政人員」高檢,雖然沒通過,倒也同樣讀了不少相關的書。不過這種愛亂看書的習慣,一直沒有斷掉,我在讀高中「公民與道德」的時候,還會去找課文後面附註提到的書來看;當兵的時候因為工作的關係,不但學會簡體字,還學過熱力學、彈道學等等與槍砲和汽車引擎相關的東西;退伍後做地基鑽探的工作,也學了一些和地質學相關的東西;到榮民總醫院做事,必須看一些與醫護相關的書,所以我在進大學之前,其實已經看了一些文學、心理學、人事管理、政治學、行政學、經濟學、法律學、警察學、犯罪學、化學、護理學、內科學、外科學、藥劑學、生理學、解剖學、精神病學、醫病關係、星象算命等等方面的書,雖然不一定看得懂,但總算是開了眼界;進大學後又因為柯慶明老師和張淑香老師的關係,看了一些西洋文學理論方面的書;大二的時候因為要和轉到法律系的同學劉雲皓一起寫報告,所以又多看了一些法律系方面的書。不過,這時候多是淺嘗即止,當然沒有能力做什麼深入的閱讀,真正認真去面對這些老外的東西,其實是在高師大時選修教研所陳迺臣老師的課,上課的同學都來自教育系,這些傢伙對老外的東西知道的比我們多得多,因為上課必須要和這些同學對話,所以才拼命去閱讀吸收一些西洋學者寫的有關教育、哲學、心理、社會等等相關理論的書籍;後來陳老師安排我到市北師兼任的時候,又因為教書的關係看了非常多有關倫理學、道德學方面的書,我比較欣賞黃建中的《比較倫理學》,同時也在這時候,才知道寫那本《中國哲學問題史》的宇同,其實就是張岱年,多虧當時木鐸出版社羅小姐的幫忙,才能取得張岱年倫理學的著作,因為那時候這可是屬於「匪書」呢。在碩士班

的這些同學之中，除了同是國研所的方中士和崔文娟之外，就屬莊勝義和蘇永明對
我的幫助最大，有時候我們還會因為一些學術問題，經常辯得整晚上沒睡覺。他們
兩個像伙後來都考上公費留考，到英國留學去了，現在已經回臺灣在大學任教職，
一直到現在，我如果有不懂的東西，除了就近向所內同事與柯慶明老師等請教外，
也還會去問他們倆個人。

六、楊老師對於現今的《詩經》學研究有何觀察？又如何看待？又老師認為可以努
**　　力的方向還有哪些？**

　　有關現在《詩經》學研究的情形，我曾經寫過文章討論過這個問題。我認為現
在的《詩經》學研究太過單一化，眼界過於狹隘，大多是從菁英式的角度去研究，
很少有其他角度的研究。其實我開拓了許多不同的研究方式，好比說我用了一種
「引述式」的研究，所謂「引述式」的研究，就是我們整個經學傳統的解釋中，會
不斷引述前人的說法，一直不斷的引述下來，這其實是值得研究的，因為引述的選
擇本身就代表著一種學術性的判斷，這其實是受到庫恩的影響而生的研究方式，不
過我並不是直接的套用，因此我如果不說，大概也很少人能夠看出來。我認為我們
的經學研究，其實老是在自己的某些過時的傳統觀念中去觀察思考問題，又因為我
們所學的理論架構還不夠，對現代學術的瞭解實際上是有問題的，我們因此比較沒
有辦法開拓一個較新的研究視野。對我而言，《詩經》學當然可以從文學的、傳統
的、甚至是宗教學等角度去研究，也可以從經學本身的作用及價值去研究，所謂作
用，就比如我剛才所講的，為什麼要透過教育的形式去教《詩經》，又為什麼會被
接受，當然這其中有著某種權力運作的關係。因為在古代社會中，既無市場經濟，
也無國際貿易，更不可能產生電子新貴，也不會有全民選舉的事，如果要從低的階
級上升到高的階級，除了反叛奪取政權外，如果資質夠標準，教育其實是一個最容
易的方式，因此透過教育的形式，可以促成階級的流動，透過科舉考試，不但可以
提升自己的身分，同時也可在「權」與「錢」方面獲得滿足。這些種種，都是值得
我們繼續去作研究的。

　　剛才我提到我們現在大多是在「談」學問，而不是在「做」學問，因為實際上
已經沒有人想去執行經學中所說的東西，我自己確實是努力去做，當然也沒有做得

很好,但至少是努力在「做」經學研究,而不是只在「談」經學研究而已,但別人我就不是很清楚了。我儘可能將我從經書中所讀到的東西,落實到現實的生活之中,但是要落實到現實生活中的前提,就是必須要先瞭解經書中所講的內容是什麼?以及可以和我們現代有什麼樣的關聯性?以及在現代的世界中,我們應該如何去做?比如說當我們讀到《論語》的「學而時習之」,我們第一個應該要問的是「學」是什麼?「學」的內容是什麼?「學」包括哪些層次?如何去「學」?「學」了之後要如何運用?在什麼時候去運用?可運用的範圍有哪些?我大概會去考慮這些方面。

　　從「談」學問的角度來說,臺灣現在是個多元化的社會,但《詩經》學的研究其實還是滿傳統的,仍然還是屬於菁英式的研究,包括器物的研究、義理的研究、詮釋的研究、文獻的研究等等,這些研究當然各有各的發展及益處,仍然值得繼續研究,但像我所用的傳播學、引述學及敘述學的研究,在《詩經》學的研究上似乎並沒有人使用過,像我曾發表的錢謙益在女性的傳記中如何運用《詩經》的問題,這也是一種新的敘述學的角度。另外我在臺南成功大學發表過的文章,也提到關於《詩經》學研究的二十五個方向,當然也還不止這二十五個方向,仍有許多可以發展的。

七、可否請楊老師比較一下大陸與臺灣在《詩經》學研究上的異同為何?

　　我覺得臺灣的經學研究,在傳統意義及基本訓練上比大陸要好得多,因為大陸在一九四九年之後,大概就和整個中國傳統開始脫離了,所以現在的大陸,代表的是「新中國」的文化型態,所謂「新中國」的意思,就是有別於那個曾經存在於傳統的「舊中國」,「舊中國」就大陸以往的政治角度來說,基本上就是那一個必須被消滅的傳統中國,大陸現在的經學研究,所研究的是過去存留下來的一種傳統的殘餘,並不是真正的要去發抒或發揚傳統經學的實踐意義,似乎並沒有人真正地想「做」傳統經學的學問,大陸的學界人士對經學的態度,多數比我們更像在「談」學問,就大陸學者而言,經學第一個是具有史料的性質,第二個是具有古董的價值。這些都和現在生存於「新中國」的生命不具有任何關聯性,經學研究就好比研究「埃及學」或「希臘學」的性質一樣,不具有一種實踐的、生命的、和自己有關

聯的性質。不過大陸現在逐漸在經濟上站起來，也許不久之後，對自己的文化有信心了，也會開始漸漸地走向要求「做」這個層次也不一定，不過現在還是依然停留在「談」的層次；但是無論怎樣發展，是絕對不可能再恢復清代以前的狀況了，這應該是可以預見的吧！就我的了解而言，經學本質就是要「做」的，也就是說，這不是一個談論的東西，如果當經學變成一個談論的東西的時候，就已經開始脫離經學本身的最實質性的要求了。當然，或許有人會認為我這樣的認知，可能是犯了一種本質論上的謬誤，但就實踐方面而言，經學本來就必須是要實踐的，並不是用來談論的，所以我並不認為這有「本質論謬誤」上的問題。

現在有不少大陸學者用人類學、馬克思主義的角度，去批評經學中許多不符合現代的要求。這種研究當然也有它的好處，從基本人權的要求去看問題當然是可以的，可是從意識型態方面來講，這就是前面說過的那種「強暴古人」的一種表現方式。就是用現代人所訂的標準，去要求古人符合現代人定的這個的標準，若不符合現代人的這個標準，就是錯誤的，現在有一些學者的研究，幾乎都犯了這個錯誤。我們當然可以批評古人，但是要先瞭解古人在那個時代為什麼要這樣做，瞭解了古人為什麼要這樣做之後，才可以去批評古人的做法是錯誤的，絕對不是拿古人所表現的實際行為，再用自己現在所訂的標準，去要求和我們生活相差幾百年的古人遵守。比方說如果我們用現在「尊重個人」的人權角度，去看經書中古人所表現的「群體意識」，當然處處都是問題，都是壓制、專制；但若從群體意識去看個人表現，當然也會同樣發現處處都是分離、破裂的，所以這兩者之間根本沒有交集，因為這兩者的世界觀及目的，都不相同，可是這卻不牽涉到相對主義，只不過生存的世界不同而已，或者也可以借用「不可共量性」的說法來加以瞭解。就我的角度來說，如果你活在這個世界上，本來就要有你自己，但卻不是完全只有你自己；我們也有要群體，但不能沒有自己。也就是要有自己，也要有群體；要有群體，也要有自己。過度偏向那一個方面，都會容易出問題。

關於經學研究走向這一方面，我認為臺灣和大陸大概是相同的，漸漸地將「做」學問，當成是「談」學問的態度，大陸方面比較容易受到意識型態的影響。當然臺灣和大陸都有強暴古人的研究型態出現，可是大陸這一方面比較嚴重，而且大陸是單一地用馬克思主義的角度去看，當然八〇年代大陸改革開放之後，有逐漸

轉變的趨勢，但是原則上還是以「談」學問的角度為主，想要回到傳統經學中實踐的這個層次，恐怕比臺灣還要更加困難，因為從五四運動、疑古學派之後，大陸就開始排除將經學看做是實踐規範的思路，並將經學看做是一種可以討論而必須加以負面批判的學問，我常想五四留給中國人最大的遺產，在經學方面大概就是將實踐的學問，變成是可以談論的學問，實踐並不重要，重要的是如何可以談出一番道理，然後可以形成一個理論，可以和外國人對話，讓外國人知道，我想這應該是五四最大的貢獻。這也沒有什麼不好，因為整個西方世界的走向就是如此，而我們也無法自外於整個西方世界的勢力範圍之外，不過比較遺憾的是學人家的過多，發展自己的太少；並且到現在為止，外國人好像也不太在意中國有什麼東西，而是中國人老喜歡拿自己的東西去迎合人家的東西罷了。

　　當然，學術研究上真正實質上的比較，很難用一兩句話說得清楚，不過重要的是大陸這方面的研究，到現在仍然是相當薄弱的，大陸還是比較喜歡用附會的、過度類比及過度推論的方式，去達到某些不必要的或意識型態的宣傳。臺灣當然也有意識型態的部分，但與大陸比起來，的確是少得多，而且臺灣多數屬於理論的套用，好比用女性主義、後殖民論述等，套用在自己的研究之中。像以前顏元叔先生用新批評的方式去研究《詩經》，曾遭受到強烈的批評，但我覺得這也是一種研究《詩經》的方式，並無不妥之處，反而可以提供研究者寬廣的視野，當然爭論是應該的，而且也是個好現象，沒有爭論的學術研究，大概不會是真的學術研究。又好比以前李辰冬先生認為《詩經》是一個人的傳記，當然最後我們證明李先生的說法是錯誤的，至少我們在這個過程中，去注意到《詩經》的本質究竟是什麼，也引起了學者熱烈的討論。這些研究並不完全是負面的，因為人的學習過程，本來就是不斷地在嘗試的錯誤中學習，所以不要怕做錯，最怕的是在學習過程中那種怕錯的心理。做錯了，可以修改；我常說如果某一個學者的論文，已經完全找不到任何問題了，那麼他的研究大概也快結束了，因為他已經走到最後而沒有任何發展可能性的死胡同了，那豈不是要完蛋大吉嗎？我們現在很多學者在研究學問時，最常缺乏的就是這種認知的心胸，所以當別人在批評自己論文的時候，那種「自我防衛」的心態就出現了，這是不對的，別人批評你，理當要感謝，無論是正面或負面的批評，至少對自己都是有益的。

八、經學是中國傳統學術的一部分，楊老師對經學所抱持的觀念與態度為何？又對今日的經學研究者有何期許？

　　我剛才大概已經籠統地提到一些，還可以就「傳統」這方面說說。我們現在所用的「傳統」，這個詞彙究竟是我們所說的「傳統」呢？還是 "tradition"、"habit" 呢？其實是 "tradition" 的意思。這不只是一個詞彙，也是一個概念，我會比較去注意這樣的觀念。其實我們現在所用的「傳統」，也就是 "tradition" 的意思，是在明代以後才形成的。因為在早期的中國，「傳統」具有著一種在政治上傳承正統的意思在內，我們可以在《漢書》中找到線索，但到了明代之後，才有學術上傳承的意義出現。對經學研究者而言，我認為要多吸收各種不同學科的知識，要有寬闊的態度，不要只有一種研究方法，儘可能讓別人知道經學的內容是什麼？在現代具有什麼樣子的意義？因為經學其實是一直在變的，所以清代學者要找到最原始的經學意涵，是不太可能的事，因為清代學者所看到的文獻及資料，不可能再回到古代的概念去解讀，就像我們現在解讀「傳統」這個詞彙，在我們腦海中馬上所出現的概念，絕對不是明代以前所用的「傳統」。所以我們只能說儘量趨近於古代的概念，清代學者那種想尋求最原始的經學意涵，也只能說是一種學術的夢想吧！

　　經學要能夠發展，必須要有兩個條件，第一個就是要讓現代人知道經學是什麼？第二個就是要有一個方法傳播出去讓別人知道。如果二者缺一，就無法順利發展。如果要讓別人知道自己在說什麼，就必須要用現代式的語言讓別人知道，所以我認為現代的經學研究者，要多學習並瞭解現代西方關於社會學的、歷史主義的、語言學的、哲學的理論，像我覺得維根斯坦的「家族相似性」的觀點，其實可以引用來瞭解、解釋部分經學的內涵。我的角度是認為經學如何在現代這個社會，可以讓別人瞭解，以及如何能夠繼續地使別人認為經學是有價值的，這應該是現在的經學研究者應該做的工作。

　　關於我對經學的觀念與態度，大致上都包含在我之前所說的內容中。

九、請問楊老師未來從事的研究計畫與研究方向為何？

　　關於我未來從事的研究計畫，大致上也是朝著如何將古代的經學內容，用現代

的話把它說明清楚，我會運用、印證一些我所瞭解有關西方的理論，但我並不直接挑明引述這些理論。我之所以說運用，指的是我雖然會去讀有關這些西方理論的書籍，但我對外文幾乎一無所知，現在我倒覺得對外文的一無所知，說不定反而成為我的優點呢，而不是我的缺點呢，這或許是我自己的自我解嘲吧！反正我認為正因為我對外文所知不多，所以我才更能謹慎的去掌握中文和外文的不同，也才不會產生混淆、才不容易被外文感化。因為很多人在受了西洋概念的訓練之後，比較不容易掌握某個詞彙在中文和外文的不同處，經常沒有警覺性地在某些詞彙的使用上造成混淆，但對我而言，這是一種不正確的詞彙使用。比如像我讀到「傳統」、「風格」、「範疇」、「向度」及「經濟」等詞彙，因為對我來說是相當陌生的，所以我就會特別去注意，因而也就會瞭解到某些概念上的來源，及其與傳統和現代意義上的區別。

　　至於我的研究方向，因為我的專業是在宋代以後的《詩經》學研究，特別是宋、元、明這三個時代，清代因為有許多不夠瞭解的地方，還需要多努力。我認為自己研究得最好的是明代，因為現在所有關於明代歷史的書籍，我幾乎全部都讀過一、兩遍，包括《明實錄》、《罪惟錄》、《國榷》……等等，明代存世於今的書籍，我至少看過百分之四十，收錄在《四庫全書》的我全部都看過，另外明代存世於今的《詩經》學著作，我大概也讀了百分之八十以上，所以明代的研究是我最有把握的。然而其他的部分還需要多加強，像元代其實一直沒有人好好地研究，第一個原因就是學者缺乏像我這樣子去閱讀的背景，因為必須要有這樣的背景，才可以做整體性的研究，這也就是我當時讀碩士班時去做史學研究的原因，因為任何的學術研究，如果沒有很好的史學背景，就有可能抽離那個時空背景，而變成一種真空中的學術研究。真空中的學術研究就會發生我之前所說的錯誤，就是它的特色根本不是個人的特色，而是那個時代的共識，甚至是共性，就像是某些人會將《四庫全書總目》所表現的內容，當成是紀曉嵐一個人的表現這類認識上的錯誤。以上是我進行學術研究時的一些想法與作風，當然是非常個人性的，可能有許多的偏見和錯誤，這我可能需要再加強自我進修改正；至於別人看了是不是會發火，這就不干我的事了。主要是像前面所說的，我最痛恨人家說謊話，何況「誠」與「實」的面對自己是經學義理中最基本的要求，我不是說我是希望能夠真正執行「做」經學的人嗎，所以就不能不坦白的說出自己要說的話。

楊晉龍全部著作目錄
（1989/05－2009/05）

一、期刊論文

1. 楊晉龍：〈子貢經學蠡測〉，《中國文學研究》第 4 期（1990 年 5 月），頁 69－82。

2. 楊晉龍：〈孔子和《易》的關係〉，《中國文學研究》第 5 期（1991 年 5 月），頁 1－15。

3. 楊晉龍：〈神統與聖統：鄭玄王肅感生說異解探義〉，《中國文哲研究集刊》第 3 期（1993 年 3 月），頁 487－526。

4. 楊晉龍：〈王士禎在《四庫全書總目》中的地位初探〉，《中國文學研究》第 7 期（1993 年 5 月），頁 1－31。

5. 楊晉龍：〈「四庫學」研究的反思〉，《中國文哲研究集刊》第 4 期（1994 年 3 月），頁 349－394。

6. 楊晉龍：〈《論語・衛靈公篇》「君子疾沒世而名不稱焉」探義〉，《中國文學研究》第 8 期（1994 年 5 月），頁 65－98。

7. 楊晉龍：〈論《詩傳大全》與《詩傳通釋》的差異〉，《中國文哲研究集刊》第 8 期（1996 年 3 月），頁 105－146。

8. 楊晉龍：〈朱熹《詩序辨說》述義〉，《中國文哲研究集刊》第 12 期（1998 年 3 月），頁 295－354。

9. 楊晉龍：〈《四庫全書》版本是非與「新四庫全書」體例擬議〉，《中國文哲研究通訊》第 8 卷第 4 期（1998 年 12 月），頁 217－231。

10. 楊晉龍：〈從《四庫全書總目》對明代經學的評價析論其評價內涵的意義〉，《中國文哲研究集刊》第 16 期（2000 年 3 月），頁 523－586。

11. 楊晉龍：〈臺灣學者研究「清乾嘉揚州學派」述略〉，《漢學研究通訊》第 19 卷第 4 期（2000 年 11 月），頁 596－610。

12. 楊晉龍：〈臺灣近五十年詩經學研究概述（1949－1998）〉，《漢學研究通

訊》第 20 卷第 3 期（2001 年 8 月），頁 28－50。（國科會專題計畫研究成
果）

13. 楊晉龍：〈何楷《詩經世本古義》引用《化書》及其相關問題探究〉，《中國
    文哲研究集刊》第 21 期（2002 年 9 月），頁 293－338。（國科會成果：NSC
    90－2411－H－001－022－）

14. 楊晉龍：〈臺灣學者「魏源研究」述評〉，《中國文哲研究通訊》第 14 卷第
    1 期（2004 年 3 月），頁 43－82。（國科會成果：NSC 91－2411－H－001－
    021－）

15. 楊晉龍：〈魏源研究與評價的反思〉，《湖南大學學報（社會科學版）》第
    18 卷第 4 期（2004 年 7 月），頁 54－56。（國科會成果：NSC 91－2411－H
    －001－021－）

16. 楊晉龍：〈汪喜孫研究概述〉，《中國哲學》第 25 輯（2004 年 8 月），頁
    558－600。

17. 楊晉龍：〈清代揚州學術導言〉，《中國文哲研究通訊》第 15 卷第 1 期
    （2005 年 3 月），頁 97－118。

18. 楊晉龍：〈〈中國經學史上的回歸原典運動〉簡評〉，《中國文哲研究通訊》
    第 16 卷第 3 期（2006 年 9 月），頁 145－151。

19. 楊晉龍：〈《五行篇》的研究及其引用《詩經》文本述評〉，《經學研究集
    刊》第 2 期（2006 年 10 月），頁 159－196。（中研院主題研究計畫成果：
    AS－95－TP－C01）

20. 楊晉龍：〈「兩岸比較詩經學」前論：二十世紀五〇年代後臺灣學者對〈秦
    風・蒹葭〉的詮釋〉，《中國詮釋學》第 5 輯（2008 年 3 月），頁 117－
    162。（國科會成果：NSC 96－2411－H－001－048－MY2）

21. 楊晉龍：〈論兒童讀經的淵源及從理想層面探討兩種讀經法的功能〉，《國文
    學報》第 8 期（2008 年 6 月），頁 71－120。

22. 楊晉龍：〈從「現代經濟理論」論《四庫全書總目》：經濟學及其相關概念與
    傳統中華文化研究〉，《故宮學術季刊》第 26 卷第 1 期（2008 年 9 月），頁
    133－169。

23.　楊晉龍：〈明代學者〈秦風‧蒹葭〉詮釋析論：明代詩經學史研究的進一步探
　　　討〉，《臺北大學中文學報》第 5 期（2008 年 9 月），頁 1－46。

二、論文集論文

1.　楊晉龍：〈淺論《學究新談》的教育思想〉，國立高雄師範大學國文研究所
　　　編：《第四屆所友論文發表會論文集》（高雄：國立高雄師範大學國文研究
　　　所，1992 年 3 月），頁 161－183。

2.　楊晉龍：〈《詩傳大全》來源問題探究〉，林慶彰、蔣秋華主編：《明代經學
　　　國際研討會論文集》（臺北：中央研究院中國文哲研究所籌備處，1996 年 6
　　　月），頁 317－346。

3.　楊晉龍：〈《四庫全書》處理《經義考》引錄錢謙益諸說相關問題考述〉，國
　　　立高雄師範大學國文學系編：《第七屆所友學術討論會論文集》（高雄：國立
　　　高雄師範大學國文系，1998 年 5 月），頁 31－48。

4.　楊晉龍：〈《四庫全書總目‧詩演義提要》問題探究〉，中國詩經學會編：
　　　《第三屆詩經國際學術研討會論文集》（香港：天馬圖書有限公司，1998 年 6
　　　月），頁 181－197。

5.　楊晉龍：〈《四庫全書》訂正析論：原因與批判的探求〉，淡江大學中國文學
　　　系主編：《兩岸四庫學——第一屆中國文獻學學術研討會論文集》（臺北：臺
　　　灣學生書局，1998 年 9 月），頁 337－373。

6.　楊晉龍：〈《孟子》在司馬翎武俠小說中的應用及其意義〉，淡江大學中國文
　　　系主編：《縱橫武林：中國武俠小說國際學術研討會論文集》（臺北：臺灣學
　　　生書局，1998 年 9 月），頁 207－245。

7.　楊晉龍：〈《毛詩蒙引》攷辨〉，楊晉龍編：《張以仁先生七秩壽慶論文集》
　　　（臺北：臺灣學生書局，1999 年 1 月），頁 217－255。

8.　楊晉龍：〈錢謙益的史學和性格述論〉，張高評、鄭卜五編：《周虎林先生六
　　　秩榮慶論文集》（高雄：高雄復文出版社，1999 年 7 月），頁 91－145。

9.　楊晉龍：〈論《詩問略》之作者與內容〉，鍾彩鈞主編：《傳承與創新：中央
　　　研究院中國文哲研究所十周年紀念論文集》（臺北：中央研究院中國文哲研究

所籌備處，1999 年 12 月），頁 653－697。

10. 楊晉龍：〈慎獨齋本《山堂考索》之刊校及與「四庫本」之比較〉，國立高雄師範大學國文學系編：《第九屆所友學術討論會論文集》（高雄：國立高雄師範大學國文學系，2000 年 5 月），頁 93－117。

11. 楊晉龍：〈論《四庫全書總目》對明代詩經學的評價〉，中國詩經學會編：《第四屆詩經國際學術研討會論文集》（北京：學苑出版社，2000 年 7 月），頁 441－477。

12. 楊晉龍：〈「四庫學」研究方法芻議——研究時的幾個問題〉，蔣秋華主編：《乾嘉學者的治經方法》（臺北：中央研究院中國文哲研究所籌備處，2000 年 10 月），頁 17－70。

13. 楊晉龍：〈導言：元代經學史的奠基與新猷〉，楊晉龍編：《元代經學國際研討會論文集》（臺北：中央研究院中國文哲研究所籌備處，2000 年 10 月），頁 1－21。

14. 楊晉龍：〈《詩傳大全》與《詩傳通釋》關係再探——試析元代《詩經》學之延續〉，楊晉龍編：《元代經學國際研討會論文集》（臺北：中央研究院中國文哲研究籌備處，2000 年 10 月），頁 489－538。

15. 楊晉龍：〈《經傳釋詞》內《詩經》條目析論〉，祁龍威、林慶彰主編：《清代揚州學術研究》（臺北：臺灣學生書局，2001 年 4 月），下冊，頁 677－717。

16. 楊晉龍：〈從《詩經傳說彙纂》到《詩義折中》——清代兩部官訂《詩經》注本詮釋形式之比較〉，黃沛榮主編：《王叔岷先生學術成就與薪傳論文集》（臺北：國立臺灣大學中國文學系，2001 年 8 月），頁 367－392。

17. 楊晉龍：〈汪喜孫的生平與著作編刊相關問題述論〉，國立中山大學中國文學系編：《第七屆清代學術研討會論文集》（高雄：國立中山大學清代學術研究中心，2002 年 6 月），上冊，頁 165－191。

18. 楊晉龍：〈《文昌化書》內《詩經》資料研究〉，中國詩經學會編：《第五屆詩經國際學術研討會論文集》（北京：學苑出版社，2002 年 7 月），頁 583－598。（國科會成果：NSC 90－2411－H－001－022－）

19. 楊晉龍：〈臺灣《詩經》研究的反思：淵源與議題的研析〉，國立成功大學中文系編：《第三屆臺灣儒學研究國際學術研討會論文集》（臺南：國立成功大學中文系，2003 年 2 月），頁 473－514。

20. 楊晉龍：〈詩經學研究概述〉，林慶彰主編：《五十年來的經學研究》（臺北：臺灣學生書局，2003 年 5 月），頁 91－159。（國科會專題計畫研究成果）

21. 楊晉龍：〈導言：汪喜孫著作述論〉，楊晉龍主編：《汪喜孫著作集》（臺北：中央研究院中國文哲研究所，2003 年 8 月），頁 1－45。

22. 楊晉龍：〈明清詩經學著作中的《文昌化書》〉，國立中興大學中文系編：《第四屆通俗文學與雅正文學研討會論文集》（臺北：新文豐出版公司，2003 年 12 月），頁 169－218。（國科會成果：NSC 90－2411－H－001－022－）

23. 楊晉龍：〈中山學說與學術研究的主體性：以《三民主義》為例的試探〉，蔡守浦主編：《中山思想與人文社會科學學術研討會專刊》（嘉義：吳鳳技術學院，2004 年 4 月），頁 23－37。

24. 楊晉龍：〈「曹瑾研究」的分析與評論〉，國立中山大學清代學術研究中心編：《鳳山知縣曹瑾事蹟集：二○○三年海峽兩岸曹瑾學術研討會論文集》（臺北：文津出版社，2004 年 10 月），頁 1－48。

25. 楊晉龍：〈摘要寫作析論〉，張高評主編：《實用中文寫作學》（臺北：里仁書局，2004 年 12 月），頁 259－305。

26. 楊晉龍：〈明人何楷《詩經》詮解中的個人情感與大眾教化〉，鍾彩鈞、楊晉龍主編：《明清文學與思想中之主體意識與社會：學術思想篇》（臺北：中央研究院中國文哲研究所，2004 年 12 月），頁 159－226。

27. 楊晉龍：〈攷證與經世：汪喜孫研究初探〉，楊晉龍主編：《清代揚州學術》（臺北：中央研究院中國文哲研究所，2005 年 4 月），下冊，頁 555－596。

28. 楊晉龍：〈臺灣學者「魏源研究」述評〉，朱漢民主編：《清代湘學研究》（長沙：湖南大學出版社，2005 年 12 月），頁 493－534。（國科會成果：NSC 91－2411－H－001－021－）

29. 楊晉龍：〈兒童讀經法效益研究：朗讀與聽讀的初步分析〉，人間電視股份有

限公司編：《中華文化經典國際學術研討會論文合輯》（臺北：人間電視股份有限公司，2006 年 10 月），頁 61－74。

30. 楊晉龍：〈陸佃與蔡卞《詩經》相關解說比較研究〉，蔣秋華、馮曉庭主編：《宋代經學國際學術研討會論文集》（臺北：中央研究院中國文哲研究所，2006 年 10 月），頁 273－309。（國科會成果：NSC 93－2411－H－001－071－）

31. 楊晉龍：〈開關引導與典律：論屈萬里與臺灣詩經學研究環境的生成〉，國家圖書館、中央研究院歷史語言研究所、國立臺灣大學中國文學系等主編：《屈萬里先生百歲誕辰國際學術研討會論文集》（臺北：國立臺灣大學中國文學系，2006 年 12 月），頁 109－150。

32. 楊晉龍：〈明代詩經學論著運用佛典的研究〉，林明德、黃文吉主編：《臺灣學術新視野：經學之部》（臺北：五南圖書出版公司，2007 年 6 月），頁 126－169。（國科會成果：NSC 91－2411－H－001－021－）

33. 楊晉龍：〈「《詩經》的形成與流傳」研究初探〉，林慶彰、蔣秋華主編：《經典的形成、流傳與詮釋（一）》（臺北：臺灣學生書局，2007 年 11 月），頁 121－190。（中研院主題研究計畫成果：AS－95－TP－C01）

34. 楊晉龍：〈論曾子傳述孔子思想的信實問題〉，編輯小組編：《吳宏一教授六秩晉五壽慶暨榮休論文集》（臺北：里仁書局，2008 年 7 月），頁 685－724。

35. 楊晉龍：〈緯書與儒家經典神聖化述論〉，銘傳大學應用中國文學系編：《中華文化的傳承與拓新——經學的流衍與應用國際學術研討會論文集》（臺北：銘傳大學應用中國文學系，2009 年 4 月），頁 339－365。（中研院主題研究計畫成果：AS－95－TP－C01）

36. 楊晉龍：〈經學與基督宗教：明清詩經學專著內的西學概念〉，國立政治大學中國文學系編：《第五屆中國經學國際學術研討會論文集》（臺北：國立政治大學中國文學系，2009 年 5 月），頁 399－437。

三、會議論文（猶未正式出版者）

1. 楊晉龍：〈今本《搜神記》兩性交往故事中女性主動類型的心理分析〉，臺北

中央研究院中國文哲研究所籌備處主辦「第二屆中國文學與哲學研究生論文發表會」論文（1991 年 12 月）。

2. 楊晉龍：〈《儒林外史》研究的檢討：以莊紹光的原型為例〉，臺北中央研究院中國文哲研究所籌備處同人例行論文發表會（1997 年 9 月）。

3. 楊晉龍：〈學前教育大躍進（教師篇）〉，南投縣幼兒教育事業學會主辦「幼教教師研習營」專題演講論文（2001 年 3 月）。

4. 楊晉龍：〈錢謙益《初學集》女性傳記寫作及其《詩經》運用〉，臺北中央研究院中國文哲研究所主辦「錢謙益詩文研討會」論文（2003 年 12 月）。

5. 楊晉龍：〈王通及其詩經學觀探論〉，臺北中央研究院中國文哲研究所主辦「隋唐五代經學國際學術研討會」論文（2005 年 11 月）。

6. 楊晉龍：〈通識教育：誰的通識？誰的教育？〉，臺北淡江大學通識與核心課程中心主辦「2007 年通識教育教學卓越座談會」論文（2007 年 6 月）。

7. 楊晉龍：〈錢謙益私情述探：詩作中的身體寫作〉，臺北中央研究院中國文哲研究所主辦「明清文學與思想中之情、理、欲國際學術研討會」論文（2007 年 11 月）。

8. 楊晉龍：〈論清代臺灣詩經學的研究：方法及其可能性之探討〉，高雄國立中山大學中國文學系主辦「第四屆國際暨第九屆全國清代學術研討會」論文（2008 年 6 月）。（國科會成果：NSC 96－2411－H－001－048－MY2）

9. 楊晉龍：〈經學對通俗文學的滲透：論《西遊記》的「引經據典」〉，臺北中央研究院中國文哲研究所主辦「明清文學文化中的秩序與失序國際學術研討會」論文（2008 年 8 月）。

10. 楊晉龍：〈論《毛詩正義》中的王肅經說及其在詩經學上的運用：「宋學時期」的觀察〉，臺北中央研究院中國文哲研究所主辦「魏晉南北朝經學國際研討會」論文（2008 年 11 月）。（國科會成果：NSC 95－2411－H－001－101－）

四、學位論文（猶未正式出版）

1. 楊晉龍：《錢謙益史學研究》（高雄：國立高雄師範學院國文研究所碩士論文，1989 年 5 月）486 頁。

2. 楊晉龍：《明代詩經學研究》（臺北：國立臺灣大學中國文學研究所博士論文，1997 年 6 月）394 頁。

五、編輯點校

1. 楊晉龍、林慶彰合編：《中國文哲研究集刊》第 1 期（1991 年 3 月）。
2. 楊晉龍編：《中國文哲研究集刊》第 3 期（1993 年 3 月）。
3. 楊晉龍編：《中國文哲研究集刊》第 4 期（1994 年 3 月）。
4. 楊晉龍編：《中國文哲研究集刊》第 5 期（1994 年 9 月）。
5. 楊晉龍編：《中國文哲研究集刊》第 6 期（1995 年 3 月）。
6. 楊晉龍編：《中國文哲研究集刊》第 7 期（1995 年 9 月）。
7. 楊晉龍編：《中國文哲研究集刊》第 8 期（1996 年 3 月）。
8. 楊晉龍編：《張以仁先生七秩壽慶論文集》（臺北：臺灣學生書局，1999 年 1 月）。
9. 楊晉龍編：《元代經學國際研討會論文集》（臺北：中央研究院中國文哲研究所籌備處，2000 年 10 月）。
10. 楊晉龍、林慶彰合編：《陳奐研究論集》（臺北：中央研究院中國文哲研究所籌備處，2000 年 12 月）。
11. 林子雄標點，楊晉龍校訂分段：《劉壽曾集》（臺北：中央研究院中國文哲研究所籌備處，2001 年 4 月）。
12. 楊晉龍主編：《汪喜孫著作集》（臺北：中央研究院中國文哲研究所，2003 年 8 月）。
13. 楊晉龍、鍾彩鈞合編：《明清文學與思想中之主體意識與社會：學術思想篇》（臺北：中央研究院中國文哲研究所，2004 年 12 月）。
14. 楊晉龍編：《清代揚州學術》（臺北：中央研究院中國文哲研究所，2005 年 4 月）。

六、其他

1. 楊晉龍：〈實習醫生〉，陳玲慧主編：《新潮》第 40 期（臺北：國立臺灣大

學中文學會，1981 年 9 月），頁 29－33。（小說創作）

2. 楊晉龍：〈皓首窮經——陳槃庵先生介述〉，《中國文哲研究通訊》第 1 卷第 2 期（1991 年 6 月），頁 65－78。

3. 楊晉龍：〈學者與詩人——我所認識的張以仁老師〉，《中國文哲研究通訊》第 2 卷第 2 期（1992 年 6 月），頁 89－99。

4. 楊晉龍、林慶彰：〈專訪楊思成、楊思明教授談楊家駱先生〉，《中國文哲研究通訊》第 2 卷第 2 期（1992 年 6 月），頁 100－110。

5. 楊晉龍：〈皓首窮經：陳槃庵先生小介〉，杜正勝、王汎森主編：《新學術之路》（臺北：中央研究院歷史語言研究所，1998 年 10 月），頁 455－456。

6. 楊晉龍：〈張以仁先生學術月表長編初稿〉，楊晉龍編：《張以仁先生七秩壽慶論文集》（臺北：臺灣學生書局，1999 年 1 月），頁 1161－1173。

7. 楊晉龍：〈柳存仁教授的學思歷程〉，《中國文哲研究通訊》第 9 卷第 3 期（1999 年 9 月），頁 111－124。

8. 楊晉龍：〈相愛真的容易相處真的難嗎——淺談相處之道〉，陳宇真主編：《（臺北市誠正國民中學）誠正簡訊》第 25 期（2000 年 1 月），第 3 版。

9. 楊晉龍：〈父母之道——教養子女的一些原則〉，鍾雲英等編：《流金山河》（臺北：臺北縣立金山中學，2000 年 6 月），頁 11－14。

10. 楊晉龍：〈朱維錚教授談近代經學史研究相關問題〉，《中國文哲研究通訊》第 10 卷第 2 期（2000 年 6 月），頁 137－145。

11. 楊晉龍：〈千里尋跡安徽行：乾嘉學術研究赴大陸考察報告〉，《中國文哲研究通訊》第 10 卷第 2 期（2000 年 6 月），頁 147－191。

12. 楊晉龍：〈重返揚州南京論學考察記〉，《中國文哲研究通訊》第 10 卷第 3 期（2000 年 9 月），頁 195－261。

13. 楊晉龍：〈海峽兩岸清代揚州學派學術研討會紀實〉，《中國文哲研究通訊》第 10 卷第 4 期（2000 年 12 月），頁 237－303。

14. 楊晉龍：〈點校本劉壽曾集跋〉，林子雄點校、楊晉龍校訂：《劉壽曾集》（臺北：中央研究院中國文哲研究所籌備處，2001 年 4 月），頁 361－364。

15. 楊晉龍：〈世紀之交廣州學術考察記〉，《中國文哲研究通訊》第 11 卷第 2

期（2001 年 6 月），頁 141－187。

16. 〔日〕藤塚鄰著，〔日〕川路祥代、〔臺〕楊晉龍合譯：〈汪孟慈所謂《海外墨緣》的抄本與金阮堂〉，《中國文哲研究通訊》第 14 卷第 4 期（2004 年 12 月），頁 125－142。

17. 楊晉龍：〈從主體意識看見文化尊重（一）〉，《百世教育雜誌》第 168 期（2005 年 9 月），頁 34－37。

18. 楊晉龍：〈從主體意識看見文化尊重（二）〉，《百世教育雜誌》第 169 期（2005 年 10 月），頁 56－61。

19. 楊晉龍：〈從主體意識看見文化尊重（三）〉，《百世教育雜誌》第 170 期（2005 年 11 月），頁 64－67。

20. 楊晉龍：〈從主體意識看見文化尊重（四）〉，《百世教育雜誌》第 171 期（2005 年 12 月），頁 66－75。

21. 楊晉龍：〈別讓孩子輸在起跑點的迷思〉，《百世教育雜誌》第 177 期（2006 年 6 月），頁 4－6。

22. 楊晉龍：〈勤能補拙？：學習迷思的反省〉，《百世教育雜誌》第 178 期（2006 年 7 月），頁 4－6。

23. 楊晉龍：〈「治學方法」專欄前言〉，《國文天地》第 24 卷第 8 期（2009 年 1 月），頁 78－87。

24. 楊晉龍：〈第一講基本理念的說明（一）〉，《國文天地》第 24 卷第 9 期（2009 年 2 月），頁 84－89。

25. 楊晉龍：〈第一講基本理念的說明（二）〉，《國文天地》第 24 卷第 10 期（2009 年 3 月），頁 82－87。

26. 楊晉龍：〈第一講基本理念的說明（三）〉，《國文天地》第 24 卷第 11 期（2009 年 4 月），頁 88－93。

27. 楊晉龍：〈第一講基本理念的說明（四）〉，《國文天地》第 24 卷第 12 期（2009 年 5 月），頁 88－93。

經 學 研 究 論 叢
第 十 六 輯　　頁293～312
臺灣學生書局　　2009 年 5 月

經學博碩士論文目錄

（民國 95、96 年）

陳亦伶[*]

一、本〈目錄〉收錄民國 95－96 學年度，臺灣地區博、碩士研究生完成之「經學類」論文條目。

二、本〈目錄〉所收論文，資料內容若涉及兩類者，則予以「互見」，以方便讀者檢索。

三、論文條目之目錄項，依作者、書名、出版者、出版年月、指導教授等順序排列。

四、《經學研究論叢》第十四輯所遺漏之「民國 94 年」經學博碩士論文，本〈目錄〉則一併加以補入。

經學史研究

郭永吉　　自漢至隋皇帝與皇太子經學教育禮制蠡測
　　　　　清華大學中國文學研究所博士論文　94 年　朱曉海、李學勤指導

蔡馨慧　　先秦儒家五倫思想的現代轉變
　　　　　南華大學文學研究所碩士論文　95 年　陳章錫指導

---

*　陳亦伶，臺北大學古典文獻學研究所碩士。

袁純正　　先秦儒學人倫德教之研究──以孔孟思想為中心
　　　　　南華大學哲學研究所碩士論文　94 年　陳德和指導

鄭哲宇　　先秦儒家「天論」研究──以孔、孟、荀為例
　　　　　輔仁大學哲學研究所碩士論文　95 年　陳福濱指導

林勝彩　　郭店楚簡與先秦學派問題
　　　　　中山大學中國文學研究所博士論文　94 年　鍾彩鈞指導

丁鴻銘　　先秦至西漢政治社會對儒學發展影響之研究──以董仲舒為例
　　　　　華梵大學東方人文思想研究所碩士論文　95 年　何廣棪指導

段宜廷　　荀子、董仲舒、戴震氣論研究
　　　　　政治大學中國文學研究所碩士論文　95 年　劉又銘指導

石昇瓚　　《法言》聖人思想分析比較之研究
　　　　　臺南大學社會科教育學系碩士班碩士論文　94 年　陳一峯指導

許棋淵　　魏晉「聖人」思想之探究──以西晉到東晉的轉折為中心
　　　　　南華大學文學研究所碩士論文　95 年　賴麗蓉指導

李和昌　　向秀研究
　　　　　逢甲大學中國文學研究所碩士論文　95 年　劉文起指導

謝君讚　　劉勰原道觀的詮釋與反思
　　　　　中正大學中國文學研究所碩士論文　94 年　賴錫三指導

鍾永興　　王通儒學思想及其在學術史上的意義
　　　　　銘傳大學應用中國文學研究所碩士論文　95 年　周志煌指導

吳政遠　　王通《中說》教育思想之研究
　　　　　華梵大學東方人文思想研究所碩士論文　95 年　何廣棪指導

黃瀚儀　　宋儒道統思想之研究
　　　　　政治大學中國文學研究所碩士論文　94 年　陳逢源指導

蔡穎亞　　周敦頤的道德形上學
　　　　　輔仁大學哲學研究所碩士論文　95 年　陳福濱指導

張景雅　　張載倫理思想研究
　　　　　南華大學哲學研究所碩士論文　94 年　陳政揚指導

覃明德　張載鬼神觀研究
　　　　南華大學哲學研究所碩士論文　94 年　陳政揚指導

吳叔樺　蘇轍學術思想研究
　　　　高雄師範大學國文學研究所博士論文　94 年　康義勇指導

陳佳銘　朱子理氣論在儒家形上體系中的定位問題
　　　　政治大學哲學研究所碩士論文　95 年　曾春海指導

盧其薇　朱子「聖賢氣象」研究
　　　　成功大學中國文學研究所碩士論文　94 年　林朝成指導

何孟芩　朱熹論學思想之研究
　　　　臺灣師範大學國文研究所碩士論文　94 年　林安梧指導

陳雅婷　朱熹心性論中的「氣」
　　　　東吳大學哲學研究所碩士論文　94 年　張永儁、莊文瑞指導

高煜程　論儒家目的論倫理學的定位──以朱熹和陸九淵為例
　　　　臺灣大學哲學研究所碩士論文　94 年　張永儁指導

游騰達　朱子對北宋四子的理解與詮釋
　　　　中央大學中國文學研究所碩士論文　94 年　楊祖漢指導

陳志遠　宋元朱陸思想發展研究
　　　　中國文化大學中國文學研究所碩士論文　94 年　席涵靜指導

王和群　宋明理學中「意」的概念之研究──以朱子、王陽明、劉蕺山為研究對象
　　　　中興大學中國文學研究所碩士論文　94 年　林文彬指導

劉昌佳　宋代理學「理一分殊」思想及方法論──以周張二程朱陸為論述中心
　　　　彰化師範大學國文研究所博士論文　95 年　李威熊、張麗珠指導

向鴻全　真德秀及其《大學衍義》之研究
　　　　中央大學中國文學研究所博士論文　94 年　曾昭旭指導

劉怡君　吳澄《道德真經註》研究──兼論理學與老學的交涉
　　　　東吳大學中國文學研究所碩士論文　94 年　江淑君指導

李健輝　月食中「闇虛」問題：明清之際中國士人的正面反應
　　　　清華大學歷史研究所碩士論文　95 年　徐光台指導

徐銘謙　　曹端理學思想研究
　　　　　銘傳大學應用中國文學研究所碩士論文　95 年　周志煌指導
邱偉雲　　丘濬理學及史學思想研究
　　　　　高雄師範大學國文研究所碩士論文　95 年　康義勇指導
吳伯曜　　王陽明四書學研究
　　　　　高雄師範大學國文研究所博士論文　95 年　康義勇指導
蘇玉昇　　王廷相之氣論與經世思想研究
　　　　　南華大學哲學研究所碩士論文　95 年　廖俊裕指導
李沛思　　從工夫論看羅近溪思想之特色
　　　　　中央大學中國文學研究所碩士論文　94 年　楊祖漢指導
袁光儀　　晚明極端個人主義的「聖人之學」──「異端」李卓吾新論
　　　　　臺灣師範大學國文研究所博士論文　94 年　莊耀郎指導
李興源　　晚明心學思潮與士風變異研究
　　　　　高雄師範大學國文研究所博士論文　94 年　何淑貞指導
簡伩芳　　李贄心學思想研究
　　　　　輔仁大學哲學研究所碩士論文　95 年　陳福濱指導
廖乙璇　　方以智《通雅》古音研究
　　　　　中國文化大學中國文學研究所碩士論文　94 年　柯淑齡指導
林穎政　　萬斯大及其經學研究
　　　　　高雄師範大學經學研究所碩士論文　95 年　鄭卜五指導
林俞佑　　李光地之經學思想闡微
　　　　　逢甲大學中國文學研究所碩士論文　95 年　李威熊指導
陳琬婷　　杭世駿年譜
　　　　　中山大學中國文學研究所碩士論文　95 年　陳鴻森指導
蔡敏璊　　戴震「以理殺人」思想探究──以「智」、「德」、「欲」三者為核心
　　　　　的討論
　　　　　臺灣師範大學國文研究所碩士論文　95 年　林安梧指導

黃佳駿　　孔廣森經學思想研究

　　　　　彰化師範大學國文學研究所碩士論文　95 年　張麗珠指導

陳維德　　魏源軍事思想探微──《海國圖志》之研究

　　　　　銘傳大學應用中國文學研究所碩士論文　95 年　樊中原、紀俊臣指導

孫亮球　　吳大澂古文字學與篆書書法研究

　　　　　東吳大學中國文學研究所博士論文　95 年　許錟輝指導

黃聖旻　　湘學與晚清學術思潮的轉變

　　　　　成功大學中國文學研究所博士論文　94 年　宋鼎宗指導

方俠文　　梁啟超晚年（1918－1929）學術研究──以清代學術研究、先秦諸子研

　　　　　究為例

　　　　　臺灣大學中國文學研究所博士論文　94 年　夏長樸指導

黃雅琦　　救亡與啟蒙：梁啟超之儒學研究

　　　　　高雄師範大學國文研究所博士論文　94 年　周虎林指導

許惠琪　　劉師培論清代學術及其相關問題研究

　　　　　臺灣大學中國文學研究所碩士論文　95 年　夏長樸指導

江啟綸　　日治中晚期臺灣儒學的變異與發展──以《孔教報》為主要分析對象

　　　　　（1936－1938）

　　　　　成功大學臺灣文學研究所碩士論文　95 年　施懿琳指導

易

陳惠玲　　《上海博物館藏戰國楚竹書（三）・周易》研究

　　　　　臺灣師範大學國文學系在職進修碩士班碩士論文　94 年　季旭昇指導

陳芝豪　　甲骨卜辭與《周易》經傳吉凶觀念思想研究

　　　　　政治大學中國文學研究所碩士論文　96 年　呂凱指導

鄭旭宏　　《周易》，中國傳統環境空間的形上學論述──以〈大壯〉卦為主軸解構

　　　　　逢甲大學建築研究所碩士論文　94 年　林文賢指導

黃惠玲　　周易參同契之十二消息卦研究

　　　　　高雄師範大學回流中文碩士班碩士論文　94 年　林文欽指導

劉雅惠　《周易》變通思想之研究──以〈繫辭傳〉為中心
　　　　南華大學哲學研究所碩士論文　96 年　陳德和指導

蔡文旺　《周易》哲學對生命教育的啟示──以〈繫辭傳〉為中心
　　　　南華大學哲學研究所碩士論文　96 年　陳德和指導

劉冠良　《周易‧繫辭》之「聖人觀」
　　　　臺灣大學哲學研究所碩士論文　94 年　陳鼓應指導

蕭品秀　李時珍《本草綱目》象數易學思想研究
　　　　彰化師範大學國文學系研究所碩士論文　95 年　胡瀚平指導

蘇佳怡　《周易》與教育
　　　　玄奘大學中國語文學系碩士在職專班碩士論文　95 年　柯金虎指導

周仲賢　《周易》道德哲學之德育意涵
　　　　臺灣師範大學教育研究所碩士論文　95 年　溫明麗指導

趙澤翔　國民中學學生參與易經創意育樂營學習滿意度之研究
　　　　樹德科技大學經營管理研究所碩士論文　96 年　林信忠指導

陳怡光　多元智慧遊戲學習模式之建構──以易經同心工程為例
　　　　樹德科技大學資訊管理研究所碩士論文　95 年　施純協、胡舉軍指導

趙憶祺　由《周易》與《黃帝內經》探討理象數術之養生及其應用
　　　　臺灣師範大學國文學系在職進修碩士班碩士論文　94 年　賴貴三指導

韓玉明　《周易》身體觀初探
　　　　佛光大學生命學研究所碩士論文　96 年　翁玲玲指導

簡宏陸　以易經系統理論歸納演繹人類生育之理
　　　　雲林科技大學資訊管理研究所碩士論文　95 年　李保志指導

許文彥　運用中國易經於現代管理之探討──以領導為例
　　　　義守大學管理研究所碩士論文　94 年　鄧穎懋、鄭駿豪指導

陳郁環　《周易》管理思維向度及其應用之研究
　　　　高雄師範大學回流中文碩士班碩士論文　96 年　林文欽指導

陳怡靜　《周易》管理思想研究
　　　　彰化師範大學國文學系研究所碩士論文　96 年　胡瀚平指導

李國鈿　以易經演化知識之系統分析
　　　　交通大學管理學院碩士在職專班資訊管理組碩士論文　96 年　陳安斌
　　　　指導

陳軒翊　應用易經姓名學於人力資源實務之探討
　　　　中華大學科技管理學所碩士論文　95 年　賀力行指導

尤宏章　易經「爻變」之生成術導入設計活動效益之研究
　　　　成功大學工業設計學研究所碩士論文　94 年　馬家湘指導

喬家駿　《焦氏易林》易學研究
　　　　高雄師範大學國文研究所碩士論文　94 年　林文欽指導

賴建仁　王弼易學的玄理範疇
　　　　東海大學哲學研究所碩士論文　94 年　林顯庭指導

郭世清　邵雍先天《易》經世演用之研究──以中國歷代政權興替之戰爭為例
　　　　政治作戰學校政治研究博士論文　94 年　孫劍秋指導

楊子萱　《東坡易傳》研究
　　　　政治大學哲學研究所碩士論文　95 年　曾春海指導

林鴻翊　鄭剛中易學研究
　　　　銘傳大學應用中國文學系碩士在職專班碩士論文　95 年　陳坤祥指導

柯佩杏　朱熹易學研究
　　　　華梵大學東方人文思想研究所碩士論文　95 年　杜保瑞指導

施泳忠　來知德義理易學研究
　　　　暨南國際大學中國語文研究所碩士論文　95 年　黃忠天指導

江可欣　來知德《易經集註》發揮虞翻易義之疏釋
　　　　彰化師範大學國文學系碩士論文　94 年　游志誠指導

陳彥戎　蕅益智旭《周易禪解》儒佛會通思想研究
　　　　輔仁大學中國文學研究所博士論文　95 年　王金凌指導

沈信甫　方以智易學形上思想研究
　　　　輔仁大學中文研究所碩士論文　94 年　趙中偉指導

書

劉小嬿　吳澄尚書學研究
　　　　高雄師範大學經學研究所碩士論文　95 年　蔡根祥指導

趙銘峰　惠棟《古文尚書考》研究
　　　　華梵大學東方人文思想研究所碩士論文　96 年　何廣棪指導

蔡雅雯　《逸周書・諡法解》研究
　　　　臺南大學語文教育學系教學碩士班碩士論文　94 年　汪中文指導

詩

曾宗廉　從《左傳》所引《詩經・國風》探討修辭政治學
　　　　中國文化大學政治學研究所碩士論文　95 年　閻嘯平指導

吳昌政　孔子詩教的歷史淵源：試探周代禮官制度中的詩教
　　　　臺灣大學中國文學研究所碩士論文　95 年　梅廣指導

曹新科　論孔子之詩教
　　　　東海大學哲學研究所碩士論文　94 年　謝仲明指導

劉如玲　〈孔子詩論〉與《詩序》之比較
　　　　玄奘大學中國語文學系研究所碩士論文　94 年　余培林指導

劉昭敏　〈孔子詩論〉引詩、論詩研究──兼論其詩教與孔門詩論的異同
　　　　臺灣師範大學國文研究所碩士論文　95 年　陳麗桂指導

許　榕　上博楚簡書法藝術研究──〈孔子詩論〉與〈緇衣〉之比較為例
　　　　臺灣藝術大學造形藝術研究所碩士論文　95 年　林進忠指導

陳思婷　《上海博物館藏戰國楚竹書(四)采風曲目、逸詩、內豊、相邦之道》研究
　　　　臺灣師範大學國文研究所碩士論文　95 年　季旭昇指導

林孟慧　詩經衛國詩研究
　　　　中山大學中國文學研究所碩士論文　94 年　徐信義指導

李淑芬　《詩經・齊風》研究
　　　　彰化師範大學國文研究所碩士論文　95 年　黃忠慎指導

陳靜諄　《詩經・陳風》研究
　　　　彰化師範大學國文研究所碩士論文　95 年　黃忠慎指導

林家如　　《詩經・豳風》研究

　　　　　　彰化師範大學國文研究所碩士論文　94 年　黃忠慎指導

劉耀娥　　《詩經》宴飲詩研究

　　　　　　中興大學中國文學研究所碩士論文　94 年　江乾益指導

陳健章　　毛詩重言詞研究

　　　　　　東海大學中國文學研究所碩士論文　95 年　呂珍玉指導

王琳雅　　《詩經》成語研究

　　　　　　南華大學文學系碩士論文　96 年　陳章錫指導

胡珮琪　　《詩經》疑問句之分析

　　　　　　屏東教育大學中國語文學系碩士論文　96 年　劉明宗指導

李麗文　　《詩經》修辭研究

　　　　　　東吳大學中國文學研究所碩士論文　94 年　蔡宗陽指導

王思蘋　　《詩經》宗教文化研究

　　　　　　南華大學文學研究所碩士論文　95 年　陳章錫指導

林玲華　　《詩經》巫俗研究

　　　　　　嘉義大學中國文學研究所碩士論文　94 年　汪天成指導

林純玉　　《詩經》中射事研究

　　　　　　玄奘大學中國語文學研究所碩士論文　94 年　余培林指導

譚莊蘭　　詩經男性人物形象研究

　　　　　　東海大學中國文學研究所碩士論文　96 年　呂珍玉指導

賴曉臻　　《詩經》抒情藝術研究

　　　　　　東海大學中國文學研究所碩士論文　96 年　呂珍玉指導

何淑娟　　由詩的休閒意涵論《詩經》的休閒意境

　　　　　　大葉大學休閒事業管理學系碩士在職專班論文　94 年　黃世明指導

陳讚華　　鄭玄《毛詩譜》考索

　　　　　　佛光大學歷史研究所碩士論文　96 年　蔣秋華指導

洪文婷　　陳啟源《毛詩稽古編》研究

　　　　　　中央大學中國文學研究所博士論文　95 年　岑溢成指導

王安碩　　馬瑞辰毛詩傳箋通釋通叚字研究

　　　　　東海大學中國文學研究所碩士論文　96 年　呂珍玉指導

林慧修　　陳奐之《詩經》訓詁研究

　　　　　世新大學中國文學研究所碩士論文　95 年　洪國樑指導

鄭于香　　清代三家《詩》輯佚學研究——以陳壽祺、王先謙為中心

　　　　　中央大學中國文學研究所碩士論文　95 年　賀廣如指導

姜龍翔　　莊述祖《詩經》學之研究

　　　　　高雄師範大學經學研究所碩士論文　95 年　蔡根祥指導

李宜品　　清詩話對《詩經》的繼承與發展研究

　　　　　東海大學中國文學研究所碩士論文　95 年　呂珍玉指導

吳珊珊　　陳衍詩學研究——兼論晚清同光體

　　　　　成功大學中國文學研究所博士論文　94 年　張高評、林朝成指導

張惠婷　　錢鍾書的《詩經》研究探析

　　　　　東海大學中國文學研究所碩士論文　96 年　呂珍玉指導

林宜鈴　　裴普賢的《詩經》研究探討

　　　　　東海大學中國文學研究所碩士論文　96 年　呂珍玉指導

楊心怡　　太宰春臺對朱熹《詩集傳》的批評

　　　　　臺北大學古典文獻學研究所碩士論文　96 年　林慶彰指導

三禮

蘇志明　　孔、孟、荀禮學思想研究

　　　　　華梵大學東方人文思想研究所碩士論文　95 年　何廣棪指導

王乃俐　　《左傳》論禮

　　　　　中興大學中國文學研究所碩士論文　95 年　江乾益指導

吳昌政　　孔子詩教的歷史淵源：試探周代禮官制度中的詩教

　　　　　臺灣大學中國文學研究所碩士論文　95 年　梅廣指導

熊曉惠　　《周禮》與《司馬法》軍禮比較研究

　　　　　逢甲大學中國文學研究所碩士論文　94 年　李威熊指導

劉康威　　方苞的《周禮》學研究
　　　　　東吳大學中國文學研究所碩士論文　94 年　林慶彰指導

葉純芳　　孫詒讓《周禮》學研究
　　　　　東吳大學中國文學研究所博士論文　94 年　林慶彰指導

吳安安　　《儀禮》飲食品物研究
　　　　　臺灣師範大學國文研究所博士論文　94 年　邱德修指導

黃靜宜　　「禮」的儒學研究——以《禮記》相關文獻為探討對象
　　　　　南華大學哲學研究所碩士論文　96 年　謝君直指導

陳嘉琪　　《禮記》中「讓」之研究
　　　　　逢甲大學中國文學研究所碩士論文　95 年　李威熊指導

方慶琳　　《禮記·樂記》的認識活動和教育理論
　　　　　東吳大學哲學研究所碩士論文　95 年　張永儁、李賢中指導

梁齡尹　　《樂記》美學思想研究
　　　　　高雄師範大學回流中文碩士班　95 年　林文欽指導

許　榕　　上博楚簡書法藝術研究——〈孔子詩論〉與〈緇衣〉之比較為例
　　　　　臺灣藝術大學造形藝術研究所碩士論文　95 年　林進忠指導

李嘉惠　　戰國儒家心性情說研究——以《禮記》三篇、〈性自命出〉為中心的考察
　　　　　東吳大學哲學研究所碩士論文　95 年　郭梨華指導

劉柏宏　　開創與影響：王肅禮學義理及中古傳播歷程
　　　　　政治大學中國文學研究所碩士論文　95 年　楊晉龍、林啟屏指導

徐瑋琳　　孫希旦《禮記集解》駁議鄭注之研究
　　　　　銘傳大學應用中國文學研究所碩士論文　95 年　林平和指導

陳玫琪　　郭嵩燾《禮記質疑》駁議鄭《注》、孔《疏》之研究——以禮制為例
　　　　　銘傳大學應用中國文學研究所碩士在職專班碩士論文　95 年　林平和
　　　　　指導

陳宜均　　王聘珍《大戴禮記解詁》研究
　　　　　彰化師範大學國文學系研究所碩士論文　95 年　黃忠慎指導

春秋・三傳

胡石中　春秋晉楚爭霸考述
　　　　玄奘大學中國語文學研究所碩士論文　94 年　柯金虎指導

廖樹倫　春秋齊國會盟研究
　　　　玄奘大學中國語文學系碩士在職專班碩士論文　96 年　柯金虎指導

張厚齊　《春秋》王魯說研究
　　　　東吳大學中國文學研究所碩士論文　95 年　林慶彰指導

黃聖修　《春秋》西狩獲麟解
　　　　佛光大學歷史研究所碩士論文　95 年　李紀祥指導

謝育娟　從春秋五霸之事論《春秋》之道名分
　　　　臺灣師範大學國文研究所碩士論文　94 年　劉正浩指導

黃千玲　元代春秋學家對新春秋學的回應及受朱學的影響
　　　　中國文化大學中國文學研究所碩士論文　94 年　應裕康指導

楊欣宜　程端學《春秋》學思想研究
　　　　暨南國際大學中國語文學系碩士論文　94 年　周彥文指導

許松源　經義與史論──王夫之《春秋》學研究
　　　　清華大學歷史研究所博士論文　96 年　張元指導

魏千鈞　顧棟高《春秋大事表》研究
　　　　臺灣大學中國文學研究所碩士論文　94 年　何澤恆指導

康凱淋　顧棟高《春秋大事表》春秋學研究
　　　　輔仁大學中國文學研究所碩士論文　95 年　王初慶指導

連林聰　顧頡剛《春秋》學研究
　　　　臺北市立教育大學應用語言文學研究所碩士論文　94 年　張曉生指導

曾宗廉　從《左傳》所引《詩經・國風》探討修辭政治學
　　　　中國文化大學政治學研究所碩士論文　95 年　閻嘯平指導

王乃俐　《左傳》論禮
　　　　中興大學中國文學研究所碩士論文　95 年　江乾益指導

陳致宏　　《左傳》之敘事與歷史解釋

　　　　　成功大學中國文學研究所博士論文　94 年　張高評指導

張秋蘭　　《左傳》成語研究

　　　　　臺灣師範大學國文學系在職進修碩士班碩士論文　95 年　沈秋雄指導

施鴻琳　　《左傳》戰爭研究——以晉國為中心之考察

　　　　　中興大學中國文學研究所碩士論文　94 年　胡楚生指導

王華華　　左傳之戰爭及其兵學思想

　　　　　玄奘大學中國語文學研究所碩士論文　95 年　柯金虎指導

陳孟君　　《左傳》政治聯姻研究

　　　　　逢甲大學中國文學研究所碩士論文　94 年　簡宗梧指導

李春秀　　《左傳》中的婚俗與兩性關係研究

　　　　　高雄師範大學回流中文碩士班碩士論文　95 年　蔡根祥指導

王敏芳　　《左傳》女子的資鑑意涵

　　　　　臺灣師範大學國文研究所碩士論文　95 年　劉正浩指導

莊映雪　　《左傳》女性傳記藝術研究

　　　　　高雄師範大學國文學研究所碩士論文　94 年　周虎林指導

黃肇基　　清代方苞林紓《左傳》評點研究

　　　　　臺灣師範大學中國文學研究所碩士論文　96 年　簡宗梧、沈秋雄指導

陽平南　　魏禧《左傳經世鈔》研究

　　　　　輔仁大學中國文學研究所博士論文　95 年　張高評指導

萇瑞松　　兩漢復仇觀探賾

　　　　　中興大學中國文學研究所碩士論文　94 年　尤雅姿指導

簡逸光　　《公羊傳》、《穀梁傳》比較研究

　　　　　佛光大學文學研究所博士論文　96 年　潘美月、林慶彰指導

吳承德　　龔定盦公羊學思想及其實踐

　　　　　南華大學文學研究所碩士論文　96 年　陳章錫指導

四書

吳佳穎　《論語》孝道思想研究

　　　　玄奘大學中國語文學研究所碩士論文　94 年　羅宗濤指導

黃錦淳　《論語》、《孟子》論孝與《孝經》之比較研究

　　　　逢甲大學中國文學研究所碩士論文　95 年　李威熊指導

王麗珍　「孝道」與「生命實踐」關係之研究——歸本於《論語》

　　　　佛光人文社會學院生命學研究所碩士論文　94 年　翁玲玲指導

盧建潤　孔子生命教育與宗教體證

　　　　東海大學宗教研究所碩士論文　96 年　魏元珪指導

王瑤敏　孔子生命教育思想之研究——以「仁」為中心

　　　　南華大學哲學研究所碩士論文　96 年　陳德和指導

黃靖琁　孔子天人思想的哲學考察

　　　　南華大學哲學研究所碩士論文　95 年　陳德和指導

陳文祥　孔孟天下觀之溯源與省思

　　　　東海大學政治學研究所碩士論文　94 年　郭應哲指導

林彥伶　孔子思想、溝通目的、及社會地位對溝通策略的影響

　　　　輔仁大學語言學研究所碩士論文　96 年　王藹玲指導

陳明靖　從江文也《孔子的樂論》初探孔子樂教觀

　　　　銘傳大學教育研究所碩士論文　94 年　孔令信、紐則誠指導

張家訓　《論語》的「友誼」倫理思想

　　　　東海大學哲學研究所碩士論文　95 年　陳榮波指導

顏淑女　孔子的道德教育思想研究

　　　　南華大學哲學研究所碩士論文　94 年　陳德和指導

陳俊興　孔子道德哲學思想及其歷史演變

　　　　中國文化大學哲學研究所碩士論文　95 年　姜允明指導

李美娟　從論語與世說新語看道德的演變

　　　　高雄師範大學國文教學碩士班碩士論文　96 年　蔡崇名指導

張秀貌　孔子教育思想與台灣國小道德教育改革之研究

　　　　華梵大學東方人文思想研究所碩士論文　96 年　何廣棪指導

陳玉芳　從《論語》看孔子的班級經營
　　　　彰化師範大學國文學系碩士論文　95 年　陳金木指導

黃姿瑜　《論語》中關於情緒管理論述之研究
　　　　高雄師範大學國文研究所碩士論文　95 年　方俊吉指導

莊基仁　從先秦儒家經典論孔子的休閒思想──以論語為詮釋基礎的探討
　　　　大葉大學休閒事業管理研究所碩士在職專班碩士論文　94 年　黃世明
　　　　指導

王經綸　《論語》的管理哲學
　　　　東海大學哲學研究所碩士論文　94 年　陳榮波指導

徐名毅　運用知識圖及知識球管理知識──以論語、孟子為例
　　　　交通大學資訊管理研究所碩士論文　96 年　黎漢林指導

劉維玲　企業經營者論語思想之探討
　　　　大葉大學事業經營研究所碩士在職專班碩士論文　95 年　陳欽雨指導

林保全　宋以前《孔子家語》流傳考述
　　　　臺灣師範大學國文研究所碩士論文　95 年　林礽乾指導

羅惠齡　試論程廷祚《論語說》對朱熹《論語集注》評議之研究
　　　　華梵大學中國文學研究所碩士論文　96 年　何廣棪指導

鄭又榮　張居正等輯著《論語直解》研究
　　　　高雄師範大學國文研究所碩士論文　95 年　黃忠天指導

許炎初　錢穆「孔學」之思想研究──以《論語新解》為核心而開展
　　　　中國文化大學哲學研究所博士論文　94 年　姜允明指導

吳木樹　諾丁與孔孟關懷教育理念與實務之研究
　　　　臺北市立教育大學教育學研究所博士論文　96 年　歐陽教指導

吳少剛　群己關係的儒學省察──以《論語》、《孟子》倫理思想為中心
　　　　南華大學哲學研究所碩士論文　96 年　陳政揚指導

吳子清　論語與瑪竇福音山中聖訓對照閱讀
　　　　輔仁大學宗教研究所碩士論文　95 年　黃懷秋指導

羅志匡　亞理斯多德與孔子死亡哲學之研究
　　　　中國文化大學哲學研究所碩士論文　95 年　李志勇指導
遠藤美幸　伊藤仁齋《語孟字義》之研究
　　　　臺灣大學中國文學研究所碩士論文　95 年　周志文指導
王奕然　才的詮釋與惡的定位：以孟子與宋明清諸儒的見解為討論重點
　　　　臺灣師範大學國文研究所碩士論文　95 年　黃瑩暖指導
朱思辰　從孟子人性論看「善與人同」與「責善」
　　　　臺灣大學哲學研究所碩士論文　94 年　張瑞良指導
張怡琦　孟子心性義理之探究
　　　　輔仁大學哲學研究所碩士論文　95 年　陳福濱指導
黃立人　孟子心性說與宋明理學之關係
　　　　高雄師範大學回流中文碩士班碩士論文　94 年　杜明德指導
賴柯助　論孟子對「人之存在價值」的看法
　　　　東海大學哲學研究所碩士論文　96 年　何淑靜指導
謝貴美　《孟子》譬喻修辭藝術探賾
　　　　臺灣師範大學國文學系在職進修碩士論文　95 年　蔡宗陽指導
王慧茹　孟子「談辯語言」的哲學省察
　　　　臺灣師範大學國文學研究所在職進修碩士論文　94 年　林安梧指導
邱碧霞　孟子寓言研究
　　　　雲林科技大學漢學資料整理研究所碩士論文　95 年　林葉連指導
祝紹昌　孟子哲學生命教育研究
　　　　南華大學哲學研究所碩士論文　95 年　謝君直指導
林美燕　論孟子哲學中的生命教育思想
　　　　南華大學哲學研究所碩士論文　96 年　陳德和指導
劉哲富　孟子教育思想的哲學省察
　　　　南華大學哲學研究所碩士論文　95 年　陳德和指導
陳美華　右腦系統融入《孟子》教學之研究
　　　　臺灣師範大學國文學研究所在職進修碩士論文　95 年　賴貴三指導

吳秀娟　　孟子永續發展政策之研究
　　　　　臺北大學公共行政暨政策研究所在職專班碩士論文　96 年　張世賢
　　　　　指導

林裕學　　王安石尊孟思想與北宋孟學
　　　　　屏東教育大學中國語文學研究所碩士論文　95 年　劉明宗指導

蔡幸妤　　朱子釋《孟》要義前後演變探析
　　　　　臺灣大學中國文學研究所碩士論文　94 年　何澤恆指導

王君萍　　余允文《尊孟辨》之思想研究
　　　　　世新大學中國文學研究所碩士論文　95 年　劉文起指導

羅雅純　　朱熹與戴震孟子學之比較研究——以西方詮釋學所展開的反思
　　　　　淡江大學中國文學研究所博士論文　95 年　袁保新指導

曾如君　　康有為《孟子微》研究
　　　　　中山大學中國文學研究所碩士論文　94 年　劉文起指導

王美泰　　論保祿與孟子之正義觀
　　　　　玄奘大學宗教研究所碩士在職專班碩士論文　94 年　黎建球指導

楊植博　　《中庸》天道與人道思想研究
　　　　　南華大學哲學研究所碩士論文　96 年　謝君直指導

劉家一　　〈中庸〉思想與「誠」的實踐
　　　　　中山大學中國文學研究所碩士論文　95 年　簡宗修指導

吳宗德　　論《中庸》「道德的形上學」
　　　　　南華大學文學研究所碩士論文　96 年　陳章錫指導

李高梅　　中庸道德思維及其生命實踐之研究
　　　　　南華大學哲學研究所碩士論文　96 年　謝君直指導

孝經

黃錦淳　　《論語》、《孟子》論孝與《孝經》之比較研究
　　　　　逢甲大學中國文學研究所碩士論文　95 年　李威熊指導

楊肅藝　　　《孝經》之孝治思想及其現代意義
　　　　　　銘傳大學應用中國文學研究所碩士在職專班碩士論文　94 年　徐亞萍
　　　　　　指導

爾雅

王盈方　　　《爾雅・釋親》親屬關係之文化詮釋
　　　　　　淡江大學中國文學研究所碩士論文　94 年　盧國屏、韓耀隆指導
賴雁蓉　　　《爾雅》與《說文》名物詞比較研究——以器用類、植物類、動物類為例
　　　　　　中正大學中國文學研究所碩士論文　95 年　黃靜吟指導
古佳峻　　　郝懿行《爾雅義疏》及其宮器二釋研究——以文化闡析為觀察重點——
　　　　　　淡江大學中國文學研究所碩士論文　95 年　盧國屏指導

讖緯

吳政哲　　　崇緯抑讖：東漢到唐初讖緯觀念的轉變
　　　　　　臺灣大學歷史學研究所碩士論文　95 年　甘懷真指導
郭國泰　　　秦漢思想中有關「陰陽」「五行」之探討
　　　　　　東吳大學中國文學研究所博士論文　96 年　陳郁夫指導

經 學 研 究 論 叢
第 十 六 輯　頁313～316
臺灣學生書局　2009 年 5 月

「變動時代的經學研究和經學家 （1912－1949）」學術研討會

編 輯 部

　　中央研究院中國文哲研究所經學文獻組執行的「民國以來經學之研究計畫」，第一階段為「民國時期（1912－1949）」，此一階段著重於民初經學與晚清經學的關係、國故整理運動、西方新方法對經學研究的影響。臺灣受日本統治五十年，其經學研究也附於此階段一起研究。執行期間自九十六年一月一日起，至九十九年十二月三十一日止，預計將執行四年，第一年共召開兩次學術研討會，時間及發表論文如下：

第一次學術研討會

　　第一次學術研討會於民國九十六年七月十二日（星期四）、十三日（星期五），假中央研究院中國文哲研究所二樓會議室舉行，發表論文十四篇，出席學者及研究生百餘人。議程如下：

■ 96 年 07 月 12 日（星期四）

開幕儀式：中央研究院中國文哲研究所林慶彰教授

◎第一場會議（林慶彰教授主持及評論）
　程克雅：由語文學到語言學——論民國以來經注與樸學考據方法的嬗變

車行健：田野中的經史學家——顧頡剛學術考察事業中的古蹟文物調查活動

◎第二場會議（楊晉龍教授主持及評論）

陳金木：楊守敬對經學文獻蒐集的貢獻

孫致文：試論「二重證據法」與民國以來經學的轉向

　　　　——以王國維、于省吾「新證」著作為中心的考察

◎第三場會議（賴貴三教授主持及評論）

蘇費翔（Christian Soffel）：錢穆兩漢經今古（文）學研究

趙中偉：熊十力易學創造性詮釋探析——以《乾坤衍》為例

許振興：民國時期香港的經學：1912－1941 年間的發展

■ 96 年 07 月 13 日（星期五）

◎第四場會議（孫劍秋教授主持及評論）

陳進益：關於《古史辨》中討論《易經》相關問題之省思

許朝陽：經學與哲學——學術型態變遷中的易學定位

◎第五場會議（賀廣如教授主持及評論）

李雄溪：讀黃節《詩旨纂辭》小識

朱孟庭：民國時期詩經的民俗文化闡釋——以聞一多《詩經》研究為主

◎第六場會議（蔣秋華教授主持及評論）

許子濱：楊樹達「讀《左傳》」論

盧鳴東：陳柱的公羊思想——民國初年經學變動的兩個分水嶺

蔡長林：公羊學的近代轉型——讀張爾田《史微》

第二次學術研討會

　　第二次學術研討會於民國九十六年十一月十九日（星期一）、二十日（星期二），假中央研究院中國文哲研究所二樓會議室舉行，發表論文二十篇，出席學者

及研究生近百人。

■ 96 年 11 月 19 日（星期一）

開幕儀式：林慶彰教授

◎第一場會議（張壽安教授主持及評論）
　曾聖益：變儀而復禮──曹元弼與民初禮學
　陳　韻：黃侃禮學研究（一）──時代篇

◎第二場會議（賀照田教授主持及評論）
　梁秉賦：變動時代的經學──從讖緯研究的視角考察
　鄭月梅：朱東潤《詩三百篇探故》的特色

◎第三場會議（黃復山教授主持及評論）
　鄧國光：唐文治（1865－1954）經學研究
　　　　　──二十世紀前期朱子學視野下的經義詮釋與重構
　舒大剛：一位不該被遺忘的經學家
　　　　　──略論龔道耕先生的生平與學術（代宣讀人：袁明嶸）
　張善文：吳檢齋先生經學成就述要

◎第四場會議（張寶三教授主持及評論）
　黃忠慎：學術史上的典範塑造──以民國學者評論王夫之等人的《詩經》學為例
　邱惠芬：林義光《詩經通解》研究
　郭　丹：張西堂的《詩經》研究（代宣讀人：陳水福）

■ 96 年 11 月 20 日（星期二）

◎第五場會議（虞萬里教授主持及評論）
　張政偉：經學邊緣化的啟動
　劉　巍：經典的沒落與章學誠「六經皆史」說的提升（代宣讀人：張晏瑞）

　　程克雅：民國初年學報所刊載經學論文及其議題之轉變（1912－1949）

◎第六場會議（陳麗桂教授主持及評論）

　　張麗珠：詆古與證古──從康有為到王國維

　　吳　銳：同途異歸──錢穆中國上古史的疑古走向

◎第七場會議（詹海雲教授主持及評論）

　　林登昱：從辨偽到校釋──論民國《尚書》學的變遷

　　許華峰：顧頡剛的〈堯典〉研究及其意義（代宣讀人：程克雅）

　　嚴壽澂：今文學之轉化──呂思勉經學述論（代宣讀人：簡逸光）

◎第八場會議（林啟屏教授主持及評論）

　　劉德明：《古史辨》中對《春秋》看法的方法學反省

　　王淑蕙：日治中晚期臺灣文人的「孔教」觀探究

　　　　　　──以《臺灣文藝叢誌》第壹期徵文〈孔教論〉為例

經 學 研 究 論 叢
第 十 六 輯　　頁317～320
臺灣學生書局　　2009 年 5 月

第二屆中國經學國際學術研討會

編輯部

　　由北京清華大學人文社會科學學院歷史系與西北大學文學院聯合主辦的「第二屆中國經學國際學術研討會」，於二〇〇七年八月二十七日（星期一）至三十日（星期二）在陝西省西安市西北大學舉行，來自中國大陸、臺灣、香港、澳門，以及日本、韓國、美國、新加坡等地的學者參加，論文內容涵蓋經學史、經學典籍與理學等方面。

　　會議議程如下：

■ 2007 年 08 月 27 日（星期一）

全天報到

◎主持人：張宏才（西北大學文學院副院長）

■ 2007 年 08 月 28 日（星期二）上午

開幕式

◎主持人：方光華（西北大學副校長）

　　司　儀：普　慧（西北大學文學院教授）

　　致　詞：西北大學校領導

　　　　　　洪瑀欽（韓國嶺南大學校教授）

　　　　　　齋木哲郎（日本國立大學法人鳴門教育大學教授）

　　　　葉國良（臺灣大學中國文學系教授）

　　　　彭　林（北京清華大學歷史系教授）

　　　　李　浩（西北大學文學院教授）

◎大會學術報告（夏長樸、李浩主持）

　　趙伯雄（南開大學）：春秋「史外傳心要典」說初探

　　齋木哲郎（日本國立大學法人鳴門教育大學）：永貞革新與啖助、陸淳等春秋學
　　　　　　派的關係

　　葉國良（臺灣大學）：先秦禮書中保存的古語及其意義

　　洪瑀欽（韓國嶺南大學）：簡介韓儒李滉和奇大升的四七理氣論辨

　　虞萬里（上海社會科學院）：上海圖書館藏稿本禮記訂譌初探

　　彭　林（北京清華大學）：禮的哲學詮釋

■ 2007 年 08 月 28 日（星期二）下午

◎第一場分組討論

　　第一組（葉國良、王　鍔主持）

　　朱杰人、李慧玲（華東師範大學）：北大本毛詩正義校勘芻議（評議人：葉國良）

　　陳戰峰（西北大學）：宋代詩經學的兩種主要方法及關係（評議人：方向東）

　　王學祥（高雄師範大學）：淺談國風之「男女曖昧詩歌」（評議人：牟　堅）

　　李江輝（西北大學）：晚清江浙禮學研究的成就與特點（評議人：曹建敦）

　　第二組（黃忠天、梁秉賦主持）

　　李尚信（山東大學）：觀象繫辭與周易古經之編纂（評議人：黃忠天）

　　石學翰（高雄師範大學）：老莊派易學初探（評議人：梁秉賦）

　　王新春（山東大學）：荀爽易學乾升坤降說的宇宙關懷與人文關切（評議人：佐
　　　　　　川繭子）

　　鄭吉雄（臺灣大學）：論易為士大夫之學（評議人：齋木哲郎）

◎第二場分組討論

　　第一組（呂友仁、虞萬里主持）

王　鍔（南京師範大學）：〔宋〕聶崇義新定三禮圖的價值和整理（評議人：呂友仁）

曹建敦（河南大學）：讀禮劄記（評議人：虞萬里）

石立善（日本同志社大學）：中庸輯略版本源流考辨（評議人：陳戰峰）

顧　濤（南京大學）：武威漢簡儀禮陳校訂誤（評議人：呂友仁）

張德付（清華大學）：朱子深衣圖辨正（評議人：楊志剛）

第二組（楊天宇、史應勇主持）

劉麗文（中國傳媒大學）：論左傳歷史觀價值取向上道德與事功的二律背反（評議人：楊天宇）

趙生群（南京師範大學）：左傳疑義新證（昭公篇續）（評議人：李尚信）

郝潤華（西北大學）：從經學到詩歌闡釋學（評議人：鄭吉雄）

刁小龍（清華大學）：春秋公羊經傳解詁版本小識（評議人：夏長樸）

譚　佳（中國社會科學院）：經史譜系中春秋研究史發微（評議人：史應勇）

■ **2007 年 08 月 29 日（星期三）上午**

◎第一場分組討論

第一組（彭　林、普　慧主持）

呂友仁（河南師範大學）：五禮通考庫本勝於味經窩刻本考辨（評議人：陳戰峰）

方向東（南京師範大學）：秦蕙田五禮通考引周禮注疏校議（評議人：普　慧）

楊志剛（復旦大學）：秦蕙田五禮通考撰作特點析論（評議人：王　鍔）

張　濤（清華大學）：述五禮通考之成書（評議人：葉國良）

第二組（方光華、佐川繭子主持）

史應勇（江南大學）：清代鄭學概說（評議人：梁秉賦）

張瑞龍（清華大學）：書信往來與清代經學研究者的學術研究（評議人：方光華）

謝茂松（香港中文大學）：明儒郝敬九經解中對於「溫柔敦厚」問題的討論（評議人：賀廣如）

◎第二場分組討論

第一組（方向東、楊志剛主持）

普　慧（西北大學）：早期儒家「禮」的宗教思想（評議人：彭　林）

賀廣如（臺灣中央大學）：明代王學與易學之關係（評議人：洪瑀欽）

牟　堅（香港科技大學）：灑掃應對，便是形而上之事？（評議人：楊志剛）

曾凡朝（山東教育學院）：易學視野下的楊簡心學工夫論（評議人：石立善）

第二組（趙伯雄、劉麗文主持）

張新科（陝西師範大學）：漢代經學與文學生成及文風變化（評議人：郝潤華）

黃忠天（高雄師範大學）：史事宗易學研究方法析論（評議人：王新春）

佐川繭子（日本二松學舍大學）：漢代的「二王之後」（評議人：劉麗文）

孫尚勇（西北大學）：經學章句與佛經科判及漢魏六朝文學理論（評議人：虞萬里）

■96 年 08 月 29 日（星期三）下午

◎第一場大會報告

洪瑀欽、呂友仁主持

夏長樸（臺灣大學）：一道德以同風俗

楊天宇（鄭州大學）：略論許慎在漢代今古文經學融合中的作用

◎第二場大會報告

鄭吉雄、趙生群主持

梁秉賦（新加坡國立大學）：中世學人的讖緯觀

羅藝峰（西安音樂學院）：由樂緯的研究引申到樂經與樂記的問題

方光華（西北大學）：從白虎通義有關「孝」的解釋看皇權觀念在經學研究中的滲透

◎閉幕式

陳　峰主持

兩個分組代表總結

清華大學經學研究中心主任彭林：大會總結

西北大學副校長方光華致詞

經 學 研 究 論 叢
第 十 六 輯　　頁321～326
臺灣學生書局　　2009 年 5 月

「人文化育，經典常新」
——第二屆中國經學國際學術研討會綜述

孫尚勇、張　濤*

2007 年 8 月 27 日至 30 日，「第二屆中國經學國際學術研討會」在西北大學隆重召開。本次研討會主要討論以下七項議題。

關於經學史

西北大學思想文化研究所方光華教授的〈從《白虎通義》有關「孝」的解釋看皇權觀念在經學研究中的滲透〉，以《白虎通義》為出發點，考察了古代孝、皇權與經學研究的關係，對歷來有關《白虎通義》一書性質的說法作了檢討。鄭州大學歷史學院楊天宇教授的〈略論許慎在漢代今古文經學融合中的作用〉，條列漢代古文經學大師許慎《說文解字》和《五經異義》援引今古文經說之例，提出早在鄭玄之前許慎即已融合今古文，進而明確了其在漢代今古文經學融合上的奠基作用。日本二松學舍大學佐川繭子講師的〈漢代的「二王之後」——漢家與經學〉，細緻全面地梳理了漢代有關「二王之後」的學說，並對其於漢代經學的影響作了富有啟發意義的探討。新加坡國立大學中文系梁秉賦教授的〈中世學人的讖緯觀——從杜

---

* 　孫尚勇，西北大學文學院副教授。張濤，北京清華大學歷史系博士生。

注、孔疏管窺〉，從《左傳》注疏切入，詳細分析注家對「西狩獲麟」一事的疏解，認為杜注在反撥讖緯神學影響中以及中國思想史發展上具有格外重要的意義。臺灣大學中國文學系夏長樸教授的〈一道德以同風俗——王安石新學的歷史定位及其相關問題〉，全面探討了道學興起之前作為顯學的王荊公新學的歷史地位及其與道學發展的關係，討論了慶曆至慶元時期宋代學術發展的歷史脈絡，肯定了荊公新學在宋代學術史上的重要性。江南大學江南發展研究院史應勇副教授的〈清代鄭學概說〉，系統全面地考察了清代漢學興起背景之下鄭玄經學地位的升降變化，分別了清代鄭學研究中尊鄭派和客觀派兩種主要傾向，並梳理了清代鄭學研究的有關著述，彰明了作為學術史範疇的清代鄭學研究的重大意義。香港中文大學歷史系博士生謝茂松的〈明儒郝敬的經解中對於「溫柔敦厚」問題的討論〉，梳理了郝敬（1558－1639）《九經解》所貫穿的「溫柔敦厚」的意旨，考察了郝敬強調的「溫柔敦厚」在晚明思想史脈絡中的重大意義，確定其對道學政治文化的深層次的批評與調整。清華大學歷史系博士生張瑞龍的〈書信往來與清代經學研究者的學術研究〉，討論了書信往來對清代嘉、道間經學研究的重要意義。

關於《禮》

　　禮學是本次大會的重要議題之一。清華大學歷史系經學研究中心彭林教授的〈禮的哲學詮釋〉，分別從陰陽觀念、天道四時、《周禮》與陰陽五行三個面向，闡述春秋、戰國之際儒者所賦予的禮學文獻的哲學義涵，認為《禮記》對於原本只有禮法的《儀禮》做了全新的哲學詮釋，使禮學成為了具有普世價值的理論，《周禮》則構建起以陰陽五行為間架的建國模式。而西北大學文學院普慧（張弘）教授的〈早期儒家「禮」的宗教思想〉，以宗教學和文化人類學視野，提出原始宗教精神延續在早期儒家「禮」的凝成過程之中。臺灣大學文學院院長葉國良教授的〈先秦禮書中保存的古語及其意義〉，系統考察了西周成語、特別訓解的詞語、對話中的古語、長期使用的敬語等禮書所保存的四種類型的古語，指出《三禮》與《大戴禮》中保留了更早期的古語，先秦禮書文獻有其「層累」的過程，所論對古籍辨偽學極有意義。河南大學歷史文化學院曹建敦講師的〈讀禮劄記〉，以甲骨文研究三禮，對殷禮以及鄭玄以「丁己」為吉日的說法作了探討，同時還深入考辨禮書所載

「八蜡」、「體解」之說。南京大學文學院顧濤講師的〈武威漢簡《儀禮》陳校訂誤〉，系統檢討了陳夢家武威漢簡《儀禮》釋文和校記中的闕誤，並附徐富昌《武威漢簡文字編》之內容檢覈。

南京師範大學文學院王鍔教授的〈宋聶崇義《新定三禮圖》的價值和整理〉，評價了聶氏《新定三禮圖》的歷史價值與版本源流，兼評丁鼎教授整理本在解說和編排方面的特點。清華大學歷史系碩士生張德付的〈朱子深衣圖辨正〉，詳細考察朱子的《深衣制度》與所附深衣圖，力求得出朱子晚年深衣之真貌。上海社會科學院歷史所虞萬里研究員的〈上海圖書館藏稿本《禮記訂訛》初探〉，分析了上海圖書館藏〔清〕乾嘉時期沈大本《禮記訂訛》稿本的成書情況及其特色，尤其對沈氏所揭「經文錯簡」問題對當今簡帛研究之特別啟示作了充分的探討。西北大學中國思想文化研究所李江輝講師的〈晚清江浙禮學研究的成就與特點〉，敘述了晚清江浙禮學研究在禮學重大問題上的新進展，通過分析其研究方法，總結晚清江浙禮學的學術史特徵。

本次會議集中了四篇探討《五禮通考》一書的論文。復旦大學文物與博物館學系楊志剛教授的〈秦蕙田《五禮通考》撰作特點析論〉，從古代禮學演變的大視角，分析了《五禮通考》的文化背景及其所體現的禮學著述形態上的新特點。河南師範大學文學院呂友仁教授的〈《五禮通考》庫本勝於味經窩刻本考辨〉，詳列九十二條校勘記，提出庫本勝於味經窩刻本的看法，進而認為，從校勘學意義和學術資料角度來說，《四庫全書》所收諸書的版本價值不能一概否定。南京師範大學文學院方向東教授的〈秦蕙田《五禮通考》引《周禮注疏》校議〉，認為《五禮通考》使用的《周禮注疏》出自與阮本和庫本不同的版本系統，可以訂正阮本和庫本的錯誤。清華大學歷史系博士生張濤的〈述《五禮通考》之成書〉，是對《五禮通考》撰修始末、參與編撰人等情況的基礎性考察，文章並對《五禮通考》的版本問題提出了系統看法。

西安音樂學院羅藝峰教授的〈由《樂緯》的研究引申到《樂經》與《樂記》的問題〉，從文獻和思想兩個層面，全面分析了《樂緯》的音樂觀念，對《樂緯》和《樂記》作了比較研究。

關於《易》

　　臺灣大學中文系鄭吉雄教授的〈論《易經》為士大夫之學：身體、語言、義理的展開〉，闡述了《易經》以人為中心的宇宙觀、卦爻辭的二重性、《易》為士大夫之學三個問題，層層深入地探討了卦爻辭字義演繹的原理，論證了《易經》由身體到語言、再到義理的哲理構架，體現作者對經學研究背後整體思維模式的觀照。山東大學易學研究中心李尚信副教授的〈觀象繫辭與《周易》古經之編纂〉，從觀象繫辭的角度，探討了《易經》的編撰問題。山東大學易學研究中心王新春教授的〈荀爽易學乾升坤降說的宇宙關懷與人文關切〉，探討了荀爽乾升坤降說的宇宙和人文關懷及其對當今和諧社會建設的意義。臺灣高雄師範大學經學研究所黃忠天教授的〈史事宗易學研究方法析論〉，以《四庫全書總目》經部易類序揭出的「兩派六宗」之說為起點，細緻深入地研究了史事宗易學的歷史發展及其內在動機與援史類型，並對史事易學史的撰寫提出了展望。高雄師範大學經學研究所碩士生石學翰的〈老莊派易學初探〉，分析了老莊宗易學的歷史發展狀況。

關於《詩經》

　　華東師範大學古籍研究所朱杰人教授及其博士生李慧玲的〈北大本《毛詩正義》校勘芻議〉，從九個方面對北京大學出版社點校本《毛詩正義》提出了批評。西北大學思想文化研究所陳戰峰副教授的〈宋代《詩經》學的兩種主要方法及關係〉，深入討論了宋代《詩經》學重視文本的「因文見義」和主張古今情理相通的「以今論古」兩種主要方法的實質和影響。高雄師範大學經學研究所碩士生王學祥的〈淺談〈國風〉之「男女曖昧詩歌」〉，對〈國風〉中男女戀歌的類型、抒情方式等問題作了研究，其結合當代流行歌曲對比分析的方法，頗有意味。

關於《春秋》經傳

　　南京師範大學文學院文獻與信息學系主任趙生群教授的〈《左傳》疑義新證（昭公篇續）〉，對《左傳》昭公篇的訓詁、名物、史實等歷來存留疑義之處作了詳實的考證研究。中國傳媒大學文學院劉麗文教授的〈論《左傳》歷史觀價值取向

上道德與事功的二律背反〉，從歷史哲學的角度，論述了《左傳》「天德（禮）合一」歷史觀的三個層面，並對其道德與事功、歷史與倫理二律背反的內在矛盾特性作了深入的分析。日本國立大學法人鳴門教育大學齋木哲郎教授的〈永貞革新與啖助、陸淳等春秋學派的關係：以大中之說為中心〉，通過剖析永貞革新的歷史實情與革新政策所應用的《春秋》之義，揭示出陸淳等人新《春秋》學的真面目及與唐朝政治之間的關係。南開大學歷史學院趙伯雄教授的〈《春秋》「史外傳心要典」說初探〉，深入分析了北宋二程私淑弟子胡安國《春秋》「史外傳心要典」說提出的學術背景、目的和意義。清華大學歷史系博士生刁小龍的〈《春秋公羊經傳解詁》版本小識〉，詳考阮刊《十三經注疏》所用《春秋公羊經傳解詁》諸版本之狀況，結合其他傳世版本，認為余仁仲本《解詁》是各注疏本經傳、注、釋文（音義）的底本，今後校勘《公羊注疏》當以此本與另一系統的撫州公使庫本進行互校。中國社會科學院文學研究所博士後研究員譚佳的〈經史譜系中《春秋》研究史發微〉，反思了兩千餘年「經史譜系」中《春秋》研究史的特點及其原因，提出「巫史譜系」研究《春秋》的可能性及其意義。

關於宋明理學及其域外影響

日本同志社大學文學部外國人研究員石立善的〈《中庸輯略》版本源流考辨〉，縷述了作為朱熹《中庸》解釋體系重要構成之《中庸輯略》一書存佚諸版本狀況及其系統與源流。山東教育學院政法分院曾凡朝副教授的〈易學視野下的楊簡心學功夫論〉，全面討論了象山弟子楊簡心學工夫論的毋意、毋必、毋固、毋我四個方面的內涵。香港科技大學人文學部博士生牟堅的〈灑掃應對，便是形而上之事？──朱子對小學與大學關係的詮釋〉，力圖解釋朱熹討論和重視「小學」的歷史動力，認為朱子小學、大學一以貫之的是禮，朱子《小學》是道學整體考慮中的一部分，是其《四書》學的邏輯起點。臺灣中央大學中國文學系賀廣如副教授的〈明代王學與《易》學之關係：以孫應鰲「以心說《易》」之現象為例〉，明確了孫應鰲將《易》學與心學巧妙結合的旨趣，闡述了明代王學對《易》學的巨大影響及二者之間的積極互動關係。韓國嶺南大學校洪瑀欽教授的〈簡介韓儒李滉和奇大升的四七理氣論辨〉，介紹了朝鮮時代韓國儒者李滉（1501－1570）與奇大升

（1527－1572）之間關於「四端七情理氣論辨」的過程及其理論成果，認為此次論辨成就了韓國新儒學理論的頂峰，創造了儒家學術討論「感情抑制，虛心公正，尊重相對，客觀論理，真理追求」的和諧典範。

關於經學與文學

　　西北大學文學院郝潤華教授的〈從經學到詩歌詮釋學——以《錢注杜詩》為中心的考察〉，論述了錢謙益以詩證史的觀念與《毛詩序》以降「六經皆史」理論的關聯，提出錢謙益詮釋杜詩的方法，融合了經學考據學與詩學闡釋學，不僅是對傳統詩歌詮釋學的突破，也是對經學考據方法的極大開拓。西北大學文學院孫尚勇副教授的〈經學章句與佛經科判及漢魏六朝文學理論〉，討論了經學章句之學與佛經科判之學及漢魏六朝文學理論之間的關係，作者認為，作為漢代經學重要內容的章句之學，曾積極地影響了漢魏六朝的文學理論，並且有可能影響了道安佛經科判的提出；文章指出，經學章句和佛經科判之間的關係可以概括如下：章句首先在解經體制上啟發了科判，而成熟的科判則反過來在義解和術語兩方面影響了六朝隋唐的經學義疏，它們之間存在著積極的互動關係。

　　本次會議雖呈現了不同治學方法、不同年齡層次的學人之間的激烈爭論和智慧碰撞，但與會代表均能做到學術第一，相互尊重、促進和提高，以文會友，共襄盛業。正如清華大學經學研究中心主任彭林教授在閉幕式所總結的，本次會議學術水準高，達到了預期的目的。西北大學副校長方光華教授指出，本次會議舊學新知，少長咸集，發表了一批海內外高水準的經學研究論文，是一次圓滿的大會，他援引宋代關學代表儒者張載「為天地立心，為生民立命，為往聖繼絕學，為萬世開太平」的話以為激勵，祝「中國經學國際學術研討會」在未來能不斷為中國乃至世界經學學術發展作出新的貢獻。

經 學 研 究 論 叢
第 十 六 輯　　頁327～330
臺灣學生書局　　2009 年 5 月

「如切如磋，如琢如磨」
——第六屆先秦兩漢學術（《詩經》）
國際研討會

張孝慈*

> 「這是最好的時代，這是最壞的時代；這是智慧的時代，這是愚蠢的時代；
> 這是信仰的時期，這是懷疑的時期；這是光明的季節，這是黑暗的季節；這
> 是希望之春，這是失望之冬；人們面前有著各樣事物，人們面前一無所有；
> 人們正在直登天堂；人們正在直下地獄。」（英‧狄更斯：《雙城記》）

先秦兩漢是我國在學術發展、人文歷史、政治經濟……等各方面大鳴大放的時
期，更是一個震古爍今的開創時期。對往後兩千年的文化發展有著廣泛而深刻的影
響。

輔仁大學中國文學系一直將先秦兩漢學術，設定為系所發展的重點。除了設立
先秦兩漢研究室，作為先秦兩漢學術的研究中心外；另在課程安排、資料蒐集方面，
亦有系統的統合國內外學術資源，朝向成為國際上先秦兩漢學術研究重鎮的目標。

輔大中文系，在歷任系主任的用心擘畫下，定期舉辦「先秦兩漢學術研討
會」，以擴大先秦兩漢學術的研究深度與廣度，進而提升先秦兩漢學術的水準。研

---

* 張孝慈，輔仁大學中國文學系碩士生。

討會每年定期舉辦，分為兩種性質：一為兩岸研究生研討會，開放兩岸碩、博士研究生參與；另外則是邀集國內外專家學者參與的研討會，迄今已邁入第六屆。歷年來討論過的有「史記」、「諸子」、「楚辭」等主題。

本次先秦兩漢學術國際研討會，以《詩經》為主題，除邀請國內中央研究院、政治大學、臺灣師範大學、彰化師範大學、臺北大學、高雄大學、暨南大學、東華大學、臺北市立教育大學、花蓮教育大學（今國立東華大學美崙校區）、輔仁大學、淡江大學、世新大學、銘傳大學、中原大學、靜宜大學等學者與會；海外地區更有日本大分大學、韓國中央大學、德國慕尼黑大學；大陸地區則有北京大學、北京師範大學、人民大學、南京大學、淮陰師範學院、中國社會科學院、南陽師範學院等學術單位，與會專家學者來自世界各地，互有不同的學術背景，卻各個學有專精，在研討會上擦出與眾不同的學術火花，更綻放了光采的智慧。

群賢畢至，海內、外《詩經》專家共聚一堂

本次研討會於中華民國九十六年十一月二十四、二十五兩日，假輔仁大學野聲樓谷欣廳舉行。研討會經輔大中文系前系主任李添富先生及現任主任趙中偉先生精心規劃，分為：國際論壇、專題演講、論文研討三個部分。「國際論壇」部分，以「國際《詩經》的關注與展望」主題，由輔仁大學王初慶先生主持，並由中研院楊晉龍教授、北京師範大學李山教授、日本大分大學鄧紅教授、韓國中央大學李康範教授、慕尼黑大學蘇費翔教授等主講，透過不同地區學者的報告，將《詩經》學於各地的發展概況與近年發展重點做概括性的整理，並為本次研討會拉開序幕。

「專題演講」部分，特別邀請臺灣師範大學名譽教授陳新雄先生，以「〈燕燕〉詩看〈詩序〉之價值〉」為題，從章句詮釋到〈詩序〉與詩義，深入而詳盡的探討〈燕燕〉詩與〈詩序〉相互的關係與意義。聆聽演講者，無不因親炙陳教授的學術風采而報以熱烈掌聲。

「論文研討」部分，大會將海內外二十四篇論文分為八個場次，敦請蔡信發、鄭張尚芳、董金裕、包根弟、陳麗桂、傅錫壬、林慶彰、黃湘陽教授等學術界前輩擔任主持；並邀集國內外對《詩經》有深入研究的學者擔任特約討論，包括楊晉龍、李正芬、洪國樑、許朝陽、李添富、王金凌、劉漢初、廖棟樑、林啟屏、王令

樾、虞萬里、孫永忠、車行健、陳新雄、陳文豪、林慶彰、曾春海、許又方、殷國光、王學玲、鍾宗憲、張文彬、姚榮松、過常寶等教授。

　　學術研究即便討論主題相同，也存在著觀點、角度、研究方法等諸多不同的關照。關於本次與會論文，有以《詩經》中某種主題為核心來討論的，例如，郭慧娟：〈《詩經》中的植物書寫分析〉、陳溫菊：〈國風的器物與詩篇性質〉；有從文學角度觀照的，正如林葉連：〈「以意逆意」讀《詩經》——以〈國風〉為例〉、洪文婷：〈王昌齡「意興說」之作品存在觀及對《詩經》的接受及轉化〉、張曉芬：〈《詩經》禽鳥詩的倫理觀探究——且以禽鳥奪巢詩與〈神鳥賦〉作一比較〉、魯瑞菁：〈《詩經·野有死麕》新識——一個結合周代禮俗與純文學觀點的考察〉；也有從語言文字、考據方面去探究的，如楊雪麗：〈《毛詩音義》如字考索〉、鄭張尚芳：〈《詩經》的古音學價值〉、聶振弢：〈說「彤管」〉、張渭毅：〈關於《詩經》同聲異部韻字的歸部問題〉；還有從思想義理方面去討論的，如尚學峰：〈竹簡詩論「〈卷耳〉不知人」的釋史意義〉、趙中偉：〈天生烝民，有物有則——《詩經》及《周易》的「天」之本體詮釋探析〉；亦有自語言學去辨析的，如同竺家寧：〈論詩經中「無」字的語法功能〉、殷國光：〈《詩經》中賓語前置句的考察〉；以及從神化、民間文學等方面去解析的，如柯品文：〈探究中國古代神話中「天、人、神」三者關係：以《詩經》的〈大雅·生民〉、和《楚辭》的〈離騷〉、〈天問〉為研究對象〉、鍾宗憲：〈論《詩經》的文學原始性與民間性〉；還有針對《詩經》注釋的再研究，例如李康範：〈簡評鄭康成《毛詩鄭箋》與《詩譜》〉、朱孟庭：〈聞一多論《詩經》的文化原型闡釋〉、蘇費翔：〈錢穆的詩經研究初探〉、張強：〈《孔子詩論》與《魯詩》三題〉、陳瑩珍：〈王禮卿教授之「興」義研究〉、洪文婷：〈《毛詩稽古篇》之以意逆志說〉、蔡明蓉：〈龍起濤及其詩經學著作《毛詩補正》〉、鄧紅：〈日本著名詩經專家目加田誠其人其事〉等。

　　子曰：「小子！何莫學夫《詩》？《詩》可以興，可以觀，可以群，可以怨。邇之事父，遠之事君。多識於鳥獸草木之名。」古時《詩經》可以興、觀、群、怨，甚至能多識鳥獸草木之名；又子曰：「誦《詩》三百，授之以政，不達；使於四方，不能專對；雖多，亦奚以為？」從前諸侯、士大夫引詩、賦詩、誦詩以相互

應對，都可見《詩經》多元的面貌。從本次與會學者的論文題目的多樣，有跨多個面向來討論《詩經》者；也有透過《楚辭》、〈神烏賦〉等不同的文本來相互參照者，內容包羅萬象，令人目不暇給。從中可見《詩經》本身題材之豐富，內容所包之廣泛，提供歷代取之不盡，用之不絕的寶藏。

興、觀、群、怨四情，呈現《詩經》不同的面貌

　　一部歷經時代考驗寶藏，如何透過文字與現代對話？來自臺灣、大陸、日本、韓國、德國的專家學者，運用不同的觀察角度，以嚴謹的學術規範與學術語言，共同挖掘中華文化的這塊瑰寶——《詩經》。

　　討論會上，發表人與討論人或許意見相左，針鋒相對；或許臺下提問，發表見解，都無損「如切如磋，如琢如磨」的學術精神。先秦兩漢學術國際研討會，正是以《詩經》中「如切如磋，如琢如磨」相互砥礪，以求更上層樓的精神為大會宗旨，提供國內外專家學者一個學術空間，一個討論平臺；為國內學子提供互相觀摩學習的機會；也為先秦兩漢學術營造一個優質的學術環境。正如輔仁大學中文系主任趙中偉教授所說：「輔仁大學雖是私立大學，在經費及資源上有許多先天限制，但中文系仍舊排除萬難，運用有限的人力物力，舉辦各種學術活動，活動主要集中在兩個方面：一、定期出版《先秦兩漢學報》，二、舉辦先秦兩漢學術研討會，希望經由學報與研討會，提供學者論難商榷與互相觀摩的平臺，期能匯集海內外研究成果，為先秦兩漢學術締造新猷。」

　　身處世界貧富極度不均，地球暖化，環境汙染嚴重，政局動盪，社會治安敗壞，語言顛倒是非錯亂，人類精神疾病、心理壓力逐漸成為常態的今日，生活在世上的每個人該如何自處？何不回歸《詩經》那「詩言志，歌永言」的抒情言志傳統！一種關注人生、社會現實，強烈的道德意識，平凡積極卻不譁眾取寵的人生態度。如果，溫柔敦厚，是《詩》之教也；如果，風雅精神直接或間接影響了後代廣大的知識分子；如果，賦比興足以垂範不朽，那更多關於《詩經》的如果，不正是這個社會遺失已久，卻迫切急需尋回的價值典範？那麼，本次研討會的主題——《詩經》，除了學術上的意義，更肩負著社會上某種光明積極的價值。那個從上古走來，屬於傳統君子「思無邪」，「如切如磋，如琢如磨」自強不息的精神。

經 學 研 究 論 叢
第 十 六 輯　　頁331～412
臺灣學生書局　　2009 年 5 月

出版資訊

一、本專欄收 2007 年 1 月至 2007 年 12 月國內外最新出版，有關經學和經學人物之相關專著。惟舊籍重印或再版書，則不予收入。

二、各提要略依經學通論、經學史、周易、尚書、詩經、三禮、三傳、四書、經學家研究等之順序排列。

三、提要前之目錄項，分別依書名、作譯者、出版地、出版者、頁數（冊數）、出版年月等項排列。

四、各提要以簡介各書之內容為主，如有所評論，僅代表作者之意見。

五、歡迎各界人士提供與本專欄性質相符之著作，以便推介，來書請寄臺北市大安區和平東路一段 198 號臺灣學生書局經學研究論叢編輯部收。

《經學十二講》

《經學十二講》　鄭杰文　傅永軍主編　北京市　中華書局　339 頁　2007 年 10 月

　　經學，即傳播與研究儒家經典的學術。儒家經典是儒家思想的承載體。儒家思想對中國二千年社會的發展，對歷代文人的學術思想、文化品格，對執政者的政治思想、統治方略，對中華民族的性格品質、文化風俗等，影響巨大。歷代儒生對儒家經典的傳播、詮釋和發揮，形成了聲勢浩大的經學。經學成為歷代王朝的主導學術，經歷了漢學、宋學、清學等發展階段。可以說，不了解中國經學的發展變化，就難以準確把握歷代王朝的政治思想和統治方略，就難以深刻認識歷代文人的學術思想和文化品格，就難以確實了解中華民族的性格特點和文化風俗。因此，本書主編鄭杰文先生就是秉持著拓展經學的理想，而計畫撰寫了這一部《經學十二講》，希望能使廣大青年，特別是大學生了解進而掌握經學的基本知識。

　　鄭先生的計畫得到山東大學文史哲研究院的支持，推薦列為「大學生素質教育

教材」，並安排了八位教授、三位副教授來撰稿、授課。這些老師對所承擔的題目大都研究有素，或以其他課程名目教授多年，諸位教授各以所長，分篇撰寫。(1)董治安、鄭杰文撰〈經學的產生〉，(2)董治安、鄭杰文撰〈經學的發展〉，(3)林忠軍〈《周易》概說〉，(4)張富祥〈《尚書》概說〉，(5)王承略〈《詩經》概說〉，(6)丁鼎〈「三禮」概說〉，(7)莊大鈞〈《春秋》及其「三傳」〉，(8)鄭杰文〈《論語》概說〉，(9)徐傳武、宋一明〈《孝經》概說〉，(10)劉心明、鄭杰文〈《爾雅》概說〉，(11)趙睿才〈《孟子》概說〉，(12)曹峰〈出土文獻與儒家經典〉，並有附錄參考書目。本書因成於眾人之手，體例風格較難統一，但可以作為介紹經學必要的基礎知識的入門書。

　　鄭杰文，山東大學文史哲研究院教授、博導、山東大學古籍研究所教授。傅永軍，山東大學文史哲研究院教授、博導、院長、山東大學哲學與社會發展學院教授。
（廖秋滿）

《經學研究續集》

《經學研究續集》　胡楚生著　臺北市　臺灣學生書局　325 頁　2007 年 9 月

　　作者於自敘中說明，民國九十一年出版《經學研究論集》，彙集論文二十二篇，自是以還，賡續有作，得稿凡十一篇，今輯為一編，鋟版印行，茲將其各篇內容，摘要敘述如下，以供參稽之用。

　　第一篇〈《詩》無達詁──《詩》多歧異之原因及其影響〉。第二篇〈〈秦誓〉論考〉，《尚書》中〈秦誓〉一篇，舊說指為秦軍戰敗之後，穆公悔過自責之辭，而學人討論，亦有指其為穆公諉過移罪之言者，本文則自「穆公行事態度」、「比較五霸行徑」、「《尚書》篇章內容」等三方面，進行考察，加以評論，從而認定，〈秦誓〉之辭，仍當屬於穆公由衷悔過之言為是。第三篇〈邵懿辰「〈禮運〉首段有錯簡說」駁議〉，清代邵懿辰在他所著《禮經通論》中，主張將〈禮運〉篇首段中的二十六字，自「小康」節中，移往「大同」節內，如此，便可恢復〈禮運〉篇首段文字的原貌。此文從多方面考察，也針對邵氏所提出的證據，一一加以反駁，結論邵氏主張並不足以成立。第四篇〈伊川《易傳》中政治思想之解析〉，此文主要分析程頤《易傳》中的政治思想，分為君道、臣道、求賢、治民、

刑獄、用兵等六項重點，加以說明。

第五篇〈馬一浮論《春秋》要旨〉，馬一浮先生在《復性書院講錄》中，曾經藉著講述《論語》大義，而撮舉了《春秋》的要旨，共分為「夷夏進退」、「文質損益」、「刑德貴賤」、「經權予奪」等四項。此文則枚舉《春秋》經傳中之事例，加以舉證詮釋。第六篇〈試論《春秋》「獲麟」之文化史義涵──以俞樾之說為探索中心〉。第七篇〈《春秋公羊傳》中顯現之「崇讓」與「惡諼」精神〉。第八篇〈史法與經例──比較錢大昕及劉逢祿兩篇〈春秋論〉中之見解〉，清代學者錢大昕與劉逢祿，各自撰有〈春秋論〉，但是二人對於《春秋》的見解卻不盡相同，本文之作，即在舉出錢、劉二人對於《春秋》中同一事件，而有不同看法之例證，加以比較分析，並探索二人見解所以不同的原因。第九篇〈陳澧「《春秋》學」析評〉，針對陳澧《東塾讀書記》中有關《春秋》之意見，提出陳氏六項最為重要之見解，加以分析說明，以期彰明陳氏在《春秋》學上之重要觀點。第十篇〈發揮經義　取證史事──俞樾《達齋春秋論》析評〉，是對於俞樾的《達齋春秋論》，分析其內容，彰明其特色，評論其價值。第十一篇〈廖平《春秋三傳折中》析評〉，探討廖平「折中」三《傳》的意見，並引用傅隸樸先生《春秋三傳比義》的看法，與之對照，從而分析評論，以見廖平「會見」三《傳》的觀點，是否切實可行。

胡楚生，貴州省黎平縣人，生於 1936 年，東吳大學中國文學學士，臺灣省立師範大學文學碩士，南洋大學文學博士，曾任國立中興大學中國文學系主任、文學院院長，現任明道大學講座教授，著有《釋名考》、《訓詁學大綱》、《中國目錄學研究》、《潛夫論集釋》、《古籍探義》、《儒行研究》、《韓文選析》、《柳文選析》、《清代學術史研究》、《古文正聲》、《老莊研究》、《柳韓文新探》、《清代學術史研究續編》、《中國目錄學》、《圖書文獻學論集》、《經學研究論集》等書。　　　　　　　　　　　　　　　　　　（廖秋滿）

《臺灣學術新視野：經學之部》

《臺灣學術新視野：經學之部》　林明德、黃文吉總策劃　臺北市　五南圖書出版
公司　428頁　2007年6月

　　本書為2006年11月25日於彰化師範大學所舉辦的「國科會文學—學門90－
94研究成果發表會」中經學領域的論文集結。發表者包含國內八大教育與學術單
位的教授、學者十五人，分別收錄：⑴林啟屏〈重構與詮釋——一個儒學研究方向
的反省〉；⑵陳恆嵩〈《十三經著述現存版本目錄》編纂過程及其學術價值〉；⑶
賴貴三〈臺灣《易》學史與人物志綜論〉；⑷蔣秋華〈王闓運《尚書》著述考〉；
⑸林素英〈論〈衛風〉史事詩的禮教思想〉；⑹林慶彰〈明人文集所收《詩經》資
料的學術價值〉；⑺楊晉龍〈明代詩經學論著運用佛典的研究〉；⑻黃忠慎〈姚際
恆、崔述、方玉潤的說《詩》取向及其在學術史上的意義〉；⑼張寶三〈朝鮮正祖
《詩經講義》論考〉；⑽張素卿〈清代《左傳》「古義」及其學術歸趨〉；⑾車行
健〈試析鄭玄《論語注》中的《詩》說〉；⑿陳逢源〈朱熹《四書章句集注》撰作
史料輯證〉；⒀金培懿〈轉型期《論語》研究之主旋律——近代日本《論語講義》
研究〉；⒁岑溢成〈戴震孟子學的訓詁實例〉；⒂葉國良〈公孫尼子及其論述考
辨〉等十五篇文章。這些文章皆是作者國科會專題研究計畫之研究成果，故均有精
闢深入的獨到見解。

　　本書的十五位作者可說是臺灣經學研究的主力，從這些作者的論文即可看出臺
灣經學發展的趨勢。本書之出版，可謂臺灣學術界近年經學研究之重要里程碑。

（陳水福）

《中國經學》第二輯

《中國經學》第二輯　彭　林主編　桂林市　廣西師範大學出版社　360頁
　2007年5月

　　《中國經學》是中國大陸地區第一本專門刊登經學研究成果的學術輯刊，由清
華大學經學研究中心主辦、廣西師範大學出版社資助出版，每年一輯，每輯約三十
萬字，欄目之設，約略如下：⑴經學論文：刊載經學總論、專經研究、經學史研

究、經學思想研究、考據學研究、小學與經學、經籍版本研究、名物研究、出土簡帛與經學研究等研究方向之論文。⑵學術資訊：海內外經學研究機構之介紹，經學研究機構之介紹，經學研究項目之介紹，經學會議之介紹。⑶經學人物志：重點介紹近現代經學大師，內容包括其學承、生平、學術旨趣與研究成果等。⑷書評：論評當今學學者之最新研究，展開不同學術觀點、研究方法之爭鳴，增進學者間之資訊流通。⑸青年論壇：經學之未來在於青年，為獎掖後進，推學術傳承，但凡言之有據、持之有故之文，均在採擇之列。

　　《中國經學》第二輯中收錄了：余嘉錫〈《漢書藝文志索隱》選刊稿（序、六藝）上〉、張光裕〈讀鄭珍《儀禮私箋・士昏禮》札迻〉、楊天宇〈鄭玄《三禮注》中的『聲之誤』、『字之誤』考辨〉、鄭良樹〈論孔子講《春秋》〉、重澤俊郎著、石立善譯〈《左傳》鄭服異義說〉、鄧國光〈孔穎達《五經正義》「體用」義研究──經學義理營構的思想史考察〉、夏長樸〈論《中庸》興起與宋代儒學發展的關係〉、嚴壽澂〈『思主容』、『澳其羣』、『序異端』──清人經解中寬容平恕思想舉例〉、鄭吉雄〈戴東原與乾嘉經典詮釋的思想史背景〉、陳鴻森〈臧庸年譜〉、勞悅強〈攻乎異端劉寶楠父子對朱熹的愛恨情結〉、梁秉賦〈清末民初學人的讖緯觀：1890－1930〉。

　　彭林，1949 年生，江蘇無錫市人。1989 年畢業於北京師範大學歷史系，獲歷史學博士學位。曾任北京師範大學副教授、教授。現任清華大學歷史系教授，博士生導師，清華大學經學研究中心主任。主要從事中國古代學術思想史、歷史文獻學研究，尤其是儒家經典《周禮》、《儀禮》、《禮記》和禮樂文化的研究。近年以「郭店楚簡與戰國時代的禮學」和「清人的禮學研究」為重心，展開成體系的研究。著有《周禮主體思想與成書年代研究》、《文物精品與文化中國》、《中國古代禮儀文明》、《古代朝鮮禮學叢稿》等。點校有《觀堂集林》、《禮經釋例》、《儀禮注疏》等，學術論文百餘篇。　　　　　　　　　　　　　（廖秋滿）

《六經始末原流》

《六經始末原流》　〔明〕吳繼仕撰、江日新編校　臺北市　中央研究院中國文哲研究所　159頁　2007年6月

　　吳繼仕，字公信，號蒼舒，為明朝末年學者。其生平相關資料不夠，生卒年無法確知，據考訂大約生於明隆慶初年，卒於明崇禎九年。其著作有：《六經始末原流》、《七經圖》七卷、《四書引經節解圖考》十七卷、《音聲紀元》六卷、《易占》一卷、《易辭述旨》二卷、《易數》三卷、《三禮正定注疏》、《周易象變述旨二卷》、《經原宗統》四卷、《建州考》等經學相關著作。

　　《六經始末原流》為吳繼仕經學史之著作。從「經學授受史」及「問題史」的書寫來說，本書為一先驅之作。然為人遺忘，未見流通，叢書中亦未有收錄。經編校者訪查，發現有日本內閣文庫刊本及德國華裔學志抄本，流傳於世。因此，取其二版本相互校訂，排版刊行，以供經學研究者之參考。抄本與刻本間，篇目有些許差異。本書編校，乃以刻本為底本與抄本對校。若彼此文字有異者，則出校記加以說明。又刻本與抄本中包含許多異體字，本書編校時均改為今體字。異體字則別行挑出，錄為一表，列於書末。先依比劃，再依拉丁文拼音方式排序。

　　江先生編校之《六經始末原流》一書，除本文外，尚有吳氏所著〈三禮集註序例〉，以及編校者所整理之〈吳繼仕的生平、著作及其經學史書寫〉、〈刊、鈔本異體字與本重排本字對照表〉、以及〈吳繼仕相關資料輯錄〉等相關文章，供讀者了解吳繼仕及其學術。

　　而吳氏《六經始末原流》一書，乃是透過在經學授受圖的基礎，以及經圖中授受原流所產生的爭論議題的兩個問題點，所做的歷史書寫。全書除〈六經本末原流序〉外，分七篇論述。首先為通論性質之〈六經始末原流〉，接著分別為探討《易經》之〈周易原流〉、探討《尚書》之〈尚書原流〉、探討《詩經》之〈葩經原流〉、探討《春秋經》之〈麟經原流〉、探討《樂經》之〈樂經原流〉、探討《禮經》之〈三禮原流〉。各篇中則針對各經之議題，作深入的探討。

　　江日新，德國 Universitat Trier 哲學系博士候選人。以哲學人類學、知識社會學、比較思想型態、以及西洋哲學在中國的容受過程為主要研究領域。重視從歷史

文本的解讀，透過中西方訓詁方法分析文本，進而勾勒思想精神結構及其開展的向度，並非存粹訓詁，亦非單純思辨。其著作有本書及《馬克斯‧謝勒──一個開荒的天才哲學家》二書，及學術論文數十篇。 （張晏瑞）

《董仲舒的經學詮釋及天的哲學》

《董仲舒的經學詮釋及天的哲學》 劉國民著 北京市 中國社會科學出版社
410 頁 2007 年 8 月

董仲舒，西漢經學家，專治《春秋公羊傳》。後為武帝獻策，提倡罷黜百家、獨尊儒術之說，使儒家哲學思想在中國思想史上因政治之勢佔有正統地位。董氏重要的思想見於〈天人三策〉及《春秋繁露》中，前者主張儒家的德治理念，提出各項關於政治的及社會的設計；後者在哲學思想的發揮中，強調天人相感的宇宙論及歷史觀。董仲舒的哲學建構，正是儒者反映時代心靈的特殊寫照，因為漢帝國建立之後，君權的絕對性已經使得所有的儒學理想非透過君王的教化不足以落實，因此思考如何使君王行仁政的方法成為了儒家價值之得以落實的關鍵要點，董仲舒一方面絕對化君權為君王是天之子故稱天子，另方面則立即藉由天對天子的制約權而約束天子，藉由天神對天子的賞罰譴告之說以恐嚇君王不得行暴政，從而約束君權，可為苦心孤詣唯天可知。

本書係作者的博士論文修改而成。〈緒論〉之外，共分五章，分別是第一章〈董仲舒的時代及人生形態〉，敘述董仲舒生活的時代、人生形態和對策的年代考辨；第二章〈董仲舒對《春秋》、《公羊傳》的詮釋〉討論董仲舒詮釋《春秋》、《公羊傳》的目的、根據和方法；第三章〈董仲舒的人道思想〉論述董仲舒對「三綱五常說」、孟荀的人性論和德治思想等方面的看法；第四章〈董仲舒的天的哲學〉探討董仲舒「天人相應」、人格天、自然天等觀念；第五章〈董仲舒的哲學思想對文學的影響〉則提到董仲舒奉天、徵聖、宗經等文學理念，以及對《詩經》無達詁、《春秋》書法等問題的意見。

劉國民，男，1964 年 7 月生，安徽肥西人。1983 年 7 月，肥西師範畢業後，在袁店中學任教十多年。2000 年 7 月，畢業於湖北大學，獲得文學碩士學位。2003 年 7 月，畢業於首都師範大學，獲得文學博士學位。現任中國青年政治學院

中文系副教授，主要研究先秦兩漢文學，經學、史學。在《孔子研究》、《社會科學輯刊》、《湖北大學學報》等刊物上發表學術論文二十餘篇。　　　　（陳水福）

《鄭玄通學及鄭王之爭研究》

《鄭玄通學及鄭王之爭研究》　史應勇著　成都市　巴蜀書社　400 頁　2007 年 10 月

　　作者曾獲中國博士後科學基金會第三十四批獎助金的資助，此書即該報告的修訂本。全書分為四篇十一章，第一篇「歷史背景」，又分為二章，第一章敘述鄭玄的生活背景及其著述，第二章說明鄭玄通學形成之前，漢代經學研究概況。第二篇「研究史」，分為三章，敘述歷代鄭學之研究，第三章論鄭學地位的跌落，第四章說明清代鄭學研究概況，第五章略述近百年中國、臺灣、日本各地研究鄭學之概況。第三篇「鄭學通學新探」，分為四章，第六章論讖緯學對鄭玄的影響，第七章說明鄭玄三禮學體系的形成及其內容，第八章論述鄭玄對於各經書中產生矛盾的問題如何調停融通，第九章針對鄭注《孝經》做全面的考察，並根據日人重澤俊郎的考證，證明鄭玄曾注過《孝經》，但傳世的《孝經鄭玄注》並非鄭玄的文字。第四篇「鄭、王之爭」，分為二章，對歷來鄭玄、王肅解經方法、態度上的不同有完整的分析，第十章以鄭玄、王肅《周易注》、《尚書注》、《毛詩注》、《喪服經傳注》、《禮記注》、《論語注》六種經注作比較，第十一章從文化史的角度分析鄭、王之爭。據彭林教授〈序〉，本書主要嘗試突破幾個經學史上的問題，⑴鄭玄是兩漢經學的巨擘，他對儒家經典的總體認識如何？⑵鄭玄的三禮體系是在怎樣的思想文化背景下形成？他們之間有如何的相關度？⑶鄭玄通學呈現了怎樣的學術觀念取向？⑷經學史公案「鄭王之爭」的學術思想史的意義為何？作者都做了詳細、清晰的說明，並有個人獨到的見解。

　　史應勇，1965 年 5 月生於內蒙古臨河縣，漢人。1986－1989 年師從斯維至教授攻讀先秦史，1989 年獲陝西師範大學歷史學碩士學位；1997－2001 年師從朱維錚教授攻讀中國文化史，2001 年獲復旦大學歷史學博士學位。2002－2004 年於四川大學中國語言文學博士後流動站從事博士後研究，現任教於江南大學江南發展研究所。　　　　（葉純芳）

《宋代疑經研究》

《宋代疑經研究》　楊新勛著　北京市　中華書局　378頁　2007年3月

　　《宋代疑經研究》是大陸迄今為止第一部對宋代疑經作全面、系統、深入研究的專著，也是宋代經學研究領域裏相當重要的成果。疑經是中國古代經學史上一種較為常見的現象，在宋代獲得了迅速發展。本書從經書與文獻學相結合的角度，探討了宋代疑經形成和發展的原因，又以歐陽修、二程、鄭樵、朱熹、王柏等兩宋學者為研究對象，分析他們的疑經表現，整理出宋儒疑經的主要成就，進而論述了宋儒疑經的思想和方法，以及宋代疑經與經學、文獻學的關係，最後對其影響作了說明，對其成就、不足作了客觀評價。本書是一項有關宋代疑經的全面、具體而深入的研究性成果，寫作嚴謹，持論有力，將對該領域的進一步研究產生良好的推進作用。

　　宋代疑經是個非常複雜的問題，真是千頭萬緒不知從何說起，而作者研究的指導思想卻非常明晰，清醒地將疑經看作經學領域的一種現象，是宋人治經的一種思路、方式和方法，體現了宋人經學思想的轉變，屬於儒學系統的內部演變與調整。也避免按今人的學科分類作隨意性的聯繫與聯想，將宋代疑經看作是一個具有近三百年歷史的動態的發展過程，因而能注意到宋人在具體疑經中表現出的複雜性和曲折性以及受不同學派影響產生的分化，從而避免作簡單的結論。將宋人疑經的具體表現放在經學史和文獻學史中加以考察，通過全面的分析來確定其性質，從而能給予理性的評價。例如，他指出，宋代疑經既不是現代意義的思想解放運動，也不能等同於辨偽，即使是復古、尊經思想也應審慎對待。作者也注意到經學既有經籍本身的原始文本屬性，又是在古代社會產生，並經過古人的編輯加工、傳播解釋，溶入了許多社會因素。因此，考察宋代疑經表現，必須聯繫宋人的時代思想和觀念，關注經學的社會化、政治化特點，避免人為的拔高或貶低，也避免膚淺地羅列現象而隔靴搔癢。

　　作者以博士學位論文為基礎修改而成本書，全書除引言外，分五章：第一章〈宋代疑經興起的原因〉、第二章〈北宋疑經述論〉、第三章〈南宋疑經述論〉、第四章〈宋儒疑經的思想與方法〉，第五章〈宋儒疑經的影響與評價〉，書後並有

附錄及主要參考文獻。

楊新勛，1971 年生，山東惠民人，北京大學中文系博士，從事中國文化和文學研究，現任教於南京師範大學文學院。　　　　　　　　　　　　　　（廖秋滿）

《李調元研究》

《李調元研究》　四川省民俗學會、羅江縣人民政府編　成都市　巴蜀書社　370頁　2007 年 9 月

《李調元研究》一書是 2006 年 12 月 9－11 日，由四川省民俗學會、中共羅江縣委、羅江縣人民政府於李調元故鄉羅江縣聯合舉辦的「四川省李調元學術研討會」的論文集。研討會聚集了來自四川省內外研究李調元的專家六十餘名，收到學術論文三十二篇。與會專家學者在研討會開幕前，還參觀了位於羅江縣文星鎮的「醒園」、「李調元讀書臺」等遺址及羅江縣城內的「李調元紀念館」。

本書目錄如下：廖伯康〈「四川省李調元學術研討會」開幕詞〉、章玉鈞〈深化李調元研究　開發名人文化資源——在「四川省李調元學術研討會」上的發言〉、李永壽〈在「四川省李調元學術研討會」閉幕式上的講話〉、盧也〈在「四川省李調元學術研討會」閉幕式上的講話〉、徐光勇〈在「四川省李調元學術研討會」上的致辭〉、袁庭棟〈論李調元在四川文化復興中的歷史作用〉、賴安海〈李調元傳略〉、張學君〈非常之人與非常之功——李調元生平論述〉、張力〈全才大學者李調元〉、李宜家〈李調元研究論述〉、楊榮生〈論李調元的人格魅力〉、鄒運佳〈天地古今一場戲——試論李調元的戲劇觀〉、蔣維明〈李調元對川劇的多方面貢獻〉、杜建華〈讀《雨村劇話》雜記〉、王文才等〈李調元咏成都風物詩〉、謝桃坊〈論李調元的詞學思想與創作〉、黃節厚〈從李調元遊三峽部分詩作中受到的啟迪〉、唐長壽〈李調元嘉峨詩作淺談〉、許德貴〈解讀李調元　開拓峨眉旅遊資源——淺析李調元咏詩四十三首〉、黎本初〈李調元對民間文藝的重大貢獻〉、李祥林〈從民間立場看李調元的文化貢獻〉、劉良國〈採得百花釀成蜜　才子功底盡艱辛——淺談李調元對民俗研究的貢獻〉、蔣守文〈「竹枝」聲聲話曲藝——讀李調元《弄譜百咏》〉、劉時和〈管窺《南越筆記》，趣談川粵歲時民俗之異同〉、李映發〈李調元詩中的百姓　百姓口傳的李調元〉、江玉祥〈《弄譜》與

《弄譜百咏》考辨〉、趙長松〈讀李調元傳說走向世界〉、杜莉〈李調元與四川民間菜〉、熊四智〈開創「童山詩韻宴」〉、張茜〈川菜菜系的萌芽——解析李化楠、李調元父子與《醒園錄》〉、沈時蓉〈李調元文藝美學思想發微〉、魏啟鵬〈讀李調元《方言藻》札記〉、范小平〈李調元和他的書法藝術〉、賴安海〈李調元「萬卷樓焚」考述〉、陳世松〈蜀中兩翰林：李調元與鄒時敏〉、駱為榮〈李調元與朝鮮文士的文字交往和情誼〉、張德全〈李調元、楊升庵與諸葛亮八陣圖〉、何靖〈冬日赴羅江謁李調元故居醒園二首〉、錢正杰〈參觀羅江醒園憑弔雨村公詩一首〉，書末是本書執行主編江玉祥的〈編後記〉。　　　　　　　（廖秋滿）

《姚鼐與乾嘉學派》

《姚鼐與乾嘉學派》　王達敏著　北京市　學苑出版社　254 頁　2007 年 11 月

　　《姚鼐與乾嘉學派》一書是作者以博士學位論文基礎增刪而成的著作，全書除「導論」外，分成上編「姚鼐與漢宋之爭」：第一章〈從辭章到考據——姚鼐學術生涯第一次重大轉折與戴震的關係〉、第二章〈四庫館內：不稱的頡頏〉、第三章〈回歸辭章——姚鼐學術生涯的第二次重大轉折〉、第四章〈從尊宋到崇漢——乾隆帝學術宗尚的潛移〉，下編「桐城派的建立」：第一章〈桐城文統〉、〈神妙說發微〉、〈義理、文章、考證三者兼收說新論〉、〈桐城學人群體的形成〉，書後並附有徵引文獻。

　　《姚鼐與乾嘉學派》一書的主旨，是環繞桐城派的建立，在清代中葉學術從宋學轉入漢學的背景下，闡明尊奉宋學的姚鼐與以戴震為代表的漢學派之間的離合，闡明姚鼐在漢宋之爭中建立桐城派所經歷的曲折和所承受的精神重壓，闡明政治因素在學術轉向和桐城派建立過程中所起的關鍵作用。

　　本書中作者依據大量原始材料，對其論點作考證和解釋，採用將文學史問題放在學術史發展脈絡中進行討論的方法。認為桐城派既是一個宗奉宋學的學術流派，也是一個以古文創作為主的文學流派，它與當時主盟學壇漢學派相互碰撞，相互糾纏，一起豐富了清代中葉學壇，其優長、缺失、形成和發展中面對的重要問題，幾乎無不與漢學派緊密相關，因此，只有將之還原到當時學壇的原生狀態中，才有可能接近歷史適時的真相，才有可能在一定程度上對桐城派及其所植根的時代學術、

政治作同情之了解。

王達敏，男，1961 年 11 月生，河南南陽人。1979 年 9 月考入北京大學中文系，先後在洪子誠、樂黛雲和孫靜等先生指導下從事學習與研究，並分獲文學學士、碩士和博士學位。本科畢業後留校，任北京大學校刊編輯部編輯。1993 年晉升副編審。2003 年從北京大學調入中國社會科學院文學研究所工作。現為文學所研究員、中國社科院研究生院文學系教授。研究方向為明、清和近代的學術史、文學史。

　　　　　　　　　　　　　　　　　　　　　　　　　　　　（廖秋滿）

《戴震考據學研究》

《戴震考據學研究》　徐道彬著　合肥市　安徽大學出版社　720 頁　2007 年 8 月

在我國學術史上，清代乾隆、嘉慶時期無疑是輝煌燦爛的一頁。自清初顧炎武開「通經致用，實事求是」的風氣，經乾嘉時期惠棟、戴震等發揚光大，一時間，蘇皖地區人才輩出，治學範圍涉及經學、文學訓詁學、天文曆法、典章名物、歷史地理等各個領域，在對中國數千年來的傳統文化的整理與總結方面做出了傑出的貢獻。他們強調的「無徵不信，以訓詁通經，以通經致用」的學風給後代極大的影響，因此以考據為內容特徵的「乾嘉之學」便成為一代學術高峰。只要翻一翻《皇清經解》，其中所收一五七家著作凡一七二七卷，大部分是乾嘉時期學者所撰，便可明瞭。

作為「乾嘉之學」領導人物的戴震，其研究領域之廣泛，著作之弘富、影響之深遠，一直為國內外學界重視。兩百多年來，對於戴震學術與思想的研究也層出不窮。但綜觀歷來的研究，大多偏重於其哲學思想的探討，研究戴震文字、訓詁成就者蓋寡，而研究戴震輯佚、校勘、版本、目錄、辨偽方面貢獻者則幾乎闕如。戴震考據學涉及範圍極廣，材料眾多，閱讀困難度甚大，加之前人對他考據學的整理、總結、研究成果較少，故缺少倚傍。這對於一個以考據學聞名的大師而言，不能不說是一大遺憾。因此，本書在戴震考據學研究上，具有重要學術價值和開拓意義。作者對於戴震在考據學方面的成就作了全面、系統的總結介紹，力圖一切從戴震著述入手，從實證出發，用材料說話，以樸學精神研究考據學。也注重戴震考據學方法、思想的總結提煉，對戴震的考據實踐進行理論昇華，提出了頗具新意的觀點。

徐道彬，男，1966 年 12 月生，安徽大學文學博士。現任教育部人文社會科學

重點研究基地、安徽大學徽學研究中心副研究員，歷史文獻學碩士生導師。2005
年在韓國國學振興院從事文獻整理及研究，回國後繼續此項研究工作；2007 年與
韓國全南大學進行學術合作研究。有學術論文三十餘篇。　　　　　　（廖秋滿）

《晚清民初的理學與經學》

《晚清民初的理學與經學》　張昭軍著　北京市　商務印書館　281 頁　2007 年 3 月

　　《晚清民初的理學與經學》彙集作者近年發表的主要學術史論文，因主題多與
理學、經學有關，因此取此書名。本書可說是圍繞程朱理學、今古文經學所進行的
專題研究，前五章〈晚清儒學的格局與流派〉、〈晚清宋學對漢學之爭〉、〈晚清
漢學與宋學之調和〉、〈清代今文經學家與程朱理學〉、〈晚清理學的分層與流
動〉是綜合性論述，後六章〈唐鑒與《國朝學案小識》〉、〈曾國藩的理學思
想〉、〈倭仁的理學思想〉、〈方宗城與「柏堂學」〉、〈康有為與今文經學〉、
〈章太炎對宋學、漢學的闡釋〉是個案研究。其中，有些論題，如今文經學家與程
朱理學的關係、方宗城的理學思想等，是以前學界關注較少的。有些論題，如晚清
時期的漢宋關係，曾國藩、倭仁的理學思想，康有為、章太炎的經學思想等，作者
在學界已有研究基礎上，加以細緻化或系統化，力爭有所深入。應當說，作者的這
些努力有助於近代學術史研究，值得肯定。

　　張昭軍，又作張昭君，1970 年 10 月生，山東淄博人。歷史學博士。北京師範
大學歷史學院副教授。現主要從事中國近代史、中國近現代文化史、中國儒學史的
教學工作。研究興趣集中在清代、民國思想文化領域，尤側重於儒學思想史，著有
《儒學近代之境──章太炎儒學思想研究》、《傳統的張力──儒學思想與近代文
化變革》、《清代理學史》（晚清卷），發表學術論文數十篇。　　　　（廖秋滿）

《論朱一新與晚清學術》

《論朱一新與晚清學術》　曹美秀著　臺北市　大安出版社　711 頁　2007 年 5 月

　　本書為作者的博士論文修改出版。作者認為有關晚清學術史的著作中，不乏朱
一新的蹤影，但總是被放在不甚顯著的角落，即使有時是極重要的角色，如論晚清

的今文學，多數人都會注意朱一新與康有為的辯難，及康有為對朱一新的推許，但多一筆帶過，少有深入的分析；又如論晚清的漢、宋學，朱一新總不會在漢、宋調和的名單上缺席，但也罕有人對其漢、宋思想作探討。因此本書欲指出朱一新在晚清學術的地位及可能的影響力，更重要的是，他有充分的自覺，要運用所能掌握的資源，以引導學風的方式，達成其經世致用的理想，也因此，他與晚清學界有相當的互動。對朱一新的研究，可經由一位親歷其境的學者，一窺晚清學術的面貌，體會在風雨飄搖的時代，中國士大夫的自處之道，以及學術致用的運用方式，並補足學術史尚不甚明晰的一個角落；同時，朱一新特殊的成學歷程，也可提供我們考察乾嘉到晚清學術演變的參考。

　　本書以主題的方式，分別針對晚清學術的幾個重要面向，探討其由乾嘉到晚清的大致演變脈絡，以及晚清時期這幾個面向的進一步發展，而朱一新的學術關注點，正與這幾個重要方向相吻合，因此，筆者以朱一新在各個學術面向的觀點，及與學術界的互動，一方面釐清朱一新本人的學術內涵，一方面探討晚清學術在這幾個方面的發展，同時凸顯朱一新在晚清學界可能的位置。

　　第一章〈緒論〉，作者探討今人對朱一新的相關論述及其不足，並對朱一新的求學歷程與學術內涵作大要的敘述，以為後文論述的前提，同時也針對朱氏學術根本，也是晚清學術趨勢的經世致用精神，作較深入的探討。第二章〈朱一新與晚清漢宋學〉，論晚清的漢宋學。分析今人論漢宋問題的內涵，主要包括三個面向：義理學與考據、漢代學術與宋代學術、乾嘉學術與宋代學術，並以此三個面向論述乾嘉到晚清的漢宋學發展，及朱一新的漢宋學觀。第三章〈朱一新與晚清今文學〉，論述晚清的今文學，並就朱一新對經典的觀點，及對西漢學術的看法，來論述朱一新的經學觀。第四章〈朱一新與晚清理學〉論晚清理學，作者對今人所論述的晚清理學做重新思考，認為以曾國藩與羅澤南為晚清理學的代表人物，並不太恰當；相反地，不甚被注意的朱一新應該被列為晚清理學的重要人物。第六章為〈結論〉。

　　曹美秀，1972 年生，臺北人。國立臺灣大學中國文學研究所博士，現任國立中央大學助理教授，專研清代學術史，與清代學術相關之經學、思想等範疇，皆在關注之列。著有《回歸孔孟──晚明清初儒學風氣之探討》、《論朱一新與晚清學術》，另有單篇論文十餘篇。　　　　　　　　　　　　　　　　　　（廖秋滿）

《錢基博年譜》

《錢基博年譜》　傅宏星編著　武漢市　華中師範大學出版社　308頁　2007年2月

　　錢基博先生生前不僅長期執教於各著名學府，桃李滿天下，而且詁經譚史，學貫四部，著作等身。可是新中國成立以來，由於歷史的原因，學術界對他存在不少誤解和空白，其中一個重要原因是對他的生平、思想、著述和教學活動知之不多，要準確評價他的學術成就，有相當大的困難。年譜的出版，或許有助於改善這樣的研究現狀。本書體例完備，材料豐富，論述清晰，取捨得當，體現了作者紮實的功力和嚴謹的學風，具有比較高的學術和史料價值。

　　是譜之輯，舉凡錢基博先生所作所言，及朋儕之書牘贈詩，不擇長篇短語，但可資先生學術之闡發，存先生行誼交游者，往往連類而錄，匯為一編。體例略仿蔣天樞《陳寅恪先生編年事輯》之例，凡在清光緒十三年丁亥錢先生出生前，有關其家世、祖、父事蹟之記述，亦題曰「前記」，錢先生著述中年月，多著「中華人民造國之某年某月」，蓋申明「民國不能輕易成功，人民尚須努力」之意也。故錢老先生雖趨舊，但亦不避新知明矣。本年譜今所記述，以用公元紀年為主，便檢索意也。惟錢先生論著，出入四部，理通歐亞，卷帙浩繁，可惜大都散佚，蒐求不易；故著者將《錢基博先生論著編年目錄》附後。

　　傅宏星，男，1970年生於新疆石河子市，祖籍四川省銅梁縣。幼從父習畫，性篤靜而好深湛之思。早年畢業於西南工學院（現西南科技大學）機械系本科專業。學生時代，喜愛閱讀文史哲方面書籍。現任職於一家大型管道公司，業餘則勤於讀書治學，目前已發表有關文化保守主義研究論文六篇，其他雜類文章二十餘篇，並完成了「學衡派人物」研究專著一部。　　　　　　　　　（廖秋滿）

《蒙文通經學與理學思想研究》

《蒙文通經學與理學思想研究》　蔡方鹿、劉興淑著　成都市　巴蜀書社　313頁2007年7月

　　本書以四川近代經學大師蒙文通為研究對象，蒙文通（1894－1968），四川鹽

享人，早年入四川存古學堂，從今文經學大師廖平、古文經學大師劉師培學，後又向近代佛學大師歐陽竟無問學。其學術由經入史，貫通經史諸子，並旁及佛道，於宋明理學研究尤深。作者蔡方鹿氏以為，蒙氏於現當代思想史上佔有重要地位，然而以往學術界對蒙氏的研究卻極少，甚至沒有一部專著討論，殊為可惜。本書即以其指導的學生劉興淑的碩士論文《蒙文通理學思想研究》為基礎，作進一步的修改與深化研究；又由蔡方鹿完成蒙氏的經學研究，合成此書。

　　本書前略述蒙文通的生平與著述，正文部分則分為上下兩篇，上篇「蒙文通的經學思想」分別說明蒙氏對經學發展史、漢代經學、清代經學、經學與諸子學、經學與政治、經學與史學的研究貢獻，最後探討蒙氏經學之特色。作者以為蒙氏的經學特色可歸納如下：繼承廖氏，闡發師說；重視傳記，經表傳里；下篇「蒙文通的理學思想」說明蒙氏對宋明理學的重視，其理學思想折衷歸本於孟子，並調和程朱、陸王，糅合儒釋。書後附錄有：「兼評戴執禮的〈《蒙文通文集》理學部分質疑〉及劉復生對此文的駁議：〈試論蒙文通的理學思想〉」與「從蕭萐父〈含英咀華　別具慧解──蒙文通先生《理學札記》讀後〉一文看蒙文通的理學思想」。

　　蔡方鹿，1951 年生於四川眉山。曾任四川省社會科學院哲學所所長，現任四川師範大學哲學學科特聘教授、中國哲學與文化研究所所長。著有學術專著 20 多部，學術論文 220 餘篇。

　　劉興淑，1973 年生於四川威遠。1996 年畢業於四川教育學院外語系，2005 年畢業於四川省社科院，獲哲學碩士學位，同年考入四川大學攻讀博士學位。現任四川省社會科學院哲學所助理研究員，發表學術論文十餘篇。　　　　　　（葉純芳）

《東亞儒學：經典與詮釋的辯證》

《東亞儒學：經典與詮釋的辯證》　黃俊傑著　臺北市　國立臺灣大學出版中心　528 頁　2007 年 10 月

　　本書收錄著者近年所撰十六篇論文，第一篇係全書之導論，其餘論文分為三個部份：㈠東亞儒學的視野，㈡《論語》的詮釋，㈢《孟子》的詮釋。著者主張：「東亞儒學」在東亞各國儒者的思想互動之中應時而變、與時俱進，而不是一個抽離於各國儒學傳統之上的一套僵硬不變的意識形態。所以，「東亞儒學」本身就是

一個多元性的學術領域，在這個領域裏面並不存在前近代式的「一元論」的預設，所以也不存在「中心 vs. 邊陲」或「正統 vs. 異端」的問題。本書除探討「東亞儒學經典詮釋」、「東亞遺民儒學」、「東亞儒家身心關係論」等課題之外，也聚焦於東亞儒者對《論語》與《孟子》的解釋之分析。

　　全書分為十六章，依次為：⑴〈論經典詮釋與哲學建構之關係：以朱子對《四書》的解釋為中心〉；⑵〈「東亞儒學」如何可能？〉；⑶〈東亞儒家經典詮釋傳統研究的現況及其展望〉；⑷〈論東亞儒家經典詮釋傳統中的兩種張力〉；⑸〈論東亞遺民儒者的兩個兩難式〉；⑹〈東亞儒家思想傳統中的四種「身體」：類型與議題〉；⑺〈中國思想史中「身體觀」研究的新視野〉；⑻〈孔子心學中潛藏的問題及其詮釋之發展：以朱子對「吾道一以貫之」的詮釋為中心〉；⑼〈如何導引「儒門道脈同歸佛海」？──蕅益智旭對《論語》的解釋〉；⑽〈從東亞儒學視域論朝鮮儒者丁茶山對《論語》「克己復禮」章的詮釋〉；⑾〈作為思想發展過程的「東亞論語學」：研究提案與研究資料〉；⑿〈孟子運用經典的脈絡及其解經方法〉；⒀〈《孟子》「七十者可以食肉」的社會史詮釋〉；⒁〈從東亞儒學視域論朝鮮儒者鄭齊斗對孟子「知言養氣」說的解釋〉；⒂〈東亞近世儒者對「公」「私」領域分際的思考：從孟子與桃應的對話出發〉；⒃〈二十一世紀孟子學研究的新展望〉等等。這十六篇文章既是本書的章節，也是一篇篇各自獨立、首尾俱足的論文。

　　黃俊傑，美國華盛頓大學（西雅圖）博士，曾任美國華盛頓大學、馬利蘭大學、Rutgers 大學等校客座教授、東吳大學東吳通識講座教授、中華民國通識教育學會理事長。現任臺灣大學歷史系特聘教授、臺灣大學「東亞經典與文化」研究計畫總主持人、中央研究院中國文哲研究所合聘研究員。獲得學術榮譽包括美國王安漢學研究獎（1988）、傑出人才講座（1997－2002）、胡適紀念講座（2005－2006）、臺灣大學學術研究傑出專書獎（2006）、中山學術著作獎（2006）。著有英文專著數十種，學術論文數百篇。　　　　　　　　　　（陳水福）

《《易經》讀本》

《《易經》讀本》　臧守虎撰　北京市　中華書局　371頁　2007年6月

　　本書為《易經》譯解的著作，除了對《易經》六十四卦的卦爻辭做白話譯解外，更包含對《易經》書中的名詞作解釋和考訂，以及《易經》義理部分做闡發。

　　全書以《易經》六十四卦為章節，每章節均加上作者個人的概括語。加上首章〈引言〉及〈後記〉部分共六十六章。依序為：引言：《易經》是怎樣一部書、〈乾〉：相對而動的龍精神、〈坤〉：大地母親的胸懷、〈屯〉：萬是開頭難、〈蒙〉：原始的教育形式、〈需〉：「越是艱險越向前」宜忌、〈訟〉：退一步海闊天空、〈師〉：武王伐紂實錄、〈比〉：一部古代外交統戰大綱、〈小畜〉：古代農業生產掠影、〈履〉：由行為到規範、〈泰〉：政通人和享太平、〈否〉：烏雲遮不住太陽、〈同人〉：戰爭全景俯瞰、〈大有〉：古代農業豐收的場景、〈謙〉：謙虛不意味著軟弱、〈豫〉：小心樂極生悲、〈隨〉：反抗與鎮壓、〈蠱〉：論子承父業、〈臨〉：古代領導學大綱、〈觀〉：論觀察的藝術與方法、〈噬嗑〉：飲食之喻與犯人的改造、〈賁〉：文飾與本質、〈剝〉：「碩果」——宇宙生生的種子、〈復〉：論陽氣的恢復、〈无妄〉：必然與偶然、〈大畜〉：廣開致富門路、〈頤〉：天意與人意之間、〈大過〉：論以柔濟剛〈坎〉：周文王被囚實錄、〈離〉：突襲與反戰例、〈咸〉：戀愛的藝術、〈恆〉：如何理解「持之以恆」、〈遯〉：該抽身時則抽身、〈大壯〉：智慧與勇氣的較量、〈晉〉：攻擊戰例、〈明夷〉：「明夷」的一語雙關、〈家人〉：齊家與治國、〈睽〉：分久必合、〈蹇〉：艱難的外交紀行、〈解〉：平定內亂紀實、〈損〉：論損、益的辯證關係、〈益〉：再論損、意的辯證關係、〈夬〉：拒鑑者的下場、〈姤〉：隱喻中的婚育觀念、〈萃〉：論聚合之道、〈升〉：古代一次祭祀的紀錄、〈困〉：囚犯的牢獄生活、〈井〉：改朝換代的寫照、〈革〉：論改革的藝術、〈鼎〉：飲食男女與鼎新、〈震〉：天上的警示與品德修養、〈艮〉：非禮勿言、非禮勿動、〈漸〉：傳統婚姻的典範、〈歸妹〉：畸形的婚姻政治、〈豐〉：古代一次日蝕紀錄、〈旅〉：客居者宜忌、〈巽〉：論以屈求申、〈兌〉：論談話的藝術、〈渙〉：古代洪水氾濫的景象、〈節〉：論節制之道、〈中孚〉：誠信貫通天地

人、〈小過〉：論過以致中、〈既濟〉：成不忘敗、〈未濟〉：革命尚未成功，同志仍須努力。

　　臧守虎，山東中醫大學副教授，1964 年生，山東招遠人。杭州大學中文系古典文獻學科畢業。主要研究為中國古代思想文化、中醫藥思想文化、中醫文獻整理研究、《周易》研究。有專業著作二十部，論文四十餘篇，編輯著作六部。

（張晏瑞）

《周易講讀》

《周易講讀》　吳辛丑著　上海市　華東師範大學出版社　291 頁　2007 年 1 月

　　《周易》古經，成書於殷周之際，六十四卦，三百八十四爻，字字體現先民智慧，句句包含先聖遺教，故被尊為「群經之首」。此書適合給欲窺易學堂奧者入門之用，書前首先有針對易經基本問題進行導論的「《周易》導讀」，諸如《周易》的構成與名義、《周易》的作者與時代、《周易》的性質與價值、《周易》研究的歷史與流派、《周易》大傳的內容及影響、《周易》古經的結構與語言、《周易》貞兆辭類釋、易學基本知識簡介、如何學習《周易》等九篇。正文分為《周易》古經（上）、（下）及《周易》大傳，並附錄有「古代《易》論集萃」。

　　此書有另一項特點，是在內文講解經義時，除了有對卦文注釋外，另有「問題分析」、「語言文學及文化史擴展」、「集評」與「問題與討論」四個部份，協助自學者深入探求經義。以乾、坤二掛為例，在注釋完經文後，於「問題分析」中討論：「一、《乾》卦九四：『或躍在淵，無咎』試就其文辭與義理略作分析；二、《坤》卦辭：『元亨，利牝馬之貞。』試分析『貞』字的意義和用法。」在「語言文學及文化史擴展」中將歷代學者對『乾坤』、『飛龍』、『龍飛』、『九乾』、『龍可比世之英雄』、『屨霜』、『含章』、『括囊』、『無咎無譽』等字詞的解說看法條列於中。而於「集評」一欄則把唐代孔穎達《周易正義》、李鼎祚《周易集解》、明代來知德《周易集注》、清代陳夢雷《周易淺述》等人對乾、坤兩卦的述評集中論列。最末於「問題與討論」中舉出「《乾》卦中的『龍』和『君子』是怎樣的關係？」、「《坤》卦初六『履霜，堅冰至』有何象徵意義」兩問題。每一卦皆循上列五部分架構展開，引導讀者步步深入，吸收與思考並進。

作者吳辛丑是當代著名易學研究者，目前任教於華南師範大學中文系，著有《簡帛典籍異文研究》、〈簡帛《周易》字詞拾零〉等文。　　　　　　（陳亦伶）

《劉蕙孫《周易》講義》

《劉蕙孫《周易》講義》　劉蕙孫著　天津市　天津古籍出版社　405頁　2007年4月

此書為文史名家劉蕙孫研究《周易》的心得。劉蕙孫宗緣碩學，受業名師，學貫中西，尤在先秦史、金文考古、古文字學、《周易》及太谷學派的研究方面造詣極深。作者秉承晚清太谷學派的思想脈絡，對《周易》進行了全新的解釋，認為《周易》揭示了宇宙與生命的根源，也是窮命極理、修身養性的工具。以符號學的觀點，以宇宙瑜珈的角度討論《周易》，就言求象，就象求意，尋求意、象、辭之間的內在聯繫。通過解讀《周易》，闡發儒家內聖外王的學說，並融入作者修身養性的心得體驗講求宇宙規律、人倫道德。

全書除書前「引言」、「凡例」外，以六十四卦曲成分目，書尾除「結言」、「後記」外，另附錄「易象匯錄」、「易象類檢」、「易同辭錄」。此書於「凡例」與「引言」中提及此書係以劉大坤著《姑妄言之》遺稿十五卦續成，為方便區別遺稿與續文，習錄遺稿按原例作：《說乾》、《說坤》以至《說中孚》等，續文則只列卦名，不加「說」字。劉大坤治《易》垂五十年，先後完成《貞觀學易》、《易象童觀》、《論象》、《四目研幾》等書，《姑妄言之》最後寫出，因病往生無法完成，臨走前囑咐劉蕙孫代為完成，十年文革時，因此書書名異常，劉大坤所有稿件全數被搜，多年之後才發還家屬，劉蕙孫才得以增補完成。

劉蕙孫（1909－1996），譜名厚滋，字佩韋等。一九〇九年七月生，北京人。劉蕙孫是晚清《老殘遊記》作者劉鶚的嫡孫，文獻學家羅振玉的外孫。歷任私立北平中國大學國學系副教授、輔仁大學史學系講師、燕京大學國學系講師、之江大學中文系副教授、福建師範學院歷史系教授。遍涉考古、金石、歷史、文學、哲學、文化學、中外關係史、經濟學。尤在先秦史、金文考古、古文字學、《周易》及「太古學派」的研究等方面造詣極深，著作宏富。　　　　　　　　（陳亦伶）

《周易六十四卦精解》

《周易六十四卦精解》　嚴有毅編著　瀋陽市　萬卷出版公司　416頁　2007年
9月

　　《周易》本是一部占筮之書，後來引起了學者的興趣，開始被附益許多道德政
治的解說，和宇宙人生的哲理，被奉為儒家五經之一，之後的學者又不斷的對此書
的內容進行解釋與闡揚，而形成了一套《易》學系統，對於中國學術思維產生很大
的影響。

　　作者認為，《周易》的詮釋歷史可分為三個時期，第一時期是戰國至秦漢間，
這段時期的人在解釋《周易》的時候，開始賦予《周易》哲理，重視「陰陽變化之
道」，〈繫辭〉與〈文言〉即此時期的代表作。第二個時期為漢末魏晉，此時玄學
盛行，人們一方面感嘆人生的短暫和宇宙的永恆，一方面希望從哲理中找到對宇宙
與人生的解釋，因此也十分關注《周易》，此時，《周易》和《老子》、《莊子》
並稱為「三玄」，在解釋《周易》時，多圍繞著「有」與「無」，究竟何者為宇
宙、人生根源的這一本體論中心。第三個時期為宋代，他們用《周易》架構了一個
解釋宇宙、社會、人類的框架，於是《太極圖說》便在此時產生。因此，作者試圖
想從《周易》的起源，到《太極圖說》的產生這段漫長歲月中，來分析中國人思想
世界的演變歷程，而有了這本《周易六十四卦精解》的產生。

　　因此，本書可視為作者對於《周易》六十四卦的理解與研究，因此在篇目的安
排上，是以卦名依序排列，作者即按照卦象一一進行解釋與闡揚。在列出卦名與卦
辭後，作者在「題解」中說明卦名的意義並加以發揮。之後在「原文」中列出卦辭
與爻辭，以及〈象傳〉、〈象傳〉、〈文言〉等內容，「原文」下並有作者的「注
釋」與「譯文」，以及作者為自己理解所進行的「解說」，最後則附有〈繫辭〉
上、下傳、〈說卦〉、〈序卦〉、〈雜卦〉等內容，並一一加以詮釋。可以看出，
作者力圖以淺顯的語言來介紹並解釋《周易》一書，以提供大眾一個可讀性強且易
懂的《周易》文本。　　　　　　　　　　　　　　　　　　　　　（鄭于香）

《解經與弘道——《易傳》之形上學研究》

《解經與弘道——《易傳》之形上學研究》　張汝金著　濟南市　齊魯書社
338 頁　2007 年 11 月

　　《易經》與《易傳》是形成於不同時期的兩部著作，二者之間是詮釋對象、詮釋文本與詮釋者、理解者的關係。《易經》透過《易傳》的義理闡釋和形上學改造，《易經》初步揭開了其神秘面紗，《易經》啟迪時代、指導社會的哲學功用得以發揮。《易傳》是如何通過一系列詮釋，使占筮之書變成了哲學著作，如何使《易經》占筮之用變成人生指導的呢？書名中的「解經」是指《易傳》對《易經》的詮釋、解說；「弘道」指《易傳》自身所呈現的創造性，即對易之象、數、理、占等等進行闡發，來進行對易之形上學的建構。著者立足於中國經典詮釋傳統和詮釋實踐，借鑒西方詮釋學的理論和方法，審視《易傳》對《易經》的詮釋，釐清《易傳》詮經的最初面貌、根本目的、方法體例、實踐價值和哲學意義，正是本書研究的出發點和目的。

　　本書係著者的博士論文加以修改而成。在〈導論〉之外，共分為六章，分別是第一章〈本體與方法——由中西詮釋之異同反思中國哲學的研究方法〉、第二章〈文本理解與崇德廣業——《易傳》詮釋《易經》的緣起與發展〉、第三章〈觀象繫辭　立象盡意——《易傳》詮釋《易經》的基本原則和主要方法〉、第四章〈詮釋與發揮——《易傳》對《易經》的形上詮釋（上）〉、第五章〈詮釋與發揮——《易傳》對《易經》的形上詮釋（下）〉、第六章〈大道之源與援《易》以為說——《易傳》體系及地位簡評〉。

　　張汝金，1938 年 11 月生，山東章丘人。1992 年畢業於山東大學哲學系思想政治教育專業，獲學士學位，畢業後在章丘四中任中學教師。1994 年考入山東大學哲學系，1997 年獲中國哲學專業碩士學位，後考入山東省委宣傳部工作。2000 年獲律師資格。2007 年獲山東大學中國哲學專業博士學位。在《周易研究》發表論文多篇。參與編寫《中華地域文化大系之齊魯文化卷》、《鄧小平理論簡明讀本》、《江澤民思想理論體系研究》等多部著作。　　　　　　（陳水福）

《周易義理學》

《周易義理學》 祁潤興著 上海市 上海古籍出版社 356頁 2007年5月

　　本書以歷史為線索，以《周易》經傳及歷代易學著作為研究對象，主要探討了易學的義理源流、理論體系和治《易》方法，以及它們與象數學理論的內在關係和形成原因，論述了義理易學在中華傳統易學發展過程中的地位與作用。作者還把其師張立文先生提出的「和合學」思想，全面貫徹到其義理易學的研究中去、以翔實的史料、嚴謹的分析、雄辨的邏輯和優美的文筆，在全新的視域中揭示了中華義理易學的融突特徵與和合精神，因而對於當代易學的研究，具有重要的學術價值。

　　此書首先以張立文先生的〈《周易》經典的融突特徵與和合精神〉做為序文，而對於正文的標題命名也頗具用心，如前言以「望洋興歎」標題起頭，第一章「宗派梳理：義理易學的基本話題」，是從《四庫全書總目》說起，將卜筮的易書演變成儒家經典的《易經》過程。第二章「卜筮溯源：巫史傳統的理性因素」分析卜筮辭彙的字源、甲骨文到卦爻辭的演變、數字卦到大衍述。第三章「文本詮釋：《周易》古經的義理蘊涵」除解說周易古經的卦爻意涵外，更行文敘述簡帛《周易》的文獻價值。第四章「體例述要：剛柔陰陽的倫理秩序」則分為體例悖論與言意之辨、剛柔建順說、陰陽損益觀三個部份。最末以「混沌之死」作為結語，並附參考文獻。

　　祁潤興，1959年生，山西大同人。1982年畢業於北京師範大學哲學系，2004年獲中國人民大學哲學系博士學位。先後在青海師範大學政教系和內蒙古大學哲學系執教十二年。主要易學作品有：《易經注釋》（1995）、《周易入門》（2003）等。
　　　　　　　　　　　　　　　　　　　　　　　　　　　　　　　　　（陳亦伶）

《周易文化大學講稿》

《周易文化大學講稿》 楊軍著 北京市 中國人民大學出版社 255頁 2007年9月

　　本書為「中國人民大學出版社」所策劃「文理通識大課堂」之一冊，為作者專為介紹易學基礎知識所作的入門讀本。

　　《周易》素稱「群經之首」，影響中國思想文化深遠，然其文辭之晦澀多解，不免令初學者望而卻步，本書化繁為簡，分為七章，依序介紹，第一章破題而言《周易》是什麼性質的書；第二章言《周易》之筮法與卦序；第三章說《周易》卦象；第四章解《周易》經傳中的哲學思想；第五章為《周易》的易學流變；第七章則是《周易》的現實意義，由淺至深，結構謹嚴。全書以通俗易懂的語言闡述，博采眾家之長，簡單爬梳了易學發展史，兼顧義理與象數兩派之說，其間不乏作者自身獨到的見解，亦為作者多年研讀《易》之經驗，故其間不吝言及學習《周易》的方法與心得的介紹，可見用心。書前有呂紹綱教授序文，書末有作者〈後記〉。

　　楊軍，1967 年 12 月生，遼寧朝陽人。現任吉林大學文學院歷史系教授，博士生導師，吉林省孔子學會副會長。除本書外，另著有《〈詩經〉婚戀詩與婚戀風俗研究》、《文化人類學》，編《馮夢龍四大異書校》、《邂亨集：呂紹綱教授古稀紀念文集》，合著《白話精評明史紀事本末》，譯有《歐洲自由主義史》……等，發表學術論文三十餘篇。　　　　　　　　　　　　　　　　　　　　　（鄭淑君）

《天人之思──《周易》文化象徵》

《天人之思──《周易》文化象徵》　蔣凡、李笑野著　成都市　四川人民出版社 247 頁　2007 年 1 月

　　作為群經之首的《周易》，是炎黃文化的基石。在這個龐大的象徵體系之中，包籠著中華民族的思想與智慧，蘊涵著天人之際的妙諦。透過《周易》象徵文化對天人之際若干本質性的認識，可以引領我們對思想文化有更精深的解讀。

　　全書除「引言」外另分五章。首先於「引言」中導論《周易》象徵思維的溯源、周易宇宙圖示的解析、意象創造與意象解讀體系。接著於第一章中略論《易》卦經文及《易》筮的誕生，並於第二章探討古代《易》卦占筮方法的象徵意蘊，在第三章中論述《周易》思維體系的象徵意蘊、第四章《周易》象徵導讀例釋、第五章論述《周易》對世界各文化的影響。並於書前有劉錫誠、楊匡漢教授序文，書末附有〈主要參考文獻〉，除了豐沛的內文外，書中並附有上百幅圖錄補充說明內文意涵，圖文並茂，相當精采。

　　蔣凡，1939 年生。復旦大學中文系教授、博士生導師。長期師從於郭紹虞、

朱東潤二先生，從事古代文學研究和教學。主要著作有《周易演說》、《葉燮與原詩》、《三管詩話校注》、《世說新語研究》、《韓愈、柳宗元研究》，合著有《先秦兩漢文學批評史》、《宋金元文學批評史》（與顧易生教授合作）等。

李笑野，1955 年生，文學博士。上海財經大學人文學院教授，碩士生導師。師從蔣凡先生攻讀古典文學專業碩士學位，從顧易生先生攻讀文學批評史專業博士學位。主要著作有《先秦文學與文化研究》，合著有《中國詩學‧詩歌史》（與張晶教授合作）、《中國象徵文化》（與居閱時教授等合作）等。　　　　（陳亦伶）

《易學史叢論》

《易學史叢論》　潘雨廷著　上海市　上海古籍出版社　455 頁　2007 年 6 月

本書為潘雨廷先生《易學史發微》一書的補編，內容皆為《易學史發微》中未收之文章。《發微》與《叢論》二書合觀，可以勾勒出潘雨廷先生對易學史整體面貌的看法。

本書為潘雨廷先生遺作的編輯，文稿來源有三：一為潘先生擬作《易學史》的部分原稿，二為潘先生《易學史大綱》的未完稿，三為潘先生所撰關於易學史的小文章。編輯過程中，三者不加以分別，以融合彼此間的關係。

本書概分為序文、正文、附錄三部分。序文部分為《易學史》自序。正文分四單元：「三古的易學」，討論上古、中古、下古易的時代背景；「上古三代易簡論」，討論伏羲、神農、黃帝、堯舜、夏商的易；「西周與東周的易學」，討論文王、武王、周公、穆王、孔子的易；「卦爻辭的原始意義」，討論歷代以來個人、學派、史書、經傳書籍與易關涉。附錄一為關於〈易學史大綱〉的兩篇文章，分別為〈緒論〉、〈提要〉，內容可堪稱本書提綱挈領之作；附錄二收錄〈論朱熹以易學為核心的思想結構〉一文的殘卷，該文為潘先生死前的遺著，主要探討朱熹的思想結構。然大多散佚，刊登殘卷僅供讀者參考。書後附張文江的編輯後記，陳述本書的編輯過程。

潘雨廷（1925－1991）上海市人，曾任華東師範大學古籍研究所教授、中國《周易》研究會副會長、上海道教協會副會長。畢生致力於東西文化的貫通，對於《周易》和道教，有深入的研究。其研究涉及多方，為當代易學名家。

張文江，1956 年生，上海人。現任上海社會科學院文學研究所研究員。主要
研究領域為：古代經典研究、先秦文化和文學。著有《錢鍾書傳》、《管錐編讀
解》；編有《周易表解》、《易與佛教》、《易與老莊》、《學易筆談》、《讀易
雜識》、《易學史發微》、《易老與養生》、《讀易提要》、《道教史發微》、
《道藏書目提要》、《易學三種》等書。　　　　　　　　　　　　　（張晏瑞）

《漢易卦氣學研究》

《漢易卦氣學研究》　梁韋弦著　濟南市　齊魯書社　299頁　2007年1月

關於漢代周易的卦氣學研究，古今學者皆略有論述，但以此為主題，專書論述
者，此書為第一本。

全文大分為十章，首章勾勒漢易卦氣學的主要內容，第二章討論「漢易卦氣學
的理論原理」，包括陰陽二氣消長運行的原理、天人感應的原理以及五行生剋的原
理等。第三章描述「卦氣學與兩漢社會的政治生活」，第四章以孟、京易學探討形
成卦氣學的歷史條件及來源，第五章分析「卦氣學與洪範學」的關係，第六章論述
「與卦氣學形成的時代相關問題」，第七章則討論「關於帛書易傳中的卦氣知識問
題」，諸如坤卦掛名的含義問題、帛書《易之義》解說坤卦卦爻辭之文字理解問
題、帛書《要》篇之「六府」及「五官」的含義問題，以及《要》篇透露出的卦氣
知識。第八章討論「卦氣與曆數」，第九章對惠棟《易漢學》之卦氣學研究進行述
評，最後第十章總結並介紹漢易卦氣學的價值與現代認識。

作者於後記中提及，要專論「漢易卦氣學」得處理諸多學術界爭論多年尚無法
定論的問題，比如漢人的卦氣學包括整了漢代的經學，都有明顯的陰陽五行化特
徵，這與《尚書‧洪範》學有著密切的關係，但《尚書‧洪範》的文獻問題至今仍
是爭訟不休，面對此類問題時，一般選擇多數學者同意的相對說法，對於卦氣學所
牽涉的占筮方法，則以闡釋其理論原理和相關學術史問題為限。

梁韋弦，1953 年生，吉林東豐人。歷史學博士，福建師範大學社會歷史學院
教授，博士生導師。主要從事中國古代史、思想史、歷史文獻的教學與研究工作，
著作還有《孟子研究》、《儒家倫理學說研究》、《中國傳統倫理思想研究》、
《程氏易傳導讀》、《易學考論》等，並於《文史》、《中國哲學史》、《文史

哲》、《周易研究》等刊物發表〈卦氣源流考〉、〈王家臺秦簡易占與殷易歸
藏〉、〈與郭店簡唐虞之道學派歸屬相關的幾個問題〉、〈論秦的民族與文化及中
國封建專制主義的形成〉等論文六十餘篇。　　　　　　　　　　　　　（陳亦伶）

《京氏易源流》

《京氏易源流》　郭彧著　北京市　華夏出版社　331 頁　2007 年 4 月

　　在諸多人為發明的「筮法」當中，要數「京房易筮法」最為源遠流長，其鼻祖
就是西漢時的易學博士京房（公元前 77－公元前 37）。京房易學是漢代象數易學
的重要組成部分，尤其是納甲筮法，對後代的影響至深至巨，本書的目的是對京房
易學的源流進行一次系統的梳理，詳述西漢京房易學的產生及其發展演變過程，使
讀者能對京房易學，特別是納甲筮法有一個清醒的認識，不至於被一些所謂的神秘
現象所迷惑。

　　全書分為十個部分：首章導論京房的生平事蹟及其著作，第二至四章為京房易
傳，第五章分類解析《京房易傳》，第六章描述京房易筮法的發展演變，第七章詳
述歷代對京房易學與術數的闡述與評價，第八章羅列歷代學者編輯京房易遺文的匯
總，第九章論述納甲筮法的應用及其批判，第十章則為尚秉和先生的《周易古筮
考》納甲筮法十二例。最末附錄有有關京房易術的圖表及蕭吉《五行記》。

　　郭彧（郭寶彧），1941 年 12 月生。為東方國際易學研究院學者，現為國際易
學聯合會理事、秘書長助理。1989 年始專門研究《周易》圖書學。與李申先生合
編《周易圖說總匯》，榮獲國際易學伯崑獎。著有《周易圖像集解》、《京氏易傳
導讀》、《易圖講座 81 講》、《河洛精蘊注引》、《邵子全書（附注）》等書，
發表學術論文二十餘篇。　　　　　　　　　　　　　　　　　　　　（陳亦伶）

《漢唐巴蜀易學研究》

《漢唐巴蜀易學研究》　金生楊著　成都市　巴蜀書社　464 頁　2007 年 8 月

　　本書探討西漢至五代這段時間，四川巴蜀一地對易學的研究成果。巴蜀易學從
兩漢至蜀漢間興起，初步發展於魏晉南北朝、隋唐五代，興盛於兩宋，持續於元
明，衰變於清代。作者透過文獻整理的方式，對漢唐時期，巴蜀一地的易學文獻作

梳理、輯佚，並加以評論。探討漢唐巴蜀易學對宋代巴蜀易學的興盛發展所建立的基礎、條件。

　　全書分緒論、正文、附錄三部分。緒論為巴蜀易學概說，探討巴蜀易學的發展歷程、特徵、淵源。正文以年代為準則，分五章，首章探討西漢時期的巴蜀易學，主要討論文翁、趙賓、嚴遵、揚雄、何武等人的易學成就。二章探討東漢時期的巴蜀易學，主要討論今文易學、古文易學的興衰，以及東漢學者研究經學由專研一經到貫通群經的情形，又討論諸葛亮《八陣圖》與易學的關係。第三章討論魏晉南北朝時期的巴蜀易學，探討動盪時代及家學對學術傳承的演變和影響，並探討范長生、衛元崧、常寬、王長文、任熙、嚴植、費元珪的易學成就。第四章討論隋唐時期的巴蜀易學，主要探討隋唐時期的經學與易學的關涉，以及何妥、趙蕤、李鼎祚、陰弘道、陳子昂的易學成就，還探討宗密的佛學易。第五章討論五代及前後蜀時期的巴蜀易學，探討前後蜀時期的學術環境、孟蜀石經與毋昭裔刻板九經、以及蒲乾貫、張道古、彭曉的易學成就。附錄部分為「漢唐巴蜀易學人物、著述表」，該表將漢唐可考的易學人物及著述，分別表列，以供參考。該書注重各時代研究現況的介紹，並注重巴蜀一地的文化特色及發展規律，且將巴蜀易學融入易學發展史探討，突顯出巴蜀易學的學術地位。

　　金生楊，男，重慶萬州人，1974 年生。四川師範大學巴蜀文化研究中心專職研究員，西華師範大學歷史系教師，專事儒學研究。研究專長以宋史、經學、文獻學為主，出版專著三部、學術論文十餘篇。　　　　　　　　　　　　（張晏瑞）

《朱熹解易》

《朱熹解易》　殷美滿編譯　北京市　當代世界出版社　550 頁　2007 年 10 月

　　《周易本義》，為南宋理學家朱熹所撰，朱熹兼顧了《易經》中的「象數」與「義理」兩部分，不僅重視《易經》在占筮上的作用，又進而闡發《易》理身蘊，使名物為象數所依，象數為義理而設，進而明辨《易經》的主旨。朱熹此種詮釋經典的方式，在《易》學史上產生重要的影響。因此，本書作者便以《周易本義》為底本，而寫成了《朱熹解易》一書。

　　本書主要闡釋朱熹的《周易本義》經文、〈彖傳〉、〈象傳〉及其注解。《周

易本義》原有十二卷及卷末（上下），共十四卷，本書僅釋義前六卷，即《易經》
經文部分（經文兩卷、〈彖傳〉兩卷、〈象傳〉兩卷），共釋義 964 條。

　　書中的體例，分卦次依序說解，首列《易經》原文，然後是作者所作的「譯
文」，其次為「朱熹原文」，將朱熹《周易本義》的內容列出，再來是作者對朱熹
說法的「釋義」。作者並說明，由於朱熹對〈象傳〉的注解針對性很強，分句、段
注解，因此作者在對這部分進行釋義時，則以「象曰與朱熹原文」為題。另外，作
者還將〈象傳〉、〈大象傳〉的相關內容由〈乾卦〉的「用九」之後，依次移入
〈乾卦〉的卦辭後，〈小象傳〉的相關內容由〈乾卦〉的「用九」之後，依次移入
爻辭後，與一般通行文本有所不同。

　　本書主要是作者對《易經》與朱熹《周易本義》的理解心得，並非專門的學術
著作，而是鎖定一般大眾的通俗讀物，因此，作者特別在前言的部分說明，他是以
「做人做事」的心態入手，抱著「與天地準」的大原則，以發揮《易經》的意涵，
精準詮釋朱熹思想並非作者的主要目的，故在「釋義」的部分，作者對「朱熹原
文」並沒有逐字逐句進行解讀，省去朱熹對《周易》所作的反切注音，而對原文中
的生僻多音字作了注音或通假，以便一般大眾的閱讀。　　　　　　　　（鄭于香）

《朱震的易學視域》

《朱震的易學視域》　　唐琳著　北京市　中國書店　180 頁　2007 年 7 月

　　朱震（1072－1138）字子發，號漢上，北宋湖北人，象術易學的集大成者。其
易學形成於北宋末，南宋初，其易學以象術易為主體，兼融漢、宋易學、象術易理
之學為一體。不僅進一步整理解釋漢易中的象術體例，更對漢到宋的圖書文獻學進
行近一步闡述，對清代漢學家對漢易的研究，及圖書文獻學的流變，產生影響。

　　本書分引論、正文、附錄三部分。引論為本書概介。正文分七章，首章探討朱
震生平及其易學特徵；次章考察《周易》文本與易學發展的源流；第三章探討太極
與易學的關係，以及周、張、程太極觀的比較和影響；第四章討論易學的變化觀；
第五章討論圖書文獻學與漢易象數學的關聯；第六章討論象數學的義理歸宿；第七
章論述朱震在易學史上的定位。附錄部分，包含參考文獻、作者後記、以及余敦
康、林中軍、劉大鈞、羅熾、張善文五位評審委員對本書的評論。

　　目前朱震易學的研究，限於材料和論述不足，尚為薄弱。本書具有以下特點：
⑴透過對朱震《周易》文本觀的考察，討論朱震對《周易》一書性質，以及對重卦
者、孔子撰十易、古三易等問題的看法。⑵本書透過對經傳的考察論證，提出朱熹
《周易本義》，在思想上受朱震的影響。⑶本書對於朱震易學中的變易及其理論依
據，透過對朱震易學象數體例間的關聯性作考察，突顯出朱震易學中的變易觀。⑷
在朱震易學的時代性和包容性上，本書對其易學中的圖書文獻學及漢易象數學的關
係進行探究。⑸本書對朱震易學的義理歸因做出了分析和論證。

　　唐琳，女，1973 年生，華中科技大學哲學系講師、碩士生導師。畢業於武漢
大學哲學系博士班，師從羅熾、蕭漢明。曾發表論文十餘篇於《孔子研究》、《武
漢大學學報》、《周易研究》等學術刊物。　　　　　　　　　　　　（張晏瑞）

《方以智與《周易時論合編》考》

《方以智與《周易時論合編》考》　彭迎喜著　廣州市　中山大學出版社　248 頁
　2007 年 6 月

　　彭迎喜先生任教於清華大學中文系，研究方向為中國語言學、文獻學。

　　此書為其於學位論文基礎上撰寫的，就方以智及其家族的事跡著述作了詳密的
考證，專門討論了《周易時論》的寫作、整理、刊刻的過程，以確鑿證據論定《時
論》系方孔炤、方以智父子合著，父啟其端而子竟其業。

　　方以智的曾祖方學漸，學術出自王門泰州一系。祖父方大鎮以下，逐步形成獨
特的風格路數，到其父方孔炤尤為明顯。從方學漸以至方以智的子孫，上下七代有
許多著述文稿，可稱罕有的家族學派，然而絕大多數一直不為人知。近代學者注意
明清學術思想史的研究，但限於條件，對方以智只有鄧之誠、容肇祖等少數幾位有
所涉及。一九五七年，侯外廬先生在《歷史研究》發表《方以智——中國的百科全
書派大哲學家》一文，隨後於《中國思想通史》第四卷中專設方以智一章，才使學
術界對方以智的研究給予重視。余英時先生同時也有《方以智晚節考》。

　　首先對方以智（方密之）相關資料於「引言」中簡述，並描述二十世紀有關方
密之的研究、《周易時論合編》於研究密之思想上的作用。接著進入內文，分為
上、下兩編，上編主要從文獻學的角度嘗試對方以智及其家族的事蹟著述作詳密的

考證，下編專門討論《周易時論》的寫作、整理、刊刻的過程。本書並附有大量史料文獻，如「桐城方氏諸人在《明史》及見者」、「《明史‧藝文志》所著錄的方氏諸人著作」、「《四庫全書提要》所著錄的方氏諸人著作」、「方孔炤生平資料」、「方以智生平資料」、「二十世紀研究方以智的文章著作知見錄」等。此書出版獲得清華大學亞洲研究中心（ARC）資助。　　　　　　　　　（陳亦伶）

《周易述導讀》

《周易述導讀》　張濤、陳修亮著　濟南市　齊魯書社　691頁　2007年1月
（歷代易學名著整理與研究叢書）

　　《周易述》是清代乾嘉學派中吳派的創始者——惠棟一生治《易》的結晶，是乾嘉時代最具代表性的《易》學著作，其主旨在於彰顯和發揮漢代易學傳統。此書與惠棟的其他易學著作，為保存和整理漢代易學做出了重大的貢獻，引導了乾嘉《易》學的發展方向。《周易述導讀》為張濤與陳修亮先生共同點校之作，為惠棟《周共易述》首次整理點校本，全書分為三個部份，首先於導讀中詳細介紹惠棟的生平及學術成就、《周易述》的成書背景及主要版本、惠棟的《易》學思想及其在易學史和學術史上的地位，接著為主要《周易述》點校內文，最末附上江藩《周易述補》：卷七卷八〈周易下經四〉、卷十〈象下傳〉、卷十四〈象下傳〉、卷二十〈序卦傳〉、雜卦傳。全書是以《四部備要》本為底本，並以《皇清經解》本、《四庫全書》本參校，將江藩《周易述補》打亂分列於《周易述》中。作者希冀藉由這個點校本的推出，協助《周易》經傳、易學史以及乾嘉學術研究的深化與蓬勃發展。

　　張濤，1961年11月生，山東臨清人。歷史學博士，北京師範大學教授、博士生導師，北京師範大學易學文化研究中心主任，中國易學文化研究會會長，教育部易學研究基地成員。長期從事中國古代史、中國學術思想史及歷史文獻學的研究和教學工作，尤其致力於易學文化研究，已出版易學研究著作多種。　　（陳亦伶）

《大易集釋》

**《大易集釋》　劉大鈞主編　上海市　上海古籍出版社　上、下冊　計 926 頁
2007 年 5 月**

　　本書為 2005 年在中國山東舉行「易學與儒學國際學術研討會」論文集的「易學卷」。該會與會學者來自臺灣、中國大陸、香港、美國、巴西、澳洲、韓國等地的漢學家。本書收錄的論文包含「簡帛易學研究」、「周易經傳研究」、「易學史研究」、「易學哲學研究」、「易學與儒道釋」、「易學現代價值」、「易學與自然科學」、「海外易學研究」、「易學與文化名城」九類文章，共 54 篇，分上、下冊，充分反映海內外易學研究的現況和成果。

　　本書在易學研究的貢獻，表現如下：首先，在出土文獻的簡帛易學上，有學者證明今本《周易》為王弼所傳古文易本，帛本《周易》，應為今文易本。也有學者對楚竹書《周易》卦爻辭文字的考訂、斷句、文義解讀，提出了新的見解。其次，在《周易》經傳思想的探討方面，也有學者對易的本體結構、與《易傳》中「形」是天象地形的整體概括、易的時間觀所顯示的特質這些課題作出深入的論述。再次，在易學發展史的深入研究方面，表現在孔子對《易經》的創造性解讀及孔子在《易經》到《易傳》演進過程中的重要地位、易學史上史事宗的特點、漢易卦氣說的理論和原理、易學人物的研究四方面。第四，在易與儒釋道關係的討論上，討論了《易》與道家隱逸思想的關係、援佛解易、佛易互通等方面的論題。第五，易學於現代價值的研究方面，對於易的企業管理、教育意義、和諧思想、戰略思想諸方面，學者們做了多面向的討論。第六，易學與自然科學的討論方面，學者提出《易經》是中國最古老的座標幾何、二十辟卦與《傷寒論》的醫學關係、《周易》為中國古代的「邏輯推類」理論等議題，均是討論的對象。

　　編者劉大鈞先生，1943 年生，山東鄒平人。當代易學名家，於象術易學研究成果豐富。現為中國周易學會會長，山東大學易學與中國古代哲學研究中心主任、教授、博士班導師。主編《周易研究》，並出版易學專著、論著、論文集多部。

（張晏瑞）

《國際易學研究》第九輯

《國際易學研究》第九輯　朱伯崑主編　北京市　華夏出版社　392 頁　2007 年
8 月

　　朱伯崑（1923－2007）先生 1951 年畢業於清華大學哲學系，對中國哲學史研
究具有傑出的貢獻，1957 年發表《我們在哲學史教學中所遇到的問題》，推動對
於中國哲學史研究的日丹諾夫模式的反思。1986 年起，連續出版四卷本《易學哲
學史》，長達一百五十萬言，開創了「易學哲學研究」新學科。《易學哲學史》已
被翻譯成日文，韓文翻譯正在進行中。

　　此輯收錄文章有：〔美〕成中英〈論易之五義與易的本體世界〉、丘亮輝〈關
於周易文化走向世界的思考〉、李申〈《周易》與『天人合一』〉、〔美〕夏含夷
〈從出土文字資料看《周易》的編纂〉、鄧立光〈析論《象傳》之哲學特色〉、張
其成〈五行——五臟關係源流考〉、郭彧〈易學與生活芻議〉、王德有〈謙卦義理
論說〉、魏元珪〈《周易》臨卦的人生智慧〉、丁美美〈《周易》「恒道不已」與
21 世紀的價值觀〉、譚德貴〈《周易》君子理想人格類型及其影響〉、錢奕華
〈《莊子》是《易經》之變還是繼承《易經》〉、〔韓〕金珍根〈伊川體用論在哲
學史上的意義〉、〔韓〕金演宰〈從易學方法論解析程朱學派的理本論〉、賴賢宗
〈易學體用論的反思〉、〔日〕近藤浩之〈朱伯崑著《易學哲學史》翻譯的意
義〉、孫晶〈印度佛教道德與易道倫理〉、朱清〈《文心雕龍·原道》易學釋
義〉、唐明邦〈《周易》論和諧〉、李惠國〈《周易》辯證思維的特點〉、韓增祿
〈易學思維的特徵與價值〉、朱高正〈易學思維的跨時代價值〉、〔韓〕崔英辰
〈《周易》的自然生命觀〉、羅熾〈《周易》思維方式得失辨〉、商宏寬〈《周
易》自然觀及其現實意義〉、金吾倫〈天人合一與生成哲學〉、申斌〈近代科學理
論的局限性與《周易》的大科學宇宙觀〉、蔣志〈易與科學和歷史的關係〉、朱子
豪〈知識管理化的《易經》〉、孟慶云〈《易經》對中醫學理論的貢獻〉、〔美〕
羅伯特·康寧·拿威爾〈元極、太極形成與變化〉、及第二屆國際易學研討會紀
要。
　　　　　　　　　　　　　　　　　　　　　　　　　　　　　（陳亦伶）

《易學思想與時代易學論文集》

《易學思想與時代易學論文集》　賴貴三著　臺北市　文津出版社　734 頁
2007 年 11 月

　　本書為作者於 1998 至 2007 年間，於臺、港、澳及中國大陸的學術研討會、期刊、論文專集中所發表的易學研究相關論文，共二十二篇，分四編。

　　首編主題為易學思想詮釋與文化義涵，探討《周易》的命觀、《周易》〈文言傳〉的儒家思想、「二元對貞」的文化詮釋、〈大象傳〉的文化體系與現代意涵、詮釋卦爻象的文字意義、《說文解字》的易理。次編為隋唐以前易學思想專題史論，探討「易」的上古形成及詮釋、孔子的易教、易傳與先秦諸子的「神」的意義、兩漢易學的「氣化宇宙論」、魏晉南北朝易學的「儒道會通」。三編主題為清儒易學思想考釋，分別討論翁方綱、紀大奎、焦循、黃式三、黃以周五位學者的易學思想。四編主題為清代中晚期與臺灣易學發展綜論，討論乾嘉學者、常州學派的易學，及臺灣地區的經學發展歷程、易學史、易學人物等論題。文後附徐敏芳著〈屯如師及其易學研究〉一文，對作者易學研究的歷程、成果、方向做如實的敘述，可供讀者參考。

　　賴貴三，1962 年生，現任臺灣師大國文學系教授兼國際漢學研究所所長。主要從事易學及經學文獻學研究。著有《項安世周易玩辭研究》、《潁川堂賴氏歷代族譜考述》、《焦循年譜新編》、《焦循雕菰樓易學研究》、《昭代經師手簡箋釋》、《焦循手批十三經注疏研究》、《春風煦學集》、《臺灣易學史》等書。

（張晏瑞）

《尚書研究要論》

《尚書研究要論》　劉起釪著　濟南市　齊魯書社　601 頁　2007 年 1 月

　　《尚書》為一部多體裁文獻彙編，是中國現存最早的史書。《尚書》記載的內容，上起堯、舜，下至春秋時期的秦穆公，包括了夏、商、周三代，對中國古代歷史和政治思想的研究有重要作用，然而其漫長的成書與流傳過程，卻也造成了許多研究上的問題。

這部《尚書》研究的論文集，是匯集長期作者研究《尚書》過程中所撰文章而成的。所收錄的論文，分別為：〈《尚書》及其整理研究〉、〈東晉出現偽《古文尚書》〉、〈宋元明疑辨《尚書》及清初推翻偽古文〉、〈甲骨學推進《尚書》研究〉、〈顧頡剛先生與《尚書》研究〉、〈日本早期的《尚書》研究〉、〈日本現代的《尚書》研究〉、〈禮失而求諸野的《尚書》所倡為君之道〉、〈象以典刑解〉、〈陟方乃死解〉、〈經師們紛擾的六宗、三江、九江諸問題〉、〈三危、弱水、黑水考〉、〈雲土夢辨訛〉、〈有扈與甘地點及夏族居地與夏文化之起源〉、〈五行原始意義及其分歧蛻變大要〉、〈說〈高宗肜日〉〉、〈歷代的〈洪範〉學〉、〈關於河圖洛書問題〉、〈黑白點子河圖洛書〉、〈〈牧誓〉是一場戰爭舞蹈作宣誓式的誓詞〉、〈牧野之戰的年月問題〉、〈《尚書·金縢》校釋譯論〉、〈〈大誥〉篇的詞彙和語法反映了西周語言特色〉、〈談〈康誥〉三篇及其歷史意義〉、〈周初「三監」與邶、鄘、衛三國及衛康叔封地問題〉、〈由周初諸《誥》作者論「周公稱王」問題〉……等等共三十一篇的學術論文。除了簡述《尚書》學的歷程之外，還對《尚書》中的篇章及問題進行討論。

劉起釪，1917 年 3 月生於湖南安化。1941 年進入中央大學歷史系就讀，1945年考取了顧頡剛的研究生，1962 年，被調到北京中華書局協助顧頡剛整理《尚書》，此後，對《尚書》的研究成為劉起釪的主要工作。1976 年進入中國社會科學院歷史研究所，1987 年退休。撰寫論文 100 餘篇，專著 11 部，主要代表作有：《尚書學史》、《尚書校釋譯論》、《古史續辨》、《尚書源流及傳本考》等。2006 年被選為中國社會科學院榮譽學部委員。　　　　　　　　　　（陳水福）

《洪範詮釋研究》

《洪範詮釋研究》　張兵著　濟南市　齊魯書社　273頁　2007年1月

《尚書·洪範》篇是中國傳世典籍中，最早系統闡述國家施政大法的專篇文章。在兩千多年的歷史長河中，備受學者關注，留下了大量相關的詮釋文獻。這類詮釋文獻形式、內容均各不相同，又散見於各處，民眾學者想要尋覽研究，倉促之間，難以入門，極不方便。

本書是由作者的博士論文修訂增補而成的，從文獻學的角度，首次對由漢代至

清代的《洪範》詮釋文獻進行了全面性的研究。

　　全書章節安排整齊，共分為五章，每章四節，各章節目相同。書中將歷代的〈洪範〉詮釋分為五個階段，所以除了〈前言〉之外，共分為五章，分別是第一章〈漢代〈洪範〉詮釋研究〉；第二章〈魏晉至隋唐〈洪範〉詮釋研究〉；第三章〈宋代〈洪範〉詮釋研究〉；第四章〈元明〈洪範〉詮釋研究〉；第五章〈清代〈洪範〉詮釋研究〉。

　　每章的第一節為〈本時期時代背景對〈洪範〉詮釋的影響〉，主要從政治氛圍與學術思潮兩方面出發，敘述與各階段〈洪範〉詮釋相關的背景情況。第二節為〈本時期〈洪範〉詮釋文獻概述〉，主要從類型、數量、版本、內容等方面介紹各階段的各種〈洪範〉詮釋文獻。第三節為〈本時期〈洪範〉詮釋特點〉，主要從詮釋的形式、內容、方法、思想等方面歸納介紹各階段的〈洪範〉詮釋特點。第四節為〈本時期〈洪範〉詮釋代表作評析〉，主要從作者、思想、形式、內容、疑難問題考辨等方面重點介紹各階段有代表性的〈洪範〉詮釋著作。

　　書中發現歷代《洪範》詮釋既受政治、文化背景等外在環境的影響，又有其自身的發展規律，不僅從一個側面反映中國經學史的發展軌跡，而且對中國思想史的研究也有一定的參考作用，亦可加深相關的文化形成過程及發展脈絡的認識。

　　張兵，1973 年生，山東寧陽人。2005 年畢業於山東大學文史哲研究院，獲文學博士學位。現為濟南大學文學院講師，主要從事古代漢語、古代文學、傳統文化的教學與研究工作。已發表《伏生《洪範五行傳》對「五行學說」的吸收與應用》等論文 10 餘篇，參編《孔子詩學研究》等著作 2 部。　　　　　　　　　（陳水福）

《尚書正義》

《尚書正義》　〔漢〕孔安國撰、〔唐〕孔穎達正義、黃懷信整理　上海市　上海
　古籍出版社　831頁　2007 年 12 月

　　《十三經》，最早只有《六經》，即《易》、《書》、《詩》、《禮》、《樂》、《春秋》。大體成型於周代，後經孔子整理，再經漢朝「獨尊儒術」的政府支持，而鞏固其地位。東漢時，《樂》經已亡佚，但又加入《孝經》、《論語》，而為七經。唐代則增為十二經，宋代補入《孟子》後，《易》、《書》、

《詩》、《周禮》、《儀禮》、《禮記》、《春秋左氏傳》、《公羊傳》、《穀梁傳》、《論語》、《孝經》、《爾雅》，《十三經》始全。到清代提倡樸學，許多經解之書接踵問世，阮元所修訂的《十三經注疏》，則是其中影響最大、流傳最久者。

　　根據章學誠「六經皆史」的說法，《尚書》可說是中國最早的一部史書，包含了上古三代到春秋前期之間的歷史。今本《尚書》，共五十八篇，已考證為後人偽造。其中包含伏生所傳「今文尚書」三十三篇。其餘二十五篇，雖為偽作，但亦有相當之價值。而《尚書》之版本，最早是唐朝「開成石經」，也就是孔安國的本子。到了南宋，即出現完整的經、傳、疏合刊本。到清代，阮元重刊宋本《十三經注疏》時，參校眾本、校勘精詳，並有〈尚書注疏校勘記〉於卷末，為最全面完整的版本。但由於底本欠佳，故其中仍存有不少舛誤。

　　本書之重新整理，乃是針對阮元版本之失，加以重新修訂的版本。本書校理時，採用《古逸叢書》三編所收之「北京圖書館所藏南宋刻《尚書正義》」為底本，此為楊守敬於日本購入的本子，較阮元本為佳。復參考上海古籍出版社 1980年據「北京圖書館所藏宋刻《經典釋文》影印本」為底本補入，參考舊本十一種，前人校勘成果十四家。參考的版本眾多，校勘時的體例上，對於底本明顯之誤字、或他本誤而底本不誤者，則徑做改正，不另出校記。若有底本不誤而前人誤以為底本為誤者、或底本確誤而他本不誤酌情改從他本者、或底本雖誤而可通存其舊者，則出校記以記錄之。此外，本書斷句乃從孔《傳》，釋文繫於注後，疏文則刪去開頭「正義曰」三字。由於底本較好的緣故，因此本書之校記不如阮元本為多，但在校勘所參稽眾本、及校勘精審的精神上，則一如阮本。

　　《十三經注疏》整理本編纂委員會，鑒於阮元重刊之《十三經注疏》本，有選用底本不當、分卷無例、主事者意見相左、校對未精等問題。乃於 1992 年由西北大學與上海古籍出版社共同發起成立。該委員會邀請大陸十餘名學有專精之學者，重新整理《十三經注疏》，一方面擬定整理之方案與體例，一方面加以點校整理，進而彌補阮元刊本之不足。　　　　　　　　　　　　　　　　　　　　（張晏瑞）

《晚出古文尚書公案與清代學術》

《晚出古文尚書公案與清代學術》　吳通福著　上海市　上海古籍出版社　342頁　2007年6月

從宋代開始，學者對出現於東晉南朝的《古文尚書》的真實性有了懷疑。這種懷疑逐漸加深，到清初學者閻若璩的《尚書古文疏證》，指出其為偽書的結論為多數學者所接受，閻氏的考證方法和結論也極大地影響了清初的學術界。而此後毛奇齡《古文尚書冤詞》的辯解，在當時則得到擁護晚書人士的贊同，在當時學界爭訟不已。

本書對晚出《古文尚書》公案從由來到餘波，進行了較全面系統的考察與清理，揭示了清初經典考辨學風與思想轉換的關係及其反理學實質，也在一定程度上為進一步審理該公案奠定了資料基礎，有助於推動該公案問題的解決。

全書共分為八章，分別是第一章〈引言〉；第二章〈《晚書》真偽問題的由來〉；第三章〈閻若璩與清初學術〉；第四章〈《尚書古文疏證》對《晚書》的考辨〉；第五章〈毛奇齡與清初學術〉；第六章〈《古文尚書冤詞》的著成及其內容與意義〉；第七章〈《古文尚書冤詞》的著成及其內容與意義〉；第八章〈《晚書》公案的餘波〉。附錄有：〈閻若璩、毛奇齡生平事蹟簡要年表〉、〈閻若璩、毛奇齡的著作目錄及其流傳〉、〈《尚書古文疏證》稱引各家論說表〉、〈疑辨《晚書》各家姓氏表〉等四個部分。

本書介紹了晚出《古文尚書》真偽問題的由來，展示了《尚書古文疏證》考辨《晚書》二十五篇的具體進程以及後來學者對於《疏證》的衡定與辨正，敘述了閻若璩、毛奇齡的生平和著作及其對清代學術發展的影響。並介紹了《古文尚書冤詞》的著成及其內容、失誤與意義。通過上述圍繞閻若璩、毛奇齡辯論《晚書》公案的史實的清理，最後附帶提出清代學術從清初的形態轉到中葉的新形態的一個解釋。

吳通福，1971年8月生於江西玉山，復旦大學歷史學碩士，香港中文大學哲學博士。曾任香港中文大學中國文化研究所研究助理，博士後研究員。目前供職於江西財經大學人文學院，主要從事中國思想文化傳統及其現代變遷的教學與研究。出版有《清代新義理觀之研究》等論著。　　　　　　　　　　　　　　（陳水福）

《詩經別裁》

《詩經別裁》 揚之水著 北京市 中華書局 235 頁 2007 年 3 月

本書選了《詩經》四十七篇詩篇作為論述的對象。每一首詩的底下都有注釋。和一般讀本的不同之處在於，作者選擇自己認為最妥當、適切的古注來注釋詩中的文字；但有時候也會在一處出現多個解釋，供讀者自己選擇合適的意義。

「別裁」一辭，首見唐朝杜甫〈戲為六絕句〉中：「別裁偽體親風雅，轉益多師是汝師。」其言「別」，區別之謂；「裁」，裁而去之也。今專指對詩歌本選本的區別、取捨。然而，本書體例實際上與上述解釋並無相涉，僅是借字說話爾。

正如作者〈前言〉所說的「兼有選與評之意」，為別立於公共標準之外，另外存有一個自己喜好的標準；而所裁的對象，則是古人的《詩》評。其書別樹一幟之處有二，首先作者能以心去體會，賞析詩篇。其二，作者得或正面讚美，或側面反證，重現《詩經》時代初民天地的美好。

本書原本由江西教育出版社於二〇〇〇年七月出版，二〇〇七年三月才由中華書局再版。再版並未做太多的修改與補充，唯獨多了〈重版後記〉一文。除記載作者的感激之語，還引用葉聖陶〈讀《經典常談》〉之文：「譬如《詩經》，就不能專取其實質，翻為現代語言，讓學生讀白話《詩經》……真正讀《詩經》還得直接讀『關關雎鳩』」，藉以申明作者閱讀《詩經》時的堅持。也或許就是作者這般研究《詩經》的堅持，才得以使此書獲得中華詩局的青睞，再次印行、出版吧。

揚之水，原名趙麗雅，1986－1996 年擔任《讀書》編輯，現任中國社會科學院文學所研究員，主要致力於先秦文學與古代名物研究，被譽為「京城三大才女」之一。1995 年起，他開始深入研究文物考古，用考古學的成果來研究文學作品，對中國古代詩歌中的名物或物象，有特出的研究表現。主要著作書目有《脂麻通鑒》、《終朝采綠》、《詩經別裁》、《先秦詩文史》等。 （蘇琬鈞）

《詩經情詩正解》

《詩經情詩正解》 宋書功著 海口市 海南出版社 387 頁 2007 年 2 月

本書作者認為《詩經》一書，自孔子將它立為教材經典以來，在幾千年的中國

封建社會中一直被用作對學子們進行政治教育的教材，這也就是孔子所一再強調的詩教，用封建政治觀來講說《詩經》，目地在於為封建統治階級的政治利益服務。

　　但是宋書功先生卻一反常觀，認為一部《詩經》，尤其是〈國風〉詩篇部分，都是街頭巷尾的民歌與民謠，寫的全是普通老百姓的生活，是先民愛與恨感情的生活實錄，並沒有什麼家國天下的大道理。然而齊、魯、毛、韓四家及後世經學家都有特意曲解之嫌，從中引申出許多本不該有的意義來，以用於官方的意識形態來教化百姓，最後使得《詩經》的很多內容被弄得面目全非，看不到各篇詩歌的本事、本意，其影響之深遠達數千百年之久。作者欲還其本來面目，所以撰作此書。

　　作者自言，從《詩經》三百篇中讀得婚姻、變愛等男女兩性之詩約 137 首之多，將近《詩經》全書一半，其中不少是被經學家否定為情愛之作的詩篇。而本書根據這些詩篇所反映的生活內容將其分為八大類，依類詮解，即：第一、生殖崇拜篇，側重於將重視生殖的詩篇內容編選在一類；第二、尋愛求偶篇，本篇將仲春之會、野合私奔等詩，反映這種愛情方式的詩篇歸為一類；第三、結婚崇拜篇，本書將有關結婚、親迎、婚姻六禮的詩篇收集於此；第四、夫妻恩愛篇，本篇收羅關於夫妻貞專為道德觀的詩篇；第五、兩地相思篇，本篇所收詩篇，內容皆為夫婦分別兩地，相互思念之作；第六、棄婦出妻篇，本篇收編 16 篇棄婦詩，並描寫其血淚之悲；第七、淫佚性亂篇，本篇所謂「淫詩」，均強調為統治者上樑不正下樑歪的風氣所致；第八、婚情雜錄篇，本篇雜錄難以歸於前七類的詩作。

　　作者會如此分類，作者認為大略分類而已，其意圖從歷史社會學、歷史民俗學的角度，從遠古祖先的生殖崇拜觀念，以及人性本能的性欲觀念出發，並予以訓詁、今譯、解說之，主旨在於清除掉漢儒及歷代經學家堆放在《詩經》上的政治塵垢和詩教的諾言，使得《詩經》這部偉大的文學作品的歷史價值、文化價值與藝術價值真正放射出燦爛的光輝。

　　宋書功，北京中醫藥大學醫學人文學系中醫古漢語基礎教研室教授，碩士研究生導師，長期從事《中醫古漢語基礎》、《大學語文》等課程的教學工作和古籍整理及其研究工作。編有《金匱要略廣注校詮》、《養生長壽詩歌訣》、《中國古代房室養生集要》等書，也曾參與主編《性醫學教程》、《性法醫學》等，現任中國性學會常務理事、《中國性科學》雜誌編委、《中華醫學論壇》主編。（薛文耀）

《詩經通釋》

《詩經通釋》　劉精盛著　長沙市　湖南大學出版社　580頁　2007年7月

作者自許為「古之學者」，孔子說：「古之學者為己，今之學者為人」，古之學者之所以學習是為了自身修身養性，學業精進，今之學者是為顯名於世，甚或不擇手段。本書作者以修身養性為準則，十餘年來研讀《詩經》，最終撰成《詩經通釋》一書。

全書分為上、下二編。上編開頭有〈毛詩序〉一篇，頗有以傳統箋疏《詩經》一書編寫為己任。上編內容編排依傳統箋疏體例，分為〈國風〉、〈雅〉與〈頌〉三大類，〈國風〉又分為十五國風，〈雅〉分為〈大雅〉、〈小雅〉，〈頌〉為三頌。下編為〈詩義會通〉，收錄作者對《詩經》的相關論述，其中包括〈《詩經》引論〉、〈《詩經今注》評議〉（一）、（二），以及釋《詩經》中的相關詞意數篇，另外有〈附錄〉、〈參考文獻〉及〈跋〉置於書後。

本書特點在於追求學術真理。書中論述能不畏權威，不囿成見，敢於追求學術真理的精神令人佩服。書中亦有很大篇幅是對高亨先生《詩經今注》的評議，對聞一多先生等人的觀點也時有辯駁。作者在書中強調學術研究的相對獨立性，自言道「尤其是對傳統文化的研究，雖說要古為今用，服務於當前的經濟文化生活，但不能見風使舵，用實用主義的手法來研究，否則流毒非淺。」這樣的見解，對當前學術界偏頗不良的研究風氣，無疑是一種深刻的反省。

古人云：「詩無達詁。」對《詩經》文本的解讀，向來仁智兼見，從來沒有一位學者敢自稱能完全讀懂《詩經》。朱熹自言有其讀不懂的地方，甚至於王國維自己說不懂的地方有十之一二。所以，《詩經通釋》一書為我們解讀《詩經》，叩求《詩》之本義，正如清代學者戴震所說：「凡事必窮根究源，以明其真相；旁徵博引，以斷是非。」本書中大略有做到此特點。其實《詩經》文字久遠，理解時殊為不易，《詩經通釋》書中旁徵博引，解釋詞義淵源及其衍變，脈絡非常清晰，是本書的優點。

劉精盛，吉首大學文學院教授，文學博士，漢語言文字學專業碩士研究生導師，漢語史方向學術領導者，古代文學先秦文學與文化研究方向學術提倡人，主要從事漢語史、古典文獻學研究。

（薛文耀）

《《詩經》英譯研究》

《《詩經》英譯研究》　李玉良著　濟南市　齊魯書社　396 頁　2007 年 11 月

　　作者自言對詩的愛好始自兒時，而後選擇了《詩經》英語翻譯為研究課題。《詩經》翻譯研究是一項艱鉅的工程，但作者以此自許本書是一個開始，之後仍須從事更多、更深入與更細致的研究。作者提及本書主要是以《詩經》翻譯的宏觀研究為主，對其中詩篇翻譯的微觀研究做得比較少，甚至打算以後專門就詩篇翻譯的微觀問題進行探討。

　　全書除書前楊自儉、王宏印教授的序與書末的〈參考文獻〉、〈後記〉外，共十章：首章為「引論」，說明《詩經》及其翻譯研究概述與歷史發展，也論及現況和研究方法問題。第二章為「《詩經》及其研究的流變」，本章述及《詩經》的形成、詩六義、傳本與翻譯研究的流變。第三章為「《詩經》譯本與底本考察」，此章主要論述《詩經》翻譯的歷史回顧、所用底本、參考系統與《詩經》翻譯的特性分類，甚至提及《詩經》翻譯的歷史分期。第四章為「經學視角下的《詩經》翻譯」，本章以殖民主義擴張與西方漢學為主軸，其後以理雅各、詹寧斯與阿連壁的《詩經》翻譯探究為論點。第五章為「文學翻譯與文化研究的統一」，說明《詩經》學在世界範圍內的新發展，以及翻譯中的文學、文化視角與具體研究。第六章為「意象主義詩學的構建與儒家思想的吸收」，其中談及龐德與《詩經》，用翻譯言說現實，以及意象主義詩學的實踐與發展，最後提到龐德《詩經》翻譯風格的多樣化。第七章為「中國文化經典的對外傳播」，本章提論到翻譯的歷史文化語境與動機、現代《詩經》研究的影響，最後說明文學性才是翻譯的最高目標。第八章為「譯本對比研究」，本章以譯本的對比探討，談論文字訓釋的不確定性、詩篇題旨的流變等現象。第九章為「典籍翻譯的理論問題」，此章論述典籍翻譯的相關問題，包括譯者主體性作用、翻譯客體與典籍翻譯的學術性與時代性，最後論談到整合與變異的概念。第十章為「結束語」。

　　研究《詩經》是翻譯《詩經》的基礎，也是研究《詩經》翻譯的根基，換言之，如果沒有對《詩經》研究有深刻的體會，那之後的翻譯與翻譯研究肯定是只得其形，而未能得其精神。李玉良先生所著的《《詩經》英譯研究》不但整理了《詩

經》研究流變的歷程和《詩經》英譯的歷史發展,並且對《詩經》翻譯的經學、文學、文化、詩學與譯本比較等問題做了深入的探討、了解,甚至提出自己的見解。本書資料詳贍,為多視角與多學科研究,對《詩經》的英譯方法奠定了良好基礎。

李玉良,1964 年生,山東青島人,獲南開大學英語語言文學專業文學博士學位。現為青島科技大學外國語學院副教授、碩士生導師,青島科技大學翻譯研究中心主任、山東省國外語言學學會翻譯專業委員會副祕書長、青島市政府外語顧問。已發表翻譯學研究論文三十餘篇,出版著作七部。　　　　　　　　　　（薛文耀）

《詩經》訓詁研究

《詩經》訓詁研究　呂珍玉著　臺北市　文津出版社　358 頁　2007 年 3 月

本書撰者於 1997 年在龍宇純教授指導下,完成博士論文《高本漢詩經注釋研究》。本書是作者完成博士論文後,擴大範圍的研究成果。本書各論文,除中篇第四章〈聞一多的《詩經》訓詁商榷〉、下篇第二章〈詩經詞句訓詁困難舉隅〉兩章為未刊稿外,其餘篇章皆於出版前,在《興大人文學報》、《東海學報》、《第一屆國際暨第三屆全國訓詁學術研討會論文集》、《龍宇純先生七秩晉五壽慶論文集》、《東海大學文學院學報》、《東海中文學報》發表。本書為撰者十餘年間的《詩經》研究成果。

本書內容,可依上、中、下篇分作三部份,第一部份,是透過考查字義,分析「字」是實詞或虛詞?是引申義或本義?以此對《詩經》文本進行解讀。第二部份,是對高本漢、屈萬里、聞一多三人的解經方法進行理解,並對以上三人的解經方法提出懷疑,作為撰寫的基本動機,考查所疑之處,究竟有何優劣?第三部份,是以「《詩經》疊章相對詞句訓詁問題探討」、「《詩經》詞句訓詁困難舉隅」這兩議題,討論各家在訓解《詩經》上,說法不一之處,並試圖就此問題提出解決方法。　　　　　　　　　　（曹任遠）

《詩經重章的藝術》

《詩經重章的藝術》　朱孟庭著　臺北市　秀威資訊公司　252 頁　2007 年 1 月

本書是作者在臺灣師範大學國文研究所就讀時的碩士論文修訂而成。

　　全書共分九章：第一章「緒論」，第二章「《詩經》重章章法的藝術」，第三章「《詩經》重章漸層的藝術」，第四章「《詩經》重章互足的藝術」，第五章「《詩經》重章並列的藝術」，第六章「《詩經》重章協韻的藝術」，第七章「《詩經》重章承接的藝術」，第八章「《詩經》重章錯綜的藝術」，第九章「結論」。在本書的正文中，穿插「《詩經》分章之章數／篇數統計表」、「《詩經》章法形式的分類統計表」、「《詩經》重複疊詠的分類統計表」、「《詩經》重章疊詠的分類統計表（一）」、「《詩經》重章疊詠的分類統計表（二）」五種研究《詩經》的分類統計表。本書正文前有「自序」一篇。正文後條列撰寫本書所用的參考書目，並分作專書、論文兩大類。

　　朱孟庭，祖籍河北昌平，1967 年生於臺北。國立臺灣師範大學文學碩士、博士，現任教於臺北大學中國文學系，教授詩經、國學導讀、文學概論等課程。著有《詩經重章藝術》、《詩經與音樂》等專著，及〈國風不完全重章中不複疊的藝術〉、〈論蘇東坡書法美學思想〉等數十篇論文。　　　　　　　　　（曹任遠）

《《詩經》蟲魚意象研究》

《《詩經》蟲魚意象研究》　邱靜子著　臺北市　文史哲出版社　232頁　2007年2月

　　本書為撰者修訂自二〇〇五年，於玄奘大學中國語文學系，接受余培林教授指導之下所完成的碩士論文。

　　全書正文分作五章：第一章「緒論」，旨在說明本書的撰寫動機，以及略述前人相關研究，和撰寫本書使用方法的說明。第二章「蟲類意象」，討論《詩經》當中所出現的各種昆蟲，並以現代分別昆蟲的綱目，來對詩經當中的昆蟲進行分類。第三章「魚類意象」，為對《詩經》當中的魚類，用與前章討論蟲類的方法進行討論。第四章「蟲魚辨析」，進行著蟲魚之辨，主要是為分判《詩經》當中的「蟲」與「魚」，何者前人以為如此但實非如此？何者又有其名而無其實？第五章「結論」，係為對本書所得的成果進行整理，本章之中有許多分類，作者試圖透過這些分類，讓讀者知曉，《詩經》當中「蟲」與「魚」的出現，是否有象徵的意義？假若有，其意義為何？本書作者的結論，即試對此作說明。在本書正文前有余培林教

授序文、作者自序。正文後有整理引用當代多種蟲魚圖鑑的「《詩種》統計」、「《詩經》魚類數種統計」三份表格。表格之後,有取自張永仁先生《昆經》蟲魚圖鑑」,以及作者所整理的「《詩經》蟲魚意象輯錄」、「《詩經》蟲類數蟲圖鑑》以及李嘉亮《臺灣常見魚類圖鑑》(五冊)的「蟲類各部份名稱」、「魚類各部位名稱」兩份附錄,書末有「參考書目」。

　　本書章節部份,筆者以為,第四章的「蟲魚辨析」,或許可以置於第二、三章的「蟲類意象」、「魚類意象」之前。筆者所持之理由有二,一為「蟲魚辨析」有一半的份量討論了前人研究,也對《詩經》中「蟲」、「魚」相關的爭議進行了考查,撰者在進行正文討論之前,是否能將前人研究,以及此一議題可能出現出的問題,優先進行處理?二為第二章「蟲類意象」以及第三章「魚類意象」,雖有略述界定「蟲」、「魚」的依據,但是否能進一步的分析?筆者以為,若能在正式討論本文議題之前先陳列前人研究,並先解決與議題相關的爭議,應有助於讀者理解。此外,撰者於序文述及本書「融和生物與文學兩大方面」,在探討文獻上,本書使用了生物學的方法,對《詩經》中的「蟲」、「魚」進行研究,整合了不同學科的觀點,這是本書的特色。　　　　　　　　　　　　　　　　　　(曹任遠)

《詩經三百篇鑑賞辭典》

《詩經三百篇鑑賞辭典》　趙逵夫主編　上海市　上海辭書出版社　638頁
2007年8月

　　本書為展示中國古老的合樂歌詞之面貌,在《先秦詩鑑賞辭典》的基礎之上,收錄《詩經》詩篇三百零五篇,編成《詩經三百篇鑑賞辭典》。為方便讀者閱讀,此書為每首詩篇搭配文辭優美、琅琅上口的譯文,並延請相關的研究名家撰寫精美的賞析文章,解釋歷史背景、講解藝術特色、評論文學成就、介紹各家之說,鉅細靡遺、深入淺出的指導普羅大眾如何領略《詩經》之美。正文後附錄〈篇目筆畫索引〉,可視為一部極其實用的工具書。

　　主編趙逵夫先生,1942年生,甘肅西和人,畢業於甘肅師範大學。1979年考取甘肅師大中國古代文學研究所,現為西北師範大學古籍所所長、博士生導師。中國屈原學會副會長,中國《詩經》學會常務理事、學術委員會委員;並受聘為復旦

大學中國古代文學研究中心、鄭州大學等校兼職教授，香港中華辭賦研究院院士。專研古代文學、戲劇、古典文獻、敦煌文學、甘肅地方文學等。專著有《屈原與他的時代》、《古典文獻論叢》、《屈騷探幽》、《驚才風逸，壯采雲高》等，學術論文二百餘篇。　　　　　　　　　　　　　　　　　　　　　　（蘇琬鈞）

《詩經講座》

《詩經講座》　夏傳才著　桂林市　廣西師範大學出版社　482頁　2007年5月

　　夏傳才先生認為：「近幾十年來，《詩經》研究累積了很多成果，同時也製造了很多誤解，是需要利用新材料新觀念進行綜合辨析的時候了。」基於這樣的理念，作者用其畢生之功，寫成了這本《詩經講座》，既然題為「講座」，表示此書所面對的讀者群，是較為廣泛的大眾，因此書中著眼於探討《詩經》的基本問題，並且選講百首《詩》篇，進行解讀與賞析，不僅可提供入門者作為瞭解詩經的基礎讀物，亦可為研究者的參考資料。

　　本書分為上下兩編，上編論述《詩經》的十大基本問題與概念，並對歷來各家所持說法進行辨析考證，使我們對《詩經》學的發展演變有個基礎的瞭解，篇目安排如下：⑴《詩經》的性質和價值；⑵《詩經》的篇數和分類；⑶《詩經》的時代、地域和作者〉；⑷三百篇的採集、應用和編訂；⑸孔子和《詩經》；⑹三家《詩》、《毛詩》和《毛詩序》；⑺《詩經》的語言藝術；⑻現實主義創作精神和風雅傳統；⑼傳統詩經學發展的輪廓；⑽《詩經》在世界的傳播和研究。下編分為十四類，選講百首最具代表性的詩，並且依照內容與性質分別闡述，分別為⑴周族開國史詩；⑵祭祀詩和農事詩；⑶政治美頌詩⑷政治諷喻詩；⑸戰爭和家國詩；⑹宴飲詩；⑺貴族生活風情篇；⑻怨刺詩；⑼征夫思鄉、思婦念遠篇；⑽婚姻詩；⑾情詩戀歌・相思篇；⑿情詩戀歌・歡樂和波瀾篇；⒀棄婦歌詩；⒁其他歌詩。

　　夏傳才，1924年生於安徽亳縣。1940年代的詩人，50年代從事古典文學研究。河北師大教授，博士生導師，中國詩經學會會長。主要學術著作有《詩經研究史概要》、《詩經語言藝術》、《思無邪齋詩經論稿》、《論語趣談》、《詩詞入門：格律、作法、鑑賞》、《思無邪齋文抄》、《中國古代文學理論名篇今譯》（上、下篇）、《曹操集注》、《曹丕集校注》等，並主編多種教材和叢書。　（鄭于香）

《《詩經》名物新證》

《《詩經》名物新證》　揚之水著　北京市　北京古籍出版社　528頁　2000年1月

　　本書共講解〈大雅・公劉〉、〈小雅・大田〉等十六首詩篇。正文前除了有孫機先生的序，尚有〈詩：文學的，歷史的〉一文，乃作者對於《詩經》研究的心得。正文後附錄〈駉馬車中的詩思〉、〈詩之旗〉、〈詩之酒〉與〈後記〉。揚之水先生以傳統的訓詁學方法為基礎，援引近幾十年考古學界的大量研究成果，對《詩經》中的草木、鳥獸、蟲魚、宮室、車服、官制等名物加以考證闡釋，再現日常生活與特定場景中的歷史細節與情感。

　　此書雖以「名物考證」為題，其實並不局限於名物考證，唯獨偏重考古科學所獲得的學術成果來應證歷史與詩篇。揚之水先生解釋：『其言「名物」一詞，是表明它仍從傳統中來；而所謂「新證」，則申言它與傳統的名物研究不盡相同。』明白指陳作者結合詩書史籍與考古文物進行研究的著書立意。

　　揚之水，原名趙麗雅，1986－1996年擔任《讀書》編輯，現任中國社會科學院文學所研究員，主要致力於先秦文學與古代名物研究，被譽為「京城三大才女」之一。1995年起，他開始深入研究文物考古，用考古學的成果來研究文學作品，對中國古代詩歌中的名物或物象，有特出的研究表現。主要著作書目有《脂麻通鑒》、《終朝采綠》、《詩經別裁》、《先秦詩文史》等。　　　　　　（蘇琬鈞）

《詩經的科學解讀》

《詩經的科學解讀》　胡淼著　上海市　上海人民出版社　571頁　2007年8月

　　本書為研究《詩經》中的動、植物與自然現象的專著。

　　作者胡淼先生是《詩經》的愛好者，更是一位長期研究農業科學的專家。其具有現代自然科學和知識的背景，予此書有高度的可觀性。他認為，唯有科學地界定《詩經》中所記的各種動植物及物理現象，進而合理地解釋它們在詩中所體現的真正含意與藝術現象，才能正確理解與品味《詩經》。

　　本書依風、雅、頌之次序，逐一探索詩中的各種動植物與自然現象。正文前有

二十四頁彩圖，共收一百四十四幅照片，種類包含動物、植物、器物。正文部分首先揭示完整詩文，詩文之下則有兩至十行不等的短文，是作者對全詩的注解。注解之下，則為釋讀，詳細考察了《詩經》中的動物、植物和自然現象；隨頁可見的手繪圖，細膩的程度，更展現出作者雄厚的科學背景。文後附錄〈《詩經》中動植物名錄〉、〈《詩經》中同名異物表〉、〈《詩經》中同物異名表〉，以供讀者參考。

　　胡淼，1937 年生，上海高橋人。畢業於南京農業大學植物保護系，曾任江蘇贛榆農業局副局長、農業技術推廣研究員。作者長期從事農林作物病蟲、鳥獸災害的預測防治工作，在水稻粒黑粉病、大氣環流昆蟲遷飛降落與防制等方面的研究，有傑出的表現。1995 年起，開始研究《詩經》，發表相關論文數十篇。曾出版《中國漿果病蟲害極其防治》、《中國果樹病蟲害及其防治》等著作，發表專業論文百餘篇，先後獲得科技進步獎、國家級科技進步獎。現受聘為南京農業大學、中國科學院江蘇省植物研究所碩士研究生導師。　　　　　　　　　　　（蘇琬鈞）

《賦比興與中國詩學研究》

《賦比興與中國詩學研究》　劉懷榮著　北京市　人民出版社　419頁　2007年7月

　　本書以探討賦、比、興的特質，進行中國詩學的研究，與過去的研究成果進行檢討。

　　全書共分九章：第一章是對賦、比、興與中國詩學研究的重新檢討，本章將20 世紀以來的賦、比、興研究進行整理討論。第二章是對賦的文化發生與詩學生成進行討論，本章由古代禮節來討論賦、比、興的生成。第三章是對比的文化發生與詩學生成進行討論，本章由原始舞蹈與祭祀的關係，來討論比的本義。第四章是對興的文化發生與詩學生成進行討論，從原始祭祀的特點來討論興的本義。第五章是對賦、比、興的原初關聯與「六詩」本義進行討論，本章由賦、比、興的原始關聯、采詩制度以及與風、雅、頌之間的關係來進行討論。第六章是對賦、比、興與詩教及詩言志的發生學關聯進行討論，分析了賦、比、興與詩教、詩言志發展方向的異同。第七章是對賦與中國詩學的發展演變進行討論，本章舉先秦辭賦，漢大賦

來作討論的依據。第八章是對比興與中國詩學的發展演變進行討論，本章分判了比興的原始異同以及與賦的區別，並舉漢、唐之例來作討論。第九章是對興與中國詩學的發展演變進行討論，本章對「《毛詩》標興」、「物感說」、「言意」、「言意之辨」、嚴羽「興趣」、王士禎「神韻」、王國維「境界」這些歷代的詩學觀點進行檢討。本書正文前有「導論」，正文後有「結語：賦、比、興在中國文化中的地位」。

　　劉懷榮，1965 年 4 月生，山西嵐縣人。陝西師範大學文學博士，現任青島大學教授、文學院副院長兼山東師範大學博士生導師、中國詩經學會理事長、山東省中國古代文學學會副會長。另撰有《中國古典詩學原型研究》、《中國詩學論稿》、《20 世紀以來先秦至唐代詩歌研究》。曾獲山東省高校優秀科研一等獎、北京市社科優秀成果一等獎、山東省省級教學優秀成果一等獎。　　　（曹任遠）

《經學以前的《詩經》》

《經學以前的《詩經》》　王妍著　北京市　東方出版社　302 頁　2007 年 3 月

　　本書為作者在博士論文的基礎上修改而成的。

　　全書除「引言」之外，凡六章：首章〈詩的起源與《詩》的源起〉，作者舉例證明詩起源於人類的生存實踐，並於原始巫術、禮儀中逐漸發展。直到周代，詩與王權結合，才成為禮樂制度下的《詩》，成為宗法禮樂精神的物質載體。第二章〈《詩》的思想與周代禮樂政治〉裏，作者將《詩》的創作分為兩個階段。以西周末期為分水嶺，前者著重禮樂精神的宣傳，主要命題有「王權中心」、「敬德」、「先祖聖化」、「農耕政道」及「君明臣賢」；後者則成為道德教化的規範，建立普遍準則的道德認同，以批判當時亂禮敗德的風氣。至於第三章〈春秋賦《詩》與《詩》的經典化〉，除簡述春秋賦《詩》的概況外，更析論《詩》在作為道德準的「義之府」，是如何被眾人解讀與接受。第四章〈儒家論《詩》與《詩》的儒學經典化〉，本文深入探討儒家在《詩》變成《詩經》過程中所扮演的角色，儒家是如何透過說《詩》的傳承，來奠定《詩》成為文化經典的基礎。第五章〈漢代解《詩》與《詩》經學的確立〉，此章歸結出漢代四家詩的闡釋方式，推斷毛詩如何完成《詩經》體系的重要原因。最末章第六章〈政教語境下的詩學品格〉，作者回

到詩的本質，重新揭示它在抒情、藝術、美學上所具有的特徵。書首有傳道彬教授序文，書末附〈參考文獻〉與〈後記〉。

本書的撰寫目的在梳理由《詩》到《詩》經的歷史和邏輯脈絡，兼論及此過程中的中國詩歌的審美特徵。作者力圖以《詩經》的角度切入，將經學作為歷史座標，描述出「詩三百」如何從詩學到經學的歷史轉折。

王妍，1965 年 1 月生，吉林懷德人。現任哈爾濱工業大學人文學院副教授。所著除本書之外，尚編有《中華古典文賦精選詳譯》、《中華古典詩詞曲精選詳譯》等，有論文二十餘篇。　　　　　　　　　　　　　　　　　　（蘇琬鈞）

《先秦詩經學》

《先秦詩經學》　朱金發著　北京市　學苑出版社　312 頁　2007 年 9 月

本書是對於春秋戰國時期《詩經》學進行研究的一部著作。

全書共分七章：第一章討論《詩經》的成書過程，本章討論詩歌產生與創作的起源，以及詩經究竟是如何編輯成書的問題。第二章是對於孔子刪《詩》說檢討，本章探討孔子刪《詩》說究竟是如何形成，以及當中所蘊含的問題。第三章討論《詩》六義，將六義分類討論。第四章討論春秋時期《詩》學思想的形成，本章由《左傳》、《國語》引詩的例證，以及「燕禮」、「射禮」賦《詩》用樂這幾個部份來討論。第五章討論春秋時期《詩》學思想的展開，本章由《左傳》、《詩》論及季札論《詩》來討論。第六章討論春秋時期《詩》學思想的成熟，本章由《論語》中的《詩》學理論以及上博簡《孔子詩論》來討論。第七章討論戰國《詩》學理論的發展，本章由七十子後學、《孟子》、《荀子》以及其他諸子的《詩》學思想來進行討論。

朱金發，1966 年生，河南社旗人。2006 年獲古典文學文獻學博士學位，現於南陽師範學院中文系任教，並是南陽師範學院漢文化研究中心兼職研究人員。主要從事古代詩歌、中國古代歷史文化的研究與教學。撰有論文多篇。　　　（曹任遠）

《先秦兩漢的詩學嬗變》

《先秦兩漢的詩學嬗變──從「《詩》云」「子曰」到「子曰詩云」》　　魏家川著
北京市　學苑出版社　323頁　2007年9月

　　本書主要是以儒家教化觀點來討論《詩經》的一部著作。

　　全書共分五章：第一章「以《詩》設教」，討論孔子與詩學儒學化的肇始成因，分論原始詩教與衍生詩教，以及儒學「博學於文」和《詩》教「以文化成」的關係。第二章「解《詩》尚法」，討論孟子與詩學儒學化的關聯，並由「詩言志」衍生討論「以意逆志」、「知人論世」。第三章「引《詩》證言」，討論荀子與《詩學》經學化的關聯，首先論述集子學大成的稷下學官，再討論原道、徵聖、宗經中引《詩》為喻的例子。第四章「從體道之儒到傳經之儒」，討論由體道到傳經承續，並提出「從體道到傳經的三維路向」，一是「私學與官學」；二是「述而不作與注不破經」，三是「亦師亦友與師法家法」。第五章「從子學之《詩》到經學之《詩》」，論述《詩經》經學化的過程。正文前有「導論」。書末有「主要參考文獻」、「後記」。

　　魏家川，1984年12月28日生。江蘇泗陽人。北京師範大學中文系文學學士、碩士、博士。現任首都師範大學文學院文藝理論教研室教師，副教授，中國詩歌研究中心兼職研究員，北京美學會副秘書長。除本書外，著有《審美之維與詩性智慧》，編有《外國文化經典讀本》等書。　　　　　　　　　　　　（曹任遠）

《漢代詩經學史論》

《漢代詩經學史論》　　劉立志著　北京市　中華書局　226頁　2007年4月

　　本書為劉立志先生在南京師範大學文學院的博士論文修訂而成。書中討論了漢代《詩經》學的一些重要問題。在郁賢皓先生的序中，認為劉立志先生在這本書中表現了三個特點：其一，從學術史的角度考查了漢代《詩經》學的源流、學派傳承、地域傳播等問題。其二，將文獻考據與理論思辨結合，以此提出創見。其三，使用王國維先生倡導的二重證據法，運用紙上材料與地下材料結合進行研究。

　　全書共分五章：第一章「漢代《詩》學基調的奠定」，第二章「漢代《詩》學

經化史的系統考察」，第三章「漢代《詩》學經學史的系統考察」，第四章「漢代《詩經》學者個案研究」，第五章「漢代《詩》學與漢代文化」。本書正文前有郁賢皓先生序文一篇以及作者自撰的「引論」。正文後有「漢代《詩經》學者圖表」、「漢代《詩經》學著述考補」、「漢代《詩》學大事年表」三篇，以及「主要參考書目」、「後記」。

（曹任遠）

《毛詩及其經學闡釋對唐詩的影響研究》

《毛詩及其經學闡釋對唐詩的影響研究》　謝建忠著　成都市　巴蜀書社　421 頁　2007 年 12 月

　　唐代文化豐富多彩，造就了唐詩光明璀璨的文學地位。影響唐人生活方式和精神世界的，主要是儒、道、佛三家文化。這三家文化與唐詩關係的研究中，道教、佛教文化與唐詩的相關研究較受青睞，論文如林，成果斐然，而研究儒家文化與唐詩關係的成果相對說來比較薄弱。其實，唐代文化無論怎樣多元與融合，儒家文化依然居於核心地位，是社會的統治思想、價值體系的主要內容。因而，儒家文化與唐詩關係的研究很有必要進一步加強。在儒家經典中《詩經》與唐詩關係尤為直接、緊密。所以著者把經學與文學兩個學科領域互相結合，研究了《毛詩》及其經學闡釋與唐代社會、唐人詩學觀和唐詩創作等三個層面的關聯問題，認為《毛詩》及其經學闡釋對唐詩的影響是較為廣泛而深刻的，這個影響除了詩歌內容之外，影響所及也包含藝術方面。著者並以為必須進一步加強儒家文化對唐詩影響的研究，方才有利於全面認識唐代文化對唐詩的影響。

　　本書係著者的博士論文加以修改而成。在〈前言〉之外，共分為三章，分別是第一章〈《毛詩》的流衍、性質、作用和影響〉，主要研究《毛詩》及其經學闡釋在唐代主流社會中的作用與影響；第二章〈《毛詩》及其經學闡釋與唐人詩學觀〉，主要研究《毛詩》及其經學闡釋對唐代詩人、唐人詩學理念的影響；第三章〈《毛詩》及其經學闡釋與唐代詩歌創作〉，主要從個案到普遍分析綜合《毛詩》及其經學闡釋對唐詩創作的影響。

　　謝建忠，1950 年生，四川廣安人，首都師範大學文學博士、重慶三峽學院教授。主持過四川省教委文科重點項目《孟郊詩歌編年集釋匯評》、重慶市社科規劃

辦「十五」重點項目《《毛詩》及其經學闡釋對唐詩的影響研究》，現主持重慶市
教委課題《闡釋學原理與文學作品闡釋體系研究》、國家社科基金項目《兩宋士大
夫文學研究》的子課題《《毛詩》及其經學闡釋與歐陽修文學創作研究》。著有
《中國文學批評方法》、《中國文學批評史略》等作，並在《文學評論》、《文學
遺產》等刊物上發表論文多篇。 （陳水福）

《清代詩經的文學闡釋》

《清代詩經的文學闡釋》 朱孟庭著 臺北市 文津出版社 327頁 2007年2月

作者大學時期曾選修林慶彰教授的《詩經》課，讀碩士班時，追隨余培林教授
進一層深究《詩經》的重章藝術表現，完成碩士論文《詩經重章藝術研究》。博士
班時，仍關注於《詩經》的文藝領域，將研究主題加深加廣，擴及於《詩經》學的
範疇，完成博士論文《詩經與音樂研究》，近年來以清代論《詩經》的文學闡釋為
研究方向，發表一系列相關論文，之後將其論文集結成書。

本書凡八章：第一章「緒論」，略論《詩經》闡釋的類別、《詩經》的經學闡
釋與文學闡釋、《詩經》的文學闡釋史與清代《詩經》文學闡釋的概況與研究源
起。第二章至第七章，是作者以個案的精研方法，逐漸勾勒出清代《詩經》文學闡
釋的整體面貌，因而選擇其中較具代表性的人物，包括金聖嘆、王夫之、姚際恆、
包苞、袁枚與方玉潤等六家。第二章為「具有靈眼靈手的金聖嘆」，論述金聖嘆釋
《詩經》的情感論、結構論與鑑賞論。第三章為「首創研究系統的王夫之」，本章
以影響論的觀點提及「作法與效用」、「鍊字與句法」與「敘事與抒情」對後世釋
《詩》的影響。第四章為「析論豐富多樣的姚際恆」，此章論及清代《詩經》研究
中，以姚際恆為獨樹一格的研究者，其《詩經通論》一書以豐富多樣的文學角度來
看待《詩經》，不拘泥於字句的表層意義，姚氏欲從作法上求解的精神，對後代解
經者，皆有啟發的作用，值得重視。第五章為「運用文論觀點的方苞」，方苞為桐
城派大家，作者論其闡述《詩經》為宗程朱，其《朱子詩義補正》從羽翼朱熹之說
的角度出發，然而對朱熹之說又有所補正。第六章為「雜糅詩學批評的袁枚」，說
明袁枚是清代著名的詩學批評家，雖然沒有《詩經》學的專著，然而在本身的詩論
的著作中亦有不少論《詩經》的主張，尤其是方苞從文學的角度來闡釋《詩經》，

這在以考據為主流的清代《詩經》學來說，具有獨特的性質。第七章為「欲原詩人始意的方玉潤」，一生懷才不遇的方玉潤，具備詩人特質，著有《詩經原始》，此書最大的特色是以文學的角度論《詩經》，這除了受到姚際恆《詩經通論》的影響外，還有從其自身的詩學本能、詩人特質所影響，在本章中也有論述姚際恆與方玉潤論《詩經》的異同。第八章為結論，總結出清代《詩經》的文學闡釋在經學家與詩文評論家的共同激盪下，開創出亮眼的文學闡釋之路。

　　書中所論及的六位清代學者，研究專長各有不同，或為《詩經》專家，或為批評家、古文家、文論家、詩評家，從不同角度以闡發《詩經》的文學精髓，本書作者藉由諸位清代論《詩》者的著作與看法，進行嚴密且具系統的研究，從而多方呈現清代《詩經》文學闡釋所涉及的面貌與特色。　　　　　　　　（薛文耀）

《詩經論集》

《詩經論集》　周示行著　長沙市　湖南大學出版社　194頁　2007年2月

　　全書共收作者有關《詩經》研究的單篇論文十九篇。

　　前後分為兩部分，第一部分主要為探討《詩經》比、興的表現手法，包含：(1)〈《詩經》風、雨、雲、雷、虹等興句的剖析〉，作者舉例證明《詩經》中風、雨、雲、雷、虹興起之詩，多涉及夫婦男女關係，乃當時人們將自然現象與人類社會現象比附出來的結果。(2)〈《詩經》葛藟、葛、甘瓠、蔦、女蘿等興句的剖析〉，說明詩人利用這些植物「牽引攀緣」的特性，能有效表達詩義。(3)〈《詩經》涉及「露」的興句的剖析〉，分析「露」由詩中「實景」，逐漸轉向起興的「他物」的過程。(4)〈《詩經》帶「有」字的興句的剖析〉，作者歸納出「詩的主體部分有跟興句結構相同的『有』字句同興句緊緊地關聯著」、「詩的主體部分沒有直接和興句相關聯的句子」、「詩的主體部分不但沒有跟興句相關聯的句子，而且在意義上它們之間也沒有什麼聯繫」三種句型結構。(5)〈《詩經》涉及「登陟」的興句剖析〉，探討擔負起興功能或僅為詩中他物的兩種「登陟」。(6)〈〈關雎〉是一首表現愛情題材的民歌——兼就〈〈關雎〉章臆斷〉一文與柳正午同志商榷〉，否定柳文認為〈關雎〉為一篇美刺詩。(7)〈意藏篇終——試論〈采蘋〉〈采蘩〉一種特殊的表現手法〉，探究二首關於祭祀之詩，何以多次讚美主祭少女的美

麗。⑻〈〈華山女〉與〈采蘋〉〈采蘩〉〉，作者剖析韓愈的〈華山女〉，以為〈采蘋〉〈采蘩〉的作者，除了表現對鬼神的崇敬，也展露了幾分人的自覺。⑼〈〈斯干〉譯說〉，從〈斯干〉稱頌建築之美，探論其中涉及的「體用」、「主客」、「虛實」問題。

　　第二部分則包括：⑴〈言義‧情景‧內外──王船山詩論中幾對基本概念疏解〉；⑵〈王船山對《詩經》語言藝術的探索〉；⑶〈船山說《詩》小議〉；⑷〈王船山說《詩》一題──興觀群怨疏解〉；⑸〈王船山《詩》的社會功能論評議〉；⑹〈參驗舊文‧抒所獨得──從《詩經稗疏》窺王船山《詩》學的一班〉；⑺〈《詩廣傳》說詩〉；⑻〈王船山「觀卦之義」剖析〉；⑼〈王船山的經學成就及其理論特色〉；⑽〈《易》爻辭與《詩》比興的探索〉。通過上述文章的探究，全面論述了王船山在論詩理論上的得失。

　　　　　　　　　　　　　　　　　　　　　　　　　　　　　（蘇琬鈞）

《詩經評議》

《詩經評議》　林祥徵著　北京市　民主與建設出版社　282頁　2007年4月

　　全書共收作者《詩經》研究的單篇學術論文十九篇。前後分為兩部分，第一部分為作者對《詩經》的議論，包含：⑴〈《詩經‧關雎》審美談〉，向程俊英教授注譯的〈關雎〉譯文提出商榷。⑵〈《詩經》的虛實美學〉，歸類出五種虛實美學在《詩經》結構上的體現，依序為先實後虛型、先虛後實型、實虛實型、全為實景型、雙實型；並探究《詩經》在虛實藝術的美學價值。⑶〈《詩經》心理審美化的藝術特徵及其影響〉，探討《詩經》如何將先民的情感藝術化。⑷〈《詩經》的審美價值〉，以為《詩經》美學的主要特徵在講求盡善盡美的美善統一。

　　第二部分乃是對《詩經》研究者的評論，即所謂研究的研究，包含：⑴〈姚際恒對《詩經》詩學的拓展〉，綜論姚際恒在《詩經》創作詩學、修辭詩學、闡釋的貢獻。⑵〈錢鍾書先生全球視野下的詩經研究〉，剖析《管錐編》中的《詩經》研究。⑶〈《管錐編‧毛詩正義》學習札記〉，就《管錐編》中的《毛詩正義》六十則，歸結出學習心得，深化《詩經》研究。⑷〈屈原與《詩經》〉，從文學的角度立論，探討《詩經》與屈原如何產生連結，形成文學上的自覺。⑸〈夏傳才先生對

現代《詩經》學的貢獻〉，評述夏先生的《詩經》專著，並讚揚其建立馬克思主義的《詩經》學體系。⑹〈林慶彰教授《詩經》研究述評〉，介紹林教授在《詩經》文獻學上的貢獻，且推崇其拓展《詩經》研究領域的用心。⑺〈閃耀著現代學術靈光的《時代學術文化思潮與詩經研究》〉，詳細介紹了趙沛霖先生所撰寫的《時代學術文化思潮與詩經研究》。⑻〈《詩經》名物研究的新境界、活學問〉，臚列出揚之水先生《詩經名物新證》一書的價值。⑼〈展現「雅」「頌」時代的奇瑋瑰怪非常之觀〉，對劉毓慶學者所撰寫的《雅頌新考》能釐清許多西周時代的史學、地理學等問題，大為讚賞。⑽〈獨關蹊徑・後出轉精〉，向讀者推薦滕志賢先生的《詩經引論》。⑾〈對《詩經探微》「國風飛民歌說」的批評〉，抨擊此說之誤證重重。⑿〈二十世紀中國《詩經》研究述略〉，回顧二十世紀的《詩經》學研究發展。最後三篇連續為〈首屆《詩經》國際學術研討會論文綜述〉、〈第二屆《詩經》國際學術研討會論文綜述〉、〈第三屆《詩經》國際學術研討會論文綜述〉，為三屆《詩經》國際學術研討會做最詳實的記錄。

　　書末附錄部分則收有三篇研究《楚辭》的學術論文，包含：⑴〈屈原創作心理淺說〉，從心理學的角度推斷屈原的創作動力。⑵〈說「靈均」〉，從作品中「靈均」的實際形象，排除屈原即為「靈均」的說法。⑶〈屈原忠君思想的新思考〉，藉由「忠君與愛國」、「理想聖王與現實昏君」、「理想人格與昏庸的國君」三重關係，重新檢視屈原的忠君情操。　　　　　　　　　　　　　　（蘇琬鈞）

《詩經研究叢刊》　　第十二輯

《詩經研究叢刊》　　第十二輯　　中國詩經學會編　　北京市　　學苑出版社　　343頁
　　2007年9月

　　本書是「第七屆詩經國際學術研討會」的論文集。全書收入二十三篇與《詩經》有關論文，正文前有「第七屆詩經國際學術研討會」開幕詞，共收有與《詩經》有關的論文二十四篇，由二十六位作者撰寫。

　　本書論文可略分為七類：一為由與其他各經關係討論《詩經》者，如〈《周禮》「六詩」與周代的樂教傳統〉（楊朝明）。二為由小學討論《詩經》者，如〈源自《詩經》的成語的形態結構〉（何慎怡）、〈《詩經》鄭、衛二風的成語研

究〉（陳玟惠）、〈《詩經》形容詞的配價研究〉（赫琳）、〈《詩經》的介詞「自」〉（羅慶雲）、〈《詩經》中設疑修辭藝術的運用〉（錢明鏘）。三為由各家詩學討論《詩經》者，如〈從闡釋學的角度談竹書《性情論》與《孔子詩論》的關係〉（張玖青）、〈《詩》行天下：從《鹽鐵論》大辯論的引《詩》批儒說起〉（林中明）、〈孔穎達《詩》學觀論略〉（王長華、易衛華）、〈蘇轍《詩集傳》之經世思想探析〉（吳叔樺）、〈從「詩道性情」析論王夫之對「興觀情怨」說的再詮釋〉（劉原池）。四為由思想、文化的問題來討論《詩經》者，如〈鄭玄《毛詩》箋注中反映的陰陽讖緯思想及其成因初探〉（李世萍）、〈執中行權與孟子說《詩》〉（王以憲）、〈《詩經》養生思想論述〉（謝綉治）、〈《詩》與孔門教學〉（陳霞）。五為由《詩經》本身問題來進行討論者，如〈《詩經》洽川作品辨證〉（黃坤堯）、〈中國人倫關係的建構──《詩經》中禽鳥意象的探討（蔡若蓮）、〈論《詩經》的憂患意識〉（吳美卿）、〈「條桑」正釋〉（蕭東海）、〈《詩・齊風・甫田》征人之憂心〉（吳少達）、〈《詩・采蘋》「有齊季女」新解〉（曹建國）。六為從外國建築的命名來對《詩經》進行討論者，如〈日本古代建築物中以《詩經》詩句命名的名勝古蹟〉（村山吉廣）。七為綜合性的論述，如〈兩年來中國大陸《詩經》研究論文綜述〉（劉生良、譚曜岐）。

　　本論文集收文涵蓋了兩岸及美國、日本。開頭有夏傳才先生所撰寫的「第七屆詩經國際學術研討會開幕詞」，大陸地區撰文者有楊朝明、李世萍、王以憲、張玖青、王長華、易衛華、陳霞、吳美卿、何慎怡、赫琳、羅慶雲、錢明鏘、蕭東海、曹建國、譚曜岐。臺灣則有吳叔樺、謝綉治、劉原池，美國有林中明、吳少達，日本有村山吉廣，共二十六位。　　　　　　　　　　　　　　　（曹任遠）

《詩經研究叢刊》　第十三輯

《詩經研究叢刊》　第十三輯　中國詩經學會編　北京市　學苑出版社　348頁
2007年10月

　　本書是「第七屆詩經國際學術研討會」的論文集，接續《詩經研究叢刊第十二輯》。共收有與《詩經》有關的論文二十三篇，由二十五位作者撰寫。

　　本書論文可略分為五類：一為由與其他各經關係討論《詩經》者，如〈從《小

雅‧小旻》看詩書易的共生與兼容〉（張思齊）、〈《詩經‧鄭風》兩篇〈叔於田〉詩的再讀〉（鄭滋斌）。二為由小學討論《詩經》者，如〈從訓詁傳統到跨學科的闡釋——《管錐編》中《詩經》訓詁的分析研究（陳文采）、〈談談開成《詩經》中的文字〉（向熹）、〈《詩經》《楚辭》「賓‧述」式對比研究〉（楊合鳴、李作君）、〈《詩經》語言特殊語序的考察〉（柴秀敏）、〈《詩經》「有+S」式考辨〉（趙愛武）。三為由各家詩學討論《詩經》者，如〈楊慎論《詩經》對後代詩歌創作的影響〉（許如蘋）、〈朱熹淫詩說在詮釋學上的意義〉（黃雅琦）、〈評野間文史著《十三經注疏的研究——其語法和傳承的形式》〉（田中和夫）、〈蘇轍《詩集傳》文字校勘舉例九則〉（于昕）、〈由《詩經》言志傳統論馬致遠戲曲抒情化〉（張錦瑤）。四為由思想、文化的問題來討論《詩經》者，如〈《大雅》、《周頌》不載堯、舜傳說考論——兼談周文化與夏文化的親緣關係〉（沈鴻）、〈關於《孔子詩論》研究的幾點思考〉（郭丹）、〈論《詩經》中的若干方位話語及其文化意蘊〉（譚德興）、〈《詩經》中的數字〉（孫關龍）。五為由《詩經》本身問題來進行討論者，如〈關於《詩經》成書時代與逸詩問題的再探〉（金榮權）、〈《詩》即「樂府」說〉（陳一平）、〈詩經天人意義之思維〉（錢奕華）、〈試論《詩經》感生神話之意涵——以《商頌‧玄鳥》、《大雅‧生民》為例〉（陳昭昭）、〈《詩經‧陳風‧月出》主旨辨正〉（龍文玲）、〈《詩經》中使臣自傷久役未歸詩評析〉（殷光熹）。

　　論文集涵蓋了兩岸及英國、日本。大陸地區撰文者有張思齊、沈鴻、郭丹、金榮權、劉毓慶、郭萬金、陳一平、向熹、楊合鳴、李作君、譚德興、孫關榮、柴秀敏、趙愛武、龍文玲、殷光熙。臺灣則有陳文采、許如蘋、錢奕華、陳昭昭、黃雅琦、張錦瑤，英國有鄭滋斌，日本有田中和夫，共二十五位。　　　　　（曹任遠）

《三禮用詩考論》

《三禮用詩考論》　王秀臣著　北京市　中國社會科學出版社　374 頁　2007 年
5 月

　　本書為作者的博士論文。以禮樂為背景研究《詩》，以周代「雅樂」內涵的變化論證禮與《詩》、樂之關係，對「禮典制度」與《詩》的關係進行系統考證。通

過一系列與「禮」相關的文學問題和與「詩」相關的「禮」的問題的研究，揭示出諸多文學現象及其發展規律的理論來源，還原中國上古文學的「元形態」，展示特殊歷史文化背景下中國文學的原始面貌和發展規律，顯示出「三禮」的文學文獻價值及其文學史意義。

　　本書提出「新聲」概念，說明在西周末年為古雅樂與新聲的轉換期，原本重視人聲唱《詩》的古樂，東周後改變成以樂器為主的「新聲」，這轉變促使《詩》與樂分離，舊樂也就消失而被新聲取代，《詩》也只存留在孔子與少數用典的諸子書冊中。因此《詩》也受孔子個人喜好影響以論《詩》，將之用於禮、用之於詩論，促使今日所見《詩》的用法。

　　書末有附錄：《周禮》用詩表、《儀禮》用詩表、《禮記》用詩表。將《三禮》篇名、用詩分類、引《詩》篇名、原文，皆條列整理，頗具參考價值。

　　王秀臣，湖南桃江人，現任哈爾濱師範大學副教授，主要從事先秦兩漢文學研究。著有《以生命作抵押——張雅文論》、《電視文藝學叢書》、《乾隆瓊山縣志》。

（簡逸光）

《鄭玄三禮注研究》

《鄭玄三禮注研究》　楊天宇著　天津市　天津人民出版社　778頁　2007年4月

　　本書分為「通論編」、「校勘編」、「訓詁編」三編。「通論編」分為六章，內容分別為：鄭玄生平事蹟考略、鄭玄著述考、漢代的經今古文之爭與鄭學的出現、略論「禮是鄭學」、《三禮》概述、論鄭玄《三禮注》。此編內容多為作者歷年來研究鄭玄學術的累積，稍作修改。「校勘編」分為六章，作者通過遍索《三禮》鄭注中取捨異文之字例，並一一加以考辨。第一、二章探討鄭玄校《儀禮》兼采今古文之條例與原則，並歸納出 52 個條例、5 個原則：一，字義貼切的原則；二，習用易曉的原則；三，合理的原則；四，符合規範的原則；五，存古字的原則。第三、四、五章探討鄭玄校《周禮》以今書為底本，而參考故書，並歸納出鄭玄校《周禮》從今書不從故書的 35 個條例、5 個原則，其中一至四的原則與校《儀禮》同，第五個原則為不輕改字的原則。第六章探討鄭玄校《禮記》不從或本異文考辨，共歸納出 17 個條例、5 個原則，其中一至四的原則與校《儀禮》、

《周禮》同，第五個原則為不煩改字的原則，作者以為此點是鄭氏校書一個重要的原則，充分說明鄭玄校書態度之嚴謹，非淺人及務求新異者可同日而語。「訓詁編」分為四章，透過段玉裁對鄭玄注《三禮》的用語「讀為」、「讀曰」、「讀如」、「讀若」、「當為」、「聲之誤」、「字之誤」的解釋與界定，作者發現段氏的解釋雖有正確的地方，但不免片面、武斷，故一一加以釐清，並歸納出各個語詞出現在鄭玄《三禮注》中的條例。為《三禮》、鄭玄注、段玉裁《漢讀考》的研究提供詳盡的材料。

　　楊天宇，1943 年 12 月生，安徽省安慶市人。1981 年河南大學歷史系碩士研究生畢業。現任鄭州大學歷史學院教授。主要研究歷史文獻學、三禮學等。譯注有《儀禮譯注》、《禮記譯注》、《周禮譯注》；著有《詩經——樸素的歌聲》、《經學探研錄》等書；並發表學術論文八十餘篇。　　　　　　　　　　（葉純芳）

《陌生的好友——禮記》

《陌生的好友——禮記》　林素英著　臺北市　萬卷樓圖書公司　286 頁　2007 年 7 月

　　作者在前言中說明此書是《甜蜜的包袱——禮記》的姊妹篇，也是《少年禮記》的增定改版本。取名為「陌生的好友」，作者以為「陌生」與「好友」原不可能連結在一起，但在禮學逐漸式微的今日，《禮記》目前的處境卻相當貼切這種奇特的現象，作者希望藉此彰顯《禮記》從古代讀書人的好朋友，一降而被現代讀書人視為陌生人的強烈對比，而引起社會大眾的注意，進一步願意重新關心這位老少咸宜的老朋友。

　　本書內容先引經文，稍作注釋，作者再以淺顯易懂的方式說禮，並特別挑選一些發生在歷史名人身邊，有關於他們論禮、行禮的故事，從實際的故事中，了解禮儀的安排和設計，原是和我們的生活息息相關，不但切合人情，還包含有深遠的社會教育意義。本書共分為「導讀篇」、「孔門世界禮事多」、「春秋人士論禮勤」、「直入禮儀探涵義」、「規範理想一線牽」五篇。「導讀篇」說明《禮記》成書的過程、內容與價值。「孔門世界禮事多」、「春秋人士論禮勤」共收入三十九篇古人論禮的故事。「直入禮儀探涵義」則針對我們耳熟能詳、習以為常的儀節

的由來、過程做深入淺出的說明。「規範理想一線牽」，對於我們日常生活中常會忽略的一些禮節加以提醒，作者最後並以〈可能的理想國〉一文，提出唯有能從現實的環境中謀求改進的方法，實事求是，才能建設一個有理序的社會，締造一個可能的理想國。

　　林素英，臺北縣人，國立臺灣師範大學文學博士。現任臺灣師範大學中國文學系教授。著有《古代生命禮儀中的生死觀》、《古代祭禮中之政教觀》、《喪服制度的文化意義》、《從郭店簡探究其倫常意義》、《禮學思想與應用》、《甜蜜的包袱──禮記》、《少年禮記》等書，並撰有學術論文數十篇。　　　　（葉純芳）

《禮記成書考》

《禮記成書考》　王　鍔著　北京市　中華書局　349頁　2007年3月

　　本書是在作者的博士論文基礎上修改而成。《禮記》一書，以往學者從政治、哲學、文學、藝術和社會學、倫理學等方面做過許多研究，但由於舊的經學思想的影響，和對禮學狹窄而僵化的理解，對它的研究無論從角度上、方法上、範圍上都受到極大的限制，作者以為，今天應從日常生活史和禮俗經驗的角度去關照它，但在此之前，應該要在文獻上重新加以研究，要確定它的價值，必須先確定各篇章產生的大體年代，因為《禮記》的各篇是在相當長的時間中先後完成，討論《禮記》一書的時代，不能將它作為一部完整的著作看待，而要一篇一篇地加以考辨，有時候甚至要打破篇的結構，分為幾部分來分別確定其產生的時代，以及後人更改加工的痕跡。

　　本書除緒論說明《禮記》的內容、研究的意義、研究中存在的問題以及研究的範圍與方法外，共分為四章，前三章將《禮記》四十九篇分別討論比較，如〈緇衣〉，將《禮記》、郭店楚簡、上博簡做成表格相互比較，得出〈緇衣〉為戰國前期子思的著作；又如〈投壺〉，則將《大戴禮記・投壺》與《禮記》比較，得出此篇經文約成於戰國中期，後來在流傳的過程中，出現兩種不同的版本，到了漢代，則分別被收入大小戴《禮記》中，流傳至今。作者依照其考證結果，將此四十九篇分為「春秋末期至戰國前期的文獻」、「戰國中期的文獻」與「戰國中晚期和晚期的文獻」，第四章主要論述《禮記》的成書及其在東漢的流傳。

　　王鍔，1986 年西北師範學院歷史系畢業，留任該校古籍整理研究所，師從李
慶善先生，2001 年考入西北師範大學博士班，師從趙逵夫先生。著有《三禮研究
論著提要》。

（葉純芳）

《左傳》

《左傳》　劉利、紀凌雲譯注　北京市　中華書局　304 頁　2007 年 3 月

　　《春秋左氏傳》，簡稱《左傳》，是中國古代一部編年體的史書，是解說《春
秋》經的著作，與《春秋公羊傳》、《春秋穀梁傳》合稱「春秋三傳」。全書約十
八萬字，記載了從魯隱西元年（西元前 722 年）到魯哀公二十七年（西元前 468
年），共十二代國君、二百五十四年間的歷史。而《左傳》除了的史料價值，它精
彩細密的敘事、個性鮮明的人物描寫和委婉巧妙的辭令，在在顯示《左傳》僅是一
部傑出的編年史著作，同時也是一部傑出的歷史散文著作。

　　本書為《左傳》的選本。選錄的原文主要依據阮元《十三經注疏》核校，自擬
篇名，注釋和譯文則在參閱學術界各種研究成果的基礎上擇善而從。其內容為：隱
公時有〈鄭伯克段於鄢〉、〈周鄭交質〉、〈石碏大義滅親〉、〈臧僖伯諫觀
魚〉；莊公時有〈曹劌論戰〉；僖公時有〈齊桓公伐楚〉、〈宮之奇諫假道〉、
〈晉國驪姬之亂〉、〈子魚論戰〉、〈重耳出亡始末〉、〈展喜犒齊師〉、〈晉楚
城濮之戰〉、〈燭之武退秦師〉、〈秦晉殽之戰〉；文公時有〈鄭子家告趙宣
子〉；宣公時有〈晉靈公不君〉、〈王孫滿對楚子〉、〈宋及楚平〉；成公時有
〈齊晉鞌之戰〉、〈楚歸晉知罃〉、〈呂相絕秦〉、〈晉楚鄢陵之戰〉；襄公時有
〈祁奚舉賢〉、〈祁奚請免叔向〉、〈子產告范宣子輕幣〉、〈晏子不死君難〉、
〈伯州犁問囚〉、〈蔡聲子論晉用楚材〉、〈季札觀樂〉、〈子產壞晉館垣〉、
〈子產不毀鄉校〉；昭公時有〈子產卻楚逆女以兵〉、〈晏嬰叔向論齊晉季世〉、
〈子革對靈王〉、〈伍員奔吳〉、〈晏嬰論和與同〉、〈子產論為政寬猛〉、〈鱄
設諸刺吳王僚〉；定公時有〈申包胥如秦乞師〉、〈齊魯夾谷之會〉；哀公時有
〈伍員諫許越平〉、〈楚國白公之亂〉。

　　劉利，1995 年在四川大學中文系獲得博士學位，隨後赴北京師範大學中文系
博士後流動站從事研究工作，1997 年博士後工作期滿後留校任教。現任北京師範

大學文學院教授、漢語言文字學專業博士研究生導師。主要研究方向為漢語語法史、現代漢語語法。　　　　　　　　　　　　　　　　　　　（陳水福）

《清代漢學與左傳學
——從「古義」到「新疏」的脈絡》

《清代漢學與左傳學——從「古義」到「新疏」的脈絡》　張素卿著　臺北市　里仁書局　364頁　2007年3月

　　自漢至清二千多年的經學發展，產生許許多多歸屬於注、疏類型的經解，這堪稱是中國詮釋傳統最富有特色的表徵。清代的群經「新疏」，訓詁詳明，考證宏富，不僅如梁啟超所言：「真算得清朝經學的結晶體了」，無疑也是注疏之學的又一次發展高峰。為什麼需要另撰「新疏」呢？清代「新疏」與《十三經注疏》有何差別？清儒撰述「新疏」與當時的「漢學」思潮關聯何在？清代《左傳》學又歷經怎樣的發展而終至結撰「新疏」？思考諸如此類的問題，成為作者探討清代《左傳》學的發端。

　　全書共分為七章，除了第一章〈緒論〉與第七章〈綜論〉之外，分別是第二章〈惠棟「漢學」及其《左傳補註》〉；第三章〈洪亮吉《左傳詁》之漢學淵源與經世關懷〉；第四章〈《左傳》古義之學術脈絡與發展趨勢〉；第五章〈向「疏」體轉型的李貽德《輯述》〉；第六章〈集大成的新疏：儀徵劉氏之《疏證》〉。本書以惠棟、洪亮吉、李貽德、劉氏父子等等清代漢學代表性學者為徵檢對象，爬梳統整諸家對《左傳》及杜注之新詮，析理漢學發展的脈絡，不僅是清代《左傳》學史的優良佳作，也是一部精審的中國《左傳》學史縮影。

　　臺灣師範大學國文系賴貴三教授評介：「作者文筆洗鍊，資料掌握嚴謹篤實，論述中肯精當，尤其聚焦於清代『漢學』與《左傳》學——從『古義』到『新疏』的脈絡，作者積學儲寶、酌理富才、研閱窮照，發諸於筆端，『辨章學術，考鏡源流』，爬梳統整之功，董理序次之識，的確深厚不凡。」

　　張素卿，臺灣大學中國文學研究所博士，現任臺灣大學中國文學系副教授。主要從事春秋《左傳》學、中國敘事學、儒家思想、史記等研究，近年來尤致力於清代《左傳》學，並由《左傳》敘學延伸涉獵中國敘事傳統的議題。著有《左傳稱詩

研究》、《敘事與解釋——左傳經解研究》兩部專書，以及學術論文二十餘篇等。

（陳水福）

《經學以自治：王闓運春秋學思想研究》

《經學以自治：王闓運春秋學思想研究》 劉少虎著　北京市　華夏出版社　360 頁　2007 年 8 月

　　作為晚清享有盛名的湘籍學人王闓運，其經學，尤其是春秋學思想是晚清學術思想變遷過程中不可忽視的一個環節。王氏遍注群經，至今所發現的經學著作有十九部之多。他治經主《春秋》而宗《公羊》，主張「通經致用」，一生致力於經書箋釋和經學教學，經學和政治是他的生命關懷。

　　本書是以作者的博士論文為基礎，加以修改增補而成。全書共分為七章，除了〈研究緣起〉與〈結語〉之外，分別是第一章〈晚清學術流變中的王闓運〉；第二章〈王闓運春秋學思想概觀〉；第三章〈王氏《穀梁申義》〉；第四章〈王氏《春秋公羊傳箋》〉；第五章〈王氏《春秋例表》〉；第六章〈王闓運春秋觀的義理重心〉；第七章〈王闓運春秋學思想發微〉。

　　本書重點探討王闓運春秋學思想。作者在對王氏經學著述稍作考釋的前提下，以晚清學術流變和王氏生平為切入點，首先探討了他對《春秋》及其「三傳」的基本態度。然後，全書以王氏三部春秋學著作（《穀梁申義》、《春秋公羊傳箋》、《春秋例表》）為中心，從文本解讀的角度，較為全面而深入地分析了其解經特色和思想傾向。最後，作者對王氏疏釋《春秋》經、傳的義理重心和主要春秋學思想進行了歸納、探討及反思。

　　劉少虎，1964 年生，湖南省桃江縣人。中山大學歷史系博士生，湖南第一師範學校文史系副教授。主要研究方向為中國近代思想文化。1985 年大學畢業後，先後擔任過中學和大學的多門課程教學、班主任、教務處副主任、學報編輯等職務。並有學術論文多篇。

（陳水福）

《廖平春秋學研究》

《廖平春秋學研究》　趙　沛著　成都市　巴蜀書社　340 頁　2007 年 8 月

廖平（1852－1932）是晚清今文經學的著名人物。錢基博認為清末學風的發展為：「五十年來學風之變，其機發自湘之王闓運，由湘而蜀（廖平），由蜀而粵（康有為、梁啟超），而皖（胡適、陳獨秀），以匯合於蜀（吳虞）。」由此看來，中國傳統學術在晚清的發展變遷之局中，廖平無疑是一位承上啟下的重要人物。因此，廖平經學的研究歷來頗受學界關注。不過研究者大多熱衷於考證其經學六變、評述其經學理論與學術思想，以及廖平與康有為的學術公案等等。而對於劉師培所說廖平經學「長於《春秋》，善說禮制」的特色，學界似未能給予足夠的重視。

本書是以作者的博士後研究報告《廖平經學思想研究──以《春秋》學為中心》為基礎，加以修改而成。全書共分為六章，分別是第一章〈廖平經學研究述評〉；第二章〈廖平對《春秋》經的認識〉；第三章〈廖平的《穀梁》研究〉；第四章〈廖平的《公羊》研究〉；第五章〈廖平的《左傳》研究〉；第六章〈廖平《春秋》學的特點和學術地位〉。

本書將廖平的《春秋》學放在西學東漸以後，中國傳統思想學術與西方文化激烈對抗的背景下考察。對於廖平以〈王制〉治《春秋》的特色，認為廖平以〈王制〉作為今文經學「素王改制」的大旗，將孔子的《春秋》以及解讀《春秋》的三傳統統用來作為「素王改制」經典支持，意欲重建嶄新的孔經體系，作為萬世立法的政治大綱，以圖挽救日益衰敗的晚清政局，對抗來勢凶猛的西方文化，並幻想用孔子的政治大綱來統御全球。

趙沛，歷史學博士，教授，碩士生導師，現任山東大學法學院公共管理系主任。主要從事中國政治制度和政治思想、比較政治學的研究，發表學術論文五十篇。參加由四川大學承擔的中國 211 工程第二批重大專案之子專案《晚清民國四川學術思想研究》課題組，承擔其中《廖平經學思想研究》主持人。已出版個人專著六部：《廖平春秋學研究》、《兩漢宗族研究》、《宗族與西漢政治變遷》、《韓非子選評》、《禮尚往來──中國古代生活習俗面面觀》等。　　　　　　（陳水福）

《論語本義新解》

《論語本義新解》　祝瑞開編著　上海市　學林出版社　266 頁　2007 年 10 月

　　此書為上海市徐匯區田林社區學校，開設《論語》選讀課程時，同時進行的教材編輯。以祝瑞開為主，並有李培棟、賀聖迪、劉惠恕三人參與編寫。

　　此書分為十二章。第一章：孔子的「仁」、「聖」的思想理論。第二章：孔子的「義」的理論。第三章：孔子的「修己」的理論。第四章：孔子和儒家的婚姻、家庭思想。第五章：孔子倡導的鄉里、師友之道。第六章：孔子關於禮與樂的思想主張。第七章：孔子的進步的政治思想。第八章：孔子和儒家的理想社會。第九章：孔子的進化歷史觀。第十章：孔子關於天和鬼神的思想。第十一章：孔子論學習、教育和認識論。第十二章：孔子自述和他與時人的相互評說。

　　編者提到此書之特色。⑴時下《論語》讀本，一般都是依照《論語》原本順序，逐章逐句編印，此書則是將孔子思想和體系，劃分為十二個專題進行編注和解說。認為這樣能將孔子在《論語》中看似散亂的言行與思想，得到整體的掌握。⑵每一章節下都附有導讀，概述本章節的思想內容、理論意義。特別強調孔子思想要與當代社會結合，要走進生活，走進社區。⑶編者從儒家其他典籍中，選錄有關男女婚戀、社會理想，這兩方面的資料，來充實孔子這部分的思想內容。

　　祝瑞開，1927 年生，江蘇鎮江人。上海大學文學院教授。曾任教西北大學歷史系、上海大學文學院社會學系和中國文化研究所。主要著作有：《先秦社會和諸子思想新探》、《兩漢思想史》、《中國婚姻家庭史》；並主編有《秦漢文化和華夏傳統》、《宋明思想和中華文明》、《儒學與 21 世紀中國：構建、發展當代新儒學》等書。　　　　　　　　　　　　　　　　　　　　　　　　　　　（簡逸光）

《裴斐《論語》講評》

《裴斐《論語》講評》　裴　斐著　南京市　鳳凰出版社　340 頁　2007 年 8 月

　　《論語講評》是裴斐先生於 1993 年 9 月至 1994 年 1 月，在中央民族大學為中文系本科生、研究生開設專題課程的講稿。這份講稿只講評《論語》六篇另二十章，僅為《論語》的三分之一，並非講評整部《論語》。主要的整理者為藍旭教

授，他依裴先生遺稿、錄音加工整理。

　　此書內容主要分為三部分。第一部分是《論語》原文。第二部分是裴斐先生的講解，這部分在於講解《論語》原義，參考的注家有何晏《論語集解》、朱熹《論語集注》、劉寶楠《論語正義》、康有為《論語注解》、錢穆《論語新解》、楊伯峻《論語譯注》。第三部分是裴斐先生的評論。主要是從現代觀點出發，並在其中闡述孔子的思想，既有古今比較，也有中西比較。

　　此書的整理者藍旭教授說：「講稿中充溢人生智慧，貫注著裴斐先生人生和治學經歷的哲思與感悟，發他人所未發，悟他人所未悟。」確實可以從此書中看到裴斐先生熱情人生、熟捻《論語》的神情。其自謂比歷來研究《論語》者，更瞭解孔子，這都能從講評的書稿中反映、呈現。

　　裴斐（1933－1997），原名裴家麟，四川成都人。中央民族大學中文系教授，主要著作有《李白十論》、《詩緣情辨》、《看不透的人生》、《文學原理》、《李白研究資料匯編》等。　　　　　　　　　　　　　　　（簡逸光）

《論語解讀》

《論語解讀》　安德義著　北京市　中華書局　667 頁　2007 年 7 月

　　本書為《論語》注釋，以《論語》本文為篇目，各篇目下各列「注釋」、「語譯」、作者「解讀」。在其自序部分，為《論語》解讀法分為三條四系統。三條指《論語》單條上解讀需求「義理」、「條理（即筆法）」、「情理」上的通解。四系統是指「層次系統」（指人格與心理修養層次）、「道德系統」（指積極 42 個與消極四十二個的道德範疇）、「人物系統」（指人物特徵、事蹟與出現重要場合）、「歷史系統」（指時空背景與歷代《論語》注疏的史料）。

　　本書「解讀」部份，作者旁引《論語》各篇相關條例加以論述，並使用後代注疏加以評析其所立論。解讀上融會創新，並以逐句解釋其中義理與事末本原，使經文更加清楚。解讀中並帶有道德意義的批評，以評斷經文中事件或人物在道德上的定位。

　　安德義，語言學家、儒學家，三十五歲後潛心研究儒學。2002 年起在各地演講推廣儒學文化。2005 年在湖北省圖書館「名家講壇」演講。現任湖北省孔子學

術研究會副會長、武漢市教育學會儒家文化專業委員會副理事長、武漢儒家文化傳
播有限公司董事長。曾發表語言學、訓詁學、修辭學、管理學等論聞近百篇。主編
《逆序類聚古漢語詞典》。著作有《德行卷解讀》等。正撰述《論語入門》、《儒
家文化與現代社會》、《儒家文化與現代教育》、《儒學新語》等系列叢書。

（簡逸光）

《論語講要》

**《論語講要》　李炳南講述、徐醒民記　臺中市　青蓮出版社　844 頁　2007 年
8 月**

　　本書為李炳南課堂講述，徐醒民講堂記錄，曾連載於《明倫月刊》。因李先生
辭世，諸弟子議將此記編入全集，故編輯成冊。

　　全書編入《論語》二十篇，李氏取〈述而篇〉志道章，以道德仁義為綱，使學
者知其要指。藉《中庸》體用說，以天道為體，德者由體所起微動之相，仁人愛物
與藝術技能為體相所發之大用，稱此四項為「四綱」，以此詮解諸章經文。

　　書內篇章以原本《論語》順序編列，各篇下分為三部份，一為《論語》原文。
二為針對原文的補注，包含名詞解釋、史書材料的補充。另外，李炳南在敘述時，
皆會以現代生活作為例證來闡述，使《論語》的學問在讀者身上即可運用。三為
「雪公講義」，其中有按語與考證。考證部分是條列歷代注解，按語部分則是李炳
南針對歷代注家的注疏加以討論，然後提出自己的見解，然此非每篇皆有。

　　李炳南，名艷，字炳南，法名德明，晚年號雪廬老人，山東省濟南人，生於公
元 1890 年（清光緒 16 年），逝世於公元 1986 年（民國 75 年），世壽九十七歲。
雪廬自幼聰明好學，儒家的四書、五經、諸子、史書，他都循次誦讀，後來畢業於
山東法政學堂，興趣廣泛，多才多藝，善詩文、能奏笛、會劍術、兼習中國醫學，
無不精妙。民國二十六年，莊太史推荐他到大成至聖先師奉祀官府擔任秘書，未久
晉任為主任秘書。自此，他與時年二十歲左右的奉祀官孔德成先生，結下了五十年
深厚的友誼。早年入「衍聖公」幕，後隨政府遷居至臺中。平時勤宣內典，教授儒
經。晚年因深感時風不競，聖教不彰，乃設「論語講習班」，定期講習。民國五十
七年，老人八十歲時，門下弟子周邦道、許祖成、朱時英等，曾集老人當時之著

述，包括佛學、醫學、文學等，輯為《雪廬述學彙稿》刊刻行世。民國七十七年，後學將其講堂文稿彙編為全集。其類別共分本傳類、經注類、開示類、問答類、儒學類、講經類、論著類、詩文類、醫學類、遺墨類、研究類。　　　　　　（簡逸光）

《論語解讀》

《論語解讀》　羅炳良等編著　北京市　華夏出版社　302 頁　2007 年 4 月

　　本書依《論語》章節分為二十章，分別為〈學而〉、〈為政〉、〈八佾〉、〈里仁〉、〈公冶長〉、〈雍也〉、〈述而〉、〈泰伯〉、〈子罕〉、〈鄉黨〉、〈先進〉、〈顏淵〉、〈子路〉、〈憲問〉、〈衛靈公〉、〈季氏〉、〈陽貨〉、〈微子〉、〈子張〉、〈堯曰〉。書前有前言，大略談到了孔子生平；《論語》的鬼神、天、命思想；《論語》如何塑造完美人格的思想；《論語》教育思想、《論語》治國安邦思想；並簡略介紹了《論語集解》、《論語集注》、《論語正義》三本著作。

　　書的結構，⑴篇名題解。⑵白話翻譯。⑶《論語》原文。⑷《論語》人名或名詞的解釋。這部分作者廣引歷代《論語》研究者的成果，諸如康有為、魯迅、楊伯峻等。此外，《論語》中的難字，作者皆以現代漢語拼音來注音。⑸《論語》思想的分析。這部分作者將《論語》思想與現實社會的發展結合，並以社會發生的事件作為解釋的案例，可以看出作者有意將《論語》與現代生活結合的用意。

　　羅炳良，男，1963 年 8 月生，河北省定興縣人。現為北京師範大學史學理論與史學史研究中心專職研究人員。主要研究方向為中國古代史學理論與史學史，代表著作有《18 世紀中國史學的理論成就》、《清代乾嘉史學的理論與方法論》、《傳統史學理論的終結與嬗變——章學誠史學的理論價值》。　　　　　　（簡逸光）

《論語講座》

《論語講座》　夏傳才著　桂林市　廣西師範大學出版社　254 頁　2007 年 6 月

　　本書作者夏傳才先生，長期對孔子、經典皆深有研究，本書回歸《論語》文本，以正讀《論語》、返璞歸真，回溯原典、深入淺出的方式，在近年來重新研究或詮釋的經典的潮流下，為研究經典立下典範，並梳理出明晰的理路。

　　本書回到《論語》原著本身，分門別類以十三的章節全面說解《論語》，由孔子而論《論語》，由淺而深，再者依序論及《論語》中重要的課題。前三講分別為：孔子其人及其歷史命運、《論語》其書、《論語》中的孔子形象，由歷史中的孔子繼而論《論語》中的孔子，以求構築一個最貼近孔子的形象，以理解其論當時面對社會秩序的紛亂與困頓，亟欲解決的難題，故其後四至十二講是以《論語》論學習、論教育、論仁、論禮、論品德修養、論中庸之道、論政治、論天使鬼神、論文藝，闡述孔子生命終生所討論的重要主題，舉重若輕地探討了《論語》的諸多精要。最末第十三講說到：孔子弟子和他們的言論，便是在回歸到所有課題的討論，都是起因於對於當時社會的關懷。主題均由文本詮釋入手，是為正讀《論語》，調和學術筆法與通俗解說，以平易而明晰的方式說解，以樸實無華的文法達到深入淺出的果效。

　　夏傳才，1924 年生，安徽亳縣人。為 40 年代的詩人，50 年代鑽研於古典文學研究，河北師大教授，博士生導師，現為《詩經》學會會長，經年研讀《詩經》，並主編多種教材和叢書。主要學術著作有《詩經研究史概要》、《詩經語言藝術》、《思無邪齋詩經論稿》、《論語趣談》、《詩詞入門：格律、作法、鑒賞》、《思無邪齋文抄》、《中國古代文學理論名篇今譯》（上下篇）、《曹操集注》、《曹丕集校注》等，並有舊體詩集《七十前集》等，著作頗豐，於海內外均有廣泛影響。　　　　　　　　　　　　　　　　　　　　　　　　　　　　（鄭淑君）

《發現《論語》》

《發現《論語》》　　楊潤根著　　北京市　　華夏出版社　　515 頁　　2007 年 4 月

　　《論語》是儒家與中華文化的重要典籍，涵攝有中國倫理與政治的重要基底，本書作者認為《論語》這本中華文化的經典，具有與以往任何注釋者所未曾發現的面貌。

　　本書通過對《論語》一書的文字、語言及其思想邏輯這三個相互聯繫層次以為探討，形式上採原文、譯解與注釋三者進行申述，作者使用大量個人的想法，以自身的理解，陳述他體會的孔子與《論語》並向讀者揭示孔子的人格與思想，且嘗試勾勒呈現當時中國的歷史情狀，讓讀者理解是如何的情景促使孔子及其弟子必然地

這樣言說、這樣思想、這樣行動的社會歷史整體面貌。作者認為《論語》不僅是一部有關中國古代的文字學、語言學、哲學和歷史學的著作，更是一部有關中國古代的文化學的著作。書首有王蒙先生之序文，書末有路野所作〈後記：一個人的宣戰〉。

　　作者著有《發現老子》、《發現論語》，二書有系統完整的思想，獨有見地的對老子、孔子的學說作了獨特的解釋和發揮，反映了現代人對古代哲學的發掘與重新詮釋的角度，不再墨守成規、因襲前說。萬萍言及此書評其「楊潤根君對《論語》、《老子》的思想邏輯的發現，可謂前無古人，石破天驚。」對於本書論點，贊成、反對者雖兼有之，但其解說的方式，已引起學界的廣泛注意與思考。

　　楊潤根，江西吉水縣人。曾任教於江西師範大學，撰有《發現老子》、《發現孟子》、《發現孝經》、《老子大義導言：對中國古代文字、語言、哲學、歷史和文化的全新探討》、《訓詁學的批判》、《現代與中世紀的對話》、《批判與反思》、《論中國古代文化中的現代化資源》等專書，並發表相關論文多篇。

　　　　　　　　　　　　　　　　　　　　　　　　　　　　　（鄭淑君）

《《論語》與其漢魏注中的常用詞比較研究》（繁體版）

《《論語》與其漢魏注中的常用詞比較研究》　賴積船　成都市　巴蜀書社　375頁　2007年4月

　　本書起始即引錢穆之言：「《論語》自西漢以來，為中國識字人一部人人必讀書，讀《論語》必兼讀注。」說明《論語》於讀書人心中的地位，不但需讀亦必精讀，故漢注中的詞彙也成為影響《論語》本身解讀的變因。作者隨著語料整理的深入與比較的開展，面臨了幾個方面的問題：其一，究竟什麼是詞的意義；其二，注中出現了很多《論語》時代以致整個先秦時代都沒有出現過的合成詞與連用結構，這些材料應該如何處理？基於要解決上述兩個主題，作者共以 15 組合成詞與連用結構、5 組單音節常用詞來分析《論語》與其漢魏注中的常用詞。

　　本書整體分為四章，首章「概論」說明研究主題採用的理論與方法、現今研究概況、常用詞與本課題研究的基本問題。第二章為「合成詞與連用結構比較」分別

探究《論語》與其漢魏注中的合成詞與連用結構的比較意義、分布情況，漢注中新出現者，與個案比較、合成詞與連用結構反映的詞意問題。第三章為「五個單音節常用詞比較」分別比較了「求、乞、謀、禱、請、于」、「出、入、退（內）、進」、「知、識、聞」、「人、民、大人、小人、善人」、「固、蔽」五組。第四章則為討論「《論語》本文與其漢魏注中常用詞演變所反映的問題」來討論這些常用詞在形式上與意義上所反映的問題。書末附作者〈後記〉。

　　賴積船，字子進，湖南醴陵人。現任湖南科技大學教授。師從江灝、王大教授，專研上古漢語。2001 年入四川大學文學院後師從宋永培教授，專研辭彙語義學，目前主要研究方向為廣告符號理論、先秦兩漢典籍語言，現有相關論文 30 餘篇。

（鄭淑君）

《論語精讀》

《論語精讀》　金知明注譯　上海市　學林出版社　270 頁　2007 年 3 月

　　《論語》一書，公認是孔子弟子及再傳弟子記載有關孔子及其弟子的言行的文集。自從漢代儒學被官方尊為正統學術之後，經由官方的推動，它所架構的一套倫理思想，從個人的行為準則出發，進而聯繫到家庭、社會、國家，而形成的道德法律體系。而這套倫理系統，也保障了統治者對國家的控制力，而因此，即使朝代更迭，科舉考試的科目還是以儒家的典籍為主，故儒學仍能維持其官學的地位而不墜，經過了一千多年來的潛移默化，對中華文化的內涵產生了深遠的影響。而《論語》，被目為最貼近孔子生活及思維的典籍，語錄的形式方便大眾的閱讀，更是一部代表儒家思想重要的經典。然而，到了二十世紀，在中國大陸的傳統文化經歷了兩次重大的衝擊，一次是五四運動，抨擊儒家思想體系；一次是文化大革命的批孔運動，孔子與儒學思想遭到了前所未有的清除，雖然這兩次運動的性質、背景和歷程都截然不同，但從結果上看，他們都使得以孔子和儒學思想為代表的傳統文化，與當代人的思想行為逐漸疏遠。

　　本書作者有鑑於此，而以《論語》為讀本，依據其個人的理解而寫成此一著作，篇次按照《論語》原二十篇的秩序排列。每個章句分「原文」、「注釋」、「譯文」三個部分，絕大多數章句有「理解」。「原文」部分依朱熹的《論語集

注》的文本為準，「注釋」則分注音與釋義兩塊，凡筆者認為讀者可能認讀有困難的字一律用現代漢語拼音標注，在釋義方面則力求簡明通俗，多採用前人的傳統解釋，少部分為作者的個人意見，「翻譯」則力求最貼近原文整體意思的現代表達，字面沒有而實際蘊含的內容，則在括弧裏面表示，個別字句的意思在翻譯中有所引申。在「注釋」和「翻譯」中均無法講清，而作者以為重要的東西，一般放在「理解」中。「理解」中的內容比較靈活，有分析，有引證，有補充材料等等，不一而足，可以說，「理解」的部分為作者研究《論語》的主要心得，可提供給一般讀者作參考。

（鄭于香）

《于丹《論語》心得》

于丹《論語》心得 于 丹著 北京市 中華書局 157頁 2006年11月

　　于丹在2006年「十一」黃金長假期間在大陸央視「百家講壇」連續七天解讀自己對於《論語》的心得，大受好評。2007年春節又從年初一到年初十連講十天的《《莊子》心得》。同年「十一」黃金周又連講七天的《遊園驚夢‧崑曲之美》。在此以前，《百家講壇》的主講大部分是一些「老頭子」，而一身套裙裝扮的于丹改變了這個形象，被稱為「美女教授」或「學術超女」。

　　于丹講解《論語》，是以「心得」的角度來闡發，不以學術來做講解或辨析。她認為經典的價值並不在於令人敬畏到頂禮膜拜，而是在於其包容與流動性，可以讓千古人群溫暖地浸潤其中，在每一個生命個體中，以不同的感悟延展了殊途同歸的價值。這個世界上的簡單真理之所以深入人心，是因為它們從不表現為一種外在的灌輸，而是對於每個人心靈的喚醒。《論語》中的簡單道理之所以穿越千古塵埃，正緣於它能讓後世的人，在日益繁盛、迷惑的物質文明中得以秉持民族的根性，不至於因為可供選擇的機會太多而倉皇。受益的人也許「覺」在某一刻，怦然心動，醍醐灌頂；也許「悟」在漫漫歲月，用一生的歷練完成一次不可複製的解讀。于丹從天地人之道、心靈之道、處世之道、君子之道、交友之道、理想之道、人生之道等方面來剖析，讓千年經典化為心靈甘露。最後也附上《論語》原文可供閱讀。

　　于丹，1965年生。北京師範大學教授，中國古代文學碩士、影視學博士，任

北京師範大學藝術與傳媒學院院長助理、影視傳媒系系主任，教授「中國古典文學」、「影視學概論」、「電視理論思潮」等課程。曾獲得 1996 年北京市優秀教學獎、2001 年中國寶鋼教育基金優秀教師獎、2001 年北京師範大學勵耘獎、北京師範大學十佳優秀教師獎等多項獎勵。出版《形象　品牌　競爭力》等專著多部，在《中國社會科學》、《文藝研究》、《現代傳播》等重要學術刊物發表專業論文十餘萬字。也是知名影視策劃人和撰稿人，現任中央電視臺新聞頻道、科教頻道總顧問，北京電視臺首席策劃顧問。　　　　　　　　　　　　　　　　（廖秋滿）

《《論語》讀本》

《《論語》讀本》　錢　遜著　北京市　中華書局　239 頁　2007 年 1 月

　　本書是在作者於 1988 年出版《論語淺解》的基礎上修訂增補而成。根據作者於〈前言〉所言，可知其 20 年間對於《論語》之心得、體會亦全呈現於文字中，此次篇著，篇間結構大抵依朱熹《論語集注》改定，全書體例分為「原文」、「注釋」、「大意」三部分。「大意」只介紹原文文意，不混入作者的見解；「大意」之後，另起段落，嘗試用簡要的文字闡述作者對《論語》思想及其對於當代價值的理解，如此將作者對於《論語》原文本意的介紹，與自己的理解和闡釋明白地區分開來，以求達到作者於〈前言〉所言本書的編著力求做到「尊重前人成果，準確傳達原意，作出個人闡釋，闡發當代價值」的目標。書首有作者自作〈前言〉。

　　《論語》是中國儒家的寶典，其中記載著兩千五百多年前的孔子與其的弟子的言行，古人嘗言：「半部《論語》治天下。」本書亦以朱熹《論語集注‧論語序說》引程子語至於書後「今人不會讀書。如讀《論語》，未讀時是此等人，讀了後又只是此等人，便是不曾讀。」自古至今，無論在士人還是在百姓之間，《論語》在中國人心中都具有其不可移易的地位，作為中化文化的源典，其論證的主張思想已深入兩千多年歷史裏的政教體制、社會習俗、心理習慣和行為方式。深深的影響中國文化的發展，錢遜先生於本書再一次深入而有據的探求《論語》的價值。

　　錢遜，1933 年 10 月生，江蘇無錫人。為國學家錢穆之子。1952 年畢業於清華大學歷史系，1995－1999 年任清華大學思想文化研究所所長，現任中華孔子學會副會長、國際儒學聯合會、中華炎黃文化研究會、中國孔子基金會理事。清華大學

研究員，專研先秦儒學、中國古代人生哲學。著有《論語淺解》、《先秦儒學》、《中國古代人生哲學》、《中國傳統道德》（全書副主編，《理論卷》主編）、《推陳出新：傳統文化在現代的發展》及論文若干篇。　　　　　　（鄭淑君）

《六朝論語學研究》

《六朝論語學研究》　宋　鋼著　北京市　中華書局　291頁　2007年9月

　　本書為宋鋼博士學位論文。全書分為六章，書前有張采民〈序〉。第一章：導論六朝的思想文化。第二章：論語學界說。第三章：《論語集解》研究（上）。第四章：《論語集解》研究（下）。第五章：《論語釋疑》、《論語體略》研究。第六章：《論語義疏》研究。書末有：〈附錄〉、〈參考文獻〉與〈後記〉。

　　作者於〈後記〉中，說明了寫作的指導思想。一、孔子的形象本來是崇高的，所以不需要人為地拔高。二、孔子研究要回到孔子研究那裏去，不能把孔子當作文化標籤到處亂貼。三、一定要從文本出發去研究《論語》，脫離基本事實的浮辭遊說應該停止。更重要的是，作者說寫作的過程中，面對最大的問題，是心理障礙。因為像作者這一代在文革中完成小學和中學教育的人，定格於心目中的孔子形象是極其醜陋和極端反動的。所以需要不斷提醒自己，既不能沉溺於往昔對孔子形象的荒謬記憶，又不能沉浸於現在對孔子形象的無限景仰中。

　　而這本書的特點，其師張采民於〈序〉中有評論介紹。一、將《論語》在孔學、儒學、經學的聯繫與區別中，釐清論語學的內涵與外延，對論語學作了新的界說。二、對六朝作了新的界說，提出「文化六朝」這一新的概念。不是指具體王朝賴以立足的地理方位或政權組織，而是以具有開放性和包容性的歷史區間，其實質是以思想文化來體現的。三、對何晏《論語集解》所收的八家注進行統計分析，全面歸納和總結《集解》的特點、價值。

　　宋鋼，1963年生，內蒙古河套人。1987年畢業於北京師範大學中文系，2006年畢業於南京師範大學文學院，獲文學博士學位。曾任內蒙古師範大學中文系古典文學碩士生導師，現任南京曉莊學院人文學院副教授、古典文學教研室主任。

　　　　　　　　　　　　　　　　　　　　　　　　　　　　　　（簡逸光）

《孟子大略》

《孟子大略》　劉培桂著　濟南市　泰山出版社　334頁　2007年2月

　　本書為作者於泰山出版社規劃，其任主編之「孟子研究文庫」中的第二本作品，接續《孟子林廟歷代石刻集》，本書著重回歸於孟子本身相關認識與思想探究。

　　本書分為上、中、下三篇，上篇概要的介紹了亞聖孟子其人，第一章總論「家世及其生活時代」，並附錄〈駁「孟子，魯公族孟孫之後」說〉一文；第二章簡述孟子生平活動與交遊，附錄〈孟子周遊列國年代考〉、〈孟子弟子新考〉；第三章道來後是對於孟子的尊崇，總括上篇是理解孟子背景的簡要入門。中篇申論「《孟子》其書」第一章論及《孟子》一書的作者、篇章結構、主要內容與文風；第二章泛論《孟子》之流傳、對於後世的影響；第三章說明《孟子》外書、佚文與節文，附錄有〈《孟子》外書四篇〉、〈《孟子》節文〉七卷、〈明太祖朱元璋命劉三吾刪去的《孟子》八十八章〉，中篇主要針對《孟子》文本進行介紹探究。下篇著重於「《七篇》要義」即孟子主要思想學說，分以七章論孟子的「道性善」、「言必稱堯舜」、「仁政、王道」、「得天下英才而教育之」、「仁義、孝悌」、「知言」、「養浩然之氣」等思想，附錄〈孟子弟子列傳〉，綜觀下篇可得知孟子思想大要。書末附作者〈後記〉。本書對孟子研究中的重點、難點、有爭議的問題，均作了言之有據的回答，不乏新的觀點與研究成果，引用資料亦為詳實。

　　劉培桂先生，1951年9月生，山東省鄒城市人。現為鄒城市孟子學術研究會副秘書長、山東歷史學會魯文化專業委員會委員。1988年起，致力於孟子與孟子故里文物、文獻研究，出版有專著《孟子與孟子故里》、《孟子林廟歷代題詠集》、主編《山東省志‧孟子》分卷，於國內外發表相關論文四十餘篇。　　　　（鄭淑君）

《兩宋孟學研究》

《兩宋孟學研究》　周淑萍著　北京市　人民出版社　453頁　2007年1月

　　本書研究的主要對象是兩宋時期的《孟子》詮釋文獻，擬研討的問題包括三個方面：一、兩宋時期的孟子升格運動；二、兩宋時期的尊孟與非孟；三、兩宋時期

的孟學思想，同時對兩宋學人詮釋《孟子》的方法加重作揭示。另外需要強調的是，關於兩宋時期的孟子思想，主要選取人性論、浩然之氣、王道論三個專題進行考察，將宋代學人對這三個問題的認識和見解進行研究和比較，書中不僅探討孟子思想在宋代學人那裏獲得了怎樣的發揮，而且還要分析他們彼此之間的同與異及其原因所在，從而追尋兩宋時期的孟學思想的基本走向，把握宋代儒學思想發展的一般軌跡。著者之所以選取這三個專題，是因為宋代的尊孟者一致認為性善論、浩然之氣、王道論還有辟異端是孟子對儒家學說最傑出的貢獻，因此他們對這三個問題的闡釋和發揮較為充分，雖然孟子的心性論、義利之辨也是宋儒的重要研究課題，但是著者認為目前學界對這兩個問題的研究已經非常深入而全面，所在本書就不再作重複性的贅論了。

　　本書係著者的博士論文加以修改而成。在〈導論〉之外，共分為七章，分別是第一章〈兩宋以前孟學的演進〉敘述先秦至唐代的孟學發展；第二章〈兩宋時期孟子的升格運動〉描述孟子地位在宋代的提升；第三章〈兩宋孟子升格的內外緣由〉闡述宋代孟子地位提升的緣由；第四章〈兩宋非孟思潮〉論述宋代學者對孟子的批判；第五章〈孟子人性論在宋代的走向〉論述孟子的人性論在宋代的發展；第六章〈孟子「浩然之氣」論在宋代的走向〉討論孟子的「浩然之氣」論在宋代的發展；第七章〈王道回響〉分析孟子的「王道」論在宋代的發展。

　　周淑萍，女，四川蓬溪人。1964 年生，1982 年考入陝西師範大學中文系，本科畢業即攻讀中國古典文獻學專業碩士學位，1989 年畢業留校至今。2001 年考入西北大學中國思想文化研究所，攻讀博士學位。現為陝西師範大學文學院副教授，碩士研究生導師，陝西省孔子研究會理事。主持《十三經辭典》孟子卷的編寫，任該卷主編；合著《十三經導讀》、《十三經辭典》（孝經分卷）、《古漢語字典》等；在《史學理論研究》、《孔子研究》、《陝西師範大學學報》等報刊上發表論文多篇。主持 2005 年國家社科基金一項。　　　　　　　　　　　　（陳水福）

《學庸微明》

《學庸微明》　王又新纂述　臺北縣　作者自印本　399 頁　2007 年 11 月

　　「學庸」，乃指儒家經典《大學》、《中庸》二書。「微明」二字，原出於

《道德經》第三十六〈微明章〉，作者取其「明白微妙道理」之義。

　　本書作者致力於溝通儒、道、釋三者哲學義理之關係。他認為《大學》、《中庸》乃是儒家闡述心性體源之著作，而其心、性體源的來源，是出於「離道無心」之「道體儒用」的體會。其主張儒、老所說的「道」，其源相同，即是「自然」。又認為此「道」即是儒家之「教」之源始，而非韓愈以降之「文以載道」之文教道統之道。更進一步認為《大學》之三綱領、八條目，所表現的乃是「心以配道，故為體；身行於一時，故為用」，此與《老子》第七章，所表現的體用關係，亦是「道為體，身為用」。作者認為，儒家之博愛精神在「用」於世時，無法順暢的原因，即是對上述三個觀念之誤解。作者歸納原因為：不能正本清源、文以載道之訛誤、體用關係之錯誤。故作者乃透過上述三個觀念，撰作此書，以推論其間關係，期使儒家之博愛精神，能夠運用自如。

　　全書分為四個部分，第一章為總論，共分六節，依序探討道與德的總成、性與心的總成、道統與道統文學、儒家與道家對大同、小康的論述、老與儒之間之交會與總成。第二章為分論，作者分別就《大學》、《中庸》間的幾個重要問題，作析論。第三章為正反論，作者探討道統文學之正反論，對於道與道統的道是否相同，以及師道之說的究竟問題做討論。再討道正反道統文學之訛誤、宋儒的唱和、《四書》之整合。第四部分，分別為作者對《大學》與《中庸》之注釋及體悟。除對二書之注釋外，作者分別對朱熹〈大學章句序〉、〈中庸章句序〉做研析，又分別對二書做題解，敘述二書之作者、源流、歷代注疏的版本，以及書中探討之重要問題，並探討程伊川對二書之引言。討論主題的設置，除單詞注釋、全文語譯外，更闢「心之要妙」一欄，敘述作者對伊川語之閱讀心得。對於《大學》、《中庸》二書之體悟的部分，主題設計亦如探討伊川引言的方式，但又另有「道之微明」欄位，敘述作者認為《學》、《庸》與道教間，貫通儒道義理的看法。

　　王又新，儒學家、佛學家、道學家，臺灣省臺北縣人。曾入空門，後入道門。以續道與佛慧命為本願，述作為事。著作涵蓋儒、道、佛三領域，2006 年著成《老子的道——自然的心》，2007 年著成《學庸微明》，2008 年著成《金剛經明誠論》，現正進行《孝經心詮》之著作。　　　　　　　　　　　　　　　（張晏瑞）

《張居正講評《尚書》皇家讀本》

《張居正講評《尚書》皇家讀本》　陳生璽等譯解　上海市　上海辭書出版社
432 頁　2007 年 8 月

中國是一個重視文化和教育的國家，而有「經筵」制度。所謂「經筵」就是在位的皇帝選用學問與道德上有造詣的大臣，定期為自己講解古代的經典，闡發書中微言大義，主要包含有《論語》、《大學》、《中庸》、《孟子》、《尚書》、《詩經》、《易經》以及《貞觀政要》、《資治通鑑》等書。

對於未來的皇位繼承人皇子、皇孫亦是如此教育，到了八歲或十歲，就要委派指定大臣，專門負責對他們進行教育。明代的大學士張居正就是負責對年僅十歲的萬曆皇帝朱翊鈞進行教育的大臣，他率領翰林院諸講官先後曾給朱翊鈞講過《帝鑑圖說》、《四書》、《尚書》、《詩經》、《資治通鑑》等。這部《尚書》講評就是張居正給萬曆皇帝講解《尚書》的講稿。因為當時萬曆皇帝還是一個十多歲的小孩子，所以這部講稿用當時最通俗的白話文寫成，其目的是要讓小皇帝了解《尚書》原文的本意，並無特定政治傾向，本書原名《書經直解》，《明史‧藝文志》曾有著錄。全套書共分上下兩冊，上冊包含〈虞書〉卷一卷二、〈夏書〉卷三、〈商書〉卷四、〈商書〉卷五、〈周書〉卷六；下冊包含〈周書〉卷七至卷十三。每一卷《尚書》原文之前有張居正的講評，原文之後有白話翻譯。並針對難解字詞有注釋在旁。深入淺出，通俗易解，是一部雅俗共賞的《尚書》讀本。

陳生璽，南開大學歷史系教授，著有《明清易代史獨見》、《清史研究概說》（合著）等，主編有《張居正講評《資治通鑑》皇家讀本》等。　　　　（袁明嶸）

《張居正講評《論語》皇家讀本》

《張居正講評《論語》皇家讀本》　陳生璽等譯解　上海市　上海辭書出版社
316 頁　2007 年 1 月

「四書」常與「五經」合稱，是我國傳統文化的經典讀本，大凡研習中國傳統文如，都從四書、五經讀起。自宋以後，科舉未廢之前，更是士子們的欽定教科書。孔子春秋時魯國人，為中國著名思想、政治和教育家，五十歲後曾任魯國中都

宰、司空、司寇等職，後曾周游宋、衛、陳、蔡、齊、楚等國，不得任用，一生投入從事教育及整理古代文獻工作。而《論語》是孔子的言論輯錄，內容含有孔子的教育、仁與忠恕、仁與禮、為政、君臣關係、正名、士、君子與小人的觀念在其中。各家的解讀紛繁複雜，而明朝宰相張居正講評的《論語》可以說是其中最通俗易懂而又貼近經典原意的讀本，但在坊間難覓。

　　本書是一代帝師張居正為培養萬曆皇帝，給皇帝上課用的講稿，無論是他自己的書信奏疏，還是《明通鑒》、《三編發明》此類史書，皆未見記載。也是藏於南開大學圖書館的海內孤本。也因為萬曆皇帝當時尚很年幼，講稿用明代的白話文寫成。全書包含《論語》的篇章從〈學而〉第一到〈堯曰〉二十，共二十章。每一章原文之下先有白話翻譯，再附上張居正的講評，對於難解字辭也有適當的注釋。也正因為用白話文講評，也非常適合現代人閱讀。

　　陳生璽，南開大學歷史系教授，著有《明清易代史獨見》、《清史研究概說》（合著）等，主編有《張居正講評《資治通鑑》皇家讀本》等。　　　　（袁明嶸）

《張居正講評《孟子》皇家讀本》

《張居正講評《孟子》皇家讀本》　陳生璽等譯解　上海市　上海辭書出版社
上、下冊　計 466 頁　2007 年 1 月

　　《孟子》一書是孟子和他的弟子討論問答而成。孟子名軻，字子輿，戰國時鄒國人，曾受業於子思，自稱為孔子學說傳人繼承者，也曾周遊，齊、梁、魯、宋、滕等國，宣傳自己的政治主張，不得任用。最後回到故鄉和弟子論列詩書。所以《孟子》一書的主導思想和《論語》大致相同，但又有所發揮和發展。孟子處在戰國中後期，列國爭奪霸權的爭鬥殘酷，戰亂頻仍，所以《孟子》七篇的議論都是針對當時社會最迫切的問題而發，議題較為集中。

　　全書共分二冊，包含《孟子》一書由〈梁惠王〉至〈盡心〉共十四章。每章原文之下有白話翻譯，緊接著有張居正講評。張居正作為首輔，李贄譽他為「宰相之傑」，是恰如其份的，作為帝師張居正也相當稱職。從講評的用語來看，本書都是講給明朝第十四位皇帝朱翊鈞聽的。而張居正的學問根基，一般都推為法家，但他對孔孟的儒家學說，的確也有自己的發明與創意。他並不主張死讀四書五經，而積

極引導小皇帝參悟經書背後的內容，契合孔子發言時的心境與語境。張居正希望他的學生通過學習能夠開闊自己的政治視野，於歷史的典籍中發掘治國的文化資源。由他的主張來看張居正是位好老師是無庸置疑的，但從朱翊鈞日後單獨柄政的行跡來看，他則不是一位好皇帝。所以藉由本書可以了解與研究張居正的儒家思想與明代帝王師從事經筵教育的情況。

（袁明嶸）

《張居正講評《大學‧中庸》皇家讀本》

《張居正講評《大學‧中庸》皇家讀本》　陳生璽等譯解　上海市　上海辭書出版社　141頁　2007年1月

　　《大學》乃《禮記》中的一篇，《禮記》乃漢宣帝時五經博士戴聖從先秦遺留的典籍中編撰而成，說為春秋時曾子所撰。漢代鄭玄說：「大學者，以其記博學可以為政也。」大學就是廣博的學習。宋代朱熹則解釋「大學者乃大人之學也。」總之，大學屬於成人性的教育，以修養品德和將來治人從政為目的。《中庸》傳為孔子的孫子戰國時子思所撰，其基本思想是講中和，反對「過」和「不及」。而兩者的標準就是中，中是不偏不倚，庸是平常，不可改易。所以中庸就是平常而不可改易的中正和諧道理。

　　而本書是明代的帝王師張居正，定期為皇帝或太子講解古代經典，從事經筵教育的教本。全書先講解《大學》，後講解《中庸》。每一章原文之下先有白話翻譯，再附上張居正的講評，對於難解字辭也有適當的注釋。明代的帝王師分為兩種，一種是皇帝經筵的講臣，多從翰林院中的詞臣挑選；還有就是東宮的講師，負責太子學習的專門機構即詹事府。大凡太子登基，都會拔擢自己的老師到內閣擔任輔臣。明代的首輔中，不少人都是太子老師出身，所以當太子的老師比當皇帝的老師，更有政治前途。而歷朝的經筵教育所使用的教本，對當時的皇帝、朝庭及社會產生那些影響的研究風氣尚未打開，經由本書可以一窺部份的情況，漸漸開啟經筵教育的研究風氣。

（袁明嶸）

《經學研究論叢》撰稿格式

本《論叢》為方便編輯作業，謹訂下列撰稿格式：

一、各章節使用符號，依一、㈠、1.、⑴……等順序表示；文中舉例的數字標號統一用⑴、⑵、⑶……。

二、所有引文均須核對無誤。各章節若有徵引外文時，請翻譯成流暢達意之中文，於註腳中附上所引篇章之外文原名，並得視需要將所徵引之原文置於註腳中。

三、請用新式標號，惟書名號改用《　》，篇名號改用〈　〉。在行文中，書名和篇名連用時，省略篇名號，如《莊子‧天下篇》。若為英文，書名請用斜體，篇名請用 " "。日文翻譯成中文，行文時亦請一併改用中文新式標號。

四、獨立引文，每行低三格；若需特別引用之外文，也依中文方式處理。

五、注釋號碼請用阿拉伯數字隨文標示。

六、注釋之體例，請依下列格式：

　㈠引用專書：

　　1.王夢鷗：《禮記校證》（臺北：藝文印書館，1976 年），頁 102。

　　2.孫康宜著，李奭學譯：《陳子龍柳如是詩詞情緣》，增訂本（西安：陝西師範大學出版社，1998 年），頁 21－30。

　　3. Mark Edward Lewis, *Writing and Authority in Early China* (Albany: State University of New York Press, 1999), pp. 5-10.

　　4. René Wellek and Austin Warren, *Theory of Literature*, 3rd ed. (New York: Harcourt, 1962), p. 289.

　　5.西村天囚：〈宋學傳來者〉，《日本宋學史》（東京：梁江堂書店，1909 年），上編（三），頁 22。

　　6.荒木見悟：〈明清思想史の諸相〉，《中國思想史の諸相》（福岡：中國書店，1989 年），第二篇，頁 205。

　㈡引用論文：

1.期刊論文：

⑴王叔岷：〈論校詩之難〉，《臺大中文學報》第 3 期（1979 年 12 月），頁 1－5。

⑵林慶彰：〈民國初年的反詩序運動〉，《貴州文史叢刊》1997 年第 5 期，頁 1－12。

⑶ Joshua A. Fogel, "'Shanghai – Japan': The Japanese Residents' Association of Shanghai," *Journal of Asian Studies* 59.4 (Nov. 2000): 927-950.

⑷子安宣邦：〈朱子「神鬼論」の言說的構成──儒家的言說の比較研究序論〉，《思想》792 號（東京：岩波書店，1990 年），頁 133。

2.論文集論文：

⑴余英時：〈清代思想史的一個新解釋〉，《歷史與思想》（臺北：聯經出版事業公司，1976 年），頁 121－156。

⑵ John C. Y. Wang, "Early Chinese Narrative: The *Tso-chuan* as Example," in *Chinese Narrative: Critical and Theoretical Essays*, ed. Andrew H. Plaks (Princeton: Princeton University Press, 1977), pp. 3-20.

⑶伊藤漱平：〈日本における『紅樓夢』の流行──幕末から現代までの書誌的素描〉，收入古田敬一編：《中國文學の比較文學的研究》（東京：汲古書院，1986 年），頁 474－475。

3.學位論文：

⑴吳宏一：《清代詩學研究》（臺北：臺灣大學中文研究所博士論文，1973 年），頁 20。

⑵ Hwang Ming-chorng, "*Ming-tang*: Cosmology, Political Order and Monument in Early China" (Ph.D. diss., Harvard University, 1996), p. 20.

⑶藤井省三：《魯迅文學の形成と日中露三國の近代化》（東京：東京大學中國文學研究所博士論文，1991 年），頁 62。

㈢引用古籍：

1.原書只有卷數，無篇章名，註明全書之版本項，例如：

⑴〔宋〕司馬光：《資治通鑑》（〔南宋〕鄂州覆〔北宋〕刊龍爪本，約

西元 12 世紀），卷 2，頁 2 上。

(2)〔明〕郝敬：《尚書辨解》（臺北：藝文印書館，1969 年《百部叢書集成》影印《湖北叢書》本），卷 3，頁 2 上。

(3)〔清〕曹雪芹：《紅樓夢》第一回，見俞平伯校訂，王惜時參校：《紅樓夢八十回校本》（北京：人民文學出版社，1958 年），頁 1－5。

(4)那波魯堂：《學問源流》（大阪：崇高堂，寬政十一年〔1733〕刊本），頁 22 上。

2.原書有篇章名者，應註明篇章名及全書之版本項，例如：

(1)〔宋〕蘇軾：〈祭張子野文〉，《蘇軾文集》（北京：中華書局，1986 年），卷 63，頁 1943。

(2)〔梁〕劉勰：〈神思〉，見周振甫著：《文心雕龍今譯》（北京：中華書局，1998 年），頁 248。

(3)王業浩：〈鴛鴦塚序〉，見孟稱舜撰，陳洪綬評點：《節義鴛鴦塚嬌紅記》，收入林侑蒔主編：《全明傳奇》（臺北：天一出版社影印，出版年不詳），王序頁 3a。

3.原書有後人作註者，例如：

(1)〔魏〕王弼著，樓宇烈校釋：《老子周易王弼注校釋》（臺北：華正書局，1983 年），上編，頁 45。

(2)〔唐〕李白著，瞿蛻園、朱金城校注：〈贈孟浩然〉，《李白集校注》（上）（上海：上海古籍出版社，1998 年），卷 9，頁 593。

4.西方古籍請依西方慣例。

(四)引用報紙：

1.余國藩著，李奭學譯：〈先知‧君父‧纏足──狄百瑞著《儒家的問題》商榷〉，《中國時報》第 39 版（人間副刊），1993 年 5 月 20－21 日。

2. Michael A. Lev, "Nativity Signals Deep Roots for Christianity in China," *Chicago Tribune* [Chicago] 18 March 2001, Sec. 1, p. 4.

3.藤井省三：〈ノーベル文學賞に中國系の高行健氏：言語盜んで逃亡する極北の作家〉，《朝日新聞》第 3 版，2000 年 10 月 13 日。

㈤再次徵引：

  1.再次徵引時可隨文注或用下列簡便方式處理，如：

    註 1   王叔岷：〈論校詩之難〉，《臺大中文學報》第 3 期（1979 年 12 月），頁 1。

    註 2   同前註。

    註 3   同前註，頁 3。

  2.如果再次徵引的註不接續，可用下列方式表示：

    註 9   王叔岷：〈論校詩之難〉，頁 5。

  3.若為外文，如：

    註 1   Patrick Hanan, "The Nature of Ling Meng-ch'u's Fiction," in *Chinese Narrative: Critical and Theoretical Essays*, ed. Andrew H. Plaks (Princeton: Princeton University Press, 1977), p. 89.

    註 2   Hanan, pp. 90-110.

    註 3   Patrick Hanan, "The Missionary Novels of Nineteenth – Century China," *Harvard Journal of Asiatic Studies* 60.2 (Dec. 2000): 413-443.

    註 4   Hanan, "The Nature of Ling Meng—ch'u's Fiction," pp. 91-92.

    註 5   那波魯堂：《學問源流》（大阪：崇高堂，寬政十一年〔1733〕刊本），頁 22 上。

    註 6   同前註，頁 28 上。

㈥注釋中有引文時，請註明所引註文之出版項。

㈦注解名詞，則標註於該名詞之後；注解整句，則標註於句末標點符號之前；惟獨立引文時放在標點後。

七、徵引書目：

  文末所附徵引書目依作者姓氏排序，中文在前，外文在後；中文依筆畫多寡，日文依漢字筆畫，若無漢字則依日文字母順序排列，西文依字母順序排列。若作者不詳，則以書名或篇名之首字代替。若一作者，其作品在兩種以上，則據出版時間為序。如：

  王叔岷：〈論校詩之難〉，《臺大中文學報》第 3 期，1979 年 12 月，頁 1－

5。

王汎森：〈明末清初的一種道德嚴格主義〉，收入郝延平、魏秀梅編：《近世中國之傳統與蛻變——劉廣京院士七十五歲祝壽論文集》，臺北：中央研究院近代史研究所，1998 年。

尤侗：《西堂雜俎三集》，《尤太史西堂全集》，收入《四部禁燬書叢刊・集部》第 129 冊，北京：北京出版社，2000 年。

余英時：《歷史與思想》，臺北：聯經出版事業公司，1976 年。

———：《宋明理學與政治文化》，臺北：允晨文化實業公司，2004 年。

《清平山堂話本》，收入《古本小說集成》，上海：上海古籍出版社，1993 年。

西村天囚：《日本宋學史》，東京：梁江堂書店，1909 年。

伊藤漱平：〈日本における『紅樓夢』の流行——幕末から現代までの書誌的素描〉，收入古田敬一編：《中國文學の比較文學的研究》，東京：汲古書院，1986 年。

Sommer, Matthew. *Sex, Law, and Society in Late Imperial China.* Stanford, CA: Stanford University Press, 2000.

Zeitlin, Judith. "Shared Dreams: The Story of the Three Wives' Commentary on *The Peony Pavilion.*" *Harvard Journal of Asiatic Studies* 54.1(1994): 127-179.

八、其他體例：

（一）年代標示：文章中若有年代，儘量使用國字，其後以括號附註西元年代，西元年則用阿拉伯數字。

　　1.司馬遷（145－86 B.C.）

　　2.馬援（14B.C.－49 A.D.）

　　3.道光辛丑年（1841）

　　4.黃宗羲（梨洲，1610－1695）

　　5.徐渭（明武宗正德十六年〔1521〕－明神宗萬曆十一年〔1593〕）

（二）若文章中多次徵引同一本書之材料，為清耳目，可不必作註，而於引文下改用括號註明卷數、篇章名或章節等。

九、徵引資料來自網頁者，需加註網址。

十、英文稿件請依 *Harvard Journal of Asiatic Studies* 之最新格式處理。

十一、投稿注意事項

　　㈠文稿檔案一律請附：篇名、作者姓名（含學校職級），以利作業。

　　㈡來稿請另紙註明中文姓名、服務機構、職稱、通訊地址、電話（含行動電話）或傳真號碼、電子信箱，以便聯繫。

　　㈢請務必附上 WORD 文字電子檔案，如有特殊造字，請另附 PDF 檔。

十二、投稿方式

　　㈠逕交或寄送（以下二處擇一）：

　　　1.〔10648〕　臺北市大安區和平東路一段 198 號

　　　　　　　　　臺灣學生書局經學研究論叢編輯部

　　　2.〔11529〕　臺北市南港區研究院路二段 128 號

　　　　　　　　　中央研究院中國文哲研究所經學研究室

　　㈡或以電子郵件寄送至以下位址：

　　　wenpinga@tmue.edu.tw

　　　請在「主旨」中註明「經學研究論叢投稿稿件」。

國家圖書館出版品預行編目資料

經學研究論叢・第十六輯

林慶彰主編.— 初版.—臺北市：臺灣學生，2009.05
面；公分

ISBN 978-957-15-1468-0 (平裝)

1. 經學 2. 文集

090.7   98009540

經學研究論叢・第十六輯 （全一冊）

主　編　者：林　　　慶　　　彰
責任編輯：馮　曉　庭　・　張　穩　蘋
出　版　者：臺　灣　學　生　書　局　有　限　公　司
發　行　人：盧　　　　　保　　　　　宏
發　行　所：臺　灣　學　生　書　局　有　限　公　司
　　　　　　臺 北 市 和 平 東 路 一 段 一 九 八 號
　　　　　　郵 政 劃 撥 帳 號 ０ ０ ０ ２ ４ ６ ６ ８ 號
　　　　　　電　話　：（ ０ ２ ） ２ ３ ６ ３ ４ １ ５ ６
　　　　　　傳　真　：（ ０ ２ ） ２ ３ ６ ３ ６ ３ ３ ４
　　　　　　E-mail : student.book@msa.hinet.net
　　　　　　http : //www.studentbooks.com.tw
本書局登
記證字號 ：行政院新聞局局版北市業字第玖捌壹號
印　刷　所：長　欣　印　刷　企　業　社
　　　　　　中 和 市 永 和 路 三 六 三 巷 四 二 號
　　　　　　電　話：（ ０ ２ ） ２ ２ ２ ６ ８ ８ ５ ３

定價：平裝新臺幣五○○元

西 元 二 ○ ○ 九 年 五 月 初 版